肉包不吃肉

著

风波吞天同征路

2

长江出版社
CHANGJIANG PRESS

图书在版编目（CIP）数据

风波吞天同征路. 2 / 肉包不吃肉著. — 武汉：长江出版社，2021.4
ISBN 978-7-5492-7619-6

Ⅰ. ①风… Ⅱ. ①肉… Ⅲ. ①长篇小说—中国—当代 Ⅳ. ①I247.5
中国版本图书馆CIP数据核字(2021)第057419号

风波吞天同征路. 2 / 肉包不吃肉著.

出　　　版：	长江出版社	
	（武汉市解放大道1863号　邮政编码：430010）	
市场发行：	长江出版发行部	
网　　　址：	http://www.cjpress.com.cn	
责任编辑：	陈辉　江南	
印　　　刷：	北京盛通印刷股份有限公司	
版　　　次：	2021年4月第1版	
印　　　次：	2021年10月第1次印刷	
开　　　本：	710×1000mm　1/16	
印　　　张：	22	
字　　　数：	485千	
书　　　号：	ISBN 978-7-5492-7619-6	
定　　　价：	42.80元	

目 录

第20章

核舟于浮云天幕中前行，画舫与之相齐，但却隔着老远，显然慕容楚衣对江夜雪的厌恶已经到了极致，便连并驾齐驱都不愿意。

黄昏时分，夕阳堕入云海深处，流淌在舟楫边的霞光犹如人间江河。顾茫没见过世面，一直扒在船舷边张看，那双雨水洗过般的蓝眼睛里，一会儿映着金乌西沉，一会儿又映着山遥水阔。

正看得起劲，忽然有东西戳了他小腿两下。

顾茫回头，第一眼没瞧见人，目光低下去，这才看到原来是个被施了法术、会走会动的陶瓷用人。这用人画得十分粗陋，眼睛一只高一只低，鼻子嘴巴更是挤作一团。顾茫看得好笑，哈哈笑出声来："这是谁捏的？哈哈哈，这也太丑了吧！"

船舱的竹帘一掀一落，江夜雪藕白衣衫，从里头出来。他坐在灵力流转的木轮椅上，对顾茫道："是你捏的。"

"……"

看顾茫吃惊又迷茫的神情，江夜雪笑了一下："是很早之前，你还在行伍之中的时候，你看我在捏泥人，于是非得跟着做一个。只不过你那时候耐心不太好，做事总是心血来潮虎头蛇尾，随我捏了一半，你就嫌烦了，只敷衍了事画了个五官。"

"原来是这样……"

顾茫打量着那只丑陶俑，想到它竟出自自己之手，感情有些微妙。

而这陶俑瞧上去确实有些年岁了，一些漆料都已经掉去了颜色。它绕着顾茫打转，歪嘴巴一开一合，笨拙迟钝地说道："吃饭，吃饭。"

顾茫在两袖深处摸了摸，无奈道："我可没带什么好吃的，再说了，你一个泥土做的人，你要吃饭干什么？"

丑陶俑还是执着道："吃饭，吃饭！"

顾茫心道，这固执而眉眼拧巴的样子跟墨熄居然有点神似。不过这话也只能在心里头随便想想，无论是让墨熄本尊知道了，还是让重华那些痴恋羲和君的女人知道了，都够他喝一壶的。顾茫打发它："没有可以给你吃的，快走吧。"

丑陶俑伸出小手拽他："吃饭，吃饭！"

江夜雪笑道："它不是在问你要吃的，它是让你进舱里去吃饭。"

顾茫原以为这种"远行"只能随意塞点干粮，没有想到居然还能坐下来吃饭，不由奇道："是你做的饭吗？"

"不是。"

"那算了。"顾茫摇头如拨浪鼓，"羲和君做的根本没法入口。"

江夜雪道："我在核舟里放了几个这样的小泥人，给它们施了些法术，饭菜都是由它们做的。虽然只是些粗茶淡饭，但……"他顿了一下，笑道，"还是比羲和君做得要好一些的。"

顾茫这才放了心，但他随即又转头看了一眼相隔遥远的画舫，问道："我们不叫小龙……咳，不叫慕容先生来吃吗？"

"小舅他不会来的。"江夜雪神色微微黯淡下去，于夕阳沉色里显得晦暗不清。他指尖轻动，木轮椅便调转了方向，往船舱内进去，"我们走吧。"

舱内也有两个陶土小人在来回忙碌着布菜倒茶。不过它们俩比起顾茫做的那只可真是好看太多了，鼻子是鼻子，眼睛是眼睛的，一男一女，憨态可掬。

桌上的菜肴确实不算上乘，但清爽可口，茶水也清冽甘甜。顾茫不爱喝茶，江夜雪也备了一壶温酒。

墨熄道："少喝点。"

江夜雪温声道："香雪酒，并不易醉，他若喜欢，你便由着他吧。"

顾茫舔舔嘴唇，憨然一笑。墨熄扫了一眼他，有些不悦道："清旭长老，他是戴罪之身，你又何必以昔日之礼待他。"但话虽这么说，还是由着顾茫去了。

香雪酒确实不易醉，但酒毕竟是酒，顾茫一时贪杯，觉得甜丝丝的非常好喝，多饮了些还是有些上头，再加上小陶俑做的饭尝起来别有一番新奇滋味，船舱里添菜添汤也都是由它们来进行。顾茫为了多看几遍陶俑舀饭时笨手笨脚的有趣模样，愣是比平时多塞了三碗。

吃完饭后，他们各自回舱歇息，由于顾茫灵流不稳，在慕容怜手下时曾有灵力暴走的情况，而他们的核舟飞行于高天，不可涉险，墨熄要尽量时刻看着他，所以这天晚上，顾茫和他是睡在同一间船舱内的。

"好饱……"顾茫捧着肚子哼哼着，一头栽倒在床上。

"起来。"墨熄有洁癖，拎着他逼他，"去洗了澡再睡。"

顾茫不肯："我不洗。"

"你不洗就滚甲板上去打地铺。"

顾茫就真的抱着被子，准备去甲板上吹风入眠。

墨熄剑眉怒竖，将他拽回来，厉声道："谁让你出去的？躺下。"

顾茫睡眼蒙眬，蓝眼睛仿佛飘着雾气的湖面："我能不能不洗澡啊？"

"不能。"

"求你了，羲和君……"

"不可以。"

"主人。"

"不行。"

"公主。"

"你在故意惹我生气吗？"

顾茫撇了撇嘴，委屈地："好师弟……"

"……"墨熄磨着后槽牙，"顾茫你给我清醒点！"

顾茫眉毛都要皱成团了，慢慢地缩起来："真不想洗……我浑身都没力气……要不你帮我洗吧？"

墨熄原本还是严师般的厉色，猝不及防被他回了这么一嘴，顿时有些语塞，神情也颇有些尴尬。这样一来，训斥人的威严霎时便减弱了三分。

"……你想都别想。"

顾茫叹了口气，往床上一栽，四仰八叉地倒在了被褥里，看样子就打算这样安寝了。墨熄左右拿他没辙，只得自己去梳洗的地方将澡洗了，又换了身干净的衣服。

他原以为顾茫是为了不洗澡所以故意要赖。可等他回来的时候，却见到顾茫整个人缩在床褥深处，捂着胃皱着眉头，低声地哼唧着，柔软的黑发垂落在苍白的脸颊边。

这时候再装已经完全没必要了，墨熄怔了一下，意识到他是真的不舒服。于是擦着湿漉漉的头发，走到顾茫床前，低头问他："怎么了？还难受？"

顾茫纤长的睫毛颤动，微微掀开一道缝来，透蓝的眼睛带些水汽，有气无力地瞥了墨熄一眼，嘟哝道："嗯，吃多了……太撑，胃疼。"

墨熄沉默半晌，吐出一个字来，"该。"但还是在顾茫身边坐下了，沉着脸对顾茫招了招手："滚过来。"

顾茫犹豫一下，心道这人平日里就惹不起，现在自己气虚体弱就更加惹不起了，好汉不吃眼前亏，让滚那就滚吧。于是在床上打了两个滚，滚到墨熄手边，叹了口气："还要接着滚吗？"

墨熄道："躺着别动。"

顾茫躺在床上，渐渐的目光更加蒙眬。最后终于头一歪，昏昏沉沉地睡了过去。

这一夜，他又做梦了，那些失去的记忆又在他锈蚀的脑海中散发出朦胧光亮。

他梦到了低矮的帐篷，帐篷外呼啸的风，鼻腔里是梨花白的气息——弱冠之夜。

之前他只梦到了一半，然后记忆就中断了，以至于很长一段时间，顾茫都在迷惑接下去究竟发生了什么。而此时此刻，或许是因为酒力的催熏，再加上淡淡的特有的味道，就像云开雾散，顾茫忽然就想起来了，就是在这天晚上，他揣了一本旧书摊淘来的禁书，算是给墨师弟准备了一份成人之礼，后来两人都喝多了，借着酒意说了许多清醒时并不会说的东西。

墨熄甚至还违背了重华贵胄与奴隶绝不可深交的规矩，把一颗赤子之心完完全全地献与了顾茫，许诺以后会视他为至亲。

而顾茫呢，当时的状态也没有好到哪儿去，因为一直以来，他在墨熄面前都是游刃有余的，是一个包容者与守护者，他是墨熄的"哥哥"。

可是当他被这个青年主动向他提出羁绊，提出保护与未来的时候，他忽然觉得这长久以来的地位颠倒了。他第一次注意到自己呵护的、唯恐别人伤害的小公子其实并不如他想象中那么乖顺又无助。

在他面前的，已是一个肩背宽挺、力道惊人的男人，而在此之前他居然觉得这个男人需要且只需要他一个人的引导与保护。

顾茫喉结微动，舔了舔湿润的嘴唇，眼睛左右不安地移动着，他想试图找回自己熟悉的作为兄长的感觉，可他找不回来。

映在他眸中的，是墨熄那时候庄重的脸。

那张英俊的、年轻的脸庞上，有害怕被拒绝的情绪笼罩着，以至于墨熄那双平日里冷冽克制的黑眸显得有些可怜，整个人犹如初涉茂林的雏兽。

顾茫被那双眼睛盯着，直兀兀地盯着，像是贝壳被撬开，再藏不住自己的心。

"墨熄……我们到底尊卑有别……"

顾茫睫毛微颤地合了眸，他不知道事情怎么会变成这样的。可他们确实是最能懂得彼此的人，确实应当生死与共，不言尊卑；确实应当比肩而立，永不分离。

"师兄，你看看我吧，我已经不是小孩子了。我知道有些事情在重华是很难实现的，可是我想请你信我。"

"只要有你信我，我就一定能把我许给你的诺言都兑现。"

"一生一世，与子同袍。"

那誓言太沉重了，沉甸甸地覆压下来，好像就这样把整个心脏都浸满了——这是一种什么奇妙的感觉呢？仿佛被严丝合缝地填满，那力量如此烫热有力，竟让他有勇气脱口而出——

"好。我信你……"

我信你。

犹如一脚踩空，顾茫猛地睁开眼睛。他剧烈喘息着，激烈的战栗后便如潮汐降落，他浑身都汗湿了，湿润的嘴唇微张着，整个人都在发抖，一双蓝眼睛蒙眬地抬起——

他的眼神仍是恍惚的、混乱的，他有些不辨今夕何夕，这是他在过去任何时候都没有过的感受。从前梦就是梦，醒就是醒，他还从来没有在惊醒之后还有这样强烈的虚幻感。

他在原处缓了好一会儿，静了好一会儿，喘了好一会儿，呼吸才逐渐地慢下来，蓝眼睛里也逐渐有了焦点。

他慢慢抬起头，还在核舟上，还在船舱里。帐篷和青年时的他们都不复存在了，他终于回到了现实中。顾茫喉头咽了咽，像是刚从寒潭泅渡上岸的弃犬，缓缓抬起湿润的蓝眼睛。

对上的是灯烛映照中，墨熄那张明显有些僵硬的脸。

顾茫指尖仍发着抖，生涩而茫然地喃喃："墨熄？"

"……"

他仍是不明所以地："我……我这是怎么了？"

他说着，低头用手摸了摸自己的脸，脸颊上有未干的泪痕……

墨熄显然也都已看到了他在梦里哭得失态的样子，用一种很复杂的眼神望着他，两人陷进了一种诡异的沉默里。

顾茫在他面前低着头，脸上还有梦境残存的余韵，呼吸也仍有些不稳。他茫然无措地抹着自己的泪痕，却又无法收拾胸口中的那种泛着温暖的伤心。他受不了这种感受，也不明白这究竟是一种什么滋味，只怔忡地问道："这是怎么回事？我怎么……会这么难受……"

"我……"顾茫按着自己的心口，声音微有哽咽，"我，我这里好疼……我是不是病了……"

墨熄神色微妙，沉默良久，问："你梦见了什么？"

"我……我又梦到你弱冠的那天晚上了。你跟我说，让我信你，说……与子……"

"我知道了。"可墨熄没有让他把那誓言再说下去，而是蓦地打断了他的话，抿了抿嘴唇，不知是不是顾茫的错觉，他的眼眶也微微地泛红了，"你不用再说了。"

他当然记得自己那时候讲的每一句话。他那时真心如火，为了让顾茫相信他，恨不能把全部的未来都预付掉，每一字每一句，都是从心坎里掏出来的，都带着少年的热血——

顾茫怔怔地问："为什么我会哭……"

等了一会儿，等不到墨熄的答复，顾茫更茫然了，他喃喃地："那种感觉太奇怪了，明明很高兴，但是就是……就是又很难过，我说不上来……"

他快被他如今的头脑逼疯了，墨熄咬了下自己的嘴唇："你觉得……很难过吗？"

顾茫坦诚地点了点头。

"是难过我在逼你？还是你心里，其实并不相信我说的是真的。"

墨熄问这句话的时候，原本并不指着顾茫能回答什么，却没想到顾茫如当年那样，眼中微微含着泪，脱口而出："我相信的。"

墨熄一时间像被哽住了，什么话也说不出。

他真形容不出来这是一种什么感觉，在顾茫记忆支离破碎后，顾茫还是和弱冠之夜一样，最终给了他这样的回应。当时他的心血翻涌，觉得宛在人间四月天。

而如今，其实他也看得出来顾茫只是遵从着记忆的本能而已，这一声回答或许比那个时候更没有什么保证，更没有任何意义。他到底还是他的顾茫哥哥，一直都在"哄"着墨熄。甚至就只剩下现在这样残破的身体和头脑，也本能地顺着他，哄着他。

墨熄闭了闭眼睛："其实……如果我让你很难过的话，你真的也不必这么说的。"

顾茫看着他，心里忽地模糊地生出了些不确定。尽管墨熄也没有太明显的表情，声线也一直都压得很正常，但顾茫还是觉得有哪里不对。

他就像一株比墨熄早生了许多年的桂树，一直在为墨熄遮风挡雨。而墨熄是一棵柏，一棵松，一棵随便什么天生了不起的树种。

墨熄的落魄也好，无助也罢，都只因他还没有彻底成长。顾茫就在此之前一直护着他，对那些企图把这棵树苗摧折的狂风怒目而视，摇着满枝芳华说，别欺负他了，有什么冲我来。

后来这棵松柏长大了，成了参天巨木，可年少时在他身边陪伴他的那棵桂树，因为天生就只是一棵桂而已，它还是那么小，并不能与他比肩。

这是命中注定的东西，生来就写好了结局。

桂木渐渐地开始仰望柏树，开始活在柏树的阴影里。再后来，争也争不过那些高大的树木，得不到养料，也汲取不到阳光。

它再也开不出什么灿烂的花来了。再后来，它烂了根，它枝叶蜷曲，它枯萎了。

没谁会相信这样一株佝偻羸弱的小树，曾经为它身边那棵接天蔽日的参天巨柏遮过风雨，挡过霜雪。

只有它自己那腐烂的木头心脏里，还记得柏树还是一棵树苗的样子，那么弱小，青稚。于是当它某一日倒下来了，化为泥化为尘化为土，它还是选择成为他脚下的春泥，它还是习惯性地、自不量力地想要照顾他。

顾茫照顾墨熄，便是这样一种刻入骨髓的、根深蒂固的本能。所以哪怕他失忆了，他还是能在这种时候，敏锐地发现墨熄的不对劲。他最终还是在犹豫后，对墨熄说："不……难过不是因为你。是因为……"

他说不上来。因为命运？因为无可摆脱的宿命与桎梏？这些表述对如今的顾茫而言都太难了。顾茫只得顿了顿，搜刮着自己可怜的辞藻，困难地表达着自己："……我不知道，但我在梦里……我知道，我是真的相信你。"

顾茫抬起脸望着他："我好像是被你需要的。"

墨熄一下子顿住了。

墨熄轻声道："你知道你在说什么？"

"嗯。"顾茫凝视着墨熄的眼睛，那神情竟和当年的顾师兄有七分相像，"我在说我那时候的感受。就是你弱冠的那一夜，我都记起来了，一些感受我想不明白，不知道该怎么形容，但另一些，我知道我开心，也相信你。"

心像是被重重揣了一下，自从顾茫叛变后，墨熄就一直在迷惑，他常常觉得顾茫从前是在敷衍自己，是在应付自己，或者被缠得没有办法。而跨过八年的岁月，如今听顾茫这番话，他忽然不知当如何适从。

"我一直住在你这里，没有帮过什么忙，还总是惹你生气。你为什么不跟我说，我还能这样让你依靠和在意。"

墨熄怔了一下，最后倏地起身，他喉结微动，眼眶微红地瞪着他："谁说我在意你了？"

顾茫道："可我记得你在梦里一直盯着我，眼神是在意的。"

"……"

"尽管你好像很凶，好像很生气。但我能感觉到其实你是很在意我的。"

"……"

这是墨熄第一次在失忆后的顾茫面前如此慌张，却还绷着自己的冷脸。

"那，那都是你胡乱做的梦，我看你是药吃多了，梦和现实都分不清了，你……"话蓦地顿住。

因为顾茫显然不认为墨熄说的是真的，而他说又说不过墨熄，也想不到其他法子。

墨熄感到骤然心软，似乎想把一切国仇家恨都放下，就这样原谅他，还和他与从前一样，还……不，不不不，那些血色涌起，死去的人在哭，洞庭湖的硝烟好像又回到鼻间，回忆的碎片中，顾茫眼神冰冷，执刀而立，狠狠刺下——墨熄猛地回过神来，心下大颤。

"你……"

墨熄说不出话来，半晌才道："你，你简直是……"

是什么？蓄意哄骗？和一个傻子说这种话，好像也并不那么合适。

憋了几次也想不出一句合适的话丢给顾茫，墨熄只能像是被踩了尾巴的猫儿，哗地撩开帘帐浑身散发着煞气地走了出去，顾茫跟在他后面想追，墨熄怒而回首，耳缘在淡淡月色下透着鲜明的红。他黑眉竖起，指着顾茫道："你给我老实在这里待着！不要跟着我！也不要跟我谈从前那些事情！不然我回头就把你送回落梅别苑去！"

顾茫道："你去哪里？"

"用不着你管！"

"但你不睡了吗？"

墨熄几乎是恼羞成怒地，"你给我听着姓顾的，你今天这么失礼我不跟你计较是我看在你脑子不清楚，但我教过你之后，你若还敢——"

一时语噎，顿了好一会儿才接着恶狠狠道："你若还敢企图蒙骗于我，我一定让你吃不了兜着走！"

他语气凶恶，但配上那双有些迷茫的眼睛，那气势不免就弱了几分，非但没有震慑到顾茫，反而让顾茫脑海里灵光一动，和过去恼羞成怒的墨师弟相重合。

尽管当时那么多具体细节都已经无从修补了，但是那种心情却犹如揭开了封泥的窖藏，泛出浓郁的酒香。

顾茫低下头，忽然忍不住和从前一样扑哧笑了。

他不笑倒还好，一笑，墨熄的脸色顿时又黑了三分，手指咔嗒咔嗒捏得直响。不过好在顾茫虽然有些记忆，但还不至于真的和当年一样好惹事。他这低头一笑，纯粹只是本能反应，见墨熄不高兴了，又立刻敛了笑痕，乖乖地在床上跪好。

诚恳道："对不起。你要不喜欢，那我就不这样了。请你不要送我回落梅别苑。"

墨熄这才怒气未消地出去了。

一走到船舱外，墨熄正好和江夜雪撞上，江夜雪坐着木轮椅，仰头看着墨熄，愕然道："羲和君，谁惹到你了？你怎么这么生气？"

墨熄抿了抿唇，不去看江夜雪的脸，只道："没谁惹我。你来做什么？"

江夜雪笑道："我来送被子，需要吗？"

"不需要。"

"那顾茫呢？"

"他热得很，不如让他睡凉席。"

江夜雪叹了口气道："你又和他吵架了？"

墨熄怒而拂袖："那还不是他自找的！"

"你和他也真是。"江夜雪微笑起来，"从前顾茫顽劣的时候，就爱惹你生气。现在都成这样了，怎么还是能把你惹成这样……不过再怎么不高兴，还是给他添一条被子吧，他身子不比从前了，畏冷，若是着了风寒，带在身边反而会有诸多不便。你也就不要和他计较了。"

墨熄没吭声，过了一会儿，终于还是伸手将江夜雪抱来的被子拿了，生硬道，"多谢。"

"跟我还客气什么。"

和江夜雪又说了一会儿有的没的，墨熄抱着被子回到船舱里。

舱内无人，顾茫已经去洗澡了。

墨熄在房中站了一会儿，想到的却全是方才顾茫的样子，顾茫说："我相信你。"

墨熄不由暗骂一声，将被子丢在了顾茫的床上，自己头也不回地出了舱去，而后在甲板上吹了一整夜的风。

第二天，天大亮的时候，顾茫和江夜雪前后从各自的船舱里出来。

江夜雪见墨熄坐在船舷边，于是一边扎着墨黑的长发，一边笑道："羲和君起得好早。"

顾茫却道："你是不是一夜没睡？"

江夜雪愣了一下，看了看顾茫，又看了看墨熄，正想问什么，就听得墨熄恶狠狠地对顾茫道："你闭嘴。"

"……"

"昨天的梦你一个字都不许……"

"我一个字都不会提的。"墨熄话未说完，顾茫就自己接着道，"我只是忘了记忆，并不是忘了感觉。"

他顿了顿，说道："我能感觉得出那是一个秘密。我不会说的。"

江夜雪在旁边，虽不知他们具体在说什么，但既然两人这般对话，想来也不是什么该过问的事情，他也识趣地就不吭声了。

又过了约莫半个时辰，他们终于来到了梦蝶群岛上空，江夜雪拿出指针罗盘，默念咒诀，罗盘发出熠熠辉光，指向东南方向的一座小岛。自云间向下俯瞰，只见整座岛屿草木繁茂阴气森森，上空淡淡的黑紫色妖气犹如熏烟，盘旋缭绕……

江夜雪道："这下面就是蝙蝠岛，我们到了。"

两艘飞舟破云而出，一齐下降，随着黑云散开，陆地越来越近，他们看清楚了蝙蝠岛的样貌——岛屿不大，建物隐匿于林木之中，中心矗立着一座妖塔，檐角峥嵘，金顶耀目。

要知道塔这种东西，在修真大陆一般是修来用以镇压妖魔的，瓦檐边上往往会缀有镇魂铜铃，砖面上绘有符箓法印。不过蝙蝠岛中心的这座塔却并非如此。

它一共七层，每层该挂铜铃的位置都悬挂着一颗骷髅人头，那些人头已经完全朽烂，随着岛上的腥风晃着……

江夜雪与慕容楚衣各自催动灵流，画舫与核舟落了地，径直便着落在了蝙蝠岛中心的这座塔前。

四人下船之后，飞舟便化为尺寸大小，被收入乾坤囊中。抬头望去，见这座宝塔周围空寂昏幽，再仔细一看，发现瓦檐之下蜷倒着密密麻麻上千只蝙蝠。由于此时正是白日，这些蝙蝠都在昏昏熟睡。

江夜雪喃喃道："人祭塔……"

顾茫问道："什么叫作人祭塔？我只听说过镇妖塔。"

江夜雪道："道理差不多，人修塔是为了镇妖，妖修塔则是为了困人。这座岛是蝙蝠妖岛，岛主自然不会是修士，而是蝙蝠精怪，修此塔是为了将活人困囿其中，以备不时之用。"

"什么不时之需？"

江夜雪面色不太好，轻声道："说不准，有的妖物吃人，储着便是当作粮食。有的妖物喝血，那就……"

他话未说完，慕容楚衣已径自上前，二话不说，一道符纸击在祭人塔的正大门上，只听得一声闷响，古塔结着咒痕的门被砰地震开。

慕容楚衣一挥臂间拂尘，将塔内涌出的瘴气拂开，侧过脸，黑褐色眼珠冷冷转来："江夜雪，你是来救人的，还是来说书的？"

说罢头也不回进入塔中，那一袭洁白身影，顷刻便黑暗吞没了。

江夜雪他们也很快跟了进去，人祭塔的一层大厅内空幽昏暗，八根粗壮石柱凶危奇诡，耸入塔顶。那些石柱上雕刻着繁复花纹，然而仔细一看，就会发现它们全都是由一根根的白骨堆在一起垒成的，而在那八根塔柱上还倒悬着数以万计的蝙蝠。

这些蝙蝠和外面看到的那种不一样，它们每只都有成人高，蝠膜却不是黑灰色的，而呈现出一种半透明的白。透过这层蜷缩着的白膜，可以看到它们之中的很多身躯已成人形，只不过有的变得多，有的变得少。变得多的那种，除了两只蝙蝠翅膀外几乎已与常人无异。而变得少的那一种，则只是演化出了人的双足，其余位置却仍是毛乎乎的蝙蝠模样。

举目望去，这些犹如蚕蛹蜕变似的蝙蝠精密密麻麻悬遍了整座塔，没有上万也有数千。

顾茫担心会吵醒它们，声音很轻地问道："他们是在睡觉吗？"

墨熄摇头道："是在闭关修炼。古书上记载过这类精魅，是火蝙蝠。"

顾茫关心的东西一贯很现实，他扫了一遍像酱鸭似的挂满了七层塔的那些火蝙蝠们，问了墨熄的第二个问题："它们好对付吗？"

墨熄没有直接回答，而是说道："火蝙蝠是由九华山上，一种名为羽民的半妖半仙的生物所繁育衍生出的物种。"

"它们居然是仙？"顾茫打量着那些龙骨突起浑身蓄毛的怪物，先想道，那一定很难打！然后又想道，这些小老弟和自己想象中的仙相差得也太远了。

他一边这样犯着嘀咕，一边瞄了站在前面的慕容楚衣一眼。

要他说，仙人好歹也该长得像慕容楚衣这样，凌波出尘，容姿清雅，感觉没风他的衣帛发带都在飘摆。

这些半老鼠半人的怎么也搭不上边儿啊。

幸好墨熄接下去还有话未说全，及时挽回了顾茫对仙的印象，墨熄道："火蝙蝠不算半仙。我方才了，它是羽民的后嗣，羽民是半仙半妖，其中有一些妖性强烈的，诞下了混合着兽血的怪物，便是这些火蝙蝠。"

顾茫掰着手指算得颇为认真："那就是……半仙，半妖，半兽？"

"仙的血继承得微乎其微。"墨熄道，"说是半兽半妖也不为过。"

顾茫于是又把话题绕回最初的那一个上面："那它们好打吗？"

"灵力高强，但是头脑愚钝，所以不算太难。不过这里是火蝠妖的聚集地，能别动手最好还是别动手。别去叨扰它们。"

说罢转头看向江夜雪："清旭，你能探出这里是否有岳辰晴的踪迹吗？"

江夜雪道："我试试。"

他说着，从乾坤囊里取出一张符纸，朝纸张轻吹一口气，符纸便化作了一只灵雀翩然飞舞。

"去探一探辰晴的气息。"

灵雀领了命，飘飘荡荡往塔顶飞去，可是就在它飞到三层高的时候，忽然发出尖叫，紧接着翼翅忽然被一捧无形的火焰燎着，顷刻便化归一缕青烟！

半空中则浮起了八个猩红大字：

"异族欲入，以血祭之。"

江夜雪皱眉道："看来要往塔上走，无论是我们，还是灵蝶灵兽，都必须先奉上鲜血。"他说完之后，转头看向了妖塔中心的那一池血浆，陷入了沉思，"是要将鲜血滴入其中吗？"

墨熄道："试试看吧。"

于是四人走到了血池旁边，墨熄卸下腕袖束着的暗器匕首，往掌心一割，而后将匕首递给了江夜雪。等每个人都滴了数滴鲜血入池，这满池的血液便忽然翻沸涌动起来——

忽然，血水哗地四溅，从里头发出一声令人毛骨悚然的怒吼，紧接着冒出了一只通体散发着红光的异兽！

顾茫惊道："这是什么？！"

一片血雾中，但见那异兽虽然有着人的身躯，五官却活似一头豪猪，獠牙上翘，周身毛色赤红若火，眼瞳颜色更是丹如旭阳。它擎着一柄开山斧，甩去血池里的血水，打了个大喷嚏，开口便骂：

"这几天是怎么回事？三番五次有人闯塔，难道都活得不耐烦了要来给蝠王殿下当点心吃？"

江夜雪一下子睁大了眼睛："山膏……"

此一兽是九州大陆众所周知的怪兽，然而顾茫缺了记忆，根本不知道，他见其余三人都是一副了然的样子，不禁有些急，但他又不太好意思问别人，便小声问墨熄："什么是山膏？"

墨熄答道："是一种自古就有的恶兽，长得像猪，丹赤如火，平日里没别的喜好，唯独就爱骂人。"

顾茫心道，那这只猪的爱好倒是跟你挺像的，不知你俩在一起吵上一架，看谁会赢。

山膏呼哧气喘地用它那双小猪眼在四人身上依次看过去，果然一开口便是大骂："废瘸子、死面瘫、蓝眼怪和小娘们儿，你们四个东西擅闯蝙蝠之塔，扰我清梦，当真讨厌至极！"

顾茫听它这般称呼他们，立刻对号入座，他默默掰着手指算道：废瘸子是江夜雪，蓝眼睛是我，公主和小龙女都挺面无表情的，不过公主长得挺拔高大，所以小娘们应该是说比墨熄矮了半个头的慕容楚衣，那墨熄就是死面瘫啦。

"尔等来此地是为何事？！还不速速报来！"

对方毕竟是远古灵兽，江夜雪行了一礼，说道："舍弟几日前来梦蝶岛，自此踪迹全无，唯一的讯息便与这座蝙蝠岛有关，所以我们才擅闯贵宝地。"

"你弟？"山膏眯起眼睛，"哈哈，你是个大瘸子，你弟难道是个小瘸子吗？"

江夜雪当真是好脾气，喜怒不行于色，说道："舍弟身体康健。"

"哦，那不瘸的小子嘛……我这几日确实曾见过一个。是不是穿着白底金边衣衫，讲话叽叽喳喳，一看就长了个猪脑的废物点心？"

慕容楚衣和江夜雪的神色都微微变了。山膏话虽说得难听，但形容的确实像是岳辰晴没错。江夜雪立时又行一礼，说道："请教先生，不知这位少年如今身在何处？"

这江夜雪也真是太厉害了，对着那么颗猪脑都能脸不红心不跳地称之为"先生"，可山膏却并不买账，它哼哼唧唧道："死瘸子嘴甜也没用，老夫方才问你的话，你还没答呢。我且再问你一遍，你弟弟是不是一个叽叽喳喳，一看就长了个猪脑的废物点心？"

江夜雪不愿附和他骂自己的弟弟，正当踌躇之际，忽听得慕容楚衣在一旁冷冷道："不错。蠢笨啰唆，白衣金边，就是他了。你可知他的下落。"

"嘿，你这孙子倒是承认得爽快。"山膏的红豆小眼转向慕容楚衣，"只不过你一个大男人家，腰细脸俏像个仙子，阳刚不够实在也是丑陋得紧。"

"我问你那个少年如今在哪里。"慕容楚衣耐心很差，已有些不耐，字句铿锵地逼问道。

或许是因为慕容楚衣目如焰电，气势着实太强，山膏居然呆头呆脑地一愣，然后才说："若你问了我就答你，那我岂不是颜面全无？"

慕容楚衣微微眯起眼睛："你待如何。"

"那自然是一切都要按我山膏大爷的规矩办！"

慕容楚衣黑眉竖立："什么规矩。"

山膏哼唧两声道："哼哼！此事说还有一番渊源！我且先问你们，你们知道这塔原先是做什么用的吗？"

"人祭塔，便是关押活人之用。"江夜雪答道。

"死瘸子说得不错，不过我梦蝶岛灵气丰沛，岛上众妖已逐渐修得辟谷之道。蝠王一心想要得道飞升，百年来极少行杀孽，更无须再掠人类为食。这塔嘛，也就慢慢荒废下来，如今已成了蝙精们闭关修炼的地方。"

江夜雪温声道："既是如此，舍弟留于岛上也并无什么用途，可否请你家殿下行个好，放舍弟与我等一同归去？"

"嘿，你死瘸子想得也太美了。蝠王虽然不主动捉掠修士。但你那个猪脑弟弟自己撞上门来，还触了王上的大忌，放了他？啧啧啧，哪儿有这么容易。"

江夜雪道："他犯了什么大忌？"

山膏嘿嘿一笑："还是那句话，你问，难道我就该答吗？一切都要按你大爷我的规矩来。"

慕容楚衣已经被惹到了极处，他蓦地一挥拂尘，虽尚未有出手之意，但眸间已然是星火四溅，他眉宇低压，怒道："都问了你是什么规矩，何不快说？！"

山膏獠牙龇翘道："小娘们儿长得细皮嫩肉的，脾气却糙过我这大老爷们，够辣的。行啊，大爷我告诉你便是。"

他顿了顿："大爷我替蝠王镇守此塔，轻易也不伤人，若遇到你们这些修士造访，有事相询，我便可以大发慈悲地回答你们三个问题。不过每得到一个问题的答案，尔等都要付出相应的代价。所以你们可要想好了，问，只能问三件事。代价却是下至一根汗毛，上至三魂七魄……怎么样，你们真打算这么做吗？"

慕容楚衣眼也不眨："第一问，岳辰晴如今人在何处？"

"哟，爽快，这就问啦。"山膏掐指一算，说道，"你这第一个问题倒是不值价，大爷我也不诳人，这样，来个交换，我便把他的下落告知于你。"

"你想换什么。"

山膏舔了舔肥厚油腻的嘴唇："大爷我喜食人之痛苦。别人越痛苦的过去，我便咀嚼得越有滋味。"他说罢，不怀好意地将四人来回扫了一遍，"你们几个，若是愿意老老实实站着，让我从你们脑子里摄出点痛苦的秘密来滋补一番，那我便回答你们第一个问题。"

因此事涉及其余三人，慕容楚衣并没有立刻答应，而是转头看向了他们。

墨熄心道，既然山膏统共可以回答他们三个问题，那么绝不应该在第一个问题时就将山膏想要的所有东西都满足。不然第二、第三个问题又当以什么来换？不过尚未等他开口，就听得身边的顾茫忽然说：

"猪兄，我们不该这么算吧？"

山膏瞪大眼睛："怎么不该这么算？"

顾茫道："你看，我们只问了你一个问题，你却要从每个人身上都收一次痛苦记忆，你这也太不厚道了。"

山膏不服道："大爷我哪里不厚道？！"

顾茫道："你刚刚自己讲的，只与我们做个交换。一物换一物，那么我们每问一个问题，你应该都只能摄取一次记忆。对不对？"

"……"

"所以你每回答一个问题，只能选择一个人来摄念，而不是四个。你堂堂一个上古大神，总不该投机取巧，说话不算话。"

"你——"山膏被他噎得说不出话来，猪脸涨得发红发紫。

它面子受挫，原想下个逐客令，赶这群人回去，但它也能隐约感知到在场这四位都是苦主，这些人的痛苦吸取起来自然滋味醇厚，美味至极。

到嘴的肥鸭子岂有放走的道理？山膏只得粗声大气道："行行行！那就一个问题换一段痛苦！不过由不得你们自荐，大爷我要自己挑！"

顾茫学着他的语气，笑嘻嘻道："行行行，自己挑就自己挑。来吧，你是要死瘸子，面瘫脸，还是要小娘们，蓝眼睛？"

山膏仔细将四人又都打量了一遍，猪鼻子吸吸嗅嗅，嗅着他们魂魄深处的苦味。他越吸越贪婪——顾茫是奴籍出身，缺了两魄。墨熄父亲早逝，母亲背叛，还被珍视之人当胸捅了一刀。慕容楚衣双亲见弃，自幼失孤。至于江夜雪，那更加不必说，简直天煞孤星的命。

山膏的喉头不禁吞咽起来，他简直都想食言而肥，把他们几位的记忆全都吞吃入腹！

不过人要脸树要皮，山膏也好面。虽然这些人闻起来可口异常，但也没到让它无法自制的地步，于是它清了清喉咙，做了个决定：

"那就你吧，就你，死瘸子你过来。"

江夜雪淡笑道："怎么，先生是觉得我活得最苦吗？"

"缺胳膊少腿，就你。你难道不愿意？"

"能救辰晴脱困，我有什么不愿意的。"江夜雪道，"不过先生要吃的既是秘密，那我自然不希望他人知晓。痛苦的记忆可以供先生摄取，但先生绝不可将之透泄。这一点，先生可否应允？"

山膏道："记忆入我之口，便成了我的食物，焉有吐出来的道理？放心放心，大爷我绝对不说。"

江夜雪温和但却并非痴傻，他说："空口无凭，先生可否立个妖之誓？"

山膏毕竟是猪为原身，十分贪食，他急于吃到别人的痛苦，并且原本也并没有兴趣要将摄来的记忆乱说，因此立刻竖了两指，立了个妖之誓言。

"这下总可以了吧？就你这个死瘸子事多！"

江夜雪温尔一笑："那便由君采撷了。"

顾茫与墨熄也无拒绝，于是山膏便仰头张口，站在血池中央，发出啸喝之声。随着他的啸叫，周遭狂风骤起，数道黑色的烟雾从四人胸口腾溢而出，尽数涌入山膏口中。

等风熄浪止时，山膏睁开眼睛，意犹未尽地舔了舔嘴唇。

"唔，不错，好吃。只是你个死瘸子，想不到你痛苦的记忆竟然——"

江夜雪微笑着打断他："先生可是忘了方才答允过什么？"

山膏住口不说了。

慕容楚衣拂袖道："你已经得到你要的东西了，说，岳辰晴在哪里？"

"他嘛……"山膏的猪鼻子哼了两下，"此时此刻，他便被关在这座塔的塔顶第四间暗室，外头有两只高阶蝙蝠精镇守，身上缚着十二道吸血古藤，光凭你们四个就想救他，嘿嘿，难啊。"

慕容楚衣冷笑道："不过是两只妖精，十二道绳索，拦得住什么？"说罢抬手一挥，臂腕中的拂尘忽地化作一把亮银长剑。天雷电火在剑身上嘶嘶流窜，慕容楚衣双指合一，说道："照雪，乘风！"

长剑照雪华彩闪烁，飘动间剑光映亮了慕容楚衣的脸。照雪轻薄，所以他御剑的方式和其他人不太相同，剑并不被踩于足底，而是化作团团银色剑光，犹如流风回雪，萦绕于他身畔，凝筑剑气助他凌虚御风。

山膏见了，红豆小眼顿时瞪得如黄豆大："你，你们这就走了？你们难道不问第二个、第三个问题了吗？！"

"用不到了。"

山膏急了："你们不想知道那个小猪脑犯了什么大忌吗？"

慕容楚衣救人简单粗暴，干脆道："没兴趣知道。"

这还了得？山膏顿时大怒："你姥姥的！那老子不是亏大发了？只吃一人份的痛苦记忆，塞牙缝都不够的！不行！你们不许走！必须给我问！不然就老老实实再给我奉上两份记忆，否则大爷我断然饶不了你们！"

江夜雪耐心道："先生如何就吃了亏？说好了最多问三个问题，又没说一定要问满三个问题，如今楚衣觉得一个答案就已够救人，那自然——"

他话未说完，就见得山膏抢起开山巨斧，怒不可遏地往地上一劈，霎时血池红波涌溅，腥浪四起，江夜雪站的位置离山膏最近，眼见着就要为那刃气所伤，墨熄正欲召来吞天结界，却忽听得"砰"的一声暴响！

一道灵流嘶嘶涌动的金色符纸打在了江夜雪面前，撑开强劲的守护屏障，将山膏巨斧的威力尽数屏于界外。

墨熄蓦地睁大了眼睛："顾茫……"

挥出符咒的并非江夜雪自己，也非慕容楚衣，四人中反应最快的居然是顾茫！

守护符爆散的强烈光芒里，顾茫逆光而立，灵流劲风吹得他的衣摆猎猎拂动。一瞬间别说是墨熄了，就连江夜雪都错愕地看着顾茫的背影——竟与多年前并肩作战的顾帅重合。

"你再给我一次机会。"

"这一次,我不会让你失望的。"

战魂山巅,顾茫对他的恳求犹在耳畔。墨熄看着顾茫此刻融于金光的身影,胸腔内的那个器官竟如被一只长满尖刺的手攥住,猛地抽疼。

顾茫确实一直都在努力和从前的自己靠拢,向那个没有背叛的,与他们生死与共的顾帅靠拢……

"猪兄啊,你想要吃痛苦记忆,你说就是了,动什么手?"

顾茫说罢衣袖一挥,金光结界蓦地消散。

"来,我的也给你攫取,这总好了吧。"

他说着,上前几步,一脚踩在了裂开的血池边沿石块上,抬手指了指自己的脑袋,"随便吃。"

山膏贪心不足蛇吞象,又指着墨熄和剑光环绕的慕容楚衣:"那他们呢?他们的我也要!"

顾茫抬了下眉:"他们的我可做不了主,不如你自己问问?"

如今他们四人身在孤岛,岛上塔中尽是妖物,能不惹还是不惹为妙。慕容楚衣广袖一拂,眉目隽冷:"要拿便拿,赶快。"

山膏生怕他们反悔,迫不及待地隔空吸纳,先是从慕容楚衣胸襟处汲取了丝丝涌动的黑气,尽数吞入自己腹中。接着又夺了墨熄淤积于心中的痛苦。

可这些苦楚落腹之后,山膏内心的燥火非但没有止歇,反而愈发贪婪——它因为妖族契约已经困守此塔数千年了,先蝠王的时候食人戮命,它便也跟着吸了不少苦水。但如今这位女蝠王却一心想脱离妖躯,飞升成仙,是以百年以来从未主动要过活人性命。这么久了,山膏唯一直接接触过的修士,也就只有前几日跑来的岳辰晴。

岳辰晴自幼丰衣足食,孩子心境又好,大大咧咧,脑子里实在没有什么苦大仇深的事情,山膏吞噬起来也就分外无趣。但今日可不一样,墨熄和慕容楚衣的苦楚一入口,山膏便如饿久了的人陡地尝到了热气腾腾浓香扑鼻的鲜肉,竟有些不愿撒手。

不过它再怎么说,好歹也是个远古之兽,多少还有些控制力,它狠了狠心,将猪眼从这两位身上挪开,转向顾茫,粗声大气道:"行!味道不错!最后再吃你一个,大爷我就由你们去了!"

顾茫笑道:"哎哟,那可真是多谢你手下留情网开一面了。"

他这番说话的语气、神态,和过去的顾茫实在太像。事实上这段时日以来,墨熄一直觉得顾茫在不断地向从前的顾师兄贴近,而这一刻顾茫笑吟吟地与山膏交涉的模样,简直像是岁月溯回了一般。

山膏脑子不好使,听不出嘲讽,还以为顾茫是在真心实意地夸赞它,于是颇为气傲地哼了一声,摆出一副高高在上的模样,对顾茫摆了摆手:"那是自然,大爷我言出必行,何时有过反悔的时候?"

说罢就开始吸纳顾茫的痛苦。

黑气从顾茫胸腔深处奔涌而出，化作一缕黑色的烟线飘于空中，而后流入山膏大张的嘴巴里。

山膏只吸了第一口，就蓦地闭上了嘴巴，而后睁大眼睛不可置信地瞪向顾茫，那晶晶红豆眼中闪动着异样精贼的光泽。那光泽给顾茫一种感觉——这头猪似乎要把自己生吞活剥了！

顾茫下意识地往后退了一步，试探着笑道：

"噎着了？"

山膏的猪鼻子里往外喷着气，它张开嘴，话还没说出，口水却已然流了下来。

它怎么也没有想到，在眼前这个瞧上去只有二三十岁的青年体内，竟蕴积着不亚于成千上万人堆积出的痛苦！但是很奇怪，它没有办法探得他完整的记忆，它能感受到他的苦难，却无法得知那些苦难的真正缘由。

这就像闻到了令人垂涎三尺的饕餮美味，却始终隔着距离，吃不到，磨得它饥肠辘辘，心肝儿都跟着肠胃一道揪紧。

"你失去过很多记忆……"山膏喃喃道，"真可惜，真可惜。连忘了都觉得那么痛，如若你能想起来……那滋味儿，简直……"它猛地吸溜口水，眼中精光迸射。

墨熄见它面露狰狞之色，蓦地一凛，厉声喝道："率然，召来！"

也就是在同一时间，山膏把自己方才说的"言出必行，何曾反悔"抛之脑后，它自血池一跃而出，似恶兽扑食，口涎横流面目狰狞地朝着顾茫疾掠而去！

墨熄厉声道："小心！"掷出符咒，将顾茫笼于结界之中，紧接着一道火光噼啪燃起，映亮了古塔厅堂。

率然横空破风，墨熄手擎长鞭，立于山膏面前，目光戾然："孽畜，你简直是得寸进尺！"

山膏仰头狂笑道："得寸进尺？那又如何！"它那双凶狠猩红的贼眼睛越过墨熄，盯向他身后的顾茫，舔着嘴唇道，"想不到竟有如此上品的怨戾之人送到老子面前！老子误中蝠族圈套，千百年来不得不在这血池之中，替蝠王镇塔守卫！若我设法将你记忆追回，趁着你痛苦，将你拆吃入腹——那么我——那么我……哈哈哈！我就自由了！我就自由了！！！"

墨熄心中一凛：记忆追回？什么意思，难道它能……恢复顾茫的记忆？这怎么可能？！顾茫他是缺了两魄，并不是普通的失忆，怎么……

他未想完，就见山膏猛地振臂一挥。只听得"砰"地爆响，血池中如潜龙搅浪，巨鲸翻波，涌起比先前都要疯狂的巨浪，在这楼宇堪危的阵势中，血池深处哗地浮出了一个足有十人高的庞大异物！随着那东西出水，血浪四下汹涌，掀起层层浪潮猛地掀于岸边，似万点琼花碎于砖石之上。

血水淌下，那巨物自一片猩红中露出原貌，墨熄猛地怔住，继而浑身血液似在一瞬间全部冻住了——

"时空镜？！"

这面浴血而出的镜子在猩红落尽后，散发出瑰丽金光，镜子边缘以阴刻手法篆着上古符纹。镜面照不出任何人影，只蒙着茫茫一层大雾，雾中闪烁着明暗不定的时空之光。

真的是时空镜……

此镜墨熄只在学宫的书籍中读到过，它与修真大陆流传的三大禁术有关，那三大禁术分别是：重生术、珍珑棋局与时空生死门。在苍茫岁月长河中，有关于重生术的传说比比皆是，珍珑棋局次之，而时空生死门则是三大禁术里最为神秘的一个。

相传，只要有人掌握了这一门禁术，便能撕裂时空，回到过去，逆转未来。但是此法实在太过邪门，卷宗失佚残损，唯有只字片语的记载，便也是真假难分。并且听说妄行时空生死门禁术者，最后的结局往往是暴毙惨死，尸骨无存，不得善终。因此除了极个别执念极强的疯子，没有谁会对这一门禁术产生兴趣。

但是时空镜却是不同的，时空镜在九州大陆的各种古籍中都有迹可循。传闻中，它是上神伏羲创研时空生死门时留下的遗物，有着和时空生死门相似的效果，同样能带人回到过去。不过因为它只是个雏形，所以它虽能营造出一个过去的虚像，却并不能真正改变什么。

也就是说，修士进入镜子世界后，虽可以对过去的遗憾进行修补，但这种修补注定是无济于事的。当修士离开镜子世界的那一刻，他在过去做的所有改变都会被抹杀，镜中过去，便如那浮生一场，大梦醒来，现实仍然是现实。

因此，这时空镜还有一个更合适它的名字：黄粱镜。

昨日种种，不过黄粱梦三千。

江夜雪和慕容楚衣作为炼器大师，自然也对时空镜早有了解。饶是慕容楚衣这般镇定寡情的人都微微变了颜色："时空镜是神族宝器……怎么会在这里？"

江夜雪道："恐怕不是完整的镜子，看它的左边。"

众人目光齐齐落在了时空镜的左半边，果见有明显的断裂痕迹——这面十人高的镜子竟只是时空镜的一小部分残片！

但就算是残片，力量也足够惊人了，只听山膏龇牙大吼一声："苦恨入血骨，泉下不得销——阵开！"开山斧一指，刚刚从顾茫胸腔里吸纳的一缕黑气径直打入镜面！

随着这缕黑气入镜，镜子里的迷雾急速流淌，似滚滚岁月风起云涌，紧接着一道刺目金光从镜子里迸射出来。山膏吼道："苦主堕入！"

这一声犹如招魂，与这段痛苦记忆不相关的人没有受到丝毫影响，唯独顾茫大喊一声，忽地跪跌于地，呛出一大口血来。

墨熄惊道："顾茫？！"

顾茫仿佛被数千道看不见的傀儡线绑了四肢手脚，他双手紧紧攀着青砖地面，骨骼经络根根暴起，却仍被那无形的引力牵扯着往时空镜捜去。与此同时，山膏又发出了好几声尖锐至极的怪叫。

慕容楚衣环顾四周，剑眉低压道："不好！"

只见古塔的阴暗处忽地亮了星星点点的红光，远看犹如长夜点燃千万灯火，又如星河灿烂，但这般壮美景象并非风雅，而是意味着栖停在古塔角落的那些蝙蝠精被山膏的呼啸声唤醒了……四周开始响起潮汐般窸窸窣窣的低鸣声，那低鸣越来越响、越来越密，最后犹如骇浪惊涛陡然高起！无数的蝙蝠精朝着他们飞袭而来！！

慕容楚衣眼中杀机毕露，抬手一挥，喝道："照雪，摧千山！"

笼在他身周的长剑忽然在他身后化作雪沫翻涌的灵力浪潮，朝第一波逼近的蝙蝠精迎头而上！哗的一声巨响，白色灵力浪潮和黑色蝙蝠海犹如龙虎相争，猛地绞杀一处，斗得难舍难分。

而与此同时，时空镜对顾茫的牵引之力又强了数成，顾茫猛地匍倒在地，死死拽住手边的白骨塔柱，却还是抵不住镜面可怖的召唤。

自古进了镜中的人，九死一生，江夜雪原本是在帮着慕容楚衣抵御蝙蝠狂流，但转头见顾茫应对得如此吃力，又欲腾手去助顾茫一臂之力。但他还未及出手，墨熄的率然已劈杀而至，将顾茫紧紧裹挟。

墨熄对江夜雪道："不用管，有我！"他说着，一把将率然蛇鞭拽回，将顾茫抱在怀里。抱住顾茫的那一刻墨熄就知道时空镜的召唤有多可怖了——那种无形的吸力来源于镜子的神造之灵，凡人之躯根本抵挡不了太久，他抱着顾茫，便与顾茫一同被拽着向镜子方向吸去。

江夜雪道："墨兄！顾兄！！"

这曾是江夜雪与他们沙场征伐时对他们的称呼，后来江夜雪腿废了，再也不便远征，再后来他们一个成了羲和君，一个成了清旭长老，往来应酬，都已习惯了这般规矩疏冷的官名。

可这危急时刻，江夜雪喊的还是年少时的称呼……

金光越来越强，牵引之力越来越大，眼见着就要被拽入镜中，回到顾茫极痛苦的一段过去——九死一生，九死一生。多少人进了这镜子，还能毫发无损地回来？！

顾茫虽对此镜毫无了解，但他毕竟被燎国重淬过，身上有种本能的兽类直觉。随着两人离镜子愈近，顾茫在墨熄怀里挣扎起来："松手！"

墨熄没有吭声，反倒是让率然将两人缠绕更紧。

顾茫蓦地抬眼，眸中有着异样的光彩，他厉声道："你留在外面，可以给他们帮忙！放开！"

墨熄咬牙道："你给我……闭嘴！"

"放开——你不必跟我一起！"

墨熄怒道："闭嘴！！"

金光再强数成，这回就连率然缚着石柱也无法阻止时空镜的威力了，率然倏地崩作点点红光,犹如红霞飞舞,回到墨熄身体之中,消失不见。

失去了率然的护佑,两人立刻被时空镜猛拽过去。而几乎同一时间,数万破暗而出的蝙蝠精击破了慕容楚衣的照雪神武。慕容楚衣见状,刷地抽出匕首,雪亮的刃光照着他决绝的凤眸,他毫不犹疑地割破了自己的手掌心,抬起手来,将血洒入空中。

他这是在以灵血吸引这些嗜血的蝙蝠,以自己为饵……

江夜雪失声道:"楚衣!!"

慕容楚衣划下一道结界,将自己困在其中,强大的灵血吸引了所有的蝙蝠,顷刻就将结界团团包围攻杀成群。皓白的身影连同结界一道被吞没了,只听得他的声音从里头厉声传出:"江夜雪!让那破镜子停下,快点!我撑不住太久!"

一前一后,一边是慕容楚衣被吸血蝙蝠的狂流围攻,唯一的防护结界随时便会破裂;一边是墨熄顾茫已经被时空镜扯拽到了最边沿,眼看就要双双坠入这上古神镜当中。

江夜雪脸色苍白如纸,墨熄则怒道:"哪有这么容易?!帮慕容把火蝠和山膏都退了!然后再设法回来解决这面镜子!"

说完这句话,两人再也无法抵抗,被吸力猛地一拽,拽入了滚滚的镜中岁月——

在被镜子吞噬之前,墨熄瞧见的最后情景是江夜雪操纵木轮椅来到慕容楚衣身边,解开乾坤囊,数十只木竹机甲落地,化作擎刀侍立的武士。

而后他便眼前一黑,与顾茫一同跌进了时空的深渊里,什么也意识不到了。

第21章

墨熄睁开眸子时，映入眼帘的是暗青色流云纹幔帐，帐帘轻轻飘拂，碎了外头的朦胧天光。

他心有一瞬的茫然，自己这是在什么地方？随即意识到，是了，他与顾茫一同被吸入了时空镜中，这是上古神镜投射出的过往岁月。

虽然这并不是真正的时空之旅，但镜中世界与真实世界其实是分毫无差的，他可以与当年的人发生对话，可以对当年的事进行改变……从某种意义上来说，他已经回到过去了。

而且是一段对于顾茫而言极度痛苦的过去。

这个认知让墨熄心跳蓦地加速，他立刻从床上坐起，一头黑玉般的墨发流散满肩，他一把将幔帐掀开——这是羲和府自己的卧榻处。他环顾四周，房内的布置和如今相差的并不远，只是武器架上少去几柄刀剑，墙上还挂着一幅广陵桃花图。

走到窗台摆着的日晷边。这日晷是岳府所制，终年流淌着金色灵流，只需以指节轻扣，它便会浮现出今夕何年、此为何时。墨熄抬手在日晷的灵流光面上轻轻一点，犹如涟漪四散，日晷上显出一行篆书小字来。

墨熄看着日晷显出的年月，胸腔内那个器官的跳动越来越厉害，面色也愈来愈苍白……果然是这一年。

果然回到了这一年……

他蓦地闭上眼睛，睫毛细微地颤动着，喉结上下滚动。

他永远也不会忘掉这一年，顾茫因凤鸣山大败被削权贬职，陆展星被斩首，王霸军残部被羁押——是顾茫决意叛变的那年。

而这一天……墨熄苍白修长的手指尖抚过一尘不染的日晷，摩挲着上面流淌的字迹，心头的苦涩如黄云蔽日，压得他透不过气来。

这一天，则是他受命北去、离开帝都的日子。

当时顾茫已经饱受迫害，终日在瓦肆窑子里嘻嘻哈哈地度日，他几番劝阻无用，于是只能等着岁月将顾茫的伤痛抚平。他那时候太天真了，觉得顾茫会和从前一样挺过来，忍过这些苦楚与困难，他觉得总有那么一天。

可他失策了，顾茫没能撑过这关，当他完成使命返回帝都时，顾茫已经离开了重华——又过几月，前方沙场传来了顾茫叛变、投归燎国的消息。他甚至没有觉察到顾茫的异心，没能在了解顾茫心意的情况下，和顾茫好好地谈一谈；他甚至没来得及和顾茫说上几句话，没来得及在顾茫还未一脚踏入地狱前，做出最后的挽留。

可此刻他竟回到了这一年这一天，回到他曾无数次在午夜梦回返至的时光里，回到……回到这或许能够扭转命盘的时刻。

哪怕知道时空镜无法真正改变过去，墨熄的心还是一下子像被烫着了似的揪紧，他甚至来不及将衣冠穿戴整齐便蓦地推门而出。八年前的艳阳猛地照到他脸上，将他眼眸刺得酸涩生疼，他却不愿闭眼，忍着想要流泪的冲动，近乎贪婪地望着院中的一草一木，一石一隅。

拐角处忽地传来一声惊讶的轻轻的叫声，"哎呀"，随即仓皇道："问主上安！"

墨熄转过头，胸腔中又是一阵异样的翻腾——

这一年，李微还没有来到他的府上，此刻向他打招呼的是当时羲和府收的一个叫霜秋的大丫鬟。这姑娘是墨熄在路边看到的一个可怜乞儿，墨熄不忍她被不怀好意的男子欺辱，于是将她收留在府中。墨熄见她聪明伶俐，曾有过让她担任羲和府大管家的念头，但不久后发现她竟是慕容怜派在他身边的暗子，对他竟存勾引谋害之意，于是便将她逐出了宅邸。

霜秋端着水盆，柔柔欠身："主上今日午睡醒得好早，我这便去催人给您准备茶点。"

墨熄当年怜其孤苦，对她一直十分客气，然而此时回头再看，只觉得分外恶心，于是拂袖道："不必了。"

"主上可是没有胃口？我前些日子酿了一些清冽爽口的梅子酒，若是主上不嫌弃……"

墨熄硬冷道："我说不必了。"

霜秋终于觉出墨熄的状态有些不对，她不敢再冒进，于是低眸屈膝，行了一礼，柔声道："是。"顿了顿，又颇不甘心道，"但我，我……也只是关心主上，还望主上勿怪。"

墨熄虽对她颇为厌烦，但他并不是睚眦必报的人，也懒得和一个女人计较，更何况他现在有更重要的事想做。

"给我备一套常服，我要出门。"

"主上要出城吗？"

墨熄顿了顿，说道："入宫。"

依照上古残卷中对于时空镜的记载，进入镜中的人会完全回到当年的情形之中，体态、样貌、思想，都将被还原。而他之所以还能留有现世的记忆，想来是因为他是跟随顾茫一同被挟入镜中的，他只是一个误入者。

至于顾茫……恐怕已经完全被逆转成了当年的状态，根本不知道自己是从镜子外穿过来的，更别提知道后来发生的事情了。

也就是说，墨熄此刻去城内找人，能找的只是当年的那个顾帅——那个正处于人生低谷，极度落魄的顾师兄。

这意味什么？意味着自己竟有机会能和叛变前夕的顾茫相交谈！

想到这里，墨熄的手指尖都有些微微发颤——八年后的自己，穿过时光，即将面对八年前的顾茫。

他可以问顾茫很多事情，可以清楚地看到顾茫叛变前夕的精神状态，可以探知顾茫当时的心情如何，可以知道叛变前的具体细节如何……

甚至，可以试探出自己当年究竟要怎么做，才可以避免顾茫叛国的结局。

尽管这种尝试是无济于事的，当江夜雪把他们从时空镜里救出来后，所有的改变都会烟消云散，但至少墨熄觉得，那些困扰了他八年之久的疑问、困顿、痛苦与不解，或许都能在这番交谈中得到一个解释。

不过在此之前，他必须先去王城一趟。

"羲和君！"

"拜见羲和君！"

入宫城，羽林低首抱臂行礼，他们头上鲜红的羽雉簌簌抖动，甲光在旭日映照下直晃人眼。这种感觉非常微妙，即使墨熄此刻内心复杂紊乱，也不由得注意到了其中一些熟悉的面孔。

回廊拐角的那个士卒，八年后成了学宫的守御长老；站在宫阶石兽旁的羽林右将，后来被君上赐给了望舒府，成了慕容怜的贴身近卫。头戴七珠红缨兜鍪的那个少年，后来因为重华王城内的一场妖火，于火海中因救人而丧命，还是墨熄亲自替棺椁里的人配上的英烈帛带；还有一些后来被他遴选，挑入北境军的士卒。

这些人日后或穷或达，或生或死，此时都并不知晓他们的未来与命运。只有墨熄自这些活生生的故人之间走过，犹如在这些年自己反复做过的梦里穿行。他看过这一张张脸庞，像是看着一个个来自八年前的游魂，那么的不真切。

最后他来到了金銮大殿。

初登王位的君上正靠在绣有团龙锦纹的软枕垫上，单手支颐，闭目养神。珠玑旒冕于他清秀的面目前微微晃动，将他的神态切割得愈发破碎难辨。

八年前的君上与现在比起来，显得更为清瘦乖戾。这也难怪，那时候先君驾崩，朝纲不稳，内忧外患都很棘手，君上眉眼间的戾气自然要较后来重得多。

"参见君上。"

"哦，羲和君来了。"君上眼皮动了动，舒开眸子，一双眼睛幽深寒冷，径直锁向了殿前站着的墨熄。那目光纵使再克制，也透着一股子虎狼之息，匿藏着警觉、凶狠、凌厉。

墨熄被这种过于冰冷的目光刺到，他猛地感到一种久违的熟悉，既愤怒、又痛苦——从前君上对他总会有意无意地流露出这种态度，后来他立下了天劫之誓，注定此生绝无可能再背叛重华、背叛王座上的人，君上对他的戒备才逐渐松弛。

可是此刻，站在殿前的是未曾立誓的墨熄。

君上看他的眼神，就像看着一头不曾有锁镣束缚的虎狼猛兽。当年自己尚且年少，感受还不那么鲜明，但此时回头再看，君上目光里的戒备简直令他遍体生寒。

"羲和君今日就该出发前往北境封地教习法术了。"君上慢悠悠地说，"这个时候来宫城见孤，难道是有什么事情？"

墨熄行了一礼，说道："是。确实有事。我想缓些日子再去北境。"

"哦？"君上眯起眼睛，"为何？"

"身体不适。"

跟君上这只狐狸拆招，用别的理由都不行，唯独说身体不适，君上才会难以拒绝。再加上墨熄从前绝不说谎，有一说一有二说二，根本没有无事称病的前科，才更可信。

果然，君上微微一怔，过了一会儿他直起身子，一边自高座上打量着墨熄，一边沉吟道："是吗……严重吗？不如孤选个上佳的神农台药修，去羲和君府上为羲和君调理？"

"只是疲惫多梦，日夜难眠而已。"墨熄道，"修养一段时日便好，不必劳烦神农台。"

"这样。"君上若有所思地瞧着他，似是不经意地问了句，"那么羲和君需要推后多久？"

墨熄在心中算了顾茫叛变离城的日子，是在他离开帝都的七天后。这一次他并不希望同样的事情在他不在的时候发生，于是墨熄道："十日。"

君上没有立刻答话，那双寒潭深水般的眼睛无声地凝视着墨熄的脸。

良久，才轻轻笑道："羲和君沙场征伐这么多年，多少次受伤都不以为意披挂上阵。怎么如今却因为个失眠之症，将孤交与你的正事一拖就拖十天？这个时限，也未免太久了吧。"

墨熄不与他辩，只道："若非心力不支，也不会来向君上请延。"

"羲和君东征西战难得想要个休息，孤若不肯，实在太不近人情。"君上拨弄着手腕上绕着的珠串，悠悠然，"不过羲和君既为重华肱骨重臣，孤要你亲自完成的重任自然很多。若是延你十日歇息，后头的事情恐怕不好安排。"

他顿了顿，笑道："三日，你看如何？"

"……"

三日？三日后陆展星东市问斩，为什么偏偏要卡在这一天？陆展星死后，顾茫的反应想必十分激烈，可君上却要他在这时候走……

墨熄问："请君上再宽限两日，五日可否？"

"最多只能准你三日。"君上微微一笑，"要是再多，那孤可实在无法安排之后的要务了。"

"君上……"

君上已然主意抵定，他打断了墨熄的话："羲和君不必再说，既然身体不适，就早些回府歇息吧。"稍事停顿，又意有所指道，"失眠烦闷当养心，某些会让羲和君心浮气躁的人，羲和君最近还是少见为好。"

墨熄遥望着鎏金高座上的君王，而君上也透过簌簌晃动的旒冕俯视着他。

墨熄轻声道："君上是在说顾茫吗？"

他单刀直入，君上也不拐弯抹角，笑了笑："你明白孤的意思就好。"

墨熄沉默一会儿，说道："顾茫是我的至交好友，他如今这个状态，我若弃他而不顾，岂不教人心寒。"

"嗯。有情有义自然不错，孤也没让你和他老死不相往来。"君上细长的手指拨弄着串珠，"不过，他现在是戴罪之身，这风口浪尖的，瓜田李下贻人口舌的事情，羲和君还是不要做了吧？"

"身正不怕影子斜，他与我有恩。我劝他几句又有什么不合适的。更何况顾茫如今心境晦暗，若是无人相伴，怕是会……"

"会什么？"

墨熄咬牙道："心生叛意。"

他当年不知顾茫心思，不觉得顾茫会有反叛的意图。但他如今已知道了后面的故事，此时说出这句话旨在提醒君上不要将顾茫逼得太紧。

君上闻言，手上的动作果然微微一顿，而后笑道："羲和君对自己的至交好友就这么没有信心？"

墨熄道："我只望君上莫要断绝他的后路。"

"后路？"鼻腔嗤出声来，"他的路都是先君破例容他拓开的。不然他一介奴籍之身，有什么资格披挂上阵建功立业？说孤断他后路……他也不想想如果没有先君一道宽恩，他这辈子有什么路可以走！还不是庸庸碌碌去做一条慕容怜的狗？"

"……"

君上眯起眼来，接着道："但凡顾茫有点自知之明，都应当想到他昨日之荣，都拜先君所赐。如今他领兵有失，孤依法处置，又有什么可怨的！"

墨熄原本先来王城，只是为了请准君上，将自己离城的日子推后，却没承想竟触发了与君上这样的对话。

八年前的君上就像一只还未得道飞升的狐狸，并不能很好地在八年后的墨熄面前藏住自己的内心，甚至无法克制那种对墨熄太过警惕的眼神。

"他有什么委屈的？有什么感到不公？凭什么想叛？"

字句无情，墨熄听得浑身血冷——这番话，从前他并未从君上口中听闻过。而今入耳，他作为一个贵胄都听得心寒，又何况是顾茫？何况是那个折损了数万将士，残部被羁押，墓碑讨不到，兄弟即将问斩的顾茫。

墨熄在这一刻忽然那么清晰地意识到，之前顾茫拉着自己喝酒，在喝醉时哭着说自己受不住了生不如死，那不是一时的酒后冲动。

那一天的顾茫是真的崩溃了。

重华将他遣上战场，却并不认为顾茫与他那个穷破军队是在给重华守土固疆，反而觉得这是权贵赐予奴隶的恩惠。所以他的失败是不可饶恕的，因为在君上眼里，顾茫的败北不是一个忠烈将军有了一时之失，而是一个得了好处的奴仆没有做好主子交给他的事，白白辜负了主子的一片信任。

或许顾茫在认清这一点的时候，心就已经碎了，从内里，一点点地碎成渣成末揉成灰……只是自己当年，竟不曾意识到，竟还那么天真地相信了顾茫后来看似没心没肺的嘻嘻哈哈，他终究是没有看懂顾茫这个人。

强压下心头的抽痛与战栗，墨熄喉结滚动，沙哑道：“君上，你不是他。你并不知道他究竟是怎么想的，底线是什么。若是有朝一日他真的叛了……”

君上打断道：“他不敢。”

“……”

太可笑了，站在八年前的君上面前，竟会听到君上自以为是地说顾茫不敢叛国。

“他不敢，也不会。”君上道，“羲和君觉得他能叛去哪里呢？昔年花破暗叛重华建燎国，那是因为他手里捏了一群奴籍余孽——可顾茫手里有什么？他那支军队的残部已经被孤羁押于囹圄之中，你倒是跟我说说，他以一人之力，能够做什么？”

“君上以为他不会以一人之身远走高飞吗？”

君上几乎是在露齿冷笑了：“他要那么想不通，那便走好了。他有凤鸣山一战之失，孤已无法再用他。若他认为这便要反，那就说明此人留在重华境内迟早是个祸患。”君上说罢，盯向墨熄逐渐苍白的脸，“羲和君，你以为你劝他，你陪着他，有用吗？若是他有叛意，就表明他想要的东西实在太多！”

最是无情帝王心。君上顿了顿，冷然道：“孤，给不起。”

血都似冻僵了，四肢百骸都结成了冰。墨熄指捏成拳，寒声道：“君上，他想要的，不过是一座有名有姓的墓碑而已！”

“那并不是一座墓碑。”君上道，“羲和君。他问孤讨要的，是对他们这一群人的地位认可。抱歉，孤给得了他们宽恕，但给不了他们尊荣。”

墨熄怫然怒道：“所以君上差我三日后离去是为了什么？三日后陆展星问斩，君上是想看看顾茫再断一臂后是否还能忠于重华忠于君吗?!"

君上脸色骤然低沉:"羲和君,你别再放肆。"

"他经不起君上的试探了。"墨熄不管不顾,近乎是颤抖地说道,"……我今日便可以告于殿前。若君上执意为之,顾茫……必反。"

君上霍地起身犹利剑出鞘怒而拍案:"他反不反的有什么重要?!他不过就是一条狗而已!就算恩将仇报叛出重华了,我邦国是会土崩瓦解还是会云散烟消?!孤就是要看看这个人到底有没有怀揣着鬼蜮心思,脑颅子底下有没有和当年的花破暗一样长着一块反骨!"

到底是年轻了,这般棱角分明,换作当今的君上是绝不可能亮出来的。

"三日。三日后你必须给孤离开帝都。"最后君上的呼吸慢慢缓下来,只是眼神仍凶狠,盯着墨熄的脸,"你给孤,退下。"

墨熄从前根本没有与他有过这样的针锋相对,而这番话像是刀刃抽出雪光映亮,猛地刺向他内心。他没有再说话,无声地望着王座上的那个人。人都言简在帝心,但君上又何曾不在时时刻刻试探着自己手下的臣子?

尤其如顾茫之辈,与贵胄本就不在同一条船上,非我族类其心必异,是以君上会这样防备他,算计他,甚至……等等!

心中咯噔一声。

墨熄忽然想到一点——自己当年分明是记得陆展星问斩一事的,他虽然承应了君上前往北境教习法术,但他原本是把回城的日子定在了陆展星斩首之前。也就是说,如果按照他最初的预计,他完全来得及在顾茫叛变前见到他最后一面。

可是后来呢?越想越冷……后来……北境忽然发生了意外,有许多的妖兽肆闯边关,他不得不在那里多留数日,与驻军将这些妖物收服缉拿,这才耽搁了时间。他当时虽然觉得忽然有如此多的怪物降世有些蹊跷,但也没有多思多想,如今看来……

墨熄在这瞬间忽然萌生出了一种模糊的感觉,这种感觉甚至令他有了个非常可怕的念头。这是他从前根本没有感知到的——当年,会不会是君上为了试探顾茫,要刻意支开他?

这种猜想让墨熄心中像是落了一块冰,丝丝寒气散至四肢百骸。他忽然意识到,自己在这个时候离开帝都,之后的回城的时间又被拖延,这一切是不是君上刻意为之?

或许君上根本就不想要顾茫留在重华。所以他才不希望顾茫在最失意最痛苦的时候身边有人相伴。这个奴隶旧将已经留之无用了,既然找不到合适的理由杀之,那么逼他叛国……会不会是更好的选择?

顾茫的叛变,难道是君上从一开始就已经算计好的?

墨熄觉得浑身发寒,他从檐牙高翘的王城深宫内出来后,缓了好一会儿,让自己不再冷得那么厉害——有一瞬他真想不管不顾地就问了,就闹了。可是他明白,如果他想知道更多的秘密,就必须要让事情沿着正常的轨道进行下去。

在这镜中世界里，他能去发掘真相的机会，只有一次。

一旦错过，就再也不能重来。

墨熄是以仰头，眨了眨自己微红的眼睛，他竭力地、慢慢地让自己的心境平复下来，让自己不再那么冲动，这才动身，去了城北的那家杏花楼。

他知道顾茫在这个地方，杏花楼是顾茫后来最爱去的风月场合，满屋子珠环翠绕，凤管鸾箫，顾茫曾笑吟吟地说自己爱极了此处的解语花，唯那温香软玉，能解他心里的苦海仇深。

来到红绸飘拂的杏花楼前，墨熄停下脚步，仰头望着那块红底金字的匾额。

八年前他离开王城时，也曾路过此地，在花树芳菲的楼台前驻足。不过当时他并没有走进去——他那时候受不了顾茫的堕落之举，更无法忍受自己的神祇躺在胭脂俗粉间嬉闹。

他觉得心很痛，所以不曾与顾茫告别，便去了北境，因此错过了与叛变前的顾茫最后的一次相见。

但这回不会了，这一回，他想与顾茫真心实意地谈一谈。

墨熄整顿心情，手指在掌心捏紧，走进了这燕语莺声的风月场。

"哎哟，羲和君。"鸨母看到他，不禁吓了一跳，思及前一次墨熄来楼里寻人的情形，忙畏惧道，"羲和君今日前来，是为何事啊？"

"顾茫在哪里。"

"顾帅他不，不在……"

"我知道他在你们这里。"墨熄道，"哪一间。"

鸨母对上他锋锐如霜刃的目光，忍不住打了个寒战，心道对不住了顾帅，小店是小本生意，经不住羲和君的折腾。于是换作一副肥腻腻的笑脸，"啊哈哈哈，羲和君您瞧我这记性，是，是，我想起来啦，顾帅是在楼上呢，三楼走到底左拐第三间，遗芳阁。羲和君您请好。"

墨熄头也不回地径自往楼梯走去。

还没走到遗芳阁外，墨熄就听到里头传来一阵琵琶弹奏声，和着歌女的清唱："昔有儿郎抱剑去，碧血沉沙骨难还，此骸去岁仍玉貌，此躯昨夜曾笑谈。君遗丹心我相照，君余浩气我将传，英魂重返故里日，人间无处不青山。"

是重华的招魂亡曲。

歌女显然是从未在花楼里弹唱过这般沉重的乐曲，尽管她一字不差地吟了下来，却声声透着犹豫，句句泛着柔软。一曲慰灵曲，竟似凤求凰，其中气质，未免差得太多。

墨熄走到门口，站在虚掩的丹朱漆门外，琵琶声正收了尾，最后几抹珠玉之声落了地，然后里头传来了顾茫懒洋洋的笑声。

"姊姊嗓音婉转如黄鹂，不过有一段奏得太快，曲便错了。"

那歌女娇声道:"人家以前都不唱这些的,弹不好,让顾帅见笑。"

顾茫笑道:"这有什么?这偌大重华,如今也就只有你们愿意与我胡闹,陪我在私底下唱这祭魂之曲了……来,你弹错的那一段,我来教你吧。"

"顾帅也会奏琵琶吗?"

"这么难的指法,我是学不会的。"顾茫道,"不过我可以用别的乐器。"

屋里静了一会儿,传来顾茫不平不淡的一句:"风波,召来。"

风波……墨熄闭上了眼睛,悬于门前的手指微微颤抖着,屋内忽然传出一声唢呐清响,那么蹩脚,那么滑稽……甚至是可笑的。

但他的睫羽,却在这一刻湿润了。那是顾茫后来再也召唤不出的神武之声——风波余恨。

墨熄喉头极苦极涩,他静默良久,仿似近乡情怯,心作一团乱麻。最终他深吸了口气,忍住了眼前强烈的晕眩,抬起手,轻轻推开了朱漆雕门。

天光散落。在这梦一般的光影里,他看到了顾茫,八年前的顾茫。

尽管早已有所准备,但真的看到那个人时,墨熄心口的旧疤还是被一柄无形的尖刀猛地洞穿!剧痛从心脏迅速蔓延至四肢百骸,痛得发麻,疼得发颤——他又看到了那个意识清醒的、穿着重华服裳的、黑眼睛的顾茫;完整的、康健的、还未叛国的、承载着他们共同记忆的……帝国的顾帅,他的顾师兄。

遗芳阁内烟篆袅袅,软红铺地,一扇八合的湘竹折门大敞着,现出后头丹朱漆绘的雕栏露台。

露台外,一树泡桐开着花,淡粉淡紫的烟霞吹了满枝。他的顾师兄靠坐在木栏上,一腿屈膝,一腿伸直,手中拿着柄锈铜色的长管唢呐。

那唢呐周身散发着黯淡的铜光,握柄上系着柔白丝帛,在晚风中猎猎拂动着。

神武风波。

花影里,顾茫将风波执拿,嘴唇贴上唢呐口,试了试音,而后闭着眼睛吹出一串喑哑的曲调来。

"昔有儿郎,抱剑去,碧血沉沙……骨难还。"

顾茫曾经最擅长的,明明是那歪七扭八的地痞乡音,但此刻从唢呐里连根拔出的音调却如此凄怆悲凉,他鼓起腮帮,睫毛轻动,仰头在花影残阳深处,将这唢呐声声吹响。

"此骸去岁仍玉貌,此躯昨夜曾笑谈……"

穿云透日。

墨熄没说话,喉中仿佛噎着世上最苦的榄。他站在门口,遥遥望着顾茫的侧影,就像望着一场隔世的梦。

琵琶女听到了外头细微的动静,侧过头来,立刻吓得睁大了眼睛欲下跪。但墨熄朝她摆了摆手，示意她不要出声。

顾茫很投入，噙着管口的嘴唇色泽红润，因为吹得卖力，脸颊鼓起一个可爱的小包，夕阳照着他英挺清秀的面容，将他墨黑的头发浸染上一层浅浅的熟金色。他斜坐在朱栏上，一边吹奏，一边转头浸润着楼台外花谢花飞，暮色夕阳，唢呐系着的洁白丝帛在他手边犹如海潮似的拂动着。

"君遗丹心我相照，君存浩气我将传。"

修秀的十指在斑驳的唢呐上按捺着，流畅如世上最温柔的风。

"英魂重返故里日，人间无处……不青山。"

直到一曲将终了，顾茫才慢慢舒开眼眸，回过头来，笑着道："你瞧，这样调子才没跑偏，所以你……"话说一半，忽然注意到琵琶女十分僵硬畏惧的表情，顾茫蓦地顿住，环顾四周，然后看到了不知何时出现在屋子里的墨熄。

他的笑容凝住了。

沉默未几，顾茫拾掇神情，重新调整好了自己，修长的指尖转着手里的器乐，玩味儿地对墨熄道，"羲和君今日好雅兴，居然也跑到这花楼里来了。"

墨熄听到一个沙哑得惊人的嗓音。顿了一会儿，他发现发出这种声音的人竟是自己。

他对那琵琶女道："出去。"

"是。"

顾茫对那琵琶女道："站住。"

歌女："……"

顾茫微笑着歪了一下头，说道："羲和君，你好霸道啊，我花钱买来陪我过夜的姑娘，怎么你说赶就赶。问过我的意思了吗？"

墨熄忍着胸臆中剧烈起伏，低哑道：顾茫。我有些话，想单独与你说。"

"说什么？"顾茫道，"你是新起之秀，我是末日江河。我们俩又有什么好谈的。"

"顾茫！"

顾茫抬起手来，将风波挥散，唢呐化作点点荧光，融入他的骨血之中。

他从朱栏上跳下来，双手抱臂，低眸浅笑："别闹了。你如今步步高升，得梦泽公主青睐，若再与我这污名在外的浪荡子厮混，多损你的清誉。你我好歹兄弟多年，哥哥我会心疼的。"

这熟悉的油滑腔调再一次在墨熄耳边声声响起，不是做梦，不是幻觉，而是真真实实的顾茫，看得见摸得着的、八年前的顾茫。

在疏远他，在嘲笑他，在抵触他——这个笑嘻嘻的男人，或许此刻已经盘算好了，不久之后便要叛国而去。

这个认知化作一种极强烈的冲动，猛地擂中墨熄的胸腔，墨熄的眼眶陡地红了："我不会走的。"

　　说罢对那琵琶女再一次重复："出去。"

　　顾茫微抬眉峰："你听不懂我之前说的话吗？我已经花钱买了她一整晚了。你把她赶走了，这接下来漫漫长夜谁来陪我？"

　　墨熄道："我会一直在这里。"

　　顾茫眨了眨黑眼睛，"你会弹琵琶吗？"

　　"……不会。"

　　"会唱小曲儿吗？"

　　"不会。"

　　"那我要你干什么？"顾茫笑道，"你又不值她这个价。"

　　墨熄不与他胡乱掰扯，只道："顾茫，我今日不去北境了。"

　　顾茫歪着头，嘴角仍噙着那气死人的薄笑："嗯，好事。可那与我又有何干？"

　　"与你有关。你再给我一个晚上，我有些话，现在不讲——"墨熄顿了顿，凝视着顾茫的眼睛，"恐怕以后，就再没有机会了。"

　　或许是因为知晓顾茫此时已有叛意，仔细将眼前人的细微表情都收之入眸时，便能看出顾茫听到他这句话后神色微有一变。

　　顾茫垂下睫毛，说道："今日无心理政，只愿醉心风月。你若真的要和我谈，来日方长，等你回来再说。"

　　墨熄道："我等不到那一天。"

　　几许沉默，琵琶歌女夹在二人中间进也不是退也不是，只得充作木雕泥塑，什么话也不敢说，一动也不敢动。

　　半晌后，顾茫低着头，似轻笑，又似长叹："你为什么非要缠着我呢？我都已经一无所有了。"

　　"我只是想再和你说说话。"

　　顾茫微笑着将那太过残忍的字句一刀接一刀戳在墨熄心坎里："还有什么好说的，你的师哥再也给不了你任何东西了，殿下，求求你，我只想玩一玩，高兴高兴，你走吧。你放过我吧。"

　　这番话若是八年前的墨熄听了，或许也就这么被蒙蔽过去了。或许真的会信他只是伤心难过，玩一玩乐一乐，总有痊愈的时候。但无奈此刻站在顾茫面前的是八年后的墨熄。顾茫所谓的玩一玩，听在墨熄耳中简直是说不出的痛心与讽刺。

　　墨熄喑哑道："就这一晚，你留给我。"

　　顾茫叹了口气："以后你还有很长的路要走，要注意你的身份……"

　　"我可以不要身份。"

　　鸦雀无声。连琵琶女都蓦地惊了抬起头，旋即又脸色煞白地低伏于地，瑟瑟发抖。

顾茫终于敛去了那神恶鬼憎的笑容，目光幽深地看着他，看着墨熄立在自己跟前，近乎偏执与咬牙切齿的脸。

顾茫轻声道："你这是在说什么疯话。"

"你心里都清楚。"

未曾重淬过的顾茫机敏聪慧，如同一个妖孽，从来都能轻而易举地看清墨师弟的内心。但今天，他看着眼前的这个人，却忽然感到陌生，觉得看不透。

他原本想开口气人赶人的，可是墨熄在原地狠狠地瞪着他，那双犀锐的眼眸里有着令顾茫不知所谓的痛苦与畏惧，甚至还有委屈。

是的，委屈。顾茫几乎是有些无措地认识到了这一点，而墨熄的眼眶已经红了。

墨熄咬着后槽牙，隐忍着自己眼里的湿润，沙哑而倔强道："你赶不走我。"

越听越无奈，越来越不安。最后，顾茫终于是服了软，拗不过他，于是叹了口气转了头，对琵琶女道："飞天姑娘，抱歉，这里有个疯子，请你回避一下。"

飞天姑娘求之不得，告退之后，简直是逃也似的离开了遗芳阁。柔靡芬芳瑞脑销金的屋子里就只剩下了他们两人。

顾茫从露台回了房间内，抬手一合，将连通露台的木门闭拢，然后他回过身来，指尖轻动，点亮了仙鹤铜架上的烛火。

做完这些，他径直走到墨熄面前，毫无芥蒂地破了安全距离，就这样笔直地，一路走到了墨熄对面。顾茫一双黑沉沉的眼眸带着询问又笼着挑衅，轻声道："好了，你看看，我的姑娘走了，都是你闹的，你满意了吧？"

顾师兄说话语气不善，薄凉无情，但曾经这个人也很温柔地逗他笑过，陪他谈天说地，只是都已经过去了而已。

顾茫的那种温柔，初时让墨熄意外，后来让墨熄依赖，可到了最后，留给墨熄最多的竟是痛苦。

还记得弱冠之夜他们对谈，以为从此就可以把师兄留在身边。但顾茫后来告诉他，那只不过是酒喝多了而已。

再后来，顾茫仍旧待他很好，墨熄便在这看似亲近无间实则危机四伏的关系中越来越迷茫，越来越伤心。他一直在等顾茫相信他，一直在盼顾茫真心待他。

可是无论他们共同经历过多少次苦难，无论顾茫喝醉时笑着说出过怎样的胡话，到了最后，顾茫都似乎不会相信可以有一个家，有一个永恒的承诺与陪伴。

所以墨熄想不明白，他想不明白，为什么明明没有把他看作最重要的，却可以为他披荆斩棘做到那种地步；为什么明明不打算一辈子陪伴，却总是如最亲近的家人一般对他好。

他更不明白为什么此刻顾茫明明已经心生叛念，却仍旧能够这样无所顾忌地面对自己？分明都已经想过要离开自己，从此各为其主，兵戈相向，为什么还能这么泰然自若地开玩笑？

心脏骤痛，他眸眶湿红，脸上带着愤怒、痛恨与悲伤。灯火流照，墨熄盯着顾茫的脸，半晌才直愣愣地断出一句："你……究竟把我当什么？"

顾茫有意气他似的："是你自己要替代飞天姑娘留下来陪我的。"

他说完，顿了顿，还想再补些什么。可他一眼扫到墨熄面庞上的委屈，看着这个年轻男人立在他面前，隐忍着，却又胸口起伏，隐忍不住的模样。

他忽然就有些不忍心了，他难道不心疼他的小师弟，看不到墨熄那份真挚的情义吗？不，不是的。他一切都看得很清楚，他很疼他，很舍不得他，只是他不想承认，不愿认命罢了。

顾茫看着墨熄眼眶微红的样子，叹了口气，抬起手，"你啊，以后要是没了我……"

墨熄的眼眸一下子便湿了。

顾茫叹道："你今天这是怎么了？"

"我只是想你能好好的。"墨熄沙哑道，"你心里要有什么难过、有什么委屈，能不能都告诉我？让我和你一起扛？你能不能不要胡思乱想，不要一个人忍着……"

"墨熄……"

那种失而复得得而复失的痛楚令他的每一寸骨骼都在细微战栗，于此刻慢慢地从四肢百骸中苏醒。

他闭上眼睛，剑眉低蹙，哽咽低语："师兄……你有什么心事，都不要再瞒着我了，好不好？"

那人愣住，没有作声。

半晌后，顾茫那双黑如长夜的眼睛安静地凝视着他，顾茫淡淡地问："羲和君觉得我瞒了你什么了？"

顾茫问这句话的时候，脸上的神情说不出的寡淡，笑容与顽劣都收去了，锋芒与狠戾又还未出鞘，只这样看着墨熄，像个陌生人。

墨熄自然不能说"你是不是有意叛国而去"，于是他阖了阖眼睛，低声道："我知道你仍对重华、对君上多有不满，我……"

"别啊。"顾茫一抬手，指尖触上墨熄的嘴唇，他盯着他，忽然又笑了，那笑容三分甜腻七分危险，浮于这张脸的表面，"话可不能乱讲。我如今军衔已解，残部收监待审，我的兄弟三日后就要东市问斩，你这时候来跟我探讨我是否对君上不满，是想累得我罪加一等，愈发万劫不复？"

"我从来没想要这样待你。"

"你现在没想过，不一定将来不去想。"顾茫道，"我不得不防啊。"

"顾茫。"墨熄的暗沉沉的眼睛伤心地看着他，暗哑道，"师兄。"

"你们这些权贵，就是平时赏赐人赏赐惯了，赏珠宝哄女人，赏财权哄男人。这些都没有用的时候，就干脆把自己的真心也赏出去，我哪里敢要？"顾茫叹了口气，"人的心都是会变的，君上当年还对我掏心掏肺呢,在我为重华开疆拓土的时候,我是万万没有料到新君即位之后会这样待我。"

顿了一顿,顾茫道:"我看不透你们这些人。"

"包括我?"

顾茫唇角的笑意更深了,他偏就有这种本事,他高兴的时候,一脉笑痕就能让人如沐春风;他不悦的时候,春风便立刻化作冻雨。

顾茫抬手拍了拍墨熄的脸:"是啊,包括你。"

顾茫睫毛微振,慢慢抬眼看着他。

墨熄无疑是伤心的,是绝望的,然而这些情绪愈积愈深之后,就如浊云压境,逐渐地让他周遭气场变得偏执而阴沉。

"你要我怎么证明?"墨熄眼中跳动着明暗不定的幽泽,"顾茫,事到如今,是不是只有与你同样出身的人,你才愿意相信。是不是只有陆展星站在你面前,你才愿意倾听。"

顾茫神色不变,淡道:"羲和君说笑了,顾某人不过贱奴一个,从来都是你们不愿意相信我,我又有什么选择的权利?"

墨熄看着他的脸,他惊觉顾茫此时就已与后来投于敌营的那个叛将有了一样的神态。敛在眼底的,已是决绝。此刻的顾茫,就像一个立在悬崖峭壁边的人,随时随刻都有可能堕下那万丈深渊而去。

墨熄喉结上下滚动——原来很多事情回头看,一切都早有迹象,只是当时年轻,没有读懂真正的顾茫,以至于这些预示着未来的细枝末节,他从前都错过了。

他蓦地闭了闭眼睛,低声道:"……对不起。"

"你跟我道什么歉?"

"你班师回朝那天,是我没能陪在你身边。"

顾茫静了一会儿,笑了:"你当时自己也在前线交锋,我并非不明事理。再说了,就算那天你在朝堂之上,你又能怎么样,能改变什么吗?"

他在铺着蜀绣织锦的桌几前坐下,抬手斟了两杯茶。顾茫的手臂这时候还是蜜色的,线条紧绷,不似后来那般苍白。

他将其中一杯茶推给了墨熄,自己饮了另一杯,而后道:"羲和君,这样处置我是新君的意思,不是靠你求个情就能改变的。我从来没有因为你那天未曾陪在我身边而怨恨过你,但说句实话,我们真的不是一路人。道不同不相为谋而已,你不用跟我说对不起。"

墨熄道:"这道歉我不止是说与你一人的,你能让我讲完吗?"

顾茫无所谓地笑道:"好啊,你说啊,既然你这道歉不止对我一个人,那还要对谁?"

"凤鸣山的七万魂。"

"……"

"对不起，顾茫，是重华欠了你们七万座有名有姓的墓碑。"

顾茫脸上的笑容逐渐淡去，睫毛微微簌动着，垂下来，然后他叹了口气道："墨熄，这件事已经过去了，我也已经看开了，你又何必再提呢。"

墨熄看着这个泡在青楼里，叫歌女弹招魂曲的顾茫，这个所谓的"看开了的人"。

沉默未几，他说："你想要替他们求的墓碑，我会去为你问君上讨要。"

顾茫原本在把玩着手中的杯盏，闻言倏地抬头。

不知为什么，他的神色竟微微变了："谁让你多管闲事。"

墨熄道："这不是闲事。"

顾茫一下子眉头上皱，面目近乎警惕的虎狼："你听着墨熄。如今我的军队虽然散了，但他们仍都是我一手带出的，生也好，死也罢，他们与我是同一种人，与你不是。用不着你来替我出头！"

"那是他们该有的，每一个英烈都有。你求的没错，你求不得我求。"

片刻沉默，屋内静得犹如深海死域。

顾茫依旧瞪视着墨熄，却一句话也没说。过了一会儿，他忽然低了头，蓦地闭上了眼睛。这是进屋以来，墨熄第一次看到他脸上戴着的虚冷假面裂出了一道缝，那后面的悲伤几乎像是海潮般涌流。

顾茫低头垂落在阴影里，轻轻地笑了："羲和君，你说笑了。什么英烈啊……他们不过是一群蝼蚁而已。"

"……"

"碑不碑的，蝼蚁怎配？就算立了，不过也就是个笑话，有谁会去祭奠？又有谁会去尊重？"

顾茫细瘦的长指捏着瓷杯，望着杯中的茶水，水中的倒影。

"立了也是一场镜花水月残砖废石，我早就不强求了。"

"……"

"你也不必多管闲事，这是我们贱民的事情，与羲和君你无关。"

"顾茫……"墨熄喉头阻鲠，良久之后，他问道，"究竟要怎么做，你才能不再像现在这样？"

"你什么都不用做。"顾茫将茶杯搁回了桌上，"乖乖地离我远一点就好，时光会磨平一切。"

可是时光是磨不平仇恨、解不开你的心结、阻不了你孤注一掷投身悬崖的，它只会将你消磨得愈发面目模糊，黑眼睛涸敝成了蓝色，身上伤痕累累，清誉毁于泥淖。

时光只能还给我一个支离破碎的你。

顾茫，我自将来至此地，我已看到过这件事的结局。

每一次呼吸都如刀绞，墨熄忍着这剧痛，指甲深陷入掌中，低声道："那你，今后呢……"

"今后？"

"那你今后，打算怎么办？"

"还能怎么样？声色酒肉，风月美人呗。"顾茫道，"君上削了我的职，但好歹留了我的钱，我顾某人从此逍遥度日，这样也挺好。"

"再无他求？"

"再无他求。"

墨熄微微动了动嘴唇，却没有立刻说话。

他很想不管不顾地告诉顾茫，你别再骗我了，八年后的一切我都已知晓。我知道若放你不管，你会走上怎样一条不归路，且永不回头。但是他不能说。

古书上早有记载，如若在时空镜中透露出自己来自将来，便会永困镜中，再也不能脱身。但墨熄又是真的很想知道当年的真相，知道顾茫是怎么想的，很想知道自己曾经该怎么做，才能阻止顾茫踏入黑暗。

当时的顾茫心里，到底有多少个死结要解开呢？君上残酷的言语、顾茫本身心灰意冷？

还有什么？还有没有别的什么心结，是他所不知道，或是遗漏的——

墨熄在这温和昏暗的厢房里，站在八年前的顾茫身边，犹如囚兽般困顿地想着。

心结……还有什么他已知的心结……

忽然，灵光闪现，墨熄心中陡然一冷！猛地记起了一件被自己淡忘的旧事。

当年他从北境回来，得知顾茫叛变，他不肯信，曾疯了般拉着每一个知情的人询问细节。

而那时，旁人的描述是："你走之后，君上曾召顾茫入过一次宫，他见顾茫意志消沉，终日碌碌，思及此人本也有可用之处，如此荒废未免可惜，于是委派给了他一个任务。顾茫接过那个委任之后就离开了重华，却再也没有回来复命。"

自己百般追问，想知道君上委以顾茫的是什么任务，但是那些人都说不太清楚。

"听说也就是一点小事，好像是让他振作些什么的，但顾茫不爱听，很快就出来了。甚至都没在大殿逗留哪怕一炷香的时间。"

"应该就是个很小的任务，真没什么。"

这个细节当时墨熄虽有留意，但无数次查问后，他都得到了"君上让顾茫振作，但顾茫不听"这样的答复，所以随着时光的流逝，他也就慢慢淡去了这个细节。

可是此刻，当此事被重新忆起，墨熄不由得掌心微微出汗，双手捏紧。

君上的态度他方才是亲眼见到的，君上有意试探顾茫忠心，又怎么在这时候对顾茫嘘寒问暖？那个绝非如此简单。

墨熄看着灯影红烛边顾茫的脸——若是顾茫此刻尚未完全下定决心要叛国，那么陆展星的死与君上交给他的委任，很可能就是让顾茫跳下复仇深渊的最后两股推力。

他的心跳越来越快。他越与过去的这些人对话，越行深思，就越觉得处处都透着蹊跷。

当年的事情绝不止这些，一定还发生了什么。他必须得知道君上给顾茫的最后一个委任是什么。

唯一幸运的是，时空镜里时间的流速与真实世界完全不同，镜子里的一天两天，对于外面而言不过就是一时半刻而已。慕容楚衣与江夜雪并不可能在这么短的时间内击败山膏，将他们从镜子里解救出来。

他还有时间，可以在八年前的光阴里探知更多的细节。

墨熄最终还是离开了杏花楼。

尽管他是如此渴望与正常的顾茫相处，但最终还是理智占了上风。

离开后，他去找了第三个想见的故人。

第22章

天牢最深处的囚室里，燃着一盏昏幽的油烛，散发着蓝色的幽泽。

除此之外，再没有任何光源。

陆展星跷着腿仰躺在冰冷的石床上，一边哼着小调，一边抛着两个不知哪儿搞来的骰子。

他穿着一件松快干净的囚服，雪白的袍襟衬着他小麦色的、硬朗的脸庞。大抵是因为行刑在即，又或许他这人极擅与人打好关系，所以狱卒们都没有为难他。

监牢内有一张小桌子，桌上甚至还摆了一壶酒，看酒瓶子的制式，应当是重华统一派发给狱卒的百花酿。

墨熄来时空镜里，第一个该见的人是君上，一个尚且稚嫩的君王；第二个想见的人是顾茫，一个还未失魂的故友；第三个得见的人是陆展星，一个记忆里的死人。

墨熄在单间前停下脚步，对带路的典狱长道："你退下吧。"

"是。"

陆展星一时没听出墨熄的声音，还以为又是天牢里哪个看守闲着无聊，想要找他唠嗑，于是吊儿郎当地从床上坐起来，一手斜撑着脸颊，一手仍抛着两枚骰子，满嘴胡诌："占星问卜、命运前途、人之将死其言也灵，你陆哥我只靠两骰子就能上窥天道。算一次命二十银贝币，问姻缘的翻倍。"

墨熄进了他的牢房内，摘下披着的斗篷。

陆展星懒洋洋地一掀眼皮，在看到墨熄面目的瞬间蓦地一怔，抛起来的骰子也没接住，骨碌碌滚到床边，"……羲和君？"

墨熄扫了一眼他的骰子和桌上的酒，顿了一下，说道："坐牢坐成你这样的，我还是头一次见。"

陆展星歪躺在床上，咧了下嘴，他重新摸索着把掉落的骰子攥回手里，笑道："算命吗？距离本店歇业还有最后三天，走过路过不要错过。"

墨熄在他对面坐下。

"你怎么不给自己算算。"

"算过了啊。"陆展星晃着他的臭脚，"我陆神棍乃是一将功成万骨枯，不功成也能万骨枯，牢里待了大半年，早给我自己算了百八十遍了。没啥好再算的。"

墨熄抬手，在牢狱周遭降下隔音结界。

陆展星道："你这是做什么？"

"我来，是想问你一个问题。"

陆展星依旧笑得没个正形："问姻缘吗？"

墨熄道："问冤屈。"

陆展星来回把玩着手上的两枚骰子，没吭声。过了好一会儿，才笑了一声："你这么好心啊？"

"顾茫不希望你走，所以我来问你。陆展星，凤鸣山一战，你是否有冤屈要诉。"

陆展星骨碌一下将骰子丢掷在石床上，掷出一个点数，不满意，又拿回手里重掷。来来去去好几回，最终他丢出了双六，他不再扔了。抬起头来，朝墨熄龇牙咧嘴一笑："有啊。君上拘押我是因为我斩杀了来使，老子我一人做事一人当，重华却因我一人之失，重判顾茫及之军队残部三万，请问这是为了什么？"

这世上能三言两语就把墨熄惹得火起的人不多，陆展星定是其中之一。什么"一人做事一人当"，这个莽夫就知道图个一时痛快，从来不知道这世上还有权谋、有党争，随自己高兴凭一腔热血就把顾茫推到了两难的境地。

墨熄咬牙道："你当时为什么就那么控制不住自己，那来使再是可疑，又是你可以杀的吗？！"

陆展星笑了笑，说道："我杀都杀了，又有什么好说的。"

"陆展星！"墨熄黑眉怒竖，厉声道，"你知不知道外面现在是什么情形？"

"什么情形？"

"凤鸣山一败，你的七万手足战死，剩下三万至今仍受监押等候判决，死了的连块墓碑都没有，活着的不知今后去何从！还有顾茫……所有的功勋都被抹去，再也得不到君上的重用，他在乎的东西差不多都毁得彻底了，换来的却是你一句'杀都杀了'？"

陆展星沉默地听着，粗粝的手指一直在转着手里的骰子，过了一会儿，他咧开他的嘴角，露出个戏谑的笑。

"再也得不到君上的重用，难道不是一件好事吗？"

墨熄蓦地一怔！陆展星这是……什么意思？

他对顾茫的这个兄弟太缺乏了解了，大抵是因为陆展星从小和顾茫一起长大，两人亲昵无间，墨熄曾经无数次看到陆展星把顾茫按在怀里揉脑袋哈哈大笑，又看到过很多次顾茫帮陆展星裹伤涂药。虽然顾茫对自己也好，但总觉得顾茫对陆展星更为亲近，而对自己总像是隔着什么看不见的帷幕似的。墨熄就是看到陆展星就浑身上下不舒服，而相对的，陆展星对墨熄也没什么好感。

从陆展星的角度而言，自己的总角之交莫名其妙就多了个贵族少爷当挚友，本来就有些不爽。更别提这个贵族少爷总爱独占顾茫的闲暇时间，巡夜要顾茫陪着，修行要顾茫陪着，有时候自己受伤了要顾茫多照顾，结果人家贵公子也立刻跟着破了皮流了血，害得顾茫两头跑。一次这样是巧合，次次这样，陆展星都怀疑这姓墨的小子是不是故意的了。

所以陆展星一开始对墨熄还客客气气的，后来就有些不爱搭理，两人见了面总是互相当没看见，要么就是碍于顾茫在场，敷衍了事地点个头算是打了招呼。

这种关系直接导致了墨熄对陆展星的了解基本流于表面。墨熄原以为陆展星多少会对自己闯下的祸事心存悔愧，他无论如何也没有料到对方竟会是这种"我巴不得瞧见如此结局"的态度。

陆展星见墨熄脸色青白，在床上换个更舒服的姿势靠着，又继续抛起了他的双骰，边抛边道："反正我也是快死的人了，有的话我不妨和你直说。"

墨熄咬牙道："你还有什么混账遗言要吐？"

陆展星嘿嘿一笑："混账算不上，我觉得我自己机灵得很，就是多少付出了那么一点不该付出的牺牲，但该达到的目的，我差不多也都已经达到了。"

"什么意思？"

陆展星犹如狼狗似的龇了龇牙，充满挑衅地斜睨过眼，看着墨熄："你们是不是都以为我斩杀那个使臣，是因为怀疑他居心叵测，又被他的言语不恭所激怒，所以才一时冲动，将他于军帐中斩首？"

墨熄嘴唇微动，轻声地："难道不是？"

陆展星晃着架着的二郎腿，冷笑两声："羲和君，您这是看不起我，还是看不起茫儿啊。"他语调晃晃悠悠地，眉眼里颇有些不羁，"茫儿从小与我一道长大，若我真是那么愚钝蠢笨，冲动行事之人，您觉得他会命我做他的副帅吗？他是战争的妖孽，而非意气用事的傻子。"

天牢的幽烛无声地淌着烛泪，陆展星言语里的意思简直让墨熄骇悚。

"你是故意的……"

"那么多年，我随他南征北战，我几时因为一时情绪上头，做过什么不可挽回的事情。"陆展星悠然道，"对啊，我是故意的。"

蓦地风起，陆展星猛地被墨熄提起来，狠抵到石墙上！牢狱中的烛火因为这劲风而倏地灭去两盏，屋内更暗了，但墨熄的眼睛却反显得更亮，在昏黑的牢房中淬着火，溅着光，满是愤怒与不可置信。他的指节咯咯作响，几乎要把陆展星的喉骨就此掐断。

"陆展星！你疯了？！你知不知道你在做什么？！你知不知道你差不多毁了他一辈子！！"

陆展星一张脸在墨熄手掌之下涨得通红，他憋着一口气，眼睛下睨，都这样了，居然还能挤出张扬的嘲笑来。

"我毁他一辈子，也好过看着他毁掉自己和更多人的性命。"一字一字都从牙缝里挤出，陆展星眼中光芒闪动，"也好过……让他怀着注定不得善终的幻梦，带着一群傻子……替你们……出生入死……"

墨熄扼得太紧了，他额头上的经络都暴了出来，却还是嘲讽道："痴傻……卖命！他的权，君上削得好！！"

就像被一条疯狗咬到，听到他最后赤裸裸地喊出这句话，墨熄猛地将他松开，站在原地喘息着，气得手都抖了，却也惊得周身冰凉。八年前隐瞒在血腥与死亡中的，到底还有多少他未知的真相？！

他一松手，陆展星就猛地弯下腰，弓着身子剧烈咳嗽着，大口大口地缓了好一会儿气，这才偏着脸抬起眼来。

墨熄的声音简直有些虚渺："你是故意害他到这一步的？"

"你错了。"陆展星舔了舔唇角，慢慢地站直身子，"我是在救他。"

墨熄像看着一个最荒谬的笑话看着他："救他？"

"是。"陆展星道，"你这种出身优渥的贵公子又哪里会真的懂我们的处境？茫儿被先君破格启用以来，打了大大小小无数的胜仗，从来没有真正意义上的败北。然而他走得越高，遭受到的莫名其妙的非议就越多，那些人的议论，羲和君可曾听到过？"

"……"

那些流言蜚语不知从何传出，似无数魑魅魍魉在夜幕里群魔乱舞，墨熄又怎会没有听到过。初时顾茫还只是个小将领时，那些碎语闲言也只是三两句。可后来顾茫越来越悍勇卓著，军功震主，那些冰冷恶毒的话语也就像无数条滑蛇，不知顺着谁的舌头滑出来，最后都死死地缠绕在了顾茫身上——

"培植势力，只手遮天。"

"什么神坛猛兽，我看也没什么本事，他那些兵法幻术甚至还有些歪魔邪道的意思，你们不觉得他生冷不忌，似乎对燎国黑魔诀也并不避讳吗？"

"他本来就是个奴隶，又不是什么名门正统出身的修士，心志不洁那也是再正常不过的事情了。君上要是再那么信任他，呵呵，说句大逆不道的，重华迟早会出事。"

更有甚者，直接将顾茫与昔日的魔头相比照——

"他就是下一个花破暗！"

"养虎为患！养虎为患！"

陆展星看着墨熄的脸色，抿着弧度纤长的嘴唇，轻笑了两声："看来羲和君也不是全然无耳闻啊。"

他走到小桌边，在桌旁坐下来。将那两枚骰子丢在桌上，然后给自己倒了小半盏酒，凑到唇边慢慢地饮着。

"这些话，茫儿他自己或多或少也听到过。我气不过，他却总是跟我说不必介怀，说只要我们做得足够好，这些声音迟早会慢慢地弱下去，越来越多的人会明白世上的奴隶不是只有花破暗，还有他顾茫，还有我陆展星。"

陆展星惨然一笑："他就是这么天真一个人。或者说，也不是天真，是他总想把事情往好的地方想，明明活在泥潭里，却偏偏要去抬头看着阳光万丈。"

墨熄轻声道："是，他一直都是这样。"

"你也应该清楚他为什么是战神。"陆展星道，"他是不会气馁的，再难打的仗，只要看到他，所有人就会觉得其实也没什么。他好像有无穷无尽的热血，足够……"他顿了一下，嗤笑道，"足够重华这只蚂蟥在他身上吸到饱胀。"

"那是你觉得！"这句话刺耳至极，墨熄目光冰冷地盯着陆展星的脸，"所以他是战神而你不是。他曾经是自己愿意去拓土开疆的，他曾说想要替自己证明一些事情。"

陆展星只是冷笑。

"不是每个走向战场的人都会觉得自己在被吸血。"墨熄道，"顾茫他说过，他有他自己的想法，他是心甘情愿选了这条路的。"

"哈哈……哈哈哈，心甘情愿……心甘情愿……"陆展星仰头笑了起来，锁链在他腿脚双手间哗啦晃动，"所以我说他傻啊！你看看他，那么多年功名显赫，证明了什么？那些对他指指点点的声音停下来了吗？他只不过让老士族越来越惶恐，看到一张与花破暗越来越相似的脸——这么多年了，随着他不断地证明自己，我没见到厌憎他的人对他改观，只见曾经宽容他的人也开始对他疑心重重。羲和君，你告诉我，他证明了自己什么啊？证明了自己有和花破暗一样起兵的实力吗？！"

墨熄也蓦地怒了："那你要怎么样？你是要为了不让他再这么傻下去，干脆逼他到绝境，逼他真的走上花破暗那条路吗？！"

陆展星拍案道："我只希望他能消停！！"

酒在他猛击桌案时洒了出来，骰子也在斑驳破旧的小桌上骨碌滚动。

"我只希望他最后能消停。"陆展星重复着，这句话像是戳中了他自己那颗粗糙内心的某处柔软，他的目光逐渐有些恍惚，声音渐渐地轻下来，喃喃地，"我太希望他能清醒过来……消停下来……不要再那么天真。"

陆展星闭了闭眼睛，情绪激动时脸上的潮红还未消退，嗓音却已有了些无力回天的沙哑："这么多年了……他看似风光无限，你看他消去了奴籍，看他威加海内万人称颂。但是我看着他，我却觉得他是站在一座即将消融的冰山上，周围都是等着他一朝落水将他啮撕成块的鲨鱼。功高震主这四个字，莫说是他了，便就是你。"陆展星抬头看着墨熄，"羲和君，你要的起这句评价吗？"

"……"

"可偏偏他不以为意。"

陆展星说着，又抬手，捻着一枚红漆白底的骰子，在桌上慢慢转着，"所以你看，他没有败过，他的军队也没有败过。没有人能够真正找到一个理由对他如何——可他不会一辈子不打败仗的。而他失败的结局，注定会比任何一个功高震主的将军都来得更惨。"

墨熄心头一紧。

陆展星毫不客气道："因为他从一开始，就只是你们相中的一条狗而已。"

若是在进入时空镜之前，有人敢跟墨熄说这些话，他们得到的只会是墨熄的否认。可是"顾茫不过就是一条狗"这个意思，他刚刚才从八年前的君上口中听到，他竟一个字都无法辩驳。知道的真相越多，心就越痛，血就越冰。那心中的火，就好似要渐渐熄灭。

陆展星叹了口气道："新君刚刚继位，茫儿触怒到他的地方还不多。这时候因我之过败了，不过是削权贬黜，还不至于要了他的命。但若是他继续这样不管不顾地走下去，等他走到权力的巅峰，那时候他要是败了，他就只剩一个死无全尸的下场。"

墨熄喉头发苦："所以，你就故意……"

"是啊。"陆展星淡笑着，双手抱臂道，"我陆某人神算，窥见天道。对，是我故意要他败的。是我故意要断他前程。事实也证明我猜得不错。你看看他，他果然什么也不剩了。"

墨熄的指尖都在发颤了，他盯着陆展星的脸，直到今天他才多少有些懂了陆展星这个人——一个疯子，孤注一掷的疯子。

字字句句从牙缝中挤出："陆展星！你可知道七万热血因你而死？"

陆展星道："总好过今后死十七万，七十万。"

"你可知道，顾茫他一生所求……为你断送？！"

"总好过他日后被千刀万剐五马分尸。"

愤怒的炎流蓦地裹挟了墨熄，他心脏剧烈跳动，一把将陆展星拽起来，指尖颤抖着，抬手猛地扇在了对方脸上！

"啪"的一声，十成的力道，陆展星的脸颊一下子肿了，唇角有血渗出来。

墨熄狠盯着他，眼眶红得厉害，声音更是抖得不像话。

"你凭什么替他做决定？你凭什么为他做选择？你知不知道你死了，他的七万同袍死无可安会把他逼到什么地步？你是想推他入深渊吗？陆展星？！"到了最后，黑熄眼中星火爆溅，几乎是怒号，"你不想让他死，可你又真的懂过他的心吗？！"

陆展星的嗓音也拔高了，渗着血的唇齿一开一合着："他的心太高了，迟早会把他的命吊死！你懂什么？！"

像两柄兵刃争鸣交锋，龙争虎斗。

"你生来就锦衣玉食，所谓的挫折也不过就是你家族内部的一些个破事！你体会过别人一个不悦就能断送你性命的那种无力感吗？你知道顾茫从小到大过得有多不容易，才能活到今天吗？"陆展星愤怒、绝望，几乎有些哽咽了，"他就是一匹昏了头的蠢驴，你们松去了他脖颈上的锁奴环，换了功名利禄来当作垂在他眼前的萝卜白菜，可事实改变了吗？他还是在用他的血泪在替你们拉着磨，偏偏像个傻子似的高兴得不得了……"陆展星说到这里，忍不住仰起头，以臂遮眼，沙哑道，"但驴子还是驴子，哪天他懒了，他累了，他再也走不动了，他还是只能任人屠戮尸骨无存！"

陆展星说到这里，深吸了口气道：

"他看不清的，我就提前让他看明白；他明白却不愿意放手的，我就逼着他把十根手指都松开！他既觉得老君上对他有恩，那我便一直等着。我等到新君即位，我再行此一举，免去他与老君上恩转为仇。我还有什么没替他思虑周全的？"

"陆展星……"墨熄喉中压着的情绪似有熔岩翻沸，"你简直是个疯子……"

"疯了的不是我，是他。"陆展星将手垂下来，他眼眶仍因情绪激动而微红着，但眼神里的柔软却已尽数剥离，只剩下了狠绝，他盯着墨熄，"茫儿是该有多疯，才能认为以他一己之力能改变整个重华乃至整个九州对奴隶的看法？他该是有多狂多疯，才能觉得这一切都有希望！"

墨熄沙哑道："你宁愿他失去人生中的火光，也要让他如你所愿这样活着？"

"曳尾涂中又有什么不好吗？人不过沧海一粟，他偏觉得自己是蜉蝣可以撼天。你看，如今他自己也应该知道结局了。只要新君上下嘴皮子一碰，他的海市蜃楼都会毁灭崩塌。付出这七万人的代价，从此顾茫也好，那些穷苦愚蠢的奴籍修士也好，都不必再为重华抛头颅洒热血！"

陆展星说着，嘴角的笑容近乎扭曲："谁的江山由谁自己镇守。羲和君贵公子，求求你，求你别管了，让这支可笑的军队就此分崩离析吧。我们也只是想好死不如赖活着。"

我们？我们？顾茫从学宫时代就一脸憧憬地说过，希望有朝一日能够改天换日，希望能改变这个世道哪怕一星半点。只要能燃出一缕光芒，他愿意焚尽自己的身体发肤，四肢百骸。陆展星却说"我们"也只是想好死不如赖活着，凭什么？！

墨熄似有一瞬极愤怒，但他今日与陆展星的冲突已尖锐到一旦失控便会鲜血四溅的地步，他不想就此紊乱时空镜里的事情，于是他用力阖了阖眼睛。

过了好一会儿，那过于暴虐的怒焰才熄下去。墨熄缓慢舒开双眸，黑沉沉的眸子重新望向陆展星。

正想好好说话，却陆展星又补了一刀："羲和君，你离他远些吧，从今往后我是不能再陪着他了，求求你老人家高抬贵手，别再给他那些会要了他命的希望。"

墨熄发觉自己不能再看着陆展星那张脸，看一眼刚压下的火就能又蹿上来。他将脸庞猛地转开，盯着旁边摇曳的烛火。

陆展星道："别再引他走这条路了。"

指捏成拳，墨熄的目光从幽幽的烛火上离开，最后落到了陆展星之前一直在把玩的那两枚骰子上。他并没有太在意这两枚骰子，他只是太痛苦也太愤怒了，视线想找个凭依，想栖落在某个地方。

他盯着那两枚白底红漆的投骰半晌。可过了一会儿，忽地觉得有什么地方不对，发毛的感觉首先蹿上来，继而墨熄陡地意识到了问题！他的背脊蓦地绷紧，这骰子……

这骰子白底红漆，花梨木斫刻而成，六个点旁边有一道非常不起眼的小莲花纹饰。它是……顾茫的木骰？！

是，顾茫以前在军中喜玩叶子牌，也喜欢掷点子赌大小，他当时羡慕墨家岳家慕容家拥有属于自己的图腾，于是别出心裁地也给自己偷想了一个。

他给自己所设的图腾纹章是一朵佛莲，刻在其他地方太招摇，未免让人看了笑话，于是刻也只刻在和兄弟们耍玩的骰子上。

陆展星那时候还笑过他，说你一个男子汉大丈夫，拿朵小红莲当印记是怎么回事。顾茫就笑着解释道，莲开七日，时候虽不长，却清香浸乾坤，有什么不好。

再后来，顾茫与墨熄私下定了血契，两人脖颈处各有一道莲纹，用的也是顾茫从前所设的图腾。

意识到这件事后，陆展星的声音就如同相隔着汪洋大海，墨熄再没有注意力去听他在讲些什么，他的手指有些发抖，几欲抬手去拿起桌上那木骰细看。

"羲和君。"

"……"

"你放过茫儿吧。"

陆展星道："你要真的在乎他，把他当人看，就别吊着他让他为你们卖命厮杀了，你放过他吧。"

墨熄喉头滚动，最终还是生生勒住了自己的这种冲动。沉寂之后，墨熄脸色微白地把目光从骰子上移开，他望着陆展星，低声道："你这样替他谋划，就真的确定他会按照你为他铺好的路走，从此闲云野鹤了残生？"

"那他还有什么路可走？"

墨熄黑褐的眼睛盯着陆展星的脸："你有没有想过，他或许会反。"

陆展星着实是愣了一下，随后近乎好笑地开口："你在胡说些什么？茫儿会反？你难道不知道他是怎样一个人？"

"那你难道不知道你在他心里，那十万修士在他心里，有多重吗？"

陆展星脸色发青，他沉默须臾，仍是一脸荒谬地抬头冷笑道，"他绝不会。"

墨熄一点一寸地丈量着他眉目间的情绪，把陆展星此刻的种种反应都尽收眼底。

陆展星道："我了解他，他走哪一步也绝不可能走这一步……他……他……"

墨熄道："是吗？难道你从未听说过你入狱这半年来，他有什么反常？"

陆展星往后退了一步，眼神里隐约透着些奇怪的惶然。

果然……墨熄从这份惶然中看出他似乎知道些什么自己所不知道的。陆展星一定隐瞒了某些秘密。在这绷到极致的沉默中，墨熄忽然没头没尾地问了句："陆展星，你入狱之后，是不是见过顾茫？"

陆展星犹如被一击冷箭刺中，猛地抬头！随即血色褪去，又立刻将脸转开去。半晌后，他道："羲和君这是在想什么？茫儿如今是戴罪之身，他怎么见我？我倒是渴望着和他再叙叙旧呢。不过……呵呵。"他自嘲地笑了笑，"梦里吧，还是做个梦来得更实在点。"

墨熄没再说话，只是陆展星在他那个问题之后的反应他都看了个清楚，他眸底的颜色更深了。他几乎可以确认，这半年之内，顾茫一定是见过陆展星的。可是这样一来，这件事情就显得愈发蹊跷。试问顾茫作为一个被罢黜的权臣，日日夜夜都被君上的暗卫盯梢，他怎么有机会突破这守备森严的天牢，前往陆展星的牢狱？

"我再问你最后一遍。"墨熄道，"陆展星，顾茫真的没有来这里找过你？"

"没有。"

"你也真的没有丝毫冤屈？"

陆展星道："没有。"

知道不管怎么问，也再问不出什么像样的回答了。两人最终不欢而散，谁也没能说服谁，谁也没有向谁让步。墨熄从阴冷的天牢囚室里走了出来。身后是铁链门锁哗啦的声音，施过灵力的枷锁链子重新将羁押陆展星的牢房重重上锁。

墨熄离开前，侧过脸最后又看了一眼陆展星。

陆展星坐在那一豆油灯的昏沉光晕中，低着头，阖着目。

就在他彻底转身的瞬间，陆展星忽然又抬起头来：

"等一下！"

墨熄抿了抿薄唇，侧望着陆展星："怎么？"

陆展星咬了咬牙，说道："还有件事。"

"……"

"既然你来了，我也想问问你。"

"你说。"

陆展星犹豫一会儿，这个问题已经在他心里压了许久，都快沤烂了，他也知道若是此刻不开口，以后就再无机会。所以他咬了下牙，终于说："这么多年了，我一直想知道。你……是真的把顾茫当作兄弟吗？"

"你真的放下自己的身份，你做出这样的选择，对于贵族出身就是一辈子的污名，你真的能一辈子不后悔？"

墨熄道："是。"

陆展星像是被这句墨熄丢出的亲口承认震住了，方才任何言语都没有此刻墨熄的这一声"是"更让他震撼。

从戎那么多年，其实陆展星早就看出了墨熄对顾茫的深情厚谊，但重华贵贱不可交，尤其顾茫还是望舒府的人，他觉得这两个人的路注定走得不会长，墨熄将门之后，不会为了一个贫奴坚持太久，早晚他们会分道扬镳。

可当顾茫身陷泥淖，墨熄却仍站在这里，站在他面前，亲口承认他不后悔的时候，陆展星忽然有些呼吸不上来。他慢慢地往后退了数步，坐在石床上，几乎是有些颓然地。

陆展星躬下身子，把脸埋进掌心里用力揉搓着，哑声道："他不知道他自己是什么出身吗？疯子，真是个疯子……"

顿了顿，陆展星几乎是疲惫至极地开口："飞蛾扑火有意思吗？他这一生所求的，怎么都是这么……这么……"喉结滚动，唇间落下两个字来，"荒唐。"

晃动的光影中，墨熄睨着他，过了一会儿，墨熄说："你别怨他，是我飞蛾扑火。"

说罢，转身，黑袍滚滚拂动青阶，消失在了长长的甬道深处。

是夜，回到羲和府后，墨熄辗转反侧也无法入眠。最后他蓦地从床上坐起，披衣推门，星辰碎钻般铺满了整片深蓝色的穹天。

他取了一件斗篷罩在外面，径自又去了杏花楼。

虽然他为了查出更多掩埋在过去的真相，此时不便再出现于顾茫面前，但他仍是忍不住希望能多看八年前的顾茫几眼。

夜深了，杏花楼燕语莺声丝竹弹拨不绝于耳。墨熄从偏径往顾茫所在的楼台走去，他并不担心被人看见，因为他身上披着的斗篷乃是岳辰晴的祖父用隐踪鸟的羽毛所制，虽然隐踪鸟的羽毛离体即失效，但是岳家先祖毕竟是炼器大宗师，成功保留了翎羽的特性，所制的斗篷可有三次隐身之效。

墨熄掠下檐牙，无声地停在了繁花盛开的露台外。

那八扇楠竹移门此时是敞开着的，顾茫并没有把弹琵琶的飞天姑娘叫回来，里屋只有他一个人。

顾茫以手支颐，阖着眼眸坐在桌前。

他看起来好像已经睡着了，又好像还很清醒，长睫毛随着呼吸而微微颤着，烟篆袅袅，自顾茫手边的熏香炉里升起，将他的五官浸润得很柔和。

墨熄披着隐身斗篷，凝神屏息走近他身边，自上而下看着这张再熟悉不过的脸。这个时候他忽然明白了慕容怜对浮生若梦的依赖究竟有多沉。

"笃笃。"

忽然，掩合着的门被叩响。

墨熄和顾茫几乎是同时从自己的涣散中回神，墨熄往后退了一步，而顾茫则起身去开门。

墨熄原以为叩门的又是什么飞天入地之类的小妖女，可当门打开，顾茫侧过身子让对方进来时，他看到来者并不是什么歌女，而是一个与自己一样、披着玄色斗篷的人。那人虽然并没有用隐形披风，但他以一盏银金色覆面结结实实地遮盖了五官，唯能从他高大挺拔的身形上判断出，此人应当是个男子。

他是谁？思疑方生，这斗篷男子就开口了。他的声音明显用幻音术扭曲过，显得十分沙哑古怪。

男子道："今日可有什么异状？"

顾茫沉默片刻，答道："没有。"

"是吗？"斗篷男若有所思地，"没有人来寻过你吗？"

顾茫仍答道："没有。"

男子见他坚持，也就不再继续追问。他将手里的一个包袱搁在了桌上，说道："给你带来的，去换上吧。"

顾茫抬手掀开了包裹一角，但很快就又将包裹拢上了。他问那个斗篷男子："这什么意思？"

"你要去那个地方，总该准备准备。"

顾茫的手指尖仍垂在包袱边缘，闻言蓦地一僵，指节不自觉地蜷紧，握住了包袱皮。他这个状况让墨熄愈发不解，要知道顾茫一贯是个非常镇定的人，天掉下来他都能当被子盖，可是这个斗篷男只消一句话，竟已让顾茫变了颜色。

"那里的情况，只跟你说，怕你不信。"斗篷男子道，"今夜带你亲眼去看一看，眼见为实。"

饶是烛火如此温暖，也暖不了顾茫脸色的苍白。顾茫似乎是在压制着一种极为复杂的情绪，连嘴唇的血色都在逐渐褪去。他垂下眼帘，肩膀微发着抖，最后他捧起那布包，转身去了屏风后面。

待顾茫再一次从屏风后面出来时，他竟已和那个黑衣斗篷男子换了一套一模一样的装束，绣着淡金色云雷纹的披风将他的身躯从头到脚遮得严实，顾茫道："走吧。"

两人一前一后出了遗芳阁，墨熄也一直在他们身后跟着。这青楼瓦肆最是鱼龙混杂的地方，鸨母也好，姑娘也罢，心里都铭记着三个"少"，即少看少问少听。因此这二位打扮突兀的男子走过花楼的长廊，侍女们也没有露出半点惊诧的神情，只管着自己低头行礼，而后眼观鼻鼻观心，就让他们这么去了。

顾茫和那黑衣人一路上无言，关系似乎也不是很亲密。那黑衣人走在前面，顾茫始终沉默地跟在他后面……

这个黑衣人看不出身法，身上的气息也收敛得非常完美，墨熄在不暴露自己的情况下并不能探知到更多与他有关的灵流，只能一路跟着，看他们究竟要去往何处。

走了约莫一炷香的工夫，方向渐趋明朗，但墨熄心中的疑窦却越来越深——

这是……战魂山的方向？

果不其然，他们最后就停在了战魂山山脚下。

八年前的战魂山门口，还没有设立镇守的侍卫。不过因为战魂山的山巅有重华历朝历代的英烈碑冢，为表恭敬肃穆，山门前还是有一道无形的结界，那个结界可以洗去几乎所有的易容与隐身术法，这也就意味着墨熄的跟踪只能在这里终止。

顾茫将斗篷的帽兜落下来，仰头看着那蜿蜒曲折的石径，两边松竹摇曳，月华透过叶梢洒在古旧的青石路面。

黑衣人道："怎么了？"

顾茫道："想到很快我就要离开这里，手上将沾上重华军士的血，我……"

他没有再说下去，而墨熄则是心中骤紧。

之前他们俩见面的时候，顾茫果然是骗他的。顾茫是真的在这个时候就已决定了要叛国而去。顾茫真的已经在此刻料定了以后手上会沾染昔日同袍的血。

顾茫……你究竟是为了什么？而这个陪在你身边的神秘黑衣人又究竟是谁？！

墨熄竭力遏制住自己想要上去揭开那个黑衣人面罩的欲望，尽管这已经将他的眼眸都烧红烧烫。他有一种预知，只要摘下此人的面罩，很多问题便能迎刃而解，很多谜团都能就此解释。但是线索也将断在这里，他将无法知道更多的东西，而这无疑是得不偿失的。

墨熄喉头滚动，他平复着自己内心的躁动。然后他听到黑衣人说：

"重华如今的局势也就是这样。凤鸣山败北后你也亲眼见到了，你与你的军队落魄，只有落井下石的，没有雪中送炭的。"黑衣人似乎看出了顾茫想要辩驳，于是抬了抬手，"你不必跟我说如果羲和君在，他会向着你。他向着你也没有用，你是个聪明人，你应当已经很清楚，重华一直是显贵当道，以你一己之力，并不能扭转什么。"

墨熄颅内嗡嗡乱作一团，这个人是在昭然策反顾茫，与顾茫说重华局势如此，与顾茫说除了羲和没有人向着你……燎国人？不，不可能。哪个燎国人可以在重华这般来去自如，如入无人之境？哪个燎国人又能这样坦荡荡地站在顾茫面前，而不激起顾茫的强烈反感与之反目？除非……

除非比起重华，顾茫本身更信得过眼前这个黑衣人。可这样的信任又岂会是十天半载三言两语便能建立的？难道顾茫从更早之前就与某个燎国探子有所往来？这怎么可能？！

黑衣人道："事情到了这个地步，叛国这一棋，你已是落子无悔。"

墨熄喉咙里简直都有森然的血意了。

不过是短短一日，八年前，顾茫叛变前夕的短短一日。竟就有这么多的事情被岁月的风沙所掩埋——君上的冷酷无情、陆展星的一意孤行，顾茫的心事重重，还有这个……不加掩饰将顾茫推上地狱之路的黑衣男子。

顾茫将黑衣人的话一字一句都听在耳中，却没有任何的回应。

夜风更急了，宽大的袍袖衣摆像是零落的残花将被卷拂而去。在这寒夜当中，顾茫似乎被冷着了，手指微蜷，想要掩入袖中。

黑衣人沉声道："顾帅，要拓出一条路来，没有双手不沾血的。"他说着，垂了睫毛。

"重华权贵之势，你也都清楚了。你是个聪明人，别的不再多说，你上山去那里看看吧。"黑衣人顿了顿，说，"望你看了之后，会明白什么可信，什么不可信，什么值得，什么又不值得。"

顾茫蓦地阖了眼睛，夜风呼呼吹拂着他的斗篷袍摆。

在这寂夜中，墨熄是那么希望顾茫能够矢口否认，能够说一句我不想叛，哪怕说一句"容我再想一想"也好，可是顾茫没有说。墨熄的心，也就在这摧心折骨的沉默中，一寸寸地变凉。

顾茫道："我知道了，走吧。"

他丢下这句话，径自穿过战魂山的山门结界，滚滚黑袍如黑云翻卷，头也不回地上了山去。

墨熄并不知道他们在战魂山待了多久，他周身麻木得厉害。时空镜中一日，仿佛堆积了八年的秘密开了匣，雪崩般向他覆压而下，这个一贯肩背挺拔仿佛什么都能扛住的男人不得不背靠着石壁才能勉强站立。

可是就算这样站着，血仍是供不上，眼前一阵阵地发黑。一件件往事将他的骨骼碾碎，筋骨挑断，他最终还是慢慢地滑坐下来，躬身坐在山道的青石边，抬起颤抖的手，覆住了眉目。

要捋的线索实在太多了，反而将他绕作一团乱麻。更何况他这是要怎样的事不关己冷血无情，才能在这样的刺激中再保有一颗冷静的心？

晨旭微透时，顾茫才与那个黑衣人从战魂山下来，仍是黑衣人走在前，顾茫在后面。

墨熄疲惫地抬起眸，眼底有蛛网般的血丝。他迎着模糊的天光，看着越走越近的两人，而后他们穿出了结界。

这时候墨熄的头脑根本就是混乱至极的，整个人也被摧折得厉害，他这样一个天之骄子，此刻让他说一段他幼时就能倒背如流的《伏昼天劫志》，他或许也说不出来。

但就在这样的状态下，在这样朦胧的晨雾云岚中，他还是于瞧见顾茫的第一眼就意识到——顾茫哭过。

顾茫是个很坚强的男子汉，但坚强的灵魂未必就能由坚强的体魄来装载。顾茫的身体是温软的，那双眼睛像黑夜中的昙花般柔和，容易因为悲伤和刺激而流泪，而墨熄曾像探索自己的内心一样探索过顾茫，他已将顾茫在任何情绪下的状态都深刻铭记。

他看到顾茫纤长眼眸微微的红，就知道顾茫一定哭过。他为什么哭？为了谁而哭？是为了无力回头的过去，还是为了孤注一掷的将来？

两人在山脚站定，黑衣人抬头看了看天色，说道："时候不早，若再不离开，就该被人发现了。"

"是。"顾茫嗓音微哑，向黑衣人行了一个端端正正的礼，"该看的，我都看到了。多谢今夜相陪，就此别过。"

"不必。你自己也……多多保重。"

只是一个瞬影，黑衣人掠起，速度快得令人无法看清，便消失在稀薄晨光中不见了。顾茫回头最后望了一眼云烟缭绕的战魂山，紧了紧肩上披着的黑色斗篷，好像斗篷下面遮掩着某个无法告人的秘密，他低下头，也跟着大步离去。

顾茫走后，墨熄再不用掩饰，他洗去法术，独上了战魂山，他在山上寻找蛛丝马迹，最后去了战魂禁地。

之前顾茫对他说过，觉得战魂山的禁地"似曾相识"，所以墨熄觉得他们方才去的应当就是这个地方。虽说此禁地是王室所建，但这时候它还只是个简陋雏形，想突破结界并非那么困难。

墨熄站在荒山禁地外，手指覆上结界光阵。

他能感知到这只是一层普通的高阶阻隔阵，不似八年后那般无坚不摧，然而他如今身在镜中，又是个不速之客，灵力法术都被削弱得厉害，所以饶是这法阵并不完美，他也无法穿过……

战魂山禁地结界的光芒在不断涌动着，仿佛在讥嘲着这个来自八年后的游魂——

"重华如今的局势也就是这样，你一人之力改变不了什么。"

"顾帅，要拓出一条路来，没有双手不沾血的。"

"重华权贵之势，你也都清楚了。"

"叛国这一棋，你已是落子无悔……"

黑衣人到底是谁？此人言语之间的意思，旨在让顾茫看清重华以血统为上的传统，重择其主，言辞像极了燎国策反的军士。可顾茫真的就那么早就与燎国之人相勾结了吗？

而除此之外，由于战魂山禁地由王室授意所建，或许是有立场相悖的贵族看到了里面的某样东西，知道君上所谋，心生反叛之意，所以带顾茫来亲眼见证，好让顾茫伤心、死心，彻底与重华王族们一刀两断，另谋新路。

但这条也有说不通的地方——虽说重华王室之间暗流涌动，可又有哪个贵族会真的希望血统为尊的朝局被颠覆呢……

一个个问题仿佛都在擂着心脏，墨熄仿佛置身迷雾中央，他在雾中摸索，却无法捕捉到事情的真相。

这一界之隔的秘密，他终是不得而知了。他唯独可以确信的是，顾茫当年之叛，果非那么简单。

直到回到羲和府，墨熄也没有全然缓过神来。

霜秋端着点心托盘小心翼翼地走近："主上？"

"……"

"主上，您是不是昨晚没睡好？"

墨熄没吭声，他想也知道自己现在的状况有多难看又有多可笑。

古书言时空镜中九死一生，他曾经觉得荒谬，此刻却觉得所言非虚。且不说顾茫这种已经完全被催眠的人，就是他作为一个跟着被卷入的陪同者，也一样逃不掉被镜子折磨的命运。

一个人这一生之中，总有或多或少的遗憾，一次生命的轮转里，也总会隐瞒着各种各样的秘密。面对这些遗憾，回到过去的人会不想着弥补吗？面对那些秘密，自未来而至的人又怎会不觉得震撼……

人回到镜中岁月，就会发现或许只是一言之失、一念之差，沧海便就换作桑田；又或许和他一样，发现许多自以为然的"事实"，只是一个再拙劣不过的假象，竟骗了他整整八年，而真相如何，他却也无从探知。

墨熄头疼欲裂，几乎要被这种痛苦逼疯。

霜秋道："主上，您……"

墨熄捏着茶盏的手失了力道，蓦地一合，竟将瓷盏生生捏作碎片。霜秋尖叫一声，眼见着血水顺着被割破的指腹流淌，蜿蜒过苍白的手，慌忙道："主、主上，我这就替您……"

"出去。"

"主上？"

墨熄黑沉沉的眼睛由于血丝太甚，似弥着一层红云，他盯着自己淌血不止的手，沙哑道："滚。"

霜秋不敢再多言，忙收拾着盘盏慌慌忙忙地走了。墨熄没有擦拭自己手上的血迹，他甚至希望这种些微的痛楚能够唤回他更多的清醒。

他亟欲拥有的清醒。

离陆展星斩首之日还有两天，他觉得自己还能支撑，不因为一时冲动而搅乱时空镜里的过去。他也希望慕容楚衣他们不要那么快击败山膏将他们从镜子中救出来。现实已经将这一段过往盖棺埋葬，他想在八年前多留一会儿——顾茫曾说，哪怕火焰会将四肢百骸都烧为灰烬，也想要燃出光芒。

而他呢，他不似顾茫这般揣着一个英雄梦。但是，哪怕痛苦会让他的肌骨血肉都碎为齑粉，他也想要掘得真相。

第23章

转眼，镜中岁月已晃过三日。

墨熄坐在城郊一家小客栈的厢房里，沉默地看着窗边的水滴漏。

按照君上的要求，今日他已该在前往北境的路上了，但是他并没有走。他抬手看了看自己的掌心，手掌已是半透明——其实不仅仅是他的手掌，这个世界一草一木的颜色都在这几日里开始慢慢消退。

这是时空镜的力量正在削弱的征兆。

慕容楚衣他们所在的现实世界，时间的流速很快，可能外面只是慕容楚衣或者江夜雪在施个法吟个咒，但镜子内却已过了几天。

按这个情况下去，墨熄估计再过两三日，自己和顾茫就会彻底离开这个世界，所以他无所谓君上发现自己并没有北上，他只想在这之前再多掌握一点秘密而已。

又一滴水落了下来，水滴漏的刻度已离午时越来越近。墨熄起身走到铜镜前，抬手给自己施了一个简单的易容之术，而后推门走了出去。

"走啦走啦，快去东市看杀头！"

"陆副帅要被砍脑袋了，真是没想到啊，三十年河东，三十年河西，唉……"

"他因为一时冲动害死了那么多人，我看他是死有余辜！"

一路上行人熙熙攘攘，都在往东菜市口的方向涌。那些脸上或是期待，或是快意，或是唏嘘，还有的则是惶恐。但不管揣着何种心情，东市就像热乎出笼的人血馒头，在诱惑着一只只秃鹰抻长了脖子往斩首台挤。

墨熄一言不发地跟着人流往前走着。

很快地，他来到了东菜市口。那里已经聚满了负责行刑的人，还有一群看客。他们像是透韧的饺子皮，将台子重重团围。

陆展星一身洁白囚服，赤着脚，盘坐在断头台上。他的神情很宁静，丝毫没有将死之人的慌张，行刑官给他端来了酒和肉，他咧嘴哈哈笑着谢过了，从盘子里扯过一根鸡腿露出犬齿大口地撕咬吞咽起来。

三下五除二把肉都吃完了，又开始喝酒，一盏送行之酿喝得气吞山河。

末了用袖子一擦嘴："官爷，你这小酒壶也太别致了，能不能干脆给我来一坛啊？"

行刑官怪异地看着他："死到临头了还吃得这么开心？"

"可不是嘛。"陆展星龇牙咧嘴地笑得像一只得道成精的狼狗，"人生最后一顿，难道还要我哭着吃完不成？"

行刑官瞪着他，似乎在想人要有多厚颜无耻才能在捅出了那么大娄子之后还能这样嘻嘻哈哈。

"没有一坛酒给你。"最后行刑官生硬道，"断头饭，就这一套。吃完不续。"

陆展星叹道："那真是好遗憾，本来可以醉着上路的。"

行刑官冷笑道："原来你不是洒脱，是想酒壮怂人胆，砍头的时候不怕痛。"

"那倒不是。"陆展星拊掌笑道，"砍头不过碗大的疤，军爷我想醉着上黄泉，借着酒劲看那忘川两岸的美景，没准还能写一两首名动地府的诗来。"

行刑官被他噎得简直无语，正当这时，忽听得喧嚷的台下传来一个清冽的嗓音。

"你又要写什么诗？是两只黄鹂鸣翠柳，一只更比一只丑。还是天生我才必有用，笙歌夜夜不是梦？"

一众人转过头去，顾茫出现在人群之外。他穿着一身笔挺的重华军礼服，摘了军衔流苏，但依旧衬得他腿长腰细，容姿端肃。他两根修长手指勾着根麻草绳，绳子勒着封着封泥的酒坛，迎着正午烈阳，自远处向断头台行来。

"哎呀，是顾帅……"

"呸呸呸，说错了，不是顾帅，是顾茫，顾茫。"

观刑之人慢慢分出了条道，一双双眼睛都好奇地盯着他们二人。

谁都知道陆展星和顾茫过命的交情，谁也都知道因为陆展星之失，顾茫从万人之上跌至谷底，成了一个终日在青楼里厮混的废物。

他们此刻终于见了面，对待彼此会有怎样的反应？陆展星会不会对顾茫面露羞愧？顾茫会不会一怒之下唾骂昔日挚友？

没什么比吃醋争风、阔商休妻、兄弟反目更有意思的戏码了，前两者虽然看不到，但兄弟反目却大可以指望，于是方才还喧喧嚷嚷的断头台逐渐安静了下来。

周围太安静了，隐匿在人群中的墨熄甚至能听到自己怦怦的心跳——他目光追着顾茫的身影，那个挺拔俊秀的、穿着重华旧服的身影。

今天的顾茫并不颓丧，他看起来像清风里的俊秀青竹，好像这半年以来的糜烂日子并没有销蚀他的丝毫风骨。

顾茫在这片寂静之中，孑然走上了刑台。

他本来都是一呼百应前簇后拥的，但如今十万袍泽只剩下了他一个，其他是牺牲的牺牲，羁留的羁留。他没有办法带更多的人来，只有一个人，一坛酒，一件卸去了军衔的军服——他们昔日的辉煌像一场黄粱梦，如今就只剩下了那么一点点可怜的残余。

陆展星仰着脖颈，抬头看着他，过了片刻，龇牙笑了。

"茫儿，你还记得我写的那些诗啊？"

顾茫垂下睫毛，浓密的睫羽在他眼睑处投下影。他抱着酒坛子坐下来，说道："你狗尾续貂写得太差，我想忘也忘不了。"

陆展星就嘿嘿地笑了，一边笑一边抠脚，然后说："我就知道你今日还会来送送我。"

顾茫哼了一声，将酒坛的封泥拍开，自己喝了一口，然后推给了陆展星："喝吧。"

"哟，鸿鹄馆的十五年陈酿梨花白。"

"识货。"

见这两人并没有期待中的大打出手，也没有互相盘殴，别说台下的看客了，就连行刑官在旁边瞧得目瞪口呆。

陆展星已是死囚了，但顾茫彼时尚未叛国，虽然没了军衔，但积威仍在，因此行刑官不愿、也不敢公然与顾茫为难。

他犹豫道："顾……咳，您看这断头饭的规矩……"

"好歹兄弟一场，我来给他送个行。"顾茫抬头，"烦劳官爷你请行个方便。"

再怎么说，顾茫也是重华的神坛猛兽、常胜战神，再怎么说顾茫在风光时也没有做过任何盛气凌人的错事，未有私仇。传令官在他黑玉般的眼眸下，最后叹了口气，退到了一边。

日晷随着太阳越深越高，浓缩出比墨汁更浓的倒影。

陆展星喝着酒，笑吟吟地与顾茫说着话。大约是人之将死，再言仇恨亦是无用，他们俩谁都没提凤鸣山战败一事。

离行刑的时刻越来越近了，饶是骄阳炽烈，空气中也弥漫起了一种与死亡有关的味道。观刑的人们望望日晷，喉头吞咽，都有些紧张起来。而最不紧张的反倒成了将死的人和送行的友。

酒终于告罄了。

顾茫问："你还有什么心愿吗？"

陆展星笑着说："太多了。"

"哪一件我能帮到你？"

陆展星道："替我多尝尝梨花白。"

"好。"

"替我多看看美人美景。"

"行。"

陆展星想了想，最后抬手抚摸着顾茫的军礼服："茫儿，这套衣服，以后别再穿了吧。"

刑场火盆的木炭发出噼啪爆响，顾茫垂了眼睫，神情似有些黯淡，又似有些意味深长。他这个神情，在场几乎所有人都无法明白是为什么，除了墨熄。

墨熄清楚顾茫此刻已决心要叛，陆展星的这一句临终发愿，原本是希望顾茫可以就此解甲归田，不再卷入血雨腥风中。可是陆展星却不知道，顾茫确实是再也不会穿上重华的军服了，但顾茫会换上燎国的玄色战甲，而后走上一条鲜血淋漓的不归路。

顾茫没有立刻吭声，他低着头，睫毛像是细蕊轻动。最后他淡淡笑了一下，说道："好，再也不穿了。"

陆展星的眼睛亮了亮，随即展颜而笑。

"此话当真？"

"我什么时候骗过你。"

陆展星哈哈笑了："你从小就爱哄人，哄我哄到大了。"笑着笑着，眼尾春叶般舒展开来的笑痕又敛去些许。

顾茫道："还有事情想说吗？"

陆展星眼底透着些温和，这是墨熄从来没有在这张虎狼般桀骜的脸上瞧见过的和软。

陆展星说："茫儿，早些成家吧。"

顾茫："……"

"你平日里总是闹闹嚷嚷的，但咱们哥俩这么多年，我知道你一直就想有个真正属于自己的归处。"陆展星意有所指地，"你也老大不小啦，玩够了的话，就早些收心……这样我也……"

话未说完，就被顾茫打断了，顾茫道："陆叔叔今年贵庚？"

陆展星瞪大眼睛，撇撇嘴："我这是关心你，你这人怎么不识好歹。"

正欲说更多，忽听得一声尖锐啸响，高台角楼上的修士仰头吹起了牦牛号角，其声动天。唱令官吊着嗓门高喊道：

"时辰将至！"

刺目的太阳已升穹庐中心，白生生的光芒灼照着迷惘众生，照着将离开的与将分别的，照着乌泱泱的看客。

这就是这一对总角兄弟的最后了。

顾茫平静地看着陆展星，平静得就好像两人只不过又因为战争，即将兵分两路，但迟早还会再见面。

"走了。"顾茫道。

陆展星笑着："你考虑考虑我的话。"

顾茫深深地看了他一眼，最后道："行啊，我会的。"

他说罢，长袍曳地，自刑台窄小的高阶下去。

行刑官上前一步，抬手举起包着红布的铜锥，鸣钟敲落，金属碰撞发出清远的响声。行刑官提气唱奏道："时辰到——备！"

没有像话本传说里那样，有一骑禁军举着令箭高喊着："刀下留人！"也没有出现陆展星暴起反抗，更没有人劫囚。

这世上没有那么多置之死地而后生的事情，能得到天命眷顾的只有寥寥数人。

陆展星与顾茫一个台上，一个台下，相望着，他们两人都不由得想到了多年前，陆展星从戎时曾说的一句话：

"我是一点儿也不想死的，我就想做个千年王八万年龟，娶三两婆娘，生一群孩子，那日子叫一个逍遥快活。"

顾茫倒是笑了："你现在上了战场啦，脑袋别在裤腰带上，你还有什么办法去做你的千年王八万年龟？"

陆展星毫无忌讳，他摸着下巴，半开玩笑半认真地道："说得也是，那我不如想想看怎么样死才能死得其所吧。"

"怎么算死得其所？"

"最好的是我中个燎国幻术，幻术里全是些绝世美女，追着要和我花好月圆，我却之不恭，最后死于花前月下。"陆展星笑得一脸猥琐，晃着腿道，"哎呀，好美妙的结局啊。"

他们倒也真是无畏无信，死生之事在他二人嘴里就如玩笑一般。

"或者被一个绝世美艳的燎国女魔头杀掉，最好她是看上我了，我誓死不从，她霸王硬上弓。哇，好刺激——"

顾茫笑骂："能不能来点正常的？"

"正常的有什么意思？"陆展星舔着嘴唇笑道，"最多不过是马革裹尸，一堆狐朋狗友围着我凄凄切切，两行老泪。想想就觉得可怕。"

可谁知道，原来陆展星当时能给自己想到的最坏的结局，却也比他真实的未来要好上太多。原来，作为一个军士，他最终的结局并不是马革裹尸，而是背负着罪责，耻辱且无用地死在重华的断头台上。

没有什么人哭，没有人为他凄凄切切，两行清泪。所谓的狐朋狗友，到底也只剩了顾茫一个。

持着宽口弯刀的刽子手上前一步，手中雪亮的刀高高扬起。

陆展星零乱的额发被风吹起，他俯视着台下的顾茫，唇角露出一个释然的微笑来。

"斩！"

一声话音离别落，从此阴阳陌路人。

鲜红的血在看客的惊呼声里、唏嘘声里顺着高台的木纹慢慢洇开。

午时的阳光炫目得厉害，晃得人心里发慌。顾茫笔直地站着，脸上没有任何神情——他就这样看着，他最好的朋友身首异处。一双未合的眼睛盯着他，好像在说，茫儿，回头吧。

都结束了，让我的死做一场梦的终点，别再往前了。前头没有路，只有海市蜃楼的幻境，转身吧，放弃吧。

剑子手的弯刀滴滴答答往下淌着猩红，热血流了一地。行刑官依例唱道："完刑——"

像蛰伏一冬的兽自昏暗洞穴中缓慢苏醒，在最初的刺激和震慑过后，人群渐渐恢复了动静。他们中的大多数人，对于台上尸首分离的陆展星都是一种想看又不敢看的心情。有的妇人鼓起勇气偷瞄一眼，立刻哎呀一声将脸埋进掌心里，被那血肉模糊的情形吓得发抖。

"好惨啊。"

"别往台上看啦，真可怕，你若看了，晚上睡觉该做噩梦了。"

就这样闹嚷嚷地乱了一会儿，人群的焦点渐次转移到了顾茫身上。慢慢地，开始有人注意到顾茫的神情，开始有人窃窃私语：

"顾帅他怎么……毫无反应？"

"真的是啊，他连脸色都没变……他是不是还恨着陆展星啊，毕竟陆展星把他坑得那么厉害。"

"那他为什么还要来给人家送行？"

"大概是……为了面子吧。哎，他们这种人，斗都是内里斗，哪里会翻到明面儿上来。"

顾茫毕竟是邦国勋臣，彼时还未通敌，因此也立刻有人反驳道："瞎说什么？顾帅根本就不是那种人！陆副帅虽然是他的故友，但到底铸下了大错，顾帅送行是为了义，不失态是因为礼，他都已经做到这个地步了，你还要他怎么样？！"

对方也不遑多让，嗤之以鼻："兄弟兄弟，同生共死，共甘共苦，那才叫兄弟。我要是顾茫，我早就劫囚了，或者早就跪在君上面前恳求以自己的命换兄弟的命了，哪里会像他一样！"

"你怎么知道顾帅没求过？"

"就凭他现在这个冷淡态度，他顾茫就是个冷血无情、假惺惺的伪好人！"

这些话，顾茫或许都听见了，又或许并没有听见。他依旧望着刑台——剑子手已经离去，行刑官正在指挥左右处理后续之事。他站在正午的烈阳里，身段如松竹，修雅挺拔，没有半点被痛苦所伤的模样。

他一眨不眨地看着陆展星的身躯被缚起，看着陆展星的头颅被高悬，看着地上的血迹被冲淡。

行刑官展开一卷黄帛诏告，不带任何情绪地念着："罪臣陆展星，阵前失智，斩使引祸，凤鸣兵败，大负天恩。今处极刑，曝尸三日，布告邦内，咸使闻知。"

声音在青天白日之下朗朗回荡，一切尘埃终定。

行刑彻底结束了，顾茫未做多留，他在众人的侧目之中，提着那一坛他与陆展星饮尽了的梨花白，转身，头也不回地离去——十万袍泽，终于只剩下了他一人。

顾茫回到了他自己的住处。墨熄披着隐形斗篷，一直跟着。

这位曾列重华第一的大将军穷得厉害，没有一座属于自己的府邸。这也难怪，征兵炼器需要钱，粮饷装备需要钱，疏通关系需要钱，而他的军饷只有那么多，所以他除却奴籍之后，也只是在东市的一块僻静之处租了个小屋。

这小屋除了柴房外，就只有一间寝卧，寝卧内唯一张床，一床被，一对桌椅，几只破烂木箱子。原来这就是一个名动天下的将军全部的家当了。

顾茫回到屋内，将酒坛放在了桌上。然后他就去了柴房，是午饭的时辰了，他烧水生火，将纱橱里搁着的剩饭剩菜热一热。

他要吃饭，他最后的兄弟也死了，他昨日的一切自此再无法回头，但他要吃饭。

小木桌上摆着陆展星临终前喝酒的红泥空坛，一大碗白饭，青菜豆腐，顾茫像饿了许久的人，筷子抵着碗一直往嘴里扒饭。很快地，一碗饭就被他吃了个见底，一粒米也没有剩下。他又起身，再去给自己添了一碗，还是那种饿惨了的吃相。

好像他内心里空出了一个无底的洞，只有不断地吃一些东西，空洞的感觉才不会如此强烈。

他埋头扒着饭，嘴里塞得很满，腮帮子鼓起，最终吞咽的速度赶不上塞食物的速度。他慢下来，可还是噎住了。他噎着，不吭声地卖力地想把嘴里的饭努力咽下去，就像要噎下去什么不能说的话，不能诉的苦。

他几乎是凄惨地吞咽着，头仰起，眼睛大睁着，看着屋顶梁椽，忽然地就发出一声抽噎。像是因为积食而发出的抽噎那么可笑，但眼眶却红了。

墨熄就站在他身边，咫尺近的地方，却不能说一句话，碰一碰顾茫哪怕一根头发。他就这样眼看着顾茫的眼睛越来越湿润——

顾茫仰着头，似乎要把眼睛里的东西忍回去一样，他甚至飞快地抬手擦了擦自己的眼睫，然后吸了吸鼻子。他克制住了自己，至少他以为他克制住了自己，所以他又低下脸来，重新拿起筷子去扒那淡而无味的白饭。

他幼年时候，和陆展星一起在望舒府常吃的那种只配着青菜豆腐的白饭。

他努力塞了几口，但是死亡的剧痛像是迟来的刀刃，钻进了他的肺腑，终于开始争抢他的呼吸，侵蚀他的血肉，击碎他那张佯作淡然的脸。于是慢慢地，他握着筷子的手开始颤抖，他含着米饭的嘴唇开始颤抖，他开始哆嗦，他兀自强撑着，可是眼泪却开始不争气地夺眶而出。

一滴一滴，顺着脸颊落到桌上。他不出声，一边塞着饭，一边抬手抹着泪，喉咙里是苦的，哽咽都堵在里面，和着米饭一起被强咽下去。可是忍到某一刻，抖得不成样子的手再也夹不起青菜豆腐，试了一次，滑下来了，又试一次，戳破了……

背上负着七万魂魄的这个男人，忽然就被这餐桌上微不足道的失败击溃。

顾茫忽地摔了筷子，起身哗啦将桌上所有的东西都扫在了地下。瓷盏瓣里啪啦碎了满地，碎的最彻底的是顾茫带回来的那只空酒坛子。

他喘息着，胸口急剧地起伏着，呆呆地看着眼前的这一地狼藉。

红泥酒坛，被他摔成了一摊子七零八落的旧梦。顾茫看着，看着……眼眶湿红，然后他走过去，几乎是茫然地蹲下来，伸手想去把碎片拾掇起。可指尖还没有碰到，就又猛地蜷回。脸上是一种如梦初醒的表情。

这种如梦初醒，使顾茫的脸庞显得很破碎。那是墨熄认识了他那么久，第一次见到的一种破碎。

如果顾茫以这种神情出现在他的士兵面前，所有人对他的信仰都将土崩瓦解。他不是战神，是一摊软泥，是一只孤独无助的蝼蚁，一抔支离破碎的散沙。

顾茫脱力般坐下来，他穿着熨烫妥帖干干净净的军礼服，但像是被抽去了所有筋骨似的，跌在脏兮兮的地上。他哆嗦着，他盯着那一地的狼藉，喉咙里先是漏出细小的呜咽，犹如流离失所的幼狼，再后来，呜咽成了哽咽，断断续续地从喉管深处跌跌撞撞挣出来。

"对不起……对不起……"

墨熄看着他，看着他坐在冰冷的地上，慢慢蜷缩着自己抱住膝，看着他拼命隐忍着，却还是忍不住眼泪流，看着他死命咬着嘴唇，咬到满齿都是血了，却还是锁不住软弱的声音。

神祇终于崩塌了，战神终于溃不成军。

顾茫微松开齿，他咬自己用了十足的狠劲，他快要被自己逼疯了，喘着气，眼眶红得厉害，目光绝望地在屋里走动，仿佛希望能有什么人忽然出现，救赎他也好，杀死他也罢，神也好，魔也罢。救救他吧，陪陪他吧。

痛……太痛了。为什么大地广袤，却留不住七万英豪。

为什么地府深深，唯不收他一个活鬼？

只剩他一个了。顾茫终于悲恸地号啕出声，他哀号着，他抱着自己，他死死地抱着自己，像是在隔着生死竭力拥抱他的袍泽手足，又好像是被死去的弟兄们夺了舍，英魂跨越黄泉来努力地拥抱他们的顾帅……

那双沾血的嘴唇里漏出的哭声，最终是泣不成声，痛不能承。

顾茫不断地说："对不起……"

墨熄看着他，便如剜骨钻心，从顾茫一边努力吃着饭一边无声地流着泪的时候，他的心便像刀割般疼。

到了这时，顾茫的疼痛就像是他的疼痛。顾茫的无助就像是他的无助。他这时候才亲眼看到了，失去陆展星之后，顾茫是那么疼，疼得好像一颗心都要沥干了血。

他看着顾茫的眼神，顾茫的神智一定是有些混乱了，像是能看到鬼，又像是渴望看到鬼，顾茫在满屋子里都绝望地找寻着——他想有人陪着，索命也好怅责也罢，他想有没有谁来陪着他。

墨熄的心有如刀绞。从前顾茫金殿鸣冤时，他不在顾茫身边；后来顾茫痛楚犹深时，他亦不在顾茫身边。

如今……明知道镜中过去无可改变，明知道鲁莽行事或有危险。但和顾茫一样，一直以来，墨熄也忍得太痛苦了。

在顾茫没有叛国前，都是他欠顾茫的啊……都是他没有好好陪着顾茫，没有及时看出顾茫的心结，都是他把顾茫当作坚不可摧的神祇，却忘了战铠裹束之下的，其实只是一具凡人血肉之躯，一具伤痕累累的、却仍在挣扎的血肉凡躯。

人的心，终非是顽石冷铁，这八年来的隐忍终溃于此刻，墨熄再也忍受不住，他解去了斗篷的隐身之咒。他剑眉低蹙，在缩成一团的顾茫身边半跪下，他沙哑道："顾茫，你看看我，我还在。"

可是顾茫不知是因为太伤心了，还是神智绷到极致已经崩溃了，他竟对墨熄的声音和墨熄的忽然出现毫无反应。

墨熄疼得说不出话来，他的手也在颤抖，他抬起来，想要安慰这个这个一身军服却再无万丈荣光的人。就这一刻，他不想再考虑后果了。他真的已经在八年的痛楚与思念里，在时空镜的溯回里，被逼疯了。

"顾茫……顾茫……"墨熄轻声地，喑哑不成调，"没事了，我陪着你……我陪着你……"

可是就在将要触到他的一瞬间，微光闪动，墨熄竟发觉自己透过顾茫的身体穿了过去——他怔怔地看着自己的手，脸一点点地苍白下去，目光一寸寸地慌乱，没时间了。

慕容楚衣和江夜雪破镜之咒，已吟到最后一段。

他不知道自己还能于这个镜中世界停留多久，但至少从这一刻起，他已成虚无，再也不能与这个世界有任何呼应了。他再也无法现身，给不了顾茫宽慰，也挽不了顾茫回头。

这一天，顾茫瑟缩地坐在满地的碎瓷堆里，抱着膝盖，就这样从天亮挨到天黑。

夜色沉了，他靠在冰冷的墙边，像一只离群的兽，蜷缩着睡着，他的眼梢是红的，鼻尖是红的，就连瑟缩在墨发间的耳缘也泛着可怜的薄红。

墨熄陪在他旁边坐了一整夜，梦里的顾茫也在无意识地抽泣，墨熄抬手，却拭不去八年前的这一滴泪。

时光如斯，什么也改变不了。

哪怕只是一场镜花水月，他们也终究还是走到这一步了。

接下来，便是陆展星被三日曝尸。

这三日间，镜子里的一切事物都在继续变淡，人们说话的声音也模糊得犹如隔着一片汪洋大海。墨熄不需要隐形斗篷也可以自由往来于任何地方，但时间已经无多，他再也不能与八年前的任何一个人对话，也不能以此引出更多的真相了。

他陷入了被动的等待之中。

而这三日间，顾茫没有去任何地方，也没有一个人前来探望他——也是，陆展星是顾茫昔日最亲密的挚友，也是王霸军的副帅。很多人曾以为陆展星最后并不会死，以为最后一刻他一定会得到君上的宽赦。

可君上并没有顾及顾茫的感受与颜面，陆展星还是被斩了首。

于是，几乎所有人都嗅到了这个讯息——顾茫是真的失势了，再也不可能东山再起。顾家军完了。

没谁会陪一个江河日下的走狗，昔日将军门前，如今车马零稀。

只有来自八年后的墨熄陪着他，可是顾茫看不见。他待在家里，躺在床上发呆，能不吃就不吃，能不动就不动，岁月好像静止了一样。但墨熄知道时间还在无情地推移，墨熄有时会望着自己的手，十指伸出，俱已变得透明——看来离开镜中世界，也就在这几个时辰了。

他甚至不知道撑不撑得到今晚。

"顾帅。"

笃笃的敲门声响起，有人在外面喊着。顾茫睁着双目发了一会儿呆，然后跟跄着起身，他因为饿了太久，躺了太久，头脑有些发晕，下地之后差点栽倒。墨熄本能地就去扶他，可是搀扶不到——顾茫还是狼狈地摔在了地上，又迅速爬起来。门开了，站在外头的是宫内的一个传令官。

"君上有旨，请您速往金銮殿一趟。"

顾茫显得很疲惫："有什么事？"

"这……"传令官道，"下官也不清楚，顾帅去就是了。"

墨熄明白，是君上要给顾茫下达那最后一个任务了。他忍不住祈求他还能在时空镜中多停留一会儿，不要让他在这个时候脱离。他是真的很想看到顾茫叛变前的最后委任是什么。

送走了官吏，顾茫来到昏黄的铜镜前。他换了件干净的粗布衣裳，掬水洗脸。水珠子顺着他的脸颊淌落下来，洗去了满脸的倦意，却洗不掉眼里的血丝。

为了让自己显得精神些，顾茫抬手束发，给自己梳了个高高的马尾，然后他习惯性地想要扣上代表着徽衔军阶的冠扣，手指却在台子上摸了个空。

他早已不是将领了。

顾茫沉默一会儿，摸索着，摸出一根帛带将发髻缠绕固定，帛带是藕白色的，不知是在为谁大逆不道地偷偷带着丧。

他进了宫里，羽林见了他，兜鍪上的红缨簌簌，想行礼，却又很快反应过来不该行此之举，便又直起头来——深宫禁内，天威庄严，禁军们不能堂而皇之地打量他，但他们的目光都偷偷地望着他自长廊的尽头出现，消失于王城的深处。

这些年顾茫走过这条廊庑无数次，阶衔越来越高，拥趸也越来越多。

而如今，他又成了一介布衣，青衫布鞋，孑然一人。他洒了半生的热血，耗费了所有真心，到了最后，兜兜转转回到起点，和当初他以奴籍之身初入宫城时，竟也无太大区别。

步入殿内，高阶之上王座威仪，由于并非朝会时辰，御座前落着三重缃色软帐，将后面的一切都重重叠叠地遮住。

君王之容，不当轻窥。

顾茫顿了顿，眼帘未抬，垂着睫毛，眼观鼻，鼻观心。他长跪叩首："庶民顾茫，拜见君上。"

金銮殿里空寂寂的，并没有任何作答的声音。

顾茫静候一会儿，起身再叩："庶民顾茫，拜见君上。"

这回终于有反应了，然而反应却不是从金銮殿的王座上传来的，而是自顾茫身后，薄烟般轻飘飘地荡入。

"姓顾的，你也知道自己如今是庶民之身，君上又怎会愿意见你？"

墨熄与顾茫一同回头，但见慕容怜一脸憎恶，笼着宽袖站在门口。

八年前的慕容怜还未开始用醉生梦死，因此他的精神状态看上去比后来好很多，人也没有那么倦那么薄。他穿着一袭蓝衣金边的贵族衣袍，虽然神情姿容是纨绔了些，但肩背是挺拔的，一双长腿也站得笔直，不似后来，走到哪里都一副要软倒下来的懒样子。

顾茫直起身子，问道："怎么是你？"

"我怎么了？"慕容怜冷笑道，"顾帅好大的忘性，你在我府上伺候了那么多年，给我捏肩捶腿，百般奉承。怎么，做了几年将军，连你的本都忘光了？"

"……"

"再者说，如今你是庶民，我是王爷。由我来替君上给你递话，已是你的殊荣。"

尖尖的下巴挑起，慕容怜白皙的脸上露出讥嘲。

"跪着接旨吧。"

顾茫沉默了一会儿，最终将眼帘垂落，他跪伏于地，淡青色的袍缘委顿一地。墨熄从前是看惯了铠甲加身的顾帅，原来卸甲之后的他骨骼清瘦，宽大领口处露出来的一截脖颈，疲惫得像轻轻一捏就断去。

慕容怜哗地一展金边灿烂的华贵袍袖，拿出君上谕令，慢条斯理地念道："皇羲天鉴，重华君诏，凤鸣一役，浮尸千里，溯本究源，皆因主帅顾茫识人不明，副将陆展星阵前失智，斩杀柔利特使，陷万军于鼎炉，恶重华之邦交。今罪臣陆展星已枭首示众，责令故主帅顾茫，负其断颅，亲往柔利谢罪。钦此。"

这一卷诏书念完，莫说顾茫，便是墨熄都怔住了。

君上的意思，竟是要顾茫亲自携着陆展星的脑袋，前往柔利国，为陆展星曾经斩杀该国使节的事情谢罪道歉！

时空镜中的声音本就越来越轻，这时候墨熄就更觉得耳中嗡鸣作响。竟要顾茫亲自向邻邦，奉上陆展星的脑袋……

君上根本无所谓顾茫的心情如何，无所谓顾茫会不会崩溃会不会叛变！他确实在试顾茫的底线。甚至不惜以逼走这个人为代价。

慕容怜眯起三白桃花眼："怎么？顾帅还不接旨吗？"

墨熄摇了摇头，不。你不要接……你不要……

但是看顾茫的眼神，这个人好像早已将君上的恶心看透，在最初的怔忡过后，顾茫的神情变得冷漠，变得坦然，甚至变得有些不加掩饰的厌弃。

"庶民顾茫。"模糊的声音从顾茫唇齿间落下，"领旨。"

他抬起微微颤抖的手指，从慕容怜的手里接过诏书。

一切，终成定局。

于是，就在这年的深秋，许多人都有了新的命运——重华唯一的奴籍军队朝夕不保，陆展星东市问斩，头颅悬于闹市三日。为了羞辱曾经当庭顶撞自己的顾茫，三日后，君上竟命顾茫亲自将陆展星的脑袋送往柔利国，以谢当年斩杀来使之不恭。

顾茫背负着兄弟的头颅上路了。

日暮黄昏本是最稠艳的色泽，但在墨熄眼里却白得近乎透明。

时空镜的力量越来越薄弱，镜中的世界开始和外面的世界相胶着，墨熄甚至偶尔可以听到时空镜外的吟唱。

是江夜雪的声音，在念着解咒。

"渡厄苦海，昨日无追……黄粱为梦，君何不回……"

恍神间，江夜雪的嗓音消失了，又只剩下镜内世界的种种声响。

将远行的顾茫紧了紧背着的布包，来到重华的东市牙子口，走到一家烧饼摊子前。

"老板娘，来五张烧饼。"

卖饼的是个俏丽妇人，以前顾茫来她摊上光顾的时候，她都是又嚷又笑，嗓门扯得震天响，巴不得全天下都知道顾帅吃了她家烤的肉饼。可今日她从膛炉前带着笑抬起头来时，笑容却僵住了。

顾茫以为自己没说清楚，又道："五张烧饼，还是老口味。"

女人一下子变得有些枨然。她一方面急着和这个失势的男人撇清关系，哪怕是买卖关系也好像会难为死她似的；可是另一方面，她又实在有些不好意思，良心在为自己的势利眼而感到惴惴。

就这样天人交战地僵了一会儿，她的丈夫凑了过来。

"不卖了不卖了，我们家打烊了！"

顾茫怔了一下，微微睁大眼睛："可晚市才刚刚开始……"

男人蛮不讲理道："就不卖了！"

顾茫明白了。他看了妇人一眼，那女人臊得满面通红，她的良心好像是在这一刻彻底碎了，破碎后的血浆都涌到了脸上，将她的面庞染成酡红。

他想起自己第一次来她摊子前买饼的时候，她还没有成家，嫩水青葱似的一个姑娘。见他来光顾，激动得磕磕巴巴。

那时候她也是和现在一样，颊飞霞光。

可惜时过境迁，姑娘成了妇人，而她脸红的原因也与当年全然不同了。

顾茫叹了口气，说："那算了。本来想买一些，带在路上吃的。你家的饼和我在北境吃过的一家很像，都很好。谢谢你做了那么多年厚道生意。"

他说完转身就走了，妇人羞愧欲死，忍不住瞅着他的背影喊了一声："顾帅——"

她男人大惊失色，立刻捂住她的嘴："你瞎嚷什么？不要命啦！"

妇人便哆嗦着，这一声之后彻底失却了正直的勇气，她低下头，不敢接着发声。而顾茫在脚步微顿后，便消失在了熙熙攘攘的人群里，待她重新含着泪抬头时，便再也看不到了。

墨熄陪在顾茫身边，陪他一家家走着，看着。

顾茫好像原想着要带一些故土的吃食上路的，甚至还在卖重华剪纸小绘的摊子前有些渴望地驻足了片刻，但是他太惹眼了，他在东市逗留得越久，盯着他瞧的人就越多。

摊主们原本都会热烈地招揽客人，而独独当他走过的时候，他们都低眉垂眼地不吭气，恨不能连人带摊子消失在这尘世才好。

顾茫是识趣的人，他也不怨他们。

这些小生意人守着一方小本营生，谁要睬了他，以后的日子恐怕都不好过。他是在底层活过的人，知道被人轻贱、吃不饱饭的滋味有多痛苦，所以他看着这些对他避之不及的小贩时，他眼睛里并没有什么怨恨。只是他不知道，原来临了走了，要买一两样故国的风物，竟都成了这样困难的事情。

顾茫最终还是两手空空地离开热闹的东市，他一边走，一边叹道："展星，抱歉了，这一时半会儿，也买不到你喜爱的梨花白，不能替你喝了。"

背囊里的头颅自然是不会答话的。

顾茫又紧了紧背囊，继续往前走着。

很快地，他过了戍卫，出了城门，他走在了白玉石斫凿的古桥上。这座桥名叫重华桥，跨越宽阔的护城河，一头是他来时的路，一头则连着荒草萋萋长亭曲折的城郊驿道。

桥的尽头，有一个年逾古稀的糟老头歪着，他两腿腐烂，遭蚊惹蝇。顾茫知道这个人，长年累月地歪倚在这里，问每日进城出城的人讨饭。

老叫花子年纪大了，从不挪地方，守城人驱赶过他无数次，他都是翻着浑浊的老眼，用双手撑着地，骂骂咧咧地爬走，可过了一两天，又像是附骨之疽似的爬了回来，还是赖在这里乞讨。

顾茫曾经问过别人，为什么这老头非要在城门口，要在重华桥边瘫着不走。

那时有上了年纪的修士告诉他——这个老头曾经上过战场，后来全军覆没了，老头儿贪生怕死，阵前逃了回来，保了一条命。老家伙良心过不去，过不了多久就受不住了，去向老君上坦白请罪。但彼时老君上施行德政，不愿杀人，只褫了他的军衔，废了他的灵核，流他做一个庶人。

他试过借酒消愁，试过信善通空，但最后都解不开他的心结。再后来，日子一天天消磨，心智一日日崩溃。年轻修士成了老修士，老修士痴痴癫癫，每一天都能回想起自己丢下同袍临阵脱逃的那一瞬间，他被彻底逼疯了，他在癫狂中砍了自己的腿，他以为这样就能改变过去，以为这样当年的自己就不会转身而逃。

可是没有用，老头子疯得越来越厉害。快八十了，那么多年，他就没日没夜地守在重华桥边。守在大军归师必经的这一条路上，一双浑浊的老眼，永远张望着远处。

没人知道他在等什么。

直到那一天，顾茫第一次作为主帅凯旋，鲜红的披风裹着精光铠甲，骑着金翅飘雪马，率着浩浩汤汤的军队踏着滚滚尘烟而来。

重华桥边的那个肮脏腌臜的老头，忽然比顾茫先前见过的任何一次都要精神。他拖着断肢挣扎着直起来，努力朝他们挥着手，热泪盈眶地喊着："回来啦！你们可算是回来啦！"

随行奇道："这老头在说谁？"

顾茫左看看，右看看，只看到自己，还有身后风尘仆仆的同袍手足们。

顾茫思忖未几，忽然心中一动，骤然明白了老家伙一直在等的是什么——他是在等，等当年那些被他抛弃的兄弟们能够踏过几十年的时光，意气风发鲜衣怒马地回城。

老家伙一直在候着。

所以顾茫当时下了马，走到他跟前，老头儿仰头望着他，阳光刺在老家伙昏花的眼睛里，老家伙呜呜地就哭了，一边哭，一边冲着顾茫磕头，一边又挪着想要过去抱住他。

陆展星那时候啧了一下嘴，说："茫儿，脏死了！"

顾茫道："没事。"

他抬起手，摸了摸那老家伙的头。人都有软弱的时候，都会犯错，逃兵为他的逃离煎熬了大半生，顾茫想，已经够了。

老家伙就豁着他那张漏风的嘴，哭得歇斯底里地，一会儿管顾茫叫"小赵"，一会儿又管顾茫叫"小陈"，"小冬瓜"。

顾茫一一都应了，打那天起，老家伙就安生了。

他还是有点疯，但不再直勾勾地看着地平线，他开始像个正儿八经的臭要饭，会对过往的人笑，颠着一只脏兮兮的破碗，唱着他的莲花落。

顾茫紧了紧裹着陆展星头颅的布包，走到重华桥的尽头。他知道，今天或许是他最后一次路过这个老叫花的身边了。

"老伯。"

老叫花今日收获颇丰，讨饭的破碗里搁着一只大馒头，怀里还揣着一张饼。他其实并不记得顾茫是谁了，虽然顾茫当年班师回朝时解开了他的心结，但他毕竟年纪大了，又被执念折磨了那么久，他并不记得当年是哪一位将军下了马，愿意宽恕他这个罪人，愿意当他的小赵小陈小冬瓜。

因此他仰着头，傻呵呵笑着，很闲适地看着顾茫。

"老爷，给点赏啊。"

顾茫也低头看着这个臭要饭的，看了一会儿，他也笑了。

"如今愿意跟我说话的人，也就只有你了。"

说完把乾坤囊里的所有细软贝币，都递给了老叫花子。

顾茫道："走啦。"

他起身，起身的一刻却被老头忽地攥住了手腕。

"怎么了？"

老头子好像意识到了什么，又好像并没有意识到什么，最后哆哆嗦嗦地伸出那只鸡爪子枯木头般的手，从怀里摸出那张脏兮兮的饼子，献宝似的，满脸褶子都溢着笑：

"给，给。"

"给我的？"

老人像是因为接近天命，有着常人所无的知觉，不住地把饼子往顾茫手里塞："带着，和你兄弟，路上吃……路上吃……"

顾茫怔住了。

或许老人和孩子的眼睛是可以看到鬼与未来的。他看着那张皱纹密布枯缩如核桃的老脸，半晌，慢慢地整顿出一个笑，从老叫花子手里，接过那张故国的烧饼。

"多谢，到底还是能带走一样故乡的念想。"

老头就朝他懵懵懂懂地点头，嘴唇哆嗦着，不住说："你们要回来，要回来……"

顾茫的笑容一顿，但也没有堕下，他睫毛轻颤，起身道："走了。"

他说完，背着布包，回头望了一眼角牙峥嵘的城楼。

城楼上，"重华"两个遒劲庄穆的篆体字被夕阳一照，流彩光华，耀眼夺目。

顾茫看了好一会儿，似是喃喃自语，又似是在与谁说话。

他又道："走啦。"

王霸军的残部还被君上扣押于牢狱，陆展星的残躯在顾茫的背囊里。谁也没有前来为顾茫践行。

他转过身，孑然孤寂地走在重华桥上。桥底下河流滚滚，如昨日辉煌绝尘去。

而那个重华桥边的老头儿，忽在此时抻着嗓子吆了一声——他的嗓门像一面破锣鼓，老头儿伸着脖子，看着顾茫的身影走向暮色西沉的远方。他嗓音哑着，颤抖的手敲着讨饭的碗，开了口，开始嘶哑哑地唱了一段儿他记得最流利的莲花落——

"人道光阴疾似梭，我说光阴两样过。昔日繁华人羡我，一年一度易蹉跎。可怜今日我无钱，一时一刻如长年。我也曾轻裘肥马载高轩，指麾万众驱山前。一声围合魑魅惊，百姓邀迎如神明。今日黄金散尽谁复矜，朋友离群猎狗烹。昼无米粥夜无眠，落得街头唱哩莲。一生两截谁能堪，不怨爷娘不怨天。早知到此遭坎坷，悔教当日结妖魔。而今无计可奈何，殷勤劝人休似我！"

我也曾，轻裘肥马载高轩，指麾万众驱山前；我也曾，兜鍪玄甲擎腰间，箭破惊羽动九天。而如今……

墨熄睁着眼睛，他看着顾茫的背影，一眨也不眨，多眨一眼，就少看一眼，他就这样目送着顾茫远去，眼泪终于顺着脸庞淌下来——他从来都知道顾茫叛国是痛的，可是心中知晓与亲眼所见，到底不是一般滋味。

锥心刺骨，攫魂断魄。

为什么会走到这个地步……为什么要走到这个地步啊？！

昔日鲜衣怒马少年郎，像个失了魂的乞丐，一个浑浑噩噩的野鬼，自长亭古道，一路向远方走去……

而墨熄知道他这一走，就是与重华长达七年的别离。再回来时，已是两魄不复，心智损毁，满身血污，鸿沟难平。再回来时，他也好，顾茫也好，无论八年前的阴谋阳谋如何，错皆已铸成——都再也无法改变了。

"顾茫……"

心脏如尖锥刺入，墨熄想要跟着他，可江夜雪的吟唱声在耳边越来越清晰，时空镜里的种种色泽已淡得不可辨认。

顾茫的身影，也薄得好像随时都会消失不见。

他想涉过时光之海，抵达岁月的尽头去拥抱那个孤独的身影；想要涉过血水汪洋，去挽回那个再也不回头的旧人。

可是随着解咒吟唱越来越到了终末，墨熄就不能动了。脱离这个世界只在顷刻，墨熄只能眼睁睁地看着那个渺小的、孤寂的背影，无人相伴，独自上路。

他的脏腑都像是被拆碎了，他甚至想请江夜雪再等一等……不要再念了……再等一等，再给他最后一时一刻。至少让他陪着顾茫走完这条驿道，至少让他再多陪他一会儿。

"渡厄苦海，昨日无追……"

让他再陪陪他吧，没有仇恨的，不带宿怨的，哪怕多一刻也好。

"黄粱为梦，君何不回……"

不要念了……

终于，在这种死别生离的剧痛中，墨熄看着顾茫的身影被大地天光最终吞没，无尽的黑暗覆压下来，他的心在痉挛在挣扎在抽搐，心跳缓不上来，痛苦几乎要把他的神智也一并摧毁。他甚至不想回到现实，回到现实了他只会比过去更痛。

他要面对的又是顾茫支离破碎的残片，要拾掇的又是满世狼藉。他怎么面对顾茫？怎么看待君上？他怎么撇弃顾茫造下的罪孽，又怎么镇下对顾茫的心疼？

时空一镜黄粱梦，醉死红尘多少人。昔日学宫长老对此镜的描述，竟非一句虚言……墨熄便在这样令他无法喘息的剧痛之中被一种无情的力量狠命拽出，眼前闪过无数光怪陆离的倒影——顾茫眼尾的笑，顾茫眼中的恼，学宫时代那个永远炽热的少年，洞庭战舰上那个誓不回头的叛将，他们这半生一起历经的喜怒哀乐都在此刻涌上脑海，最后又全部破碎在重华桥落日余晖里……

"羲和君！"

江夜雪的声音传来。

墨熄猛地栽倒在蝙蝠塔冰冷的地面，眼睛涣散大睁着，胸口剧烈起伏，他喘不过气……他像是被拖拽上岸的鱼，那种两难的疼痛简直像要将他的骨和他的肉生生剥离，他躺在地上大口大口地喘着气，混乱间他看到江夜雪过来，看到江夜雪跪在他身边……

"顾茫……"墨熄近乎是哽咽了，"顾茫……"

"不要再走了……不要走下去……"

江夜雪抓住他的手，一诊心脉，竟是濒死之征。痛到心都要停了——剜骨锥心，剜骨锥心……骨和肉都要分离……那颗心脏好像在绝望地哀号着，好像在说它真的不知该如何面对情与罪……不如杀了他吧……不如让它停止吧。

太痛苦了，再一次眼睁睁地看着最重要的人走向地狱，不！是被逼向地狱！而他这次依旧是连挽回和陪伴也做不到……他依旧无法得知顾茫叛国的最终真相……

"羲和君!!"江夜雪焦急地唤着他，"墨熄!!墨熄!"

不要再走下去了，前面是死路啊……

就在这时，忽然又是一道金光从时空镜内散出，顾茫也从镜子里抽身而退——他重重摔出来，伏在妖塔的地面上。

墨熄支撑着在时空镜里耗损到几近崩溃的身躯："顾茫……"

他踉跄着，跌跌撞撞地爬过去，他看着伏在地上的那具躯体。

"顾茫……"

指尖颤抖得厉害，可是那一瞬间，那个伏在地上的男人忽然动了一下，手掌蜷缩，无意识地收回。

而后，顾茫慢慢地，慢慢地坐了起来。

死寂无声。

他阖着眼睛，蹙着眉，睫毛颤抖着，继而缓缓睁开。脸庞苍白，唇色浅淡。

他转头看向墨熄，很久都没有说话。眼神从恍惚到明晰，从破碎到集中，那些他苏醒时缺失的情绪与血色就像纸上墨彩，一点一滴地慢慢描摹出他的精神与气质。

墨熄眼睛里映出一张熟悉的脸。就是在这从昏沉到苏醒的过程中，他仿佛看到一朵沉睡了许久的昙花终于吐蕾——顾茫不再是那个茫然无知的傀儡，不再是那个不知今夕何夕的囚奴。

他的眼睛依旧是被淬炼过的蓝。可是那张脸上的神气，却是逐渐从怔忡，转向冷静、桀骜、清醒与不可战胜。

不用任何解释，不需要哪怕一句话，只消一眼，墨熄就能认出这个顾茫绝不是神识破碎后的顾茫，而是……从时空镜中返回的，是恢复了过去记忆的顾茫! 是重华的神坛猛兽，昔日的顾帅顾师兄!

这怎么可能?!

顾茫主掌记忆与神识的那两魄明明已被抽离了，明明时空镜只能让人回到过去，并不能对现实世界进行任何的更改。

顾茫怎么可能从镜子里出来就能恢复从前的记忆?

然而未及深思，蝙蝠塔中已陆地传来凄厉的啸叫，忽有蝠兽扑棱着翅膀向顾茫袭来! 蝠兽翅膀一张，数十道火光灵箭如疾风骤雨射向地面!

江夜雪道："小心!"

他想出手防御，但飞箭太快了，终究应闪不及。眼见着就要为蝙蝠精所伤，忽然间，斜刺里掷出一道符纸，符纸立刻撑开雷光涌动的结界，轰地将火光箭尽数挡在界外!

那甩出符咒的人不是别人，正是顾茫……

顾茫虽然头脑仍很紊乱，但顾帅毕竟是顾帅，他蓦地跳跃起身，强悍锋锐，像是夜间出鞘的霜刀，泛着寒光。

片刻后，他们身后传来窸窣异响，一回头，竟有潮水般的妖鼠向他们窜来。

如此腹背受敌，江夜雪双拳难敌四手，而顾茫不及整顿乱作一团的记忆，不及多思其他的事情——刚受完刺激就战斗这种事情别人或许无法做到，但顾茫不一样。顾茫是三天三夜不休息也能清醒着指挥万人战役的将领，他对战争简直是有天生的适应力与驾驭力。

他当机立断，撇去杂念，一双犀锐的蓝眼睛向左右环顾，大致对状况有了个判断。

首先是时空镜，时空镜已经沉回血池消失不见了。

而后是山膏，那猪妖已被一张极其繁复的符纸所封印，陷入了沉睡，弃在了角落。

但是除此之外，地面上还插着一支引妖金令，看样子像是山膏在被制服前最后掷出来的，此刻数不清的妖物正是因为这金令而从各个角落涌现。

再看战损情况，墨熄的状态非常差，江夜雪也好不到哪里去，身上带着好几处伤疤，一身藕白衣冠都被染得血迹斑驳，而慕容楚衣……

顾茫眉峰一蹙，问道："慕容楚衣呢？！他在哪里？"

江夜雪道："楚衣他……咳咳，他去塔顶救辰晴了。"

也就是说慕容楚衣的战力一时指望不上。

顾茫在心中迅速计算了一遍敌我实力，眼见着鼠潮越涌越近，他忽地站起来，迎着滚滚妖兽低喝一声："风波！"

一道金色的流光在他掌中闪了闪，聚化成一柄唢呐神武的模样，神武末梢系着的洁白帛带在黑暗中如银河流淌。

"召来！"

墨熄清俊的面容上已无丝毫血色，他看着顾茫的背影，顾茫昔日的神武风波发出一声悠远的声响，爆发出耀眼夺目的光辉——

可片刻后，那炽烈的召唤之光蓦地破碎了。尚未全然聚化的神武风波，化作点点残光，四下飘散。

顾茫叹了口气，这是他豁出去后的一个尝试——妖兽太多了，以群攻武器为上佳，而他唯一的群武就是神武风波。可是对于召唤失败这个结果，他也并不意外。

他的灵核早就支离破碎了，他承载了时空镜里的记忆后，虽然能够想起召唤风波的心法咒诀，可是神武是与灵核定契、受灵魂承载的，没有强大的灵魂和灵核，他就注定不能真正地将风波召唤出来。

妖鼠之潮已越涌越近了。顾茫眸底一暗，最终喝道："永夜，召来！"

风波的点点晶莹还未完全散去，一股强劲的黑魔之气便从他的掌心里猛流窜出，瞬间聚化成了一柄锋锐漆黑的刺刀。

是那柄他投敌燎国之后，由燎国为他锻造的魔武，那柄曾经在洞庭湖上差点要了墨熄性命的魔武——刺刀永夜！

顾茫修长手指一抬，刺刀在他掌中灵活地转了几圈，继而他犹如离弦之箭蓦地窜出，身手又快又狠，杀入妖兽潮水之中。他这柄魔武自带吸煞之气，只要阵法一开，便如鲜血吸引蝙蝠，能将妖物魔物尽数吸引到他身周。

很快地，妖鼠群便将他团团包围，浓重邪煞的黑气困锁住他，他的身影彻底被淹没了，只能看到以他为核心的妖邪群中时不时爆出一道火光，溅出支离破碎的妖兽残躯，黑血飘溅。

江夜雪不比墨熄，直到这时候才发现顾茫的不对劲，他的脸色也变了，回头问墨熄："顾茫他……他难道恢复了？"

墨熄不答，一双微红的凤眼紧紧盯着那团黑气的中心。

看到墨熄这副神情，江夜雪又还有什么不理解。他近乎愕然："山膏之前说想要让顾茫'记忆闪回'，难道这个闪回指的就是修复？那时空镜竟能在他缺失两魄的情况下将他的记忆填补回来？"

墨熄想说什么，可未及开口，就呛咳出淤黑的血来。

江夜雪惊道："羲和君……"

墨熄战损其实比顾茫厉害得多。顾茫是直接进入镜子中的人，虽然也受到了镜子的影响，但时空镜毕竟是上古神器，不是什么过分邪魔的物件，只要是正常从里面出入的，镜子都不会对其造成太大的伤害。

墨熄就不一样了，他原本就是因为强护着顾茫被一并吸入了镜中世界，几乎可以算是一个不速之客，一个入侵者。因此，他在时空镜里虽然没有做什么，但灵力损耗其实非常大，到出来的时候，他的体能其实已经被削弱至了临界。

但墨熄望着在妖群中厮杀的顾茫，望着顾茫手中那柄黑气缭绕的魔武永夜，还是隐忍着，将喉间的血腥气吞咽下去，抬手沙哑道："吞天，召来。"

长柄权杖吞天应召而出，通体散发着圣洁的白光。

看着持着燎国魔武的顾茫大开杀戒，墨熄闭了闭眼睛，忍着心与身双重的疲惫，抬起权杖，凌空一点——瞬时风波涌动，四海潮声。

"鲸吞裂躯！"

一束银光自权杖中涌出，一只贯日吞天的巨鲸灵体横空破世！随着一声犹自亘古响彻的啸叫，狂风卷地而起，以摧枯拉朽之势将蝙蝠塔中流窜攻击的所有妖兽都在瞬间抛向空中！

紧接着巨鲸尾鳍猛甩，仰天向着塔顶冲击而去，那些妖物便也被裹挟着冲上顶巅，吞天巨鲸这时再将尾巴狠力拍击——刹那间，黑血欺天，犹如暴雨倾盆，自塔顶瓢泼而下……

所有妖兽俱是四分五裂!

在这血雨腥风中，顾茫愕然转过头，睁大透蓝的眼睛，回望着站在原地的墨熄。

"墨熄……"

墨熄握着权杖的手在抖，他没有撑开遮挡结界，那些尚且烫热的血滴在他的肩头、发梢，流过他漆黑的眉眼，顺着他苍白的面颊流下，犹如血泪。他疲惫至极也无助至极地站在热血汇聚的骤雨里，慢慢地闭上眼睛。

墨家的血统凶煞霸道，其中以神武吞天为最可怖，甚至无法掌控力量，只要一用杀招，注定浮尸千万，无可幸免。所以这一招，墨熄以前从来不用。哪怕两军对垒，再是胶着，墨熄也从来都控制着自己，不让自己召出吞天，不让自己念这一声"鲸吞裂躯"。

这一招不但会让所有目击之人觉得他是个怪物，更重要的是，墨熄本身并不愿意将对手赶尽杀绝——他憎恶沙场，他纵马从戎是为了守护，并不是为了征服，更不是为了报复。无论对方是人是妖，是善是恶，墨熄总想着能够得饶人处且饶人，能够给对方回头的机会。所以一击毁灭数千生灵的战力，他是有的，但他一贯克而不用。

可是现在……为了不再看到顾茫拿着燎国的魔武大开杀戒；为了尽快结束这一切。他在濒临崩溃的状态下，竟然使了这一招他几乎从未用过的绝杀之术。

江夜雪轻声道："墨熄……"

墨熄像是没有听见，他周身散发着吞天残存的煞气，江夜雪欲在他身周撑开的结界转瞬便被刺破。他直直站着，孤零零地在血里淋着。

顾茫手中的刺刀慢慢地收回去，化作一团黑气，收拢至心腔里。然后他朝着墨熄走去。

墨熄一直立在原处，像个破败的偶人，脸是苍白，神情是破碎的，眼睛是空洞的。他把自己浸没在瓢泼血雨里。

顾茫在他面前站定，仰头看着湿漉漉的他。

那么高傲的人，此时却像一只被伤得太深无所适从而备感茫然的弃犬。

但顾茫的思绪其实此刻也乱得很，他拾回的记忆虽已足够让他清醒，却也令他无比的不安与迷惑——他在镜子里，被逆转躯体回想起了叛变前的事情，出了镜子，这些记忆没有消失，反而接上了以俘虏身份回城后的那些过往。

如今对他而言，就好像他前脚才刚刚背着陆展星的脑袋离开了重华，后脚就睁开眼睛发现自己在母国的囚车里，成了被遣送回国的叛徒。

中间的一切，他叛国八年间发生的一切，他几乎都没印象了。这种关键讯息的缺失让顾茫觉得此刻的许多事情都很蹊跷，无法解释，因此他也备感困顿，而这种困顿使得他变得愈发谨慎。

顾茫斟酌了良久，才对墨熄说："多谢羲和君解围了。"

听到他的声音，墨熄的黑眼珠这时才动了一下，他目光失焦地落在顾茫身上，半响，道出一个字来："你……"

喉咙里是苦的，吐出的字也是苦的，"都想起来了？"

顾茫沉默一会儿道："不是全部，但……差不多吧。"

"……"

"至少现在，脑子还算清醒，是个正常人了。"

"那……发生在镜子里的事，你都还……"

"嗯。"顾茫道，"都还记得。"

墨熄便不吭声了，他合上眼睛，喉结滚动，他似乎想将自己的神情维持得很清淡，很平静，但他的嘴唇在微微颤抖。

他闭了闭眼睛，嗓音发涩："那很好。"

他的心乱作一团，身体也消耗到极致，此刻的墨熄，几乎与当年洞庭一役后倒在血泊里的他一样虚弱，一样身心俱疲。他不知该以怎样的态度面对顾茫，因此沙哑地喃喃着重复："那很好……"

顿了一会儿，又问："要走吗？"

"嗯？"

"你不会愿意继续在重华当个阶下囚。之前你不走，是因为你想不起来；现在你都想起来了。"墨熄道，"是不是就打算走了？"

顾茫默然片刻，忽然抬起手，微扯开衣领，露出勒在他苍白脖颈上的黑环。

"……"

"锁奴环，你给我打下的。"

顾茫看着他："我现在是你的奴隶，你不放我，我就永远走不掉。"

墨熄像被他这轻描淡写的一句话刺中了，身形微微摇晃了一下。这不仅是因为他刚刚在幻境中知道了许多过去不曾知道的秘密，此时对顾茫的感情本就很复杂；更是因为顾茫此时的表情——

他见过顾茫的许多神情——灿烂的、宽容的，纯澈的、迷茫的、悲伤的、涣散的。他想无论这时顾茫或哭或笑，或怒或恼，他都能好受些，至少都能让他感觉到顾茫还是一个活生生的人，捉得住追得上，看得见摸得着，可唯独怕极了顾茫这种淡漠的表情。

这种情绪一下子就将墨熄卷入了最黑暗的那段往事里——站在甲板上的顾茫提着刺刀，沾着血的一字巾猎猎飞扬，跟他说一切都不能回头。

墨熄想说话，可胸口的旧疤却刀割般地疼。又或许并不是他的伤疤疼了，而是伤疤下面那个器官在痉挛，一点一点地裂成碎片。他眼前一阵阵发花，模糊间，他好像看到顾茫的蓝眼睛里流露出一丝藏不住的悲伤。

他很渴望看清那丝悲伤是不是真的，是不是他过于执念而生的错觉，于是他往前……腿却像灌了铅一样，一下子栽向前去。肺部剧烈的绞痛让他猛地呛出一口血，这让猝不及防的顾茫本能地伸手抱住了他，像年少时他还管他叫顾茫师兄的那阵子一样。

江夜雪在旁边焦急道："他不行了，你将他放下来，我有蕴灵散。快给他服下。"

墨熄并不在意，他觉得身体很轻，魂魄像是随时要挣开躯体而去。而他竟在这濒死的感觉中感到松快。或许那一年洞庭楼船上，他就该走了。如果那时候走了，就不必再生生煎熬那么多年。他不是钢筋铁骨铸成的人，在夹缝中活了那么久，他已经快被逼疯了。

无论伤害重华，还是伤害顾茫，他都是会痛的，他刺伤顾茫的每一言每一语，他也是会痛的。他每一次告诉自己要恨顾茫，不再有私，他每一回提醒自己顾茫这些年都做了些什么？又遭受了些什么？他每次剥离过去都如皮肉分离血肉模糊，他都是会痛的啊！！可他还得活着。

没有他，北境军注定离散崩析。他得用他那已经减损了十年天寿的躯体，去承载一个故人留下的旧影；没有他，顾茫还是要回到落梅别苑，他得用他那再也不可能团圆和满的府邸，去收容一个英雄留下的残墟。

江夜雪的声音越来越邈远："墨熄……你醒一醒，墨熄……"

他太疲惫了，他看着顾茫那双湛蓝的眼睛，连指尖都再无力气动一下。他轻声道："你的眼睛……要是黑的，该有多好。"

要是黑的，我还能骗自己，说这一切都并未发生，只是我们在驻地边塞戍军时我做的一场太过荒唐的噩梦；我还能骗我自己，说这一觉醒了，你还是那个笑容灿烂满腔希望的少年，我也还能伴你身边听你说笑；我们还在驻地里，彼此军衔都不高，军饷是那么少。

你爱的所有人，你的手足同袍、你的总角之交都未离你远去，我可以满心虔诚地握着你的手，只存欢喜地看你侧着脸，看你每一寸线条都有阳光萦绕。

墨熄的眼帘慢慢地阖上……

顾茫，要是你的眼睛是黑色的……那该多好啊……那时候我们唯一迫在眉睫的担忧，只是担忧会不会有人跑去向君上状告墨氏宗族的少主与望舒府的家奴私交甚密。那时候，我还能对我们的未来充满着无限的幻想与希望，真好。

再或者，墨熄不无悲伤地想，若是他在洞庭湖一战时就死去了，那也是好的……

大抵是受的摧折太多了，如此悍硬倔强的人，竟也在此刻生出了这样的期望。

而彻底失去意识前，墨熄听到的最后动静是御剑剑鸣之声，继而是一个清冷如玉的嗓音，自远处传来：

"我不过就去塔顶救了个人，你们在这里血雨腥风的闹些什么？"

第24章

"滴答。"

一滴水珠自岩洞的石缝中漏下,落到了墨熄鼻尖。

墨熄睫毛轻轻微颤动,慢慢地睁开了眼睛。他的目光有些涣散,甚至不知今夕何夕。他一会儿看到蝙蝠塔的乱象犹在眼前晃动,一会又看到顾茫在黄昏里行远。

心脏在血肉之下,闷闷地跳动着。而在此之前,它几乎已被摧折而将要停歇。

墨熄缓了一会儿,待到视野不再那么模糊,他转动僵硬的脖颈,看了看左右——他正躺在一个山洞里,这洞窟不算深,能看到外头的星夜,一堆柴火噼啪作响燃得正旺,火塘边上坐着三个人,分别是顾茫、江夜雪和慕容楚衣。而岳辰晴则躺在自己不远处,身上盖着江夜雪的外氅。

墨熄头疼欲裂,痛楚地闭了闭眼睛。

昏迷前的记忆如电光石火,在脑中逐一浮现。

时空镜里的种种过往,顾茫背着陆展星的尸首慢慢走远,老叫花子的莲花落怆然响起——我也曾,轻裘肥马载高轩,指麾万众驱山前。一声围合魑魅惊,百姓邀迎如神明。今日黄金散尽谁复矜,朋友离群猎狗烹……

以及最后他们从镜子里出来,顾茫站在血雨腥风里的样子。

墨熄猛地坐起身来,动静传到了三个正在围炉交谈的人那边。顾茫是第一个觉察到的,他回过头,对上墨熄的眼睛。

顾茫:"……"

墨熄:"……"

但顾茫第一句话并不是冲着墨熄说的,他盯着墨熄看了片刻,转而对江夜雪和慕容楚衣道:

"他醒了。"

其余两人立刻看向他,江夜雪以木轮椅代步,来到墨熄身边:"羲和君,你怎么样?还有没有哪里不舒服?"

墨熄没答话,心跳怦怦地,仍望着坐在篝火边的顾茫。缓过神之后,他依旧因为顾茫的忽然恢复而感到惊愕、茫然、意外——他甚至觉得这就像是一场梦。

可是合了眼睛再睁开时，依旧是这个山洞，这一些人。

是真的，时空镜竟真的在把顾茫带回过去的同时刺激了顾茫的头脑，让顾茫拥有了如昨的心智！

"你……"墨熄嘴唇动了动，嗓音却喑哑得厉害。

顾茫瞥了他一眼，蓝眼睛就淡淡地转向了别方，神情几乎与时空镜里那个八年前的青年一模一样，好像结了一层霜。

江夜雪见顾茫不答，怕墨熄尴尬，于是道："顾茫他没事。另外……在你昏迷的时候，他已经把记忆恢复的事情都跟我们说了一遍，你不用担心。"

墨熄隔着江夜雪，看着那个坐在火塘边一声不吭的顾茫，顾茫的举止很闲适，一脚蜷着，一脚支起，手肘搁在膝头，甚至连衣襟口都微微扯开了一些敞着，是当年那个军痞流氓的模样。

自从进入时空镜起，墨熄前前后后受到的刺激太多了，而这最后一击全然出乎了他的意料。

墨熄在意识到顾茫恢复记忆的那一刻，曾有过一瞬狂喜。他们的过往终于重新被两人共同拥有，可那毕竟只是一瞬。此刻他看着他，胸腔里的剧烈搏动却一点一点地缓下去。

渐渐地，这种心情就被未知、焦虑、无措和迷茫碾碎。

他在这短暂的时光里好像想了很多，又好像他已经被折磨到遍体鳞伤而麻木了，脑子里昏沉沉半晌，最终的思绪定格如此——顾茫恢复了记忆，却愈发不像自己印象中的顾师兄，反而疏远得厉害。

明明是他第一个发现墨熄醒来的，他却不起身，只由着慕容楚衣和江夜雪处理，自己竟把脸转开去，捧着一杯热茶没事人似的喝着。

墨熄看着他的侧影，心里的那种沉重越来越深。

江夜雪见他半晌不语，只盯着顾茫出神，忧心道："羲和君，你还好吗？"

墨熄顿了顿，把目光从顾茫身上收回来，竭力镇定道："……好。"

过了片刻，他因不想让江夜雪再多看出些什么，所以换了话头，问道："我们……在哪里？"

"还在蝙蝠岛上。"江夜雪答道，"事情闹得太大，雾燕封锁了整个岛屿，而我们损耗得厉害，一时半会儿出不去。"

"谁？"

"就是蝙蝠岛的女蝠王。她叫雾燕。"

墨熄："明明是只蝙蝠，怎么称自己为燕？"

"是啊，就是这般古怪的名字。"江夜雪道，"我们进塔时，雾燕正在地宫里闭关修炼至紧要关头，所以闹出了那么大动静，她也不曾出来。后来你毁了她整座塔的部族，楚衣……"江夜雪道出这个名字后才觉不对，改口道，"小舅又将辰晴从她的密牢里解救。你昏迷之后，她刚好结束周天，破关追出。幸好还有顾茫。"

江夜雪说着，看了顾茫一眼。

顾茫对待别人倒还算客气，竟还能像没叛变前似的，朝江夜雪咧了咧嘴。

江夜雪不知该作何回应，只得又把脸转了回来，然后说道："因为顾茫能独当一面，所以我们才能顺利脱逃，找到这处山洞。但雾燕她已经气疯了，现在整座蝙蝠岛都布满了啸叫咒，稍不留心就会被她寻到踪迹。我在这里布了隐匿符咒，暂时能避一阵子，你先不用担心。"

墨熄抬手按着自己突突直跳的太阳穴，缓了一会儿，转头看向还蜷在大氅里熟睡的岳辰晴。不过十余天没见，岳辰晴瘦了好多，原本有些圆鼓鼓的腮帮子整个凹陷下去。

墨熄问："他怎么样？"

江夜雪正欲回答，就听到顾茫的声音："你们有什么话还是过来说吧。可以烤点火，吃点东西。"

墨熄抬眼去看他，刚想低声道句谢谢，可话还在喉间，就听顾茫慢腔慢调地又说了句："还是说羲和君已经娇弱到走不动路了，需要我来背？"

那一句谢谢一下子就堵住了。噎在喉咙里，噎得连呼吸都有些困难。

他原以为他们从时空镜出来后，关系能稍有缓和。至少他想与顾茫缓和，他想好好地向顾茫道一个歉，想再试着问一问顾茫当年的真相。

但顾茫却并不那么认为，他言语间的敌意，还是和之前那个效忠燎国的叛臣一模一样，一副死不悔改的腔调。

墨熄轻声道："顾茫……"

"嗯？"顾茫冷笑道，"真要我背？"

墨熄的眼神一寸寸地暗下去，就像燃烧了太久终于要熄灭的烛台——顾茫熄灭了他眼底最后的光。

顾茫恢复后表露出的态度，仿佛在阴阳怪气地说：墨熄啊，你看咱俩都这样了，还有什么好扯的呢？无论真相如何，过去如何，敌对吧，我们没别的选择了。

墨熄咬牙起身，尽管损耗得厉害，也撑着走到火塘边，他深深地看了顾茫一眼，似乎想说话，但最后还是把脸转开了。

他默默坐在了慕容楚衣旁边，离顾茫较远的一个地方。

顾茫自然是注意到了他选的位置，笑了笑，也没说话，只翻动着篝火上架着的烤肉。

周围的寂静令人难受，墨熄沉默片刻，转头问慕容楚衣："岳辰晴怎么样？"

慕容楚衣瞧上去脸色很差，他垂着眼简单道："伤势我都替他压下了，暂无大碍。但他中了蝙蝠王的蛊虫，我解不掉。"

墨熄一怔，之前听山膏之言，岳辰晴被关在暗室里，浑身缠绕满吸血藤草，但山膏却并未透露岳辰晴还中了蛊虫。

"什么蛊？"

"见所未见，是修真大陆并无记载的一种蛊毒。我逼问了镇守暗室的那两只高阶蝙蝠精，但他们也并不知道太多。只说……"

慕容楚衣说到这里忽地一顿，有些泛恶心似的皱起剑眉，低低咳嗽。

江夜雪过来了，递给他一杯热茶："小舅，你喝点吧。"

慕容楚衣脸色灰败，一把将人推开，茶水泼了江夜雪满袖。

江夜雪："……"

慕容楚衣缓了会儿因为咳嗽而有些急促的呼吸，接着道："他们只说，这蛊虫可以将血水抽干的尸体，唤醒作活死人。其相貌、声音、记忆乃至感情，都可重塑。"

顾茫闲着无聊，幻化了魔武刺刀在手里把玩着，然后把刺刀当火钳伸进火堆里，将火舌拨得更旺，闻言道："这不就是把一个人弄死，再利用尸体重新造出个新的人来吗？"

"确实如此。"

"那女魔头想要干吗？"顾茫修长的手指灵活地转着刀刃，边玩边问，"她逮着岳辰晴的身体想造谁？"

"不知道。"慕容楚衣怏怏地，"那两个高阶蝙蝠精忠心无二，我强摄意念逼他们说出这些内容后，他们就自爆灵核，自尽了。所以我想等恢复一些后，再去抓个知情的妖物来问问。"

他说着，又咳嗽几声，道："要给岳辰晴解蛊，知道的越多越好。"

"那行。"顾茫干脆道，"那你看要不这样。反正我脖子上有锁奴环，跑不了，你们身体都还没恢复，干脆我出去抓个合适的妖来，给你们审？"

慕容楚衣抬起眼帘："这么好心。为什么？"

"我就想活滋润些嘛。"顾茫对慕容楚衣笑道，"我现在替你们救人出力，作为交换，我想请你们几位老爷行行好，帮帮忙，回城之后先别跟旁人说我记忆恢复的事情了。"

此言实在出人意料，其余三人都有些沉默。

"这么看着我做什么。"顾茫将刺刀在手上转了最后一圈，指尖一挥，刺刀便化为灵流散入他的手掌心中，"我这要求很奇怪吗？"

江夜雪道："顾茫，这是欺君之罪。"

顾茫笑了一下。他倒是只对墨熄一个人死样怪气，冷得厉害，跟其他人说话，他眉眼间都还是有些人情的。

"不好意思啊，知道难为你们了。但我也是没办法，要是让重华的其他人知道我恢复了，我怕是又要被送回落梅别苑，找我麻烦的人一茬接着一茬。君上也会拿我去做黑魔试炼，拷问我与燎国有关的秘密。"

慕容楚衣面若冰雪，淡淡道："你难道不应该受此处置吗？"

"我没说不应该啊。"顾茫颇不要脸道，"但我总能害怕吧？谁会愿意一天到晚不是被人惦记着杀了，就是被人欺负……"

江夜雪道："你若不想回落梅别苑，我们合力保你便是了。但我们不能替你隐瞒，向重华陈述燎国的秘密，本就是你应当做的。"

顾茫干脆道："我陈述不了，我忘了。"

"……"

看这三位贵胄老爷的神情，顾茫不无诚恳地："对不起，真的忘了。"

墨熄隔着篝火，看着顾茫那张脸，胸腔里的那个器官痛过了头，渐渐生出了几分被无视的怨怒。他闭了闭眼睛，唇齿间的几个字几乎被咬碎："你不是恢复记忆了吗？！"

"我又没说我全都想起来了。"顾茫道，"我少了两魄，再怎么样也恢复不到完全吧。"

墨熄霍地盯向他，眼里的情绪分明是又恨又疼，但清瘦的脸庞却还保持着镇定：

"你那两魄，到底是怎么丢的？"

顾茫脸上的笑容敛去了，过了一会儿，他淡淡道："哦，这也是我忘掉的一部分。"

"……"

"你别这样看着我，我真的不知道自己的魂魄是怎么丢的。你信也好，不信也罢，不信你可以用摄魂术可以灌诉罪水，随便你怎么折腾，你能问出来算我输。"

墨熄把脸转开去，搁在膝头的手指慢慢捏紧。他不吭声了。

慕容楚衣则一贯镇定，他不带任何情绪，只思虑过顾茫说过的所有话之后，再一次刺中要害："你若是怕回城之后受到苛待，为何不此刻直接杀了我们逃走？"

"好问题啊。"顾茫摸着下巴笑了笑，"果然漂亮男人都不太好对付，羲和君是这样，慕容先生你也是这样。"

慕容楚衣："……"

墨熄："……"

顾茫笑着，蓝眼睛依次在众人身上扫过。

"现在这个状况，我好像是有杀人逃命的机会。看看你们啊，江兄有疾，且灵力损耗过大。慕容兄似乎身体也不太舒服，大概是在救外甥的时候受了伤。岳家弟弟干脆连醒都没醒，我杀他比杀一只麻雀都来得容易。"他的目光最后落在了墨熄身上，但只一下就移开了。

顾茫抱臂笑道："我的天，这样一看，好像我不杀人逃命都说不过去了。"

慕容楚衣道："所以？"

顾茫指尖一动，重新化出刺刀永夜。他举止突然，但慕容楚衣一直都在盯着他看，竟也毫不犹豫地召出一张金光熠熠的灵符，瞬间打开防护结界！

顾茫看着那结界，把手一摊，笑道："你看，这不就结了？我若杀人，你们不会不还手。我就算靠着魔气有胜算，但灵核是碎的，也不一定就能打过你们。而且就算我打赢了，势必也是元气大伤，到时候动静引来那个女蝙蝠，我是打算躺着给她捏泥人吗？"

"……"慕容楚衣盯了顾茫一会儿，指隙间的金色华光慢慢地熄了下去。他回头看了一眼还在昏迷中的岳辰晴，说道："信你一次。你老实帮忙，出去之后，你的状况，我不会说。"

顾茫笑道："光你说也没用啊。你这两位可爱的小侄子的嘴，能不能确保严实？"他顿了顿，目光终于看向一直沉默的墨熄。

"还有这位羲和君的嘴啊……"顾茫舔了舔上齿，仍是有些狼犬的细节习性，他目光幽沉，盯着墨熄色泽浅淡的嘴唇，嗓音低缓，甜甜道，"最倔。慕容兄你帮我问问他啊，看他能不能委曲求全，将他这两瓣好看的嘴唇，老老实实为我堵上？"

墨熄被他这样似笑非笑地盯着，竟生出一种窘迫来。他抿了一下嘴唇，把脸转开了。

慕容楚衣自然不会真的主动帮顾茫去问另外两个人。但既然他已点头答应了顾茫，也就是表明了他的立场，那对于墨熄和江夜雪而言就确实值得考虑了。

顾茫单手抱臂，靠在石壁上转着刺刀："怎么样？合作吗？"

帮罪犯隐瞒情况，乃是欺君罔上的重罪。但顾茫此刻的提议也没错，他们现在确实是一条船上的蚂蚱。

江夜雪看了慕容楚衣一眼，说道："既然小舅愿意……那我也不说什么了。只要你之后不做什么令人为难的事情，我便帮你保守秘密。"

顾茫笑着朝他拱了拱手："识相。谢了啊。"说罢扭头看着墨熄，那种笑容便淡去了。

"羲和君怎么说？"

墨熄沉默一会儿后道："我不会把你交给君上的。"

"那敢情好。"顾茫懒洋洋地笑道，"诸位都是君子，男子汉大丈夫一言既出驷马难追，我帮你们做事，你们帮我保守秘密，两不相欠。"

慕容楚衣问："你现在就打算去捉人？"

顾茫坐下来，说道："不急，之前为了从雾燕手下逃脱，我灵力消耗太大，你们先容哥哥我吃个饭再说。"

说完又翻了两圈串在树枝上的烤肉。墨熄这才发现他正架在篝火上烤的是一只肥美的鹅。

墨熄虽傲，但他见到了顾茫昔日之痛，心中难受得厉害，仍想要与顾茫和缓，所以他低声问："你哪里来的鹅啊？"

顾茫不搭理他。

墨熄："……"

江夜雪见状，温声接话道："这是我的核舟上储着的。"说罢将之前一行人来岛时乘坐的核舟又取了出来。

他将核舟放在地面，指尖一点，舟楫立刻从拇指盖的尺寸抻长了十数成，犹如一只木盆大。

江夜雪嗓音温雅："船家，劳烦您再送些茶点出来吧。"

"来啦！"木盆大的核舟内传出了一个清脆悦耳的嗓音，带着口吴侬软调，咯咯笑道，"有鲜果和糕点，茶叶咱家还存着灵山妙雨和乌岽单丛，主上要哪些？"

"每种都拿几样。"

那银铃脆声笑道："好呀，这就上啦。"

说罢，核舟的船舱帘儿一掀一落，竹帘后头转出个捏得栩栩如生的泥人小船娘，她在船上的时候只有半掌大，一下地，立刻化作一个半人高的泥佣，手捧着木托盘，里头摆满了浆果点心，还有两壶热茶。

墨熄看着泥船娘把托盘笑嘻嘻地摆到了火塘边，问道："这偶人我在船上的时候，怎么没有见过？"

"她比其他偶人都聪明，是我颇费了一番工夫才做出来的，我们在核舟上的时候，她就负责去驭船飞行，不露面。"

泥船娘抬起一张柳眉凤目的脸庞，确实能看出她是江夜雪的用心之作，明明只是一个泥人，却拥有着一张与真人极似的精致面庞，丹砂彩漆都上得非常细致，行动举止也都较其他泥人更加灵活。

船娘向众人行了一礼，俏生生道："若是没有别的事，我就先回船上去啦。"

"哎哎哎，姑娘不急着回。"顾茫看得有趣，拦住她，笑着试问道，"你船上可有荔枝木？"

"船桅就是荔枝木做的，可惜不能给你。"

顾茫奇道："你知道我要荔枝木做甚？"

船娘咯咯笑着，指了指那噼啪燃烧的篝火："荔枝木烤肉最是滋味独特，公子怕不是在打那馋虫主意。"

顾茫颇为惊讶地转头看向江夜雪："她怎么连这都清楚？"

江夜雪垂眸笑道："我炼化她的时候，往她的颅腔内融了一本《九州食记》。"

"可以啊。"顾茫忍不住拍了两下手，"几年不见，江兄的炼器造诣是越来越高了，做的东西活灵活现不说，还很聪明。"

江夜雪却看了慕容楚衣一眼："比小舅仍不及。"

慕容楚衣对江夜雪的夸赞充耳不闻，双手抱臂靠在岩壁边一声不吭。

他这个态度，江夜雪却仍微微一笑，他命船娘回到船舱里，重新将舟楫变成核桃大小，收回了乾坤囊中，而后温声称赞慕容楚衣道："我小舅是最了不起的炼器宗师，能拈花成舟，点雨成楼。"言语中竟有些哄的意思。

可慕容楚衣并不吃这套，他干脆把凤目都阖上了，竟似很嫌恶。

墨熄："……"

顾茫："……"

墨熄心道，这个痴仙也不知有何种能力，两个外甥全都上赶子地捧他，只不过岳辰晴捧得热烈如火，逢人就吹。江夜雪与外人倒不太提及自己这位舅舅，可没想到真被拉到一起比对时，江夜雪作为学宫第一炼器长老居然也是毫不犹豫地将慕容楚衣供于高位。

不过，江夜雪这样自降身段的捧法和岳辰晴一通胡吹毕竟是不同的，岳辰晴被慕容楚衣无视了，只会让人觉得岳辰晴很好笑。

而江夜雪如此真心实意、不惜奉上自己为衬的夸赞被慕容楚衣无视了，却会让人觉得江夜雪很可怜。

大抵顾茫也觉出这尴尬的气氛，顾茫道："慕容先生好歹是长辈，江兄你比不过正常的。来，烤鹅快好了，咱们吃东西先。没吃过我的脆皮鹅吧？尝尝看。"

顾茫虽然与重华有仇，但江夜雪原本就恨不起顾茫，慕容楚衣更是毫无邦国归属感，何况目前他们都有共同的目的，所以谁也没有去与他多计较些有的没的。

烤鹅熟了，滴滴答答往下淌着油脂。顾茫把它从架子上取下，挑了肉质最饱满的鹅脯，拿小刀片成薄片，肉香和焦油香扑面而来，金黄酥脆的皮连着紧实滚烫的肉，被摆在芭蕉叶上，顾茫又往上头撒了一点儿粗盐，正好两份的量，分别递给了慕容楚衣和江夜雪。

江夜雪尝了一口，顾茫笑道："怎么样？"

"想不到你还有这手艺。"

顾茫哈哈笑道："要是用荔枝木烤会更好，烤的时候里面再填一点浆果，味道绝对没话说。"

江夜雪问："你什么时候学的？"

"无师自通，自学成才。"顾茫说着，又准备去片一些新的烤鹅肉下来，"饱口福了吧。"

江夜雪道："以前怎么不见你做过。"

墨熄望着那温暖的篝火，忽然低声道："以前他也做过。"

江夜雪微征，随即温和地展颜道："也是啊，那时候你俩关系好。我记得顾茫确实总照顾你……"

顾茫却似不想与墨熄有太多瓜葛似的，立刻甩了甩手道："举手之劳，也没什么照顾不照顾。"

说完对墨熄笑了笑，但那笑很有些敷衍的意思。

"多久了你还记得那只烤鹅，我印象里当初烤的那只火候把控得不怎样，吃来味同嚼蜡。羲和君你就算再恨我，也别在这时候揭我的短啊。"说罢摸了摸鼻子，鼻尖留下一撮灰黑，"我也要脸的。"

墨熄隔着火光，看着顾茫那似是嬉笑又似是无情的模样，有太多话卡着，可问出来又注定不会有结果。

他拿捏不好对顾茫说话的语气，他觉得自己只消一星半点的推力就会做出什么非常冲动的事情。只要一开口，一释放情绪就注定难以收回。于是他干脆不再多言。

顾茫有意疏远他也好，真心想继续与他敌对也罢，他想如果自己能忍，那就都先忍耐着。

脆嫩酥香的鹅肉又片了一芭蕉叶，顾茫把刀收了，自己捧着叶子坐下来吃。

江夜雪心细如发，觉出这其中的微妙，停下了吃着烤鹅的手——顾茫给他片了肉，给慕容楚衣片了肉，唯独就没打算帮墨熄也弄一些，这本就有些尴尬。加上墨熄又是十指不沾阳春水的少爷，根本不可能会处理切片烤鹅，气氛便是尴尬叠着尴尬。

正想说些什么带过去，就见得顾茫抬了头："想起来了，忘了羲和君你的。"

墨熄："……"

"要不要我帮你切？"

没等墨熄说什么呢，顾茫又笑吟吟地捧着芭蕉叶，毫无诚意道："哎呀算了，我一个满手血腥的人切出来的东西，羲和君如此清正高贵，哪里愿意吃啊，还是你自己来吧。"

墨熄道："不用了，我不饿。"

江夜雪知道墨熄这死倔的性子，不忍道："羲和君，你身体才刚恢复，还是垫一些——"

"没事。"墨熄起身道，"你们吃吧。我自己的身体，自己有数。"

"可是……"

"他说有数就有数。"顾茫拉住江夜雪，笑道，"羲和君如今又不是十五六岁刚刚入军营的小家伙了，他说话你信他就是。对了江兄你要不要再来个腿儿？"

江夜雪："……"

吃完了烤鹅，又用了些茶点，顾茫稍事准备，就唤来了魔武永夜，准备出发。

"你们在山洞里打坐调息，恢复灵力。等我一个时辰，如果一个时辰之后我还找不到合适的妖怪抓回来，我就会按老方法告知你们。都清楚了吗？"

他说的老方法就是灵蝶传音，从前他们在战场上，做斥候的那个人都会以这种方式将前线情况传给后方的同袍。

江夜雪道："好，你放心。"

顾茫将刺刀藏握在袖里，说道："那我走了。"说罢身影疾掠，迅速遁入了夜色之中。

墨熄立在洞口，顾茫走的时候，与他擦肩而过，他们谁也没转头看对方，但等顾茫行远了，他却又立刻将目光投向顾茫背影消失的方向。

江夜雪来到墨熄身边，问道："你怎么了？"

墨熄绒絮般的睫毛垂了下来，并没有答话。

"你从时空镜里出来后就一直怪怪的。我方才问顾茫原因，他只说他被镜子刺激得恢复了大部分的记忆，其他也没再说太多。我想他这人逼不得，于是也没多问。"江夜雪顿了顿，"现在他走了，你能不能跟我说说，你是在镜子中看到了什么吗？"

墨熄道："我们回到了八年前。"

江夜雪微微睁大眼睛："是顾茫叛变之后？"

"不。之前。"墨熄道，"我回到了他叛变的前夕。"

江夜雪见他提及此事脸色灰败，便迟疑道："你在时空镜里，莫不是去劝顾茫了？"

"嗯。劝了，但没用。"墨熄疲倦地回道，"这不是最重要的。最重要的是……我看到了些过去我们所不知道的事情。"

江夜雪搭在木轮椅扶手上的手微蜷起，亦是关心心切："什么事？"

墨熄沉默了一会儿后道："我还不能说，我现在捋不出一个清晰的脉络，很多情况也只能看到冰山一角。所以我想等回城之后，再重新查一查八年前的旧案。"

江夜雪正想再说些什么，忽听得山洞深处，岳辰晴微弱的声音带着哭腔，喃喃地喊道："四舅……"

听岳辰晴这么喊，江夜雪立刻看向慕容楚衣，而墨熄则回头去看岳辰晴："他做噩梦了？"

岳辰晴蜷在大氅下面，只露出一小缕墨黑的头发，梦呓愈发哽咽："四舅……你不要生气……"他啜泣道，"你不要怪我，别不理我……"

慕容楚衣不喜与人有什么感情交流，因此岳辰晴虽然清清楚楚地在梦中唤他，他却充耳不闻，只闭着眼睛打坐。可岳辰晴似乎被梦魇折磨得厉害，这呓语非但没有停，反而念叨地越来越多，到最后嗓音里的那种迷茫和痛苦几乎实化。

稚气未脱的青年啜泣道："四舅……"

慕容楚衣蹙着眉心静了片刻，终于忍不住，起身宽袖一拂，飘然行至岳辰晴身边，在他身旁坐下。他低下头，那张月照冰湖般的清俊脸庞分明是心不甘情不愿，且颇为不耐烦的。但最后还是掀开岳辰晴盖着的衣物，将瓷玉一般的手探向岳辰晴的前额。

一探之下，慕容楚衣的脸色就有些变了。

江夜雪问："怎么样？"

慕容楚衣道："高烧。"

尽管伤寒对修士而言并非什么了不得的事情，有时候一帖药剂喝下去便可药到病除，但岳辰晴的状况却不容乐观。

　　江夜雪过去，先替岳辰晴将盖着的大氅仔细拢了拢，然后也抬手去试岳辰晴的体温，一触心惊："这么烫……"

　　"他不该发热的。"慕容楚衣低头看着岳辰晴那张红扑扑的脸，"我方才救他的时候，用的是圣心术。"

　　墨熄蓦地抬眼看向慕容楚衣，圣心术那不是……

　　江夜雪的脸色也不好看："小舅，你怎么……"

　　慕容楚衣冷冷地道："怎么？"

　　"那是禁术！"

　　"又怎样。"

　　江夜雪："……"

　　指望慕容楚衣遵循重华国律，就像指望鲤鱼在陆上生活，全都是不可能的事情。

　　圣心术，这是一种药修禁术，它可以在极短的时间内让伤痕累累的身躯痊愈，并且保证受术者三日之内不会染上诸如风寒、疟疾之类削弱体能的急病，总而言之一句话：效用强大，简单粗暴，哪怕不是专修医者道的人也非常容易掌握。

　　照理说如此妙手回春的医术应当大力倡行才是，但人无完人，术无完术，圣心术也存在着一个非常可怕的问题，那就是它对施术者的心境要求极高。所谓"圣心"，无尘无垢乃为圣洁，施术者救人的时候内心必须非常纯粹，不存有半分杂念，否则必然会损及施术者的心脉。轻则元气大伤，重则暴毙身亡。

　　江夜雪心知与他说理也没用，于是担忧道："那你的身体……"

　　慕容楚衣没搭理江夜雪，只管自己低头探着岳辰晴的颈脉搏动，过了一会儿，他睁开凤目，说道："圣心术能免去所有寻常缘由所致的伤寒病痛，但岳辰晴却依旧起了高热。"

　　江夜雪道："……是因为蛊虫吗？"

　　慕容楚衣不答，但剑眉禁不住微微蹙了起来。

　　这种情况别无他种可能，确实是因为蛊虫。可连圣心咒都压制不住的虫子，想必处理起来会非常棘手，此刻他们对这蛊虫特性毫无所知，也只能待顾茫回来之后或有解决之道。

　　"先等吧。"慕容楚衣摸了摸岳辰晴的额头，顺带将岳辰晴额角的乱发捋好，"等顾茫回来再说。"

　　没有办法，三人只得守着岳辰晴，一边打坐，一边在岩洞中静候顾茫返归。

　　他们之中以墨熄禀赋为最高，加上他原本只是被时空镜削损了灵力和元神，并未受太多伤，所以不出一个时辰，他就已经恢复了八成。

墨熄睁开眼睛，看到慕容楚衣和江夜雪都还处于入定养气的虚弱状态，尤其是慕容楚衣，面如冰玉，嘴唇的血色非但没增，反而变得愈发青白。

他心觉不对，起身走到慕容楚衣身边，半跪下来看着他："慕容先生？"

慕容楚衣不答声，眉心处有灵流激荡，一双剑眉低低蹙着，隐有痛苦之色。墨熄伸手一探，竟觉他灵气紊乱有走火入魔之象，微微吃惊，立刻伸指抵在他的额侧，将自身灵力输于他体内。

"咳咳咳！"

过了好一会儿，慕容楚衣身子前倾，蓦地呛出一口淤血！他从入定状态脱出，慢慢地抬起眼来，有些涣散地看着墨熄的脸。

须臾后，慕容楚衣回过神来，他倏地垂了睫毛，拭去血迹，哑声道："……多谢。"

墨熄知道他性冷孤僻，原本不想多言，但又见他虚弱的样子，最终还是抿了抿嘴唇，说道："你自己应该也感受到了，你之前以一人之力去吸引火蝙蝠，后来又妄用圣心术，连心脉都受到了损毁，这种情况下再贸然打坐回力，只更易入了心魔。你为什么不早说？"

慕容楚衣道："没什么好说的。"

"……"

"我损耗之事，还请義和君帮我守口。"慕容楚衣道，"我不想让更多人知道。无论是岳辰晴，还是……"

他顿了一下，瞥了一眼入定聚气的江夜雪。

"还是他。"

这个眼神实在是有些古怪，都说此人清冷出尘，不染凡俗烟火，平日里总是闭关不出，鲜与世人往来。墨熄从前只知道他待两个外甥的态度都不好，但这几次相处下来，却能感觉到慕容楚衣对江夜雪和岳辰晴的恶劣还是有着明显区别的。

作为长辈，慕容楚衣对岳辰晴虽是爱理不理，懒得废话，但若是岳辰晴真的缠得他厉害，撒个娇，使劲夸，慕容楚衣还是会看他一眼，哼个一声。而且慕容楚衣也愿意为了岳辰晴动用禁术，甚至为此受伤。

这也就是说，不论怎么样，岳辰晴在慕容楚衣心里至少是有那么一块位置的，但江夜雪不一样。或许因为当年，慕容楚衣的义姐慕容凰和江夜雪母亲共侍一夫，慕容凰没少因江夜雪之母而受气，所以慕容楚衣对江夜雪是一个全然敌意的状态。

不但有敌意，还有仇恨。甚至还有一些……墨熄说不上来，但总觉得还有一些更隐晦的负面情绪笼在慕容楚衣的眼睛里。

"四舅……疼……"隐隐的又是一声微弱的低吟，岳辰晴无助地喃喃道，"我的头……好疼……"

慕容楚衣瞥向缩在角落的那个孩子，只见岳辰晴喊了他一会儿，低低地抽泣，忽然哑着嗓子，又念叨道："娘……阿娘……"

慕容楚衣一下子就僵住了，墨熄见他以来，他一直都是那副淡然出尘，无所谓人情冷暖，死生喜怒的模样，清透如白玉的面庞上也极少会有什么涟漪波动。可此刻慕容楚衣的脸上像是叠了千重情绪万顷纠葛。

他咬了咬牙，瞧上去是又恨又怒："总也不争气，又不听话，有什么颜面再叫她？"

但还是握住了岳辰晴颤抖的手。

少年的体温高得可怕，慕容楚衣严厉的脸上闪过一丝心疼，一丝悲伤，最后硬邦邦哄道："好了，没事了。"

岳辰晴依旧梦呓着："疼……"

"有我在，会好的。"

"好疼……"

慕容楚衣剑眉怒竖，慈悲终于到了尽头："忍着！"

墨熄："……"

就这样又过了一阵子，江夜雪的灵力也大抵恢复了，他从入定中缓然睁眼，环顾四周。

"顾兄还没回来吗？"

墨熄道："还没。"

江夜雪也去到岳辰晴身边，不过既然有慕容楚衣在，他便也没什么可以容身的位置，也不是那个该握着岳辰晴手的人。

他在岳家从来都是这般地位，从前没有离开时是这样，如今仍是这样。小舅也好，兄弟也罢，他都是被挤在最边缘的，可有可无的那一个。

江夜雪对此也已经习惯了，只是他的目光仍在被慕容楚衣握着那只手上多停留了会儿，那眼神里分明有几分黯然，然后才道："要是再烧的话……不如换我来再用一次圣心术，或许能——"

话未说完，忽听得洞外一阵脚步疾响："我们回来啦！我们回来啦！"

只见顾茫一头扎进了洞里，在他身后，还犹犹豫豫地跟进了一只半化形的小妖，躲在顾茫后面探头探脑地张望着。

这实在出乎了三人的意料，顾茫走的时候说的可是去"捉一个妖怪回来"，可这阵仗，这小妖怎么看也不像是顾茫"捉"回来的，而是自愿"跟"回来的。不但跟着，甚至还用一只毛茸茸的褐毛小爪子攥着顾茫的袖角，一副深入虎穴而只有顾茫可信赖的样子。

如果这时候岳辰晴醒着，一定会问一句：兄弟你喂它吃迷药啦？

不过在场三位都不是会问这种话的人，墨熄盯着那小爪子看了一会儿，那小妖只在刚刚进洞的时候闪出来了一下，后来便一直紧贴着顾茫，把那小小的身躯缩在顾茫后面，半点儿也不肯露面。

顾茫吐了口气道："久等了，岛上妖怪虽多，但知道内情的却没几个，而且雾燕四处在搜寻我们的踪迹，所以费了些工夫……小岳公子怎么样了？"

"有烧热，应当是蛊虫发作所致。"慕容楚衣顿了顿，目光也往顾茫身后掠去，"你带了谁回来？"

"哦。"顾茫笑了，他抬手摆了摆紧攥着自己的那只小爪，"绒绒，过来吧，这就是我刚跟你提过的那几个人。"

一阵沉默，半张小脸犹豫着从顾茫身后伸出来，又迅速缩回。

顾茫回头安慰道："没事的，没有人会打你。"

小妖这才非常缓慢地从顾茫身后怯生生地走出来。原来是一只小女妖，年岁捉摸不透，不过光瞧那体形似乎只是人类十六七岁的模样，再仔细看，原来不是蝙蝠，覆着她娇小身子的是黄褐色的雀鸟绒羽。

"她叫绒绒，是一只小仙鸟，不是妖怪。"顾茫笑着解释道，"来，绒绒，这位是慕容楚衣，慕容兄，这位是江夜雪江兄，这位……"

他看了墨熄一眼，也没刻意避开，依旧笑容不减："这位是墨熄墨兄。都是好人，你去跟他们打个招呼吧。"

绒绒似乎很胆小又很害羞，一直低着头，听顾茫这么说了，她才慢慢将脸抬起来——娇美的脸庞上一双美目顾盼生情，嘴唇不施丹朱而嫣红，光洁白皙的额头之心天生有着三道花蕊红痕。

她柔声怯然道："我叫阿绒，我不是什么仙鸟，我只是……是九华山羽民部族的半仙……"

九华山羽民部族？！此言一出，三人皆惊。

九华山羽民部族生来就是半仙之躯，血管里奔流着十分纯粹的仙人血液，哪怕岁月的洪流将之稀释，羽民一族，仍然是天地间最神秘、最接近于神明的种族。

慕容楚衣沉吟道："羽民性情孤僻，鲜有情绪，且长久隐匿于桃花源仙境之中，往往百年不曾出入世间。"他说罢，审视绒绒，"但你好像一条都不符合。"

绒绒一下子涨红了脸，说道："我……很小的时候，就被带……带到这里来了……不是羽民族把你养大的。所以我……我和其他羽民都不太一样……"

江夜雪问道："是谁带你来这里的？是雾燕吗？"

听到蝙蝠精岛主的名字，绒绒猛地打了个战，先是惊恐地摇了摇头，半晌意识到自己如今是安全的，才又迅速地点了点头。

江夜雪转向了顾茫："她好像吓得很厉害。"

顾茫摸了摸绒绒的头，宽慰道："你先去篝火边坐着歇一会儿吧，我来跟他们说。"

绒绒很听话地照做了。没办法，有的男人天生就受异性待见，同样一句安慰的话，顾茫说出口让人觉得如绸缎般柔软，要是换成墨熄，恐怕只会让人家姑娘觉得他在威胁自己，如若不听话，干脆就地活埋。

江夜雪看着绒绒走到火堆边，问顾茫："要不要给她添些点心茶水？"

话方问完，就见得绒绒紧挨着篝火坐下，伸手往火中一探，居然和挖西瓜似的挖了一掌心的烈火，低着头小口小口地开始吃火。

江夜雪："……"

墨熄沉默了一会儿，对顾茫道："短短两个时辰不到，你不但找来了合适的人，还让她很信赖你。"

顾茫脑袋一偏得意地笑道："能耐吧？"

"怎么做到的？"

顾茫摸了摸自己的下巴："大概是我长得面善可亲，太具有欺骗性？羲和君你当年不也和她一样被我哄得服服帖帖的嘛。哎呀，这世道，越爱笑的男人就越容易哄人，像羲和君你这样的就不行了，虽然是个大美人，可是整天不是喊打就是喊杀的，一身戾气。别说给你两个时辰了，给你两天两夜你都寻不到人跟你回来。"说罢，温柔的蓝眼睛朝墨熄眨了眨，明明是雨过天晴般的色泽，却透着挑衅，"改改吧，你看你都三十了，怎么还没媳妇儿呢。"

这般言语明显是在戳墨熄的痛处，顾茫原以为墨熄定会勃然大怒和他当场翻脸，而墨熄的怒焰也确实倏地在眸中腾起。

顾茫似笑非笑地等着他发作，可是墨熄瞪着他，这个高大的男人瞪着他，瞪着瞪着，竟似委屈似的，眼眶有些红了，继而沉默地把脸转了开去，咬着嘴唇，隐忍着不再说话。

墨熄眼睛里的那种情绪，江夜雪和慕容楚衣都没有注意到。但是这两人之间针锋相对的尴尬却是傻子也能咂摸出的。

在这一片难堪里，江夜雪温声道："顾兄你又何必这样说羲和君？人之深情长情，最是难得，他之所以一直未成家立业，其中缘由苦衷你也不是不知道。"

"嗯？"顾茫脸色微变，但面上仍带着笑，他甜丝丝地问道，"江兄你这话说得，什么意思？我知道他什么苦衷？"

江夜雪浑不觉他甜蜜之下的刀尖锋寒，径自正直道："梦泽公主凤体抱恙已久，调养了那么些年，仍是不适成婚。羲和君为此等待，实是因为情深，而并非你所说的……"他顿了顿，叹气道，"一身戾气，没人喜欢。"

顾茫眼底那种寒冷的光慢慢地消失了，逐渐放松了警惕，然后他笑了笑，意味深长地看了墨熄一眼："哦，原来如此。"

他来来回回地打量着这个男人，真是过分极了，明明顾茫是最了解墨熄的，了解他力气有多大，出手有多狠，可那目光却好像从来没有与他接触过似的。

"羲和君如此身段，确实能要了梦泽公主的命。"

墨熄铁青着脸，静了片刻，终于忍不住，转身走了。

江夜雪看着墨熄站在石洞口的背影，眉尖低蹙，叹息道："顾茫，你为什么清醒之后就总是要寻他的难堪，让他不好受……"

顾茫双手抱臂，敷衍地笑了一下："我就这习惯，以前就喜欢逗他，但那时候他忍得住，可惜现在不行了，怪也只怪他越活心眼越小——江兄，你说他不会是因为越长越美，所以在恃美而骄吧？"

江夜雪无奈地摇了摇头，正想说什么，就听得慕容楚衣不耐烦道："你们就不能先救人再说别的？"

"我也想啊，但哪有这么容易？"顾茫叹道，"救人也要等绒绒恢复了些体力，判过脉象才能知道该怎么救治。"

他说着，回头看了看还蹲在火塘边上吃火苗的羽民姑娘，颇为公允地下了个结论："绒绒姑娘目下自己还虚着，做不了什么事情，还是让她先好好休息吧。"

墨熄虽走到了一边，但山洞就这么大，他还是无可避免地听到了顾茫这句话。

这就是顾茫从前为什么那么讨姑娘喜爱的原因，因为顾茫总是会真挚地，本能地，风度翩翩地替别人考虑到这样那样的问题。哪怕只是一只……墨熄瞥了绒绒一眼，继续想道：一只毛都没长全的难看的母鸟妖。

这边厢，慕容楚衣见绒绒确实虚弱，只得不再强求，转而问道："那个雾……什么的，她捉个羽民回来，到底有何用途？"

顾茫："你说雾燕？雾燕捉她，是为了修炼成仙。"

"修仙……"

"嗯。你们还记得山膏召出时空镜之前说的那些话吗？那些话虽然并不长，但里面其实藏了很多的蹊跷。它当时说，梦蝶岛灵气丰沛，岛上众妖已逐渐修得辟谷之道。蝠王一心想要得道飞升，这些年来极少行杀孽，更无须再掠人类为食。"

江夜雪问："有什么不对吗？"

"太不对了。"顾茫说，"重华不修魔道邪道，对很多与妖魔邪灵有关的东西都只是一知半解，但是我在燎国……"

他停了一下，大抵是不想刺痛江夜雪的内心，于是提到燎国二字的时候，他声音降下来几度，很快地就带了过去："在那里的时候，我看过许多卷轴。"

"世上灵气分为阴阳两种，我们修行所吸纳的是阳气，走的是仙神之途，而妖魅吸纳的则是阴气，走的是鬼魔之道。"顾茫解释道，"也就是说，雾燕作为一个妖物，她的身体能够自然顺应的一定是阴气，少行杀孽只能将她的阴气减少，而不能为她攒取到修炼成仙的纯阳精华。"

江夜雪思忖道："也就是说，妖想要修成仙，就等于是逆着天性而为？"

"差不多就是这个意思。"顾茫道,"妖修仙,就好比人堕魔。都是一条逆天之路。"

听到这些话,墨熄忍不住侧过了头,从后面默默地看着顾茫的小半张侧脸。他想到顾茫也是堕魔之人,所以哪怕灵核碎了,一样也能使用魔气召唤魔武,但付出的则是两魄缺失、身体重淬的代价……

顾茫却毫不在乎谈论这些,继续道:"再回过头来说,雾燕是火蝠族的女王,她这一支种族,是羽民与妖兽类杂合之后生下的后嗣,虽然体内仍存留着些许不那么纯正的仙气,但大部分涌流着的仍是妖兽之气。如果她修炼法门不当,那仙未修成,反而会耗损良多,衰老加剧。"

言至此,顾茫问道:"那么试问一下,如果你是雾燕,这个时候,你会想要什么?"

江夜雪道:"减缓消耗的办法?"

"是了。"顾茫说着,看了火堆旁的绒绒一眼,"雾燕减缓消耗最好的办法就是增加自己体内的羽民仙气,这就是她为什么要涉险去羽民仙境,捉一个羽民回来的原因。"

绒绒还在认认真真捧着火焰吃,时不时伸出小爪把篝火拨得更旺,然后再挖一簇金红小口小口地啃。

她已经恢复了些血色,但仍然显得十分怔怔与虚弱。慕容楚衣作为一个纤毫毕察的炼器大宗师,仔细将她从头到脚端详一番后,剑眉微微皱起:"她脖颈是怎么回事?"

顾茫叹了口气道:"那是放血的痕迹。"

"放血?"江夜雪蓦地睁大眼睛。

顾茫点头道:"不错,雾燕如今已是破漏之壶,必须定期服用绒绒姑娘的羽民之血炼成的丹药,以此来恢复自己的元气。我就是在雾燕的炼丹室里发现她的。"

江夜雪蹙起眉:"如此重要的鼎炉,雾燕的炼丹室想必是重重禁制,在无人指点的情况下,你怎么会想到偏要去那里面闯一闯?"

顾茫笑道:"谁说我无人指点了?指点我去蝠蝠女王丹室找药的人其实就在这里。"

江夜雪愕然:"是谁?"

顾茫答道:"慕容先生。"

慕容楚衣抬眼冷冷看着顾茫:"你什么意思。"他那双凤目焰电暗流,不怒自威,

"你是在说我与这些破鸟有勾结?"

"不不不,你那么美,怎么会呢。"顾茫摆手道,"我的意思是……"他有些顾虑地看看江夜雪,又回头望望墨熄,然后不无尴尬地摸了摸鼻子,对慕容楚衣说道,"起因是那天,我在桃花潭,咳,不是看到你洗澡嘛……"

墨熄蓦地侧过头来,刀劈斧削的一张英俊侧脸,看着他们二人。

江夜雪的一双温柔杏目也有些愕然地睁大了:"……"

慕容楚衣阴沉着脸,从牙缝里挤出几个字:"是你遇到我修行。"

"好吧，你说修行就修行，反正当时的状况你自己应该都记得。虽然你要我帮忙和岳家人隐瞒病情，但其实这件事小岳公子早就觉察到了。"

"……"

"他想替你寻求医治之法，替你分忧解难，但因为你一直试图瞒着他，他只知道个大概，不得门路，于是只能自己搜集各种药修书籍查看。"

慕容楚衣："他的事，你怎么如此清楚？"

这回顾茫还未答，江夜雪便叹了口气："辰晴喜欢药宗书籍这件事并不是秘密，你只要稍稍关心他一些，就应当有所听闻。"

慕容楚衣似乎很不满于江夜雪的话，危险地眯起眼睛。

顾茫叹道："是啊，虽然慕容先生刻意回避自己的病情，但小岳公子那么关心你，一定早就看在了眼里。"

慕容楚衣沉默片刻，别过了脸："他不过是个孩子，我何须他多管闲事？"

"话是这么说没错。"顾茫道，"但小岳公子对慕容兄的敬仰大家都看得出来，你让他不管，那几乎是不可能的。他虽不通医道，可也很想寻到一味灵丹妙药，能替你减轻病痛。"

顾茫顿了顿，又道："那么再说回来，九州大陆关于包治百病的草药的传闻不可胜数，比如炎帝神木的果实，湘妃女帝的泪水，浇过杨枝甘露的板蓝根。"

"……"

"但这些都太趋于神话，在诸多传闻中唯一有迹可循，且近几百年内有载的，只有梦蝶岛上的血灵丹。"

慕容楚衣道："血灵丹是什么？怎么从来都没听说过。"

"因为不是什么正经药，所以重华知道的人并不多。不过如果去翻一翻燎国的典籍，比如前些日子羲和君借给修真学宫的《神魔百草集》，还是能寻到些记载的。"

听到这里，慕容楚衣忽然道："等等。"

"怎么？"

慕容楚衣微眯起眼睛："你对燎国的宗卷似乎很了解。"

顾茫颜色微变，心中一惊。

慕容楚衣盯着他，像盯着猎物一般森森然道："但我记得你刚刚说过，叛国八年的事情你都已经忘却了。"

"……"

他这样一说，未曾留神的江夜雪也好，心乱如麻的墨熄也罢，都一下子意识到了这再明显不过的一点。

是啊，顾茫分明说过自己对燎国的事情什么都不记得了，为什么刚刚又提到燎国典籍，之前也提到了燎国法术?

这个叛国之人……果然还是对他们隐瞒了某些实情!

原本已经和缓了的气氛蓦地紧绷起来。

"为什么骗人?"慕容楚衣眼神凌厉,唇间吐出一个杀意毕露的字来,"说。"

这下就连绒绒都觉察到不对了,她捧着火的手迟疑地停在半空,不知该不该继续在旁边吃东西。而顾茫呢,他依次看过江夜雪蹙着秀眉的脸,慕容楚衣剑拔弩张的神情,最后落在了墨熄的面庞上。

山洞口抱臂靠立着的那个男人瞧不出太多的情绪,只这样安静地遥望着他,在等他的回话。

顾茫静了片刻道:"因为不想被拉去做黑魔试炼。"他一边说着,一边把目光淡淡转开,睫毛微颤,眼底的隐衷都被遮去,"如果让你们知道我还记得那么多燎国黑魔相关的东西,你们能答应我保密答应得那么爽快吗?"

慕容楚衣:"……"

"不过我也没骗你们什么,在燎国的八年七零八落也就记得些不成章节的片段,真的。"

顾茫顿了顿:"你们要是不信,我干脆发个誓好啦。"说着抬起手来,郑重其事道,"我顾茫若有半句虚言,就让我一辈子孤独终老,撩妹妹不应,泡汉汉不理,最重要的人离开我身边忘记我……"

不知是不是墨熄的错觉,顾茫在说这句话的时候神情竟有些浅浅温软,不像是在赌咒什么,而像是在悲伤且柔和地祝福着什么。

"酸死我。"最后温柔消失了,悲伤也消失了,待顾茫抬起眼,眸底又只剩了笑吟吟的光彩。

"怎么样,这下总信了吧。"

江夜雪叹息着无奈地摇了摇头,慕容楚衣看上去完全不信,但也不想再和顾茫废话。

而墨熄更知道,顾茫一定还隐瞒了某些真相。只是顾茫这种性子,若是他不想说,哪怕用刀子撬都不可能从他嘴里撬出哪怕一句真话。

顾茫见他们不吭声,把手一摊:"现在三位美人愿意听我讲讲燎国典籍的记载了吗?"

慕容楚衣沉默了一会儿,说道:"愿闻其详。"

"那敢情好,三位老爷有钱的捧个钱场,没钱的捧个人场,本说书先生要说书啦!"

"……"

"是这样。"顾茫清了清喉咙道,"相传在百年前,燎国有个小修士的母亲罹患恶疾,那小修士四处求医,却依旧难以使母亲恢复康健。有一日,他听闻海上有座仙岛,由玄武背甲所驮,岛上四季如春,住着一位仙人,于是他就抱着最后一线希望,按传闻中的仙岛方向载着母亲乘舟而去。

海上气候多变,某天夜里,海面忽然起了骤雨狂澜,他们的舟楫失了灵,在水上随波漂泊了三天三夜，小修士为了维系扁舟不毁，耗费了几乎所有的灵力，累得昏迷过去。待他醒来时，他发现自己居然到了一座聚集着成百上千蝙蝠精的岛屿……"

江夜雪喃喃："就是这座岛……"

"是啊。"顾茫说，"燎国的异闻录上记载，那小修士到了妖岛，本以为万事休矣，却不料岛上的妖物并没有直接将他吃掉，而是押送他去见了这座蝙蝠岛的女王。"

"雾燕？"

"应当就是她了。"

"那然后呢？"

"然后？然后的内容便是众说纷纭，有的书上说，雾燕是个云鬓花颜艳丽不可方物的绝色美人，并且心地慈善，她赐予了小修士的母亲一粒血灵丹，垂死的老妇服下丹药后，不消一炷香的工夫便恢复了健康。非但如此，这妇人还借助药力返老还童，变回了年轻时肤如凝脂的相貌，与小修士千恩万谢过雾燕，便开开心心地回了家。"

江夜雪听完后点了点头，问："其他说法又是怎样的？"

"那可都有些变态了。我挑个稍微好些的来说——还有传闻，雾燕是个鸡皮鹤发的糟老太太，一辈子没见过男人。所以她与那小修士提了个条件，她手上确实有一粒用鲜血制成的血灵丹，可以赠予他母亲，但作为交换，小修士必须留在岛上当她的奴隶。总之不管真相究竟如何，蝙蝠岛的血灵丹在燎国还是有不少记载的。"

江夜雪愕然道："所以辰晴此番来这里，是为了这颗丹药？"

"八九不离十。"顾茫说，"我听说小岳公子出发前往梦蝶岛的几天前，正好借了一本燎国的草药集。前后一连，我就觉得应该去雾燕的炼丹室看看，没准能找到些线索。"他说罢看了一眼绒绒，"果然还就被我给找到了。"

慕容楚衣道："所以血灵丹就是用这位绒姑娘的血炼成的药？"

顾茫点了点头："没错。"

江夜雪叹道："真是天可怜见。"

"是啊，这蝙蝠女王挺阴暗的，所以在刚才关于小修士求药的传说里，我更倾向于第二种——那蝠王雾燕不会是随便别人说两句好话就赐药放人的主，我想她一定会要求对方付出相应的代价。"

"你何不向她求证真相？"慕容楚衣微抬下巴，示意了一下绒绒那边。

绒绒原本正偷听着，一看他们都开始瞧着她，立刻又吓得低头吃火。

"我当然求证过，只是绒绒常年被关在丹房内当药引，外面的事她所知并不太多。所以也没问出什么名堂来。不过我的猜测大多都是准的。"

慕容楚衣冷冷淡淡地："那你还有什么猜测，不妨一齐说了。"

顾茫拊掌笑道:"还真有。我还想啊,当年雾燕之所以要留着小修士,或许也并非因为常年居岛没见过什么男人。而是恰恰因为她曾经见过某个男人,并且一直忘不掉。"

慕容楚衣剑眉微微蹙起:"何出此言?"

顾茫看着高热煎熬中的岳辰晴,说出两个字来:"蛊虫。"

"岳辰晴中的蛊虫,能够逐渐改变人的声音相貌,乃至记忆性格,如果说雾燕只是想抓个男人当作男宠豢养,她为什么要吃饱了撑着这样大费周章?"

慕容楚衣沉吟片刻道:"有道理,接着说。"

"山膏之前讲过,岳小公子触犯了禁忌,那想必就是指这座岛上不允许有男子出入。岳小公子冒冒失失上了岛,所以他才和百年前的那个修士一样,被雾燕扣下来,用蛊虫养化成雾燕真正想得到的那个男子。当然啦,"顾茫道,"可能还有别的理由,但除了目前这个,我暂时想不到更合理的解释。"

慕容楚衣若有所思地看着顾茫,当年他与顾茫几乎可以说是没有交集,只知道那时候在重华有许多人都认为,天塌下来只要有顾帅在,就没有什么可怕的。但当时他与顾茫寥寥数面之缘,印象里甚至没有直接说过话,所以并不明白那些人为何会对一个领帅产生这样的迷信。

而现在,听着这番有理有据的分析,再看着那条不紊的模样,他不由得开始认真打量起这个人的脸来。慢慢地,他发觉这张面庞确实是有一种强大的精神力,当顾茫认真的时候,当顾茫那双蓝眼睛里熠熠闪着光的时候,他眉目间的那种精神力简直是逼人的。

"大致就是这样。"顾茫分析得差不多了,说道,"火蝠一族与羽民毕竟渊源颇深,禀赋同出一脉,江兄,慕容先生,你们也不必太担忧,我想雾燕下的蛊,绒绒姑娘一定能设法化解。"

或许正是因为这种可靠的精神力,只要顾茫说没事,就好像给人服了颗定心丸,足以令人相信是真的不会再有意外。

慕容楚衣沉默了一会儿后道:"好。"

事实也证明顾茫顾茫说得不错,随着绒绒吃的火焰越来越多,眉心的红痕色泽也就越来越深,最后她小小地打了个蹿着星火的饱嗝,有些不好意思地捧着脸:"我休息好啦,我可以来帮忙了!"

江夜雪道:"多谢你。"

"不谢我。"绒绒紧张道,"要不是顾茫哥哥把我从丹房里救出来……我就要被雾燕关一辈子啦。"她说着,从地上起来,走到岳辰晴身边,"这个中了蛊的小哥哥,我可不可以摸一摸他的脸?"

慕容楚衣道:"摸。"

绒绒就歪七扭八地向他行了个礼,笨拙道:"那在下就唐突佳人了。"

"……"

看慕容楚衣的脸色，顾茫忍不住笑出声来，解释道："她从小就被关着，与外界唯一的接触就是几只蝙蝠精，还有些丢在丹房给她打发时间的乱七八糟的话本，所以说话会有些怪腔怪调的，你们习惯就好。"

绒绒抿着嫣红的小嘴唇，大抵也明白自己又弄错了，耷拉着脑袋，不再吭声，伸出毛茸茸的小爪，小心翼翼地搭在了岳辰晴的眉心处。

过了一会儿，又问道："我可以摸摸他的脖子吗？"

慕容楚衣道："可以。"

绒绒就又搭着岳辰晴的脖颈侧，诊了诊，然后再问："我还可以摸一摸他的胸口吗？"

慕容楚衣做事喜欢简单粗暴，听她一步一问，颇不耐烦，说道："只要把蛊解了，你怎么摸都可以。"

绒绒得了首肯，又将岳辰晴的胸膛、左右手臂和左右脚踝探了一遍。

"怎么样？"

"可以解的，但是一定要快。而且我还需要他亲眷的血做引子……"她说到这里，犹豫地看了慕容楚衣一眼，"这位仙君是他的舅舅吧，不知道仙君愿……愿不愿意以身相许……"

见慕容楚衣眼神阴郁，绒绒忍不住打了个寒战，结结巴巴道："以……以身相许是……是这……这么用的吗？"

"不是。"慕容楚衣抿了抿水色薄唇，眼睛里的光愈发沉暗，"另外，我也不是他的亲舅舅。"

绒绒："他……他是捡来的吗？"

慕容楚衣神色冷峻："我是捡来的。"

绒绒看着眼前这位霁月清风的仙君，有些说不出话来。这时候江夜雪在旁边道："绒姑娘，一定要用亲眷的血吗？"

"嗯……最好是这样……不然就太危险了……"

江夜雪道："那你用我的血吧。"

绒绒一怔："你是？"

"我是他同父异母的兄长。"江夜雪苦笑一下，"可惜并非同父同母，能凑合着用吗？"

绒绒方才观察他们之间的言谈举止，见慕容楚衣一直以岳辰晴的长辈居之，而江夜雪总被排挤到一边，什么话也插不上，于是只道是慕容楚衣与岳辰晴亲近，而江夜雪不过是个外人，却没承想原来江夜雪才是岳辰晴真正的亲眷，慕容楚衣则与他们毫无血缘关系。

她自然不懂嫡出庶出、妻妾宅斗这些弯弯绕绕的东西，一时间被弄得晕头转向，当江夜雪温声问她第三遍"能凑合着用我的血吗？"的时候，绒绒才反应过来，连连点头。

"可……可以的！可以的！"

替岳辰晴拔蛊，耗时耗力，且过程凶险，不可受任何打扰。

江夜雪因此有些忧心："虽然我在山洞附近打下了匿踪结界，但是雾燕先是囚徒被劫，后是宝塔被毁，现在连绒姑娘都被我们救走了，她势必会更加狂怒。我担心她法术探不到我们，接下来便会掘地三尺派人四处搜寻，能不能找个更隐蔽的地方？"

绒绒摇了摇头，指了指岳辰晴，怯生生地反对道："这个小哥哥如今根本经不起颠簸，而且他中了蛊虫已经好几天了，如果再拖下去，我也不知能不能将虫子毁掉……不能再等了。"

正在这犹豫当口，一直站在洞口静静听着他们对话的墨熄回过头来。

墨熄说："你们留在这里守着岳辰晴拔蛊。我单独去找雾燕。"

尽管墨熄没细说，但其他人又不傻，立刻明白了他是想要走到相隔甚远的地方，然后暴露自己的行踪，以自己作饵，将雾燕引开。

江夜雪立刻道："这怎么可以！太危险了。"

"我若连一群蝙蝠也摆不平。"墨熄整着自己腕上的暗器匣，"也不必再当这北境军的统领了。"

江夜雪知他自幼固执，见劝不动他，只得看向顾茫。

顾茫的神情在明暗不定的篝火中教人瞧不真切，也不知想不想管这件事情，但是过了一会儿，他终于还是开了口："羲和君独自去会那群蝙蝠做什么。这么急着给那蝙蝠女王当上门姑爷吗？"

听到"上门姑爷"这种说法，墨熄看了他一眼，又把脸转开，低声道："我性子不好，戾气太重，喜欢喊打喊杀，没人看得上我。"

"……"

这是顾茫方才欺负墨熄时说的话，没想到被墨熄照单全收地记了下来，又在这个时候原样端了出去。饶是顾茫脸皮再厚，一时间也颇有些尴尬。

墨熄扣好了暗器匣的搭扣，转头道："走了。"

"哎哎，你等等！"

墨熄脚步一顿，侧过半张脸来："怎么？"

顾茫摸了摸鼻子："人看不上你，妖不一定啊。"

"……"

"听说妖只看中人的皮囊，虽然你性子是无趣了些，但是你的脸还是挺好看的啊，不开口说话的时候简直是完美无缺。那老蝙蝠要是看不上你，那她就是瞎了，得去姜拂黎府上治一治眼疾。"

墨熄青着俊脸，拂袖就走。

顾茫望着墨熄的背影，叹了口气："唉，果然失忆的时候还没什么特别大的感觉，清醒起来一对比，原来我离国这些年，他脾气还是这么差。不，应该是更差了，如今竟一句玩笑也开不得。"

墨熄听到这句终于忍不住了，倏地回头，似乎想要发怒，但又生生忍下，只眼眶泛红地说了句："顾茫，你是今天才知道我脾气差吗？"

"……"

墨熄说完这句就走了，身影在月色下渐行渐远，待到快要完全消失时，顾茫转过头来，对洞内的其他人道："要不……我还是跟着他吧？小伙子做事不靠谱，我还是看着他，和他一起去把雾燕引开。"

江夜雪道："快去，多一个人多一重照顾。"

顾茫苦笑道："就怕他看到我就来气，你瞧他走的时候，那脸色差的。"话虽这么说，但人还是迅速地跟了过去。

第25章

墨熄嵌着铁皮的军靴在枯枝败叶间咯吱咯吱地踩着, 独自走了一会儿, 忽听得身后传来了一阵窸窣的脚步声。

"羲和君。"

墨熄一听到这个声音, 心就难受得厉害。他没有回头, 反倒加快了脚步。

顾茫追了上来: "你走这么快做什么? "

墨熄不理他, 只低着头往前。

"问你话呢, 气得不想理我啦? "

墨熄沉然良久, 终于开口: "你非跟过来做什么? "

"你行了那么久的军, 打了那么多年的仗, 这点兵力部署你不会不清楚。你说我跟过来做什么? "

顾茫折了根狗尾巴草, 拿在手里把玩。一边噼噼啪啪打着路边的野花, 一边接着道: "江夜雪他们在山洞里解蛊, 绝不能让任何人打扰。既然这样的话, 越多的人在外面吸引雾燕女王的注意越好, 只不过为防万一, 山洞也一定要有人把守, 但这个留下的人显然慕容楚衣比我更合适。因为他是岳辰晴和江兄的小舅, 他更愿意、也更应该做他们的最后一道防线。"

他一番分析说下来, 朝墨熄笑了笑: "所以你又何必因为不想见到我, 而那么意气用事呢? "

墨熄不再说话。两人踩着枯枝碎叶, 一步步地往远处走, 他们这时还没有撤掉自己身上的隐藏灵力的法咒, 所以尽管能看到林中有一些蝙蝠精在游走搜寻, 却也并不担忧。

就这样肩并肩地走了一段, 墨熄忽然道: "顾茫。"

"嗯。"

"现在这里没有别人了, 你能不能跟我说句实话。"

"嗯? "

"你是真的恨我吗? "

顾茫: "怎么忽然问这个? "

墨熄道："我不带你来，并不是不想见你，而是觉得你恨极了我，而我也不知道该怎么面对你。"

顾茫静了须臾，周围很岑寂，唯有泠泠月色，簌簌叶声，就连唧唧的鸦雀叫声都显得如此邈远。

墨熄顿了顿："你是不是真的一直都在怨恨我？"

"我怨恨你什么？"清风月色里，顾茫白衣拂动着，潋滟如波，他收去了在江夜雪他们面前那种吊儿郎当嘻嘻哈哈的假面，裸露出一张因为经历了太多生死，而显得有些麻木、格外苍白的脸，"我怨你当年在我落难的时候，没有能够陪在我身边？还是怨你在我最需要拉一把的时候，只当我是喝醉了酒在撒泼开玩笑？"

"……"

顾茫轻轻笑了起来："在时空镜里，你就追问过我差不多的问题。而无论八年前还是八年后，我的答案都是一样的。"他抬起了春絮般的长睫毛，犹如罗帷上撩，皎然的月华一下子涌入了他湛蓝的眼眸里。顾茫那双再也不复昨日的蓝眼睛看着墨熄，他说："墨熄，我并没有为这些恨过你。"

墨熄倏地停下脚步，他低头看着顾茫的脸。自他与顾茫重逢之后，他在顾茫面前几乎一直都是强大的、说一不二的，可是这一刻，面对重拾记忆的顾茫，墨熄又还剩了什么？

他是顾茫看着成长的，顾茫见过他所有的狼狈、困苦，包容过他所有的任性和不成熟。在失去神识的顾茫面前，墨熄或许是主上、是同伴、是羲和君。但在他的顾茫哥哥面前，墨熄就只是墨熄而已。盔甲和刺刀都被卸下，只剩一颗血肉斑驳的真心。

墨熄嗓音颤抖着，低声问道："你既不恨我……为什么又要这样待我？"

"这有什么为什么吗？就像你如此待我一样。"顾茫说道，"这只是我们各自的选择而已，就像你选择了重华，而我选择了燎国。时空镜的解咒说得好，渡厄苦海，昨日无追——过去的事情既然已经发生了，再怎么纠结也没用。我早就已经把我们过去的那些破事放下了，是你一直纠缠不休，我除了对你下狠手，还有别的路能走吗？"

这话简直像是一杆烟枪笔直地烫在心头，墨熄的心都猛地痉挛了。

"你都放下了？"

"早就放下了。"

墨熄闭了闭眼，长睫毛颤动着："顾茫……"墨熄喉头滚动，终究喟叹出一句，"十七年了。"

顾茫怔了一下："什么？"

"从学宫你带我完成第一次任务起，我已经认识你十七年了，从年少到弱冠，从同窗到沙场……是你亲口说过会一直陪着我，你说过或穷或达会在我身边，是你曾经——"是你曾经说过我是你重要的人。

但墨熄如今又怎么说得出口呢？于是这一句卡在喉咙里，鲠得满喉腥甜。墨熄阖上眼眸，压着嗓音里的颤抖，深吸一口气，颤然道：

"你曾经教过我很多，教我隐忍，教我法术，教我世事人情，教我风花雪月。如今你让我别再纠缠你，好，我也可以试着去做。"墨熄道，"只是在这之前，顾师兄，我想请教你最后一件事情——你教教我，十七年了，这是你我已过人生里的一半，你教教我，我怎么放下。"

顾茫："……"

墨熄蓦地睁开眼睛，手戳着自己的心口："你可以教教我怎么释然吗？"他的指尖在微微发着抖，眼眶亦是红的，"三魂七魄如何少缺两魄，换我少行不行？我还留着记忆，留着神识，我放不下！回到八年前明明知道什么也扭转不了，我还是会问你能不能不要叛变，我还是会希望你能留下，尽管你觉得那是无用之举！"

"墨熄……"

"什么度厄苦海，昨日无追，我已经在昨日里活了八年了！从你走的那一天起，我一直活在八年前。我那么希望你能恢复记忆，但你恢复了，却跟我说你早就已经放下……顾茫，顾师兄……这十七年我在你心里到底算什么啊？！"

他说到最后，嗓音一下子就哑了，语凝于喉，竟成哽咽。他感到有泪水在眼眶里打转，但是太耻辱了，他这辈子几次落泪，竟几乎都是在顾茫面前，年少时尚可原谅，可他不想过了那么多年还是会在同一个人面前溃不成军。

所以他猛地将脸转开，大步往行前方。

白桦林木萧萧瑟瑟，墨熄走在这缥缈聚散的雾气里，过了一会儿，他听到顾茫追上来，顾茫的脚步声一直在他身后不远的地方紧紧跟随着——多年前他们也是这样，奔袭敌营也好，郊野逐鹿也罢，无论他走到哪里，只要顾茫在，都会随他一转身就能看到的地方。

后来，顾茫叛国离去了，他自己行军打仗的时候，与搭档再没有这样的默契。有时候他一骑踏雪奔得快了，将众将都抛之于脑后，他听不到任何与他相伴的声音，仿佛天地间只有他一个人在纵马奔驰着，奔向一个辉煌而孤独的结局。他不甘心，遂命亲卫从此之后一定要跟在他一步之遥的地方，可纵使脚步声马蹄声回来了，脸也不再是记忆里的那张脸。

从那时候起，墨熄就知道，故人之死固然是痛的，但比故人之死更痛的，是故人之变。想到那个人还在世上，却再也不可能回到从前，道合变为陌路，挚友变为仇敌，那才是一呼一吸都令人生疼的苦难。

"废物！"

前方陡地传来一声愤怒的尖叫，将他的思绪从泥淖中猛地拽了回来。

"统统都是废物！"

墨熄的脚步蓦地停下，顾茫显然也听到了，他迅速掠至墨熄身边，往前面的迷雾深处看去："

是雾燕?"

两人虽关系复杂,气氛尴尬,但都还是明白轻重缓急的主。立刻默契地互相看了一眼,降下自己的灵流气息,不出声地朝声音发出的方向靠近。

他们寻声来到了一棵三人才能环抱的大树后面,往外悄然看去。这一看可着实让墨熄和顾茫都吃了一惊!

只见前方是一块密林深处的洼地,洼地三面都矗着万年沉水木所铸的木架,呈十字形,上面垂坠着锁扣铁链,瞧上去应当是三座刑台。洼地中间则刨了一个庞大的血池,那池子里尸骨叠着尸骨,骷髅缠着骷髅,数千年来死去的人都在这血池里浮沉。

血池之上,火蝠族修建了一座水榭亭台,点着落地宫灯,燃着幽火,只是再一细看,几乎能教人呕出来——细沙卵石的地面是用无数人类的牙齿所铺,至于那一座座宫灯,则是以脊柱为柄,天灵盖反扣为托。这水榭竟是白骨所建!

顾茫:"看亭子中间!"

墨熄望去,只见这人间炼狱的中央亭子里,坐着一位瞧上去年龄约莫在四十岁的美妇。她蝉衫麟带,珠翠繁灿,额前勒着一道错金玉扣环佩,气质极是华贵雍容,其他蝠蝠精如众星拱月般排立在她旁侧,战战兢兢地侍奉着她。

"看来她就是雾燕了。"顾茫喃喃道,"奇怪,她怎么既不像第一种传闻里的国色天香,又不像第二种传闻里的是个老妖婆,瞧上去挺正常一个女王。"

墨熄知道他所说的正常应当只是指长相,而非其他。因为此刻,雾燕面前正跪着个戎装打扮的女官,这女官被左右两个侍从压制着,半张脸全是血,一只尖尖的蝠蝠耳朵已被砍了下来。

而雾燕呢,她正捻着那片血淋淋的断耳朵,漫不经心地在指尖翻弄着,还将流下来的鲜血,像涂抹丹蔻似的,涂抹在自己莹润的指甲盖上。

"都搜了那么半天了。"雾燕边玩着那砍下来的半片耳朵,边淡淡道,"半个人影都没寻着,反而让人劫走了本座的药引子,留着你这顺风耳还有什么用?!"

女官抖如筛糠:"王上……求王上开恩……"

"本座已经足够开恩了。你一个负责看守丹房的,弄丢了本座最重要的血源,"雾燕睐着描摹红晕的眼眸,阴森道,"你知不知道这是死罪啊?"

女官猛地一颤,竟说不出句完整的话来。

雾燕一抬掌,掌心倏地燃起一簇火焰,烈火很快就将那只断耳烧尽了。

"来人。"

"在!"

雾燕翘着尾指端详了一会儿自己刚抹好的指甲,而后点了一下跪在地上的女官:"顺风耳办事不力,铸下大错,丢进鼎炉里烹了吧。"

听她如此残酷的处置，顾茫和墨熄脸色骤白。

女官顿时歇斯底里地尖叫了起来："王上！王上饶命！请王上令我戴罪立功，我一定将阿绒和那些闯岛的小毛贼捉拿回来，王上——王上——！"

雾燕根本不理，女官被左右架着拖远了，惨叫的声音穿透黑森林。良久才消失。

雾燕叹了口气道："本座这百年来就是因为太心善，才会养出这样办事不力的废物。"她说着，抬起眼来，对跪在亭柱边的另一个蝙蝠精女官道："你是顺风耳的弟子吧？"

那蝙蝠精吓得发出"吱"的一声怪叫。

雾燕道："你师父的下场，你都看到了吗？"

"看到了，看到了！"

雾燕脸上蓦地现出狠戾之色："想不想和她一样？"

"不不不！不想！不想！"

雾燕笑容蓦地拧紧："那你还不快感恩戴德地滚去和别的分队一起全岛搜捕？！"

"是，是！"

女官踉踉跄跄地爬起来，屁滚尿流地遁走了。

雾燕呵斥完了女官，阖了眼睛靠在软垫上养了会儿神，而后抬了抬手，说道："阿芳，你过来。"

贴身侍女阿芳忙不迭地上前福了福身子。

"备存的血灵丹还有几颗？"

"回禀王上，前些日子绒绒姑娘生了病，她的血不能采来用，所以只剩了两颗。"

"两颗……"雾燕重复，而后便是一声叹息，"算了，那今日就不服了。这血池处阴气重，多少能拖上一拖。"

顾茫偷听到这里，低声道："原来如此。"

墨熄转头看着他。

顾茫道："我先前还奇怪为什么岛上出了这么大的事儿，雾燕不亲自出马搜捕我们，而只是让下属们全岛追杀。现在我算是听明白了。"

"嗯？"

"想来是因为雾燕她从前妄修仙道，损了元气，恐怕每日都得靠血灵丹缓解病痛。而如今她的药引没了，她在不确定何时能够将人找回的情况下确实不会立刻用掉仅存的两颗血灵丹，而是退而求其次，选择在阴气旺盛的血池附近减少自己的损耗，而不到处乱跑。"

这样推论着，顾茫忽然抬起胳膊肘捅了捅墨熄："哎。"

"干什么？"

"能显示岳辰晴生命危安的那块命晶石，在不在你身上？"

墨熄道："在，怎么了？"

"我想既然女王还没打算亲自去岛上寻人，那么慕容兄抵挡其他妖精应该都没问题。"顾茫顿了顿，又道，"我们是来救人的，不是来滋事的，能不打就不打。我们就两个目的：第一，确保岳辰晴成功解咒；第二，安全地从这岛上逃走。

所以按眼下这情况，我们不如混到女王身边，盯紧她的一举一动，现在她不是在整座岛都布上了结界，防止我们脱逃吗？但是所有的结界都会有薄弱处，我打算探一探她的口风，掌握哪里的结界最弱，我们到时候就从哪里逃出去。你只要随时看着岳辰晴的晶石，确保他无恙就好。"

墨熄思忖片刻，觉得此法可行，问道："你怎么和她打探？"

"这我就不得不说了，燎国的法咒有时候确实比重华的法咒方便得多。"

说罢打了个响指，指尖蹿出一道小小的火苗，顾茫将这小火苗往天上一扔，它瞬间散作无数彩蝶将两人团团笼簇。

墨熄压低嗓音厉声道："你对我施燎国的黑魔咒？！"

尽管墨熄的声音几不可闻，但顾茫仍是谨慎为上，抬手在墨熄的嘴唇上轻轻一点："闹什么啊。听哥哥的话，噤声。"

墨熄："……"

顾茫又道："法咒这种东西，只要不伤天害理，管他是燎国创的还是重华创的，管用不就行了。哪里来的那么多条条框框。"随着泛着灵光的彩蝶越聚越多，两人身上皆起了耀眼的光芒，所幸顾茫早有准备，提前布下了隐匿咒诀，所以他们的动静并没有被火蝠族发现。

彩蝶翅膀上散出的光芒越来越强，刺得人睁不开眼睛，待到这些光线彻底消失时，顾茫笑道："你看我。"

站在他面前的已经变成了一个耳朵尖尖，额心一簇红痕的火蝠族侍女，生着一张轮廓分明的漂亮脸庞。一双蓝眼睛又湿润又明亮，眼尾很长，鼻梁高挺，嘴唇是那种哪怕不笑都有些弧度的顽劣模样。

此蝠妖眉间自有风流，但仔细看的话，确实都是以顾茫的五官为原形幻化而成。

墨熄："……"

"幻蝶易容术，我自创的。"顾茫说着，从乾坤囊里摸出一面小铜镜，"你再看看你自己。"

墨熄一把握住他的手腕，几乎是咬牙切齿地："你把我的脸也变成一个侍女了？！"

顾茫但笑不语，竖起铜镜，墨熄根本不想看那么可怕的易容倒影，蓦地按下，顾茫再竖，墨熄再按……如此反复，顾茫终于忍不住道："好了，知道你的脾气，我给你化成了侍卫，你没什么好生气的。"

说罢又一次举起了镜子。墨熄往铜镜中瞥了一眼，见自己果然也变了容貌，长出了两只尖尖的蝙蝠耳，皮肤呈现出一种近乎苍白的色泽，嘴唇则像刚刚饮过鲜血似的红。他再低头一看，他的金边黑衣劲装也被幻了形，成了与蝙蝠岛侍卫相同的装束。

顾茫拍了拍他的肩，说道："走吧。"

血池亭阁的低阶蝙蝠精很多，他们二人潜匿在树后面，见机击昏了一对结伴行来的侍女和侍卫，顾茫把他们拖到了隐蔽的地方，又从他们身上搜出了两块腰牌："带上这个，万无一失。"

两人一人一块将腰牌佩于身侧，隐匿住自己的人族气息，混进了来往的蝙蝠精群里。走了没多远，忽有一个膀大腰圆的女蝠妖朝他们厉声呵斥："站住！你们俩怎么回事？怎么没活儿干？"

这女蝠妖满脸横丝肉，手中持一根鞭子，叉着腰颐指气使道："王上今夜本就不高兴，你们还不知道放机灵点，等着被吸了鲜血晾晒成干子吗？！"

说着手一抖，白花花的肘子肉猛颤一下，鞭子就如疾蛇游出，直突突地朝两人甩去。眼见着长鞭就要劈到顾茫脸上，墨熄倏地抬掌，硬生生将这一道鞣鞭接住！

粗糙的鞭子割破了墨熄的手心，血慢慢地渗了满掌。

女蝙蝠怒道："你干什么？！还敢还手？！"

墨熄抬起眼道："你也说了，王上今夜本就不高兴。那万一她看到有哪个侍女无故破了相，觉得晦气，只怕我们都要被晾成干子。"

火蝠族原本就不是什么聪慧的妖物，这女官听他这么一说，直愣愣地，竟然也反驳不出什么来，最后道："也罢，这次就且放过你们，要再有下次，看我不……哼哼……"

顾茫接话笑道："姐姐教训得是，我都记住了，以后再也不敢了。"

女蝠妖果然脑子不好使，又颇扬扬得意地哼哼了两声，倏地将鞣鞭收回，持在腰侧。

顾茫继续哄道："姐姐，其实我们也不是游手好闲，就是其他同伴们手脚都太灵快了，稍慢了一步，活儿就全被抢走了。要是姐姐愿意，就指派些事情给我做吧，我愿替姐姐分忧。"

女蝠妖上下打量了他几眼，说道："你这小妮子的嘴倒甜。"思量片刻，挥了挥手，"好吧，那你去把这些甜瓜鲜果挑拣装盘，给送到水榭内院去。"

"至于你。"女蝠妖使唤完顾茫，又瞪向墨熄，"这还没到歇息的时候呢，别没完没了地想着和雌妖厮混，巡逻去！"

墨熄这辈子不是没有落魄过，被人呼来唤去的经历也是有的，只是还没有谁在对他呼来唤去的同时，还敢把"厮混"按在他脑门上。

墨熄的脸都快青了，几乎是用瞪的眼神看了那女蝠妖一眼。

"你瞪我干什么？你一个小侍卫你还反了天了？"

顾茫忙道："姐姐你别怪他，他生来就这讨打欠揍的眼神，看起来像是在挑衅，其实是觉得姐姐说的颇有道理呢。"

女蝠妖将信将疑地："是吗？"

墨熄冷着脸，沉默片刻，硬邦邦地吐出俩字来："是啊。"

女蝠妖还是有些不信任，顾茫给他眼神示意，要他再接再厉，再说两句。于是墨熄只得咬牙切齿地道："前辈金玉良言，我以后一定……洁身自好。受教了。"

好不容易忽悠走了这只女蝙蝠，两人开始分头行动。由于水榭内院乃是女王的私阁，由雄蝠妖组成的侍卫们原本就不得入内，于是墨熄去血池的别处巡逻，而顾茫则端着果盘，踩着人骨累成的阶面，往水榭深处走去。

顾茫独自行至拐角处，见一行近侍鱼贯而出，为首的蝠妖看了顾茫一眼："来送水果的？"

"是。"

"送到玛瑙池边去，王上在那里。"

虽然顾茫并不知道玛瑙池在什么地方，但那蝠妖说话时，下意识地微抬了下巴，顾茫聪明，立刻捕捉到了她这小小的细节，笑道："好。"

顾茫端着水果，一路寻到玛瑙池。

所谓玛瑙池，竟是一方用鲜血煮就的汤池。火蝠族不知用了什么办法，让千年来蓄积的人血不干涸不腐臭，并像温泉一般缓缓地往外蒸腾着雾气。

女王雾燕正坐在玛瑙池边，她衣衫已解，只随意披着一件鲜红色的浴袍，雪白的肩膀和大半丰腴的胸脯都露在外面，一双玉腿犹似牛乳翻泼，正用足尖点着池水，带起一串红豆似的血珠子。

贴身侍女阿芳正在给她绾髻，方便她下池沐浴，余光瞥见了顾茫，便对雾燕说："王上，水果送来了，您是要先泡汤，还是先吃些果子垫些饥？"

雾燕不悦道："今日这么多破事，气都气饱了，还吃什么？"

阿芳便以眼神示意顾茫将果盘放下。

顾茫照着做了，放了果盘，垂着眼帘退到一边。他倒是没兴趣看女人沐浴，更何况雾燕虽然保养得当，但其实腰部与脖颈处都已有了细细的皱纹，哪怕是个女妖，他也觉得窥见人家这样的私密并不太好。不过他又没有办法，雾燕的一举一动都可能引出他需要的线索，所以他只能尽量避开某些部位地观察雾燕。

雾燕滑入了血池之中，她阖上眼睛，双手舒展，靠在池壁边。由侍女用小竹筒舀着流动的、温热的血，往她肩背上细细浇灌。

而很快地，一件让顾茫惊愕的事情就在他眼皮子底下发生了。

只见那鲜血冲洗过的皮肤上，细小的皱纹都开始缓慢地消失，蒸腾的水汽中，雾燕的容貌正在发生着微妙的变化。

她略显松弛的脸庞重新变得紧致，眉目间隐约的皱纹仿佛被蒸汽烫平，口角下坠的弧度逐渐无法看出，嘴唇上的唇纹也淡去了，整个人娇嫩得像是初春枝头绽开的第一个花苞。

一场血池浴，竟让这个刚刚瞧上去还四十有余的美妇变成了一个不折不扣的芳华绝代的少女，娇艳，妩媚，像一朵浸入血池的花。将千百年死去的冤魂之血吸纳进自己的血管里，从此肌肤有了颜色，眉目含了纯情。雾燕掬了一捧血水，丹朱小口轻启，一番饮咽后睁开眼眸。竟连眼神都纯澈如二十一二的妙龄女郎。

顾茫看着眼前这匪夷所思的一幕，心绪震荡间，忽然有什么破土而出——他一下子就明白了！其实燎国传闻中倾国倾城的美人是她，鹤发鸡皮的老妇也是她！

想来修仙一事，雾燕不得门道，非但没有成功，反而让自己元气大伤，迅速衰老。但以妖的天寿而言，她还应该正当盛年，如此岁月就红颜凋零，雾燕心里如何能甘？所以那用羽民之血炼成的血灵丹，应当和这玛瑙池的效用一样。不，应当更强，它不但可以恢复雾燕的元神，还可以让雾燕返老回春。

血池或许只能让她回到二十出头，或许持续的时间并不久，但血灵丹应当能让她的体态容貌回到十五六岁，并且能维续得更长。

雾燕泡了一会儿，满池阴气给了她无尽的滋养，她简直是由内而外地在散发着年轻的光辉。这似乎稍微驱散了些她心里头的阴霾，她说话时的声音变得松快些："阿芳，你说这回到岛上来的，都是些什么人？"

阿芳答道："听山膏说，来了四个，都是男子。但山膏骂骂咧咧的，嘴里也吐不出什么像样的话来，所以更多的我也就不知道了。"

"四个男子。"雾燕哼了一声，"本座不去掳掠凡人也就算了，偏偏这些蝼蚁，上赶着要往本座的岛上跑。被本座制成奴隶也是活该。"

"……"

顾茫心道，果然不错，她说的不是留作奴隶，而是"制"作奴隶。这蝙蝠女王心里头果真是有个白月光，所以才会用蛊虫改换岳辰晴的相貌，就不知是哪位仁兄这么有魅力，竟被个女蝠王心心念念近乎变态地惦念了那么久。

阿芳道："王上，凡人的性命也就那么寥寥数十年，上一回来岛的那个替母亲求药的修士，您才玩了个十二三年，他就受不起折腾撒手人寰了，您觉得这四个捉来又能玩几年呀？"

雾燕一撩手指，带起串串殷红，说道："他们妄图从本座的岛上带走羽民药引，惹得本座那么生气，少玩几年也无所谓。反正都是本座造出来的傀儡，又不是……"她顿了一下，娇艳妮娴的面庞上，那种纯澈的神情消失了，取而代之的是一种妖术也遮不住的晦暗与疯劲，"又不是真正的他。"

"王上……"

"算了，不提了。"雾燕仰起头，后颈枕在卵石上，"他是仙，嘿嘿，可这仙人当的那叫一个背信弃义，本座早就对他没了真情，这百年，忘不掉的也就他那张俊俏的脸而已。而想要一模一样的脸，不是容易得紧？"

顾茫一惊——什么？雾燕看上的是个仙？

震惊过后即是醍醐灌顶。是了……不然她一个妖物，为何要苦苦逆命修行，不走魔途而走仙道？原来是因为她那梦中情郎是个仙人。

自古仙妖不为伍，这女蝠王当年许是痴心一片，所以才下定决心要改变自己的宗籍，能够名正言顺地和那位仙人在一起。可按她言语中所述，这位仙人后来"背信弃义"，想必是做了什么让她极度失望甚至绝望的事情，所以她的仙是修不成了，还落得了一身疾病，盛年衰老。

如此一来，当年的痴情腐朽成了扭曲的执念——她不愿主动见任何非她种族之外的男子，而若有男人闯入蝙蝠岛，她便将他们制成那个仙人的样子，折磨至死。

顾茫看着这个女妖，觉得她可恨又可怜，不由得暗叹了口气。

阿芳一边替雾燕捏肩，一边道："是呢，待擒住那四个不识趣的东西，就连同他们想要劫走的那个小鬼一起，统统喂了蛊虫，好教他们换去皮囊，忘却浮生，老老实实地留在岛上伺候我们王上。哼！还便宜了他们！"

雾燕心情渐好，笑道："就你嘴甜。"说着侧过头道，"把果盘端过来吧，本座吃一点儿。"

顾茫回过神，不动声色地用双手将白玉瓷盘捧起，来到玛瑙池边，恭敬跪落。

雾燕的雪玉长指在里头挑拣一番，最后指着一串荔枝："就这个，把果皮剥了。"

顾茫应道："是。"

旁边一个侍女立刻奉上一只青瓷小碗，晶莹透嫩的荔枝肉很快就被顾茫剥了下来，一共六颗，摆在碗里。雾燕拈了其中一颗纳入口中，几番咀嚼之后，说道："今日的倒是格外好吃。"

顾茫笑了笑，没作声。这盘水果他在端来的时候就施了摄魂法，为了掩饰法术痕迹，他另外又施了些曾经觉得毫无用武之地的幻术，将果实变得愈发甜蜜可口。

他的术法原本就很高超，而火蝠族又是妖物里头脑十分简单的一种，所以顾茫轻易便得手。雾燕吃了这些荔枝后，摄魂咒就会在她体内游散，攫取顾茫所需的记忆，之后只要再念咒诀，这无色无形的法咒就会从雾燕脑中抽离，最后回到顾茫这里，把搜集来的情报全部都呈交于顾茫。

雾燕吃完了浆果，用侍女及时递来的丝绸巾帕擦了擦手指，懒洋洋地合上了眼睛，靠在池边泡着血浴。

最重要的一步已经达成，顾茫暗自松了口气，这时候，却听得阿芳问了一句："王上，今晚您需要提侍卫来双修吗？"

顾茫那刚松下的一口气又噎住了。

"玄女双修法门本就有延年益寿之效，本座今日服不了血灵丹，这双修自然是要的。"

顾茫："……"

"去给本座安排上吧。"

阿芳应道："是。"

大侍女阿芳出去了，雾燕浸在血池里，这妖冶的美妇像炼狱里爬出来的女鬼，俏艳得不可名状。她翘着尾指，端详了一会儿自己指尖的豆蔻丹朱，而后漫不经心道："本座今日心情不佳，你们倒些香薰，替本座助助兴吧。"

"是！"左右两个蝙蝠精双双上前，手中各捧着一只水晶细口胖肚瓶，瓶中装着淡粉色的花露香薰。她们在血池边跪下，将香液倾倒入池内。

霎时间满庭芬芳，一股沁人心脾的异香迅速散遍了整片水榭，并向外飘散开去。

顾茫从未闻过如此特殊的甜蜜香味，它好像把人世间所有他喜欢的气息都集中在了一起。他闻到了草地的味道，夏日荷塘的芳菲……还有蜂蜜的清甜。他惊讶于世上竟会有香薰能如此完美地贴合他的喜好，余光却瞥见了那些蝙蝠精们脸上也都露出了陶醉的神情——不好，这恐和慕容怜抽的浮生若梦一样，有致幻的效用！

顾茫连忙用力摇了摇头，调运内息，将香薰带给他的恍惚感压至最低。再定下心来一看，果见满榭的妖物已皆是飘飘欲仙之状。雾燕枕靠在血池边，她的面容在这异香的熏蒸下变得愈发清丽惑人，整个人也如春泥般懒洋洋的。

这旖旎幻香像是纸上墨，缓缓向四周飘散，又过了一会儿，阿芳回来了。

"王上，人都带到啦。"

她步入水榭内，身后跟着一批侍卫，一共十个，各个都是宽肩窄腰，英气逼人。

顾茫扫了一眼，立刻看到十人中容貌最俊的男子。

墨熄果然被选过来翻牌了。但看他的样子，他还不知道自己被带进来是要做什么的。他蹙着剑眉，淡淡扫过众妖，在顾茫身上多停了片刻，而后移开去，眸间有隐约的困惑。

顾茫暗道不妙，墨熄属于那种美而不自知的人，平素里之所以能揆退一群狂蜂浪蝶，只因为他习惯摆着张冰山严肃脸，教人看了极为扫兴。可一旦他有什么问题想不明白了，眉目间就会透出些茫然，那种凛冽就会削弱不少，甚至生出些青涩的气质。

既然墨熄的好看已经无法掩盖了，那就只能指望雾燕的口味独特，或者指望雾燕眼瞎。顾茫连连祈祷，不要选公主，不要选公主，公主脾气暴，吃不了噎着走……满心虔诚地念了老半天，就见得雾燕抬了抬手，朝墨熄的方向点了一下。

"就你了。"

顾茫："……"

墨熄还没反应过来。

雾燕舒展身段，从血池边站起来，火蝠族体质特殊，血水并不会将她的身体染作鲜红。顾茫几乎要为妖类的豪放而一头撞死。她这样毫无预兆地出浴，连个浴巾也不裹，从顾茫的方向，看到的不过是她的背，但从墨熄那个方向……看到的可是她的……

顾茫偷看了一眼墨熄的脸色，赤橙黄绿青蓝紫走马灯似的全过了一遍。偏生火蝠族脑子不好使，不太看得懂旁人神色，加上雾燕原本就被这香薰浸得有些神情不属，就更只能瞧得见墨熄的英俊，瞧不见墨熄的煞气。

那女蝠王还娇慵地舒开双臂，拢了拢长发，啧道："你这小佣真没出息，挑了你来，便高兴得回不过神了？过来，来伺候本座更衣。"

话都到了这份上，墨熄还有什么不知道的？他蓦地睁大眼睛，先是惊愕地看了看雾燕，随后目光又落到了顾茫身上。

顾茫心虚地低下头。墨熄像是被什么噎住似的，目光缓然转回到雾燕那边，一张俊脸慢慢地就青了。

虽说美人计是三十六计中屡试不爽的一计，送到芙蓉帐里的美人往往都能成为喂入敌方腹内的毒药，但并不是每个美人都适合完成这一重任。譬如你可以把貂蝉送出去和你里应外合，但你换穆桂英试试？

顾茫自然也知道墨熄这人的性子，知道什么是他的大忌，他有严重的洁癖，也最受不了女人，是以他活了三十年，能够调戏他而不被他弄死的，至今也就一个。

尴尬归尴尬，但眼见着墨熄指捏成拳，咬牙切齿的动作清晰地显在那清俊的脸庞上，顾茫脑中闪过万千念头，最后忽地抬起头来，急中生智地喊道："怎么是你？！"

所有妖精连同墨熄都一齐转头瞪着他。

雾燕眯起眼睛："你俩认识？"

顾茫立刻跪将下来，佯作不安道："王上赎罪，是……是我失礼了。"

"本座问话呢，你俩认识？"雾燕瞥了眼顾茫，又瞥墨熄，"熟人？"

顾茫抬头对雾燕道："我怎会与他是熟人呢，我厌他还来不及。王上恕罪，我真是一时厌恶，这才冲撞了王上……"

雾燕被勾得愈发好奇，眨了眨琉璃色的眼睛："他哪里惹着你了？"

顾茫直起身子，指着墨熄，眼皮不眨，半个字不磕巴地说："他不行！"

墨熄："……"

雾燕："……"

气氛一时陷入了极度的沉默中，几乎整个水榭的妖都在上上下下地盯着墨熄看，一边看还一边窃窃私语，也有几个眼里是不加掩饰的同情。

雾燕道："你怎知此事？"

顾茫无视墨熄几乎要把他片成渣滓的眼神，信口道："回王上，我曾与他双修过一次，但因为他太不靠谱，害得我元灵亏损，哎哟，真是气死我了，您说这么大的仇，我能记不得吗？"

众人看墨熄的眼神就更不对了。就连雾燕也心有余悸，她原本就是因为没有服血灵丹，想要靠着泡血池和玄女双修术增补元气，如果真选了个不靠谱的来，那效果只会适得其反。好险，好险。当即回头，朝阿芳大怒道："叫你挑人，挑的都是什么？！"

阿芳吓得花容失色，忙磕头谢罪，之后又对墨熄厉声道："还杵在这里做什么？惹得王上更不开心吗？！还不快滚！！"

墨熄气得浑身都在发抖，偏偏还发作不得，最后只得恨恨地瞪了一眼这群疯子，又盯了一眼那满口胡言的地痞流氓，转身离去。

雾燕翻了个白眼，对剩下来的那几个男妖道："本座今日乏弱，你们这些人，谁要是不靠谱，趁早给本座滚蛋。谁要是留下来了，被本座挑中了，却是个会连累本座耗损元神的，本座定让你们吃不了兜着走！"

火蝠族那几个男妖自然是成竹在胸，开始争先恐后地毛遂自荐：

"我可以！"

"王上，我能行！"

顾茫："……"

也得亏这群妖物头脑愚钝，若是换了聪慧的青丘狐族，他想要摆平绝不会有这般容易。

女王大概是被顾茫给整怕了，最后选了一个高大威猛的壮妖。阿芳替他俩掩上了门，松了口气，转身对玛瑙池的其他妖物道："行了，今夜就到这里，都散了吧。各自去修各自的，给王上聚气。"

众妖道："是！"匆匆忙忙地就都散了。顾茫见那些女妖神色紧张，有好几个都涌到了被女王挑剩下的那几个男妖身边，争先恐后地与他们说着什么，心中颇有些疑惑。

她们这么急着做什么？什么叫各修各的，给王上聚气？他一边犯嘀咕，一边因为不想再引人注目，所以在角落里将果盘收拾了最后才走。但他没想到他一走出内院，方才的疑惑就全都有了解答。

只见水榭亭台边，那些蝠妖凑在一处练功，而有妖练功的草房内逐渐地升起丝丝缕缕的白烟，朝着水榭内院，女王歇息的地方汇聚而去……原来除了雾燕自己行阴阳玄女之道外，她竟还可以吸收其余同族双修时所生的灵气！

顾茫又想，这火蝠一族原是因羽民堕落所生，然而他们却可以靠这样增益补气，九州万物果然各有奇妙。

正这么想着，忽然被人从身后搭住了肩膀。顾茫原本精神就很紧绷，这冷不防一搭，他立刻回头，可还没等他看清对方的脸，他就被猛地反拽过身，对方反制着他，捂着他的嘴，二话不说就把他往离得最近的一个草房里带。

顾茫瞬间就有些慌神了，这蝠蝠精力气大得惊人，他不便用法术，只能徒手挣扎，可他在气力上并不是对方的对手，非但没能挣脱那男妖的钳制，反而还被捂得严严实实连一点儿声音都发不出，直接被推进了草房里，粗暴地丢在了草垛上。

竹帘子被对方拉下，狭窄的草房瞬间陷入了一片黑暗。

顾茫瞬时头皮发麻——火蝠族毕竟是由羽民分化而来，羽民又毕竟是鸟，这一族在练功时会本能地鸟兽化，所以这供他们练功的草屋只有草垫。刺鼻的干草味带着股原始的野兽气息冲进了他的鼻腔，那浓烈的味道熏得顾茫几乎窒息。

打，还是不打，这是个问题。他如果现在不打，那恐怕就要在这里摸着黑被一只雄性蝙蝠精给折腾了，但他如果打了，别说蝙蝠岛的结界讯息拿不到，一旦暴动，恐怕连岳辰晴他们都要被他给拖累。

眼见着那个高大的身影朝自己走过来，顾茫忍不住惨叫道："大哥！有话好说！我还是只幼鸟！！不适宜双修，你看你要不要换一个对象！"

对方似乎并没有打算听他啰唆，过来将他一把拽起，按在草垛之间。

顾茫喊道："我都这么说了，你还不住手？你！"

对方终于开口说话了，一开口，那磁性而低沉，淬溅着星火的嗓音就让顾茫禁不住浑身一颤。

"你再喊……"那人被逼到极处的、愤怒且隐忍的嗓音就贴在他耳边，随着呼吸一起一伏，"我就弄死你。"

顾茫没声了。

半晌之后，扼着他咽喉的大手松开，对方直起身子，一簇火球倏地亮起，照映着这狭小局促的草房。

橙黄色的火光中，墨熄咬着嘴唇，正一手擎着火焰，一边狠戾地瞪视着他，衣襟也因为方才顾茫在他身下的挣扎而微微散乱，不复平日的肃冷。

顾茫揉着被他掐出五道红印的脖颈，喘着气翻着白眼道，"咳咳咳！！你疯什么？我不就在那女蝠王面前说了句你不行？"

墨熄咬牙切齿道："你就不能闭嘴？！"

"我闭嘴难道看着你上前打架？！"顾茫瞪着他，"看来我刚刚就应该说'此人绝非俗物，能力卓绝，包您满意'，让你被那女王抓去厢房里当个奴隶百般搓磨！"

墨熄脸都气红了："你！"

"你什么啊？"顾茫一屁股栽倒在草垛上，重重缓了口气，喃喃道，"你刚真把我给吓死了，我还以为哪个蝙蝠精要绑架我……"他缓了会儿，坐起来，抬眼问墨熄，"说正事，岳辰晴那边怎么样了啊？"

墨熄隐忍着压下怒气，答道："没异状。"

顾茫又揉了揉脖子，干咳几声道："那就好。对了，你把火球熄了，这竹帘子不挡光，蝙蝠精不喜火，要让他们瞧见了就会知道这间草屋子里有问题。"

"我设了遮光结界。"

"还是谨慎些，不怕一万就怕万一。"

墨熄沉默片刻，打了个响指，火光蓦地消散了。

顾茫说道："你再耐心等等，等我把留在雾燕身体里的摄魂法咒收回来，我们就能知道该从哪里出岛了。"

"什么时候收回？"

顾茫闭着眼睛又缓了一会儿，倏尔睁眸："现在。"

他说着，开始结印默念咒诀，慢慢地，一点一点的洁白光辉从水榭的方向飘来，穿透草屋的墙，汇聚到顾茫的指尖。

约莫一炷香的工夫，顾茫掌中汇出了一只泛着珍珠母色的光球。

"你看，这就是雾燕的神识了。"顾茫松了口气，对墨熄道，"我除了摄取了她关于结界的秘密，还搜罗了她为何要将人制成傀儡的因果，毕竟岳辰晴中了她的蛊术，我想以防万一。"

他说着，顺便也把刚刚在玛瑙池边听到的事情告诉了墨熄。

墨熄皱眉道："雾燕曾被一个仙人辜负过？"

"听上去好像是的。"顾茫道，"而且我觉得这段神识中，十有八九会看到那个负心薄幸的仙人。不管啦，先看了再说！"

顾茫说完，指尖轻动，光球缓缓升入空中，悬浮于墨熄和顾茫眼前。

"告诉我。"顾茫问它道，"你为何要对来岛上的男子下蛊？"

光球初时还是白色，过了一会儿，开始有五彩汇集，球面上显出了朦胧画面，并且传来了朦胧虚幻的神识之音。

是雾燕的嗓音："这件事……"雾燕的嗓音轻轻道，"要从我尚且年少的时候说起……"

随着她说话的声音越来越清晰，光球中画面也开始流转起来。

"那个时候，梦蝶群岛曾发生过一起争斗。由于邻岛的妖物繁衍过盛，原居地已无立锥之处。它们为夺地盘，背弃盟约，入侵了火蝠族的岛屿，杀害了当时火蝠族的女王——我的娘亲，之后又对岛上其余蝠族进行屠戮。"

光球中隐隐晃动过群妖杀伐的情形，球面蒙上了一层血腥。

"我当时是蝠王的储君之一，自然也被它们视为眼中钉，成为追杀的对象。我阿姊以她自身为诱饵，护我从围剿中逃离，但我仍然受了很重的伤……我的翅膀破了，筋骨被打断，但我一直都在用灵力维系着，我不敢停下来……但我也不知道飞到哪里才能算是尽头……"

光球中瀚海怒涌，雷电交织。

"我在海上逃亡了很多很多天，后来海面起了风暴，而我体力不支，伤口溃烂，坚持着又飞了一段路，最终落在了一座陌生的岛上。"

画面里还是幼兽状的雾燕扑腾着翅膀，几次挣扎着想要飞起，最终都无济于事。

"我从一栽下来就能感觉到，这座岛绝不是一座普普通通的岛屿，它的灵气太强了——这座岛上一定有仙。"

"我当时怕极了。"雾燕说，"我从小就听说，自古仙人都爱诛妖，所以我当时躺在草垛间，就想，难道我虽不死于妖族内斗，却要死于神仙之手吗？我想要挣扎着起来，想要飞离这座仙岛。可是我的精力实在是到了头，这番挣扎并没有能够让我重新起飞，反倒惹来了旁人的注意。有人涉过花海，向我走了过来……"

那只羽翼折损的蝙蝠奄奄一息地伏在草垛间，它看上去受了很重的伤，翼侧的薄膜都被撕破了，血流在草叶上，一双乌黑的眼睛湿润润地睁着，可怜极了。

正当它百般无助时，忽有一双白底青边的丝履出现在了光球中，停在雾燕身边。紧接着，一只手将它捧起，另一只手小心地护着，把它托在了掌心里。

顾茫得意道："你看，我说什么来着，那个负心薄幸的仙人这么快就出现了。"

光球的视野慢慢上移，从素色鞋面，到纤尘不染的袍袖……当画面完全移到了仙人的脸庞时，顾茫和墨熄都在瞬间惊呆了——

只见那人青衣如云，面容清俊，生着一双烟雨朦胧的杏眼，气质高洁，如松竹映月。

顾茫吃惊道："君子慧？！"

墨熄也睁大了眼睛："沉宫主……"

万万没有想到，浮现在光球里的"负心汉"，居然是重华百年前的第一圣人，沉棠君子慧！

这一下着实出乎了他二人的预料，他们都知道，沉棠虽然道法通天，然而却是个不折不扣的凡人，绝对没有飞升成仙。

顾茫喃喃道："这是怎么回事……"

墨熄的眉心微蹙，他盯着光球，摇了摇头："先看吧。"

画面中，沉棠抬起瓷玉色的手指，轻轻抚摸过雾燕毛茸茸的额心，他一边宽慰这小妖，一边将碧色的灵流输给气息奄奄的雾燕。而与此同时，光球里的情景慢慢地缩远，可以看到他们其实是在一座孤岛上，但那岛屿并不是他们此刻所在的蝙蝠岛，而是另一个人迹罕至的岛屿。

这座岛屿非常古怪，看不出气候如何，遍地生着花草，结着果实，冬日寒梅、夏日芳荷、秋日丹桂、春日桃李，姹紫嫣红开满了整片沃土。而岛屿最中心的地方，是一片巨石所建的大祭坛，祭坛上别无他物，唯独只有一张寒玉琴几，上卧一把焦尾五弦古琴。

顾茫转头问墨熄："我记忆还有很多不全，这岛是重华的某个地方吗？"

"不是。"墨熄盯着那百花之岛，说道，"重华领域中并没有这座岛屿。"

顾茫摸了摸下巴："这就奇怪了，沉棠君子慧独身一人，现身于一个并非重华领地的孤岛……"

他没有来得及过多思考，因为雾燕顿了顿，又开始陈述了。她飘出的嗓音里裹着无限的嗟叹与怅然："也许是我命不该绝，也许妖类中流传的说法是错的。岛上的这个仙人发现了受伤的我，却并没有伤害我的意思，反而将我带回住处，悉心替我疗伤。"

光球中的沉棠揣着受伤的蝙蝠，来到小岛礁岸上的一座木屋里。

雾燕说："我伤得很重，又因为刚刚遭遇了大变故，阿娘、阿姊，她们都死在了战斗中。我逃命之时尚无暇伤心，此刻安顿下来了，心里就难受得很，每日每夜都在哭泣。所幸还有岛上的神仙大哥哥陪伴。他不但不像我从小所知的神仙那般凶恶，还待我很温和，时常劝我，安慰我……我在他的照料下，终于慢慢地恢复了精神。"

"我在那里歇了很长一段时间，后来我发现，整座岛是一座会移动的孤岛，从来不在一个地方久留……"

顾茫和墨熄互相看了一眼，这究竟是什么岛？百花齐放又会在海上移动，实在是闻所未闻。

雾燕道："海岛四季如春，大抵因为是神仙居处，所以草木之灵尤为旺盛。可是草木虽多，能说话的生灵却少——因为这座岛上除了我，就只有那个救我的仙人。他什么都好，但就是太神秘，他不告诉我他究竟是何方神圣，甚至连他的名字也不愿说。我与他相处了好久，只知道他姓沉。"

顾茫喃喃道："还真是沉棠？"

"我没有办法，只好叫他沉哥哥。"光球上，恢复了一些灵力，能够幻化成人形的雾燕正坐在草长莺飞的祭坛边，她幼嫩细长的小腿上仍缠着绷带，但她不以为意，一双明眸善睐的眼眸一直追着沉棠的身影。

"沉哥哥每日都要来祭坛抚琴，琴声悦耳动听，每到婉转激荡处，小岛上空便会飘落海棠花瓣的幻影。我一直觉得那是他的仙术，缠他教我，他却推脱说海岛落棠花并非因为他，但我若再追问是因为什么，他却又只是笑笑，不再言语。他笑的样子很好看，我每天看着他，只要他笑了，我就觉得格外舒心。就这样，日子一天天地过去，他每日替我疗伤，我听他抚琴。然后有一天，"雾燕顿了顿，"我忽然发现我眼睛里的尘世变了。"

"以前我眼睛里是天空、花草、树木，还有沉哥哥。他们都很好看，都让我觉得喜欢。可就在某一天，我发现天空花草树木还在，却变得那么不起眼，它们所有的色彩都好像落到了沉哥哥一个人身上。"

"这时候我才知道。"雾燕说，"我这是喜欢上他了。他救了我的命，替我疗了伤。他打碎了我从前对于神仙的印象……"雾燕的神识之音在说到这里的时候，一如平凡少女，语调颇为清甜，犹如枝上的脆果儿，"尽管他那么神秘，不愿多言，尽管他是仙，我是妖，但我偏生就是喜欢。我偏偏就要勉强。"

又是一阵寂静。

"只是，他却并不明白我的心思。"

过了一会儿，光球渐渐转暗，画面中的雾燕站在祭坛的琴几边，捂着脸，泪水啪嗒啪嗒从指隙间滚落。

很显然，她的偏要勉强，并没有换得沉棠的金石为开。

雾燕的神识之音重新响起的时候，带着几分哽咽，果不其然，她说道："他对我的示好很是愕然，愕然之后又说我与他相处不过数月，又怎知什么是喜欢？"

"喜欢不就是一种感觉？可以是细水长流，也可以是一瞬间忽然领悟到的事情。可是无论我怎么恳求，他都不假辞色地拒绝我，并请我伤愈之后，便离开这座漂浮不定的仙岛。我说我就是喜欢他，他却言我们本非一路。我又说我可以为了他修炼仙道，他却又说他并非仙人。"雾燕顿了顿，"撒谎。"

"不是仙人，为何能驭岛而行？不是仙人，为何会抚琴落花？这些问题我丢向他，他什么也不答。最后我干脆问他是不是觉得我不好看，又告诉他，他喜欢什么样的，我都可以努力改变。但他只说，他一心向道，无心结缘。"

顾茫在一边听得暗自叹气。

火蝠族头脑不好，妖类的感情又比人族强横得多。沉棠明明对她毫无意思，她却定要他说出个所以然来，想来沉棠当时是真的被她磨得毫无办法。

不过，"一心向道，无心结缘"是所有修士最擅用的拒绝说辞，一般这句话一出口，对方再是怨女痴男也无言可说，更何况这也不是败给了什么情敌，心理上多少也好接受些。

果然，雾燕道："我听他这样说，虽有不甘，但也是哑口无言。难道我还能阻他修行不成？我最后只得离开仙岛……只是在走之前，我又任性了一回。我与他说，你既是君子，便要言出必行，你说了今日拒我，是一心向道，无心结缘，那你便不能骗我。他说他并无欺瞒。于是我便请他与我尾指拉钩，我用火蝠族的妖法，在他的尾指上缠了一道无形的线——只要他违背承诺，日后与他人成婚，我就能感知到——那我就……我就……"

雾燕的声音变得迷茫起来，她好像也并不知道如果沉棠成婚，她又能如何。光球里的场景又转变了，这回转回了蝠蝠岛。

雾燕道："后来，我回到了蝠蝠岛，历经诸变，成了蝠蝠岛的女王。但我仍念着他，每晚我都会召出自己指端的线，看着线还在，就知道他确实恪守承诺，不曾对其他任何人动心，我内心深处就还有盼头。所以我仍倒行逆施，修炼仙道……只希望有朝一日再见到他时，他可以看到我的心，知道我并非临时起意，我希望他能改变他的想法。我就这样，一直修炼着，等着，直到有一天……"光球蓦地一暗，画面中的雾燕在大发雷霆，状若痴狂，"……有一天，我发现，那根线，断了。"

顾茫惊讶地转头，问墨熄："沉棠去世前娶过妻子吗？"

墨熄也蹙着剑眉，疑云深重地望着那光球，摇了摇头："没有。他无妻无子。"

"那他有没有什么长得相似的兄弟姐妹？"

"也没有。"

"那就怪了。"顾茫道,"按重华史册上记载,怎么说都和雾燕所述的对不上。"

他的眉头越皱越深,喃喃地:"而且我总觉得沉棠这张脸有点说不出的面善,总感觉在哪里见到过。这人到底是怎么回事?"

这边厢他在思忖,那边厢,光球里雾燕的神识之音在继续着,仿佛积雨云里爆发出闷雷滚响,她的声音从悲伤,慢慢地变得扭曲,变得恐怖——

"他成亲了。他改变了他一心向道的想法,但却不是因为我!而是因为一个我根本不知道的人!什么无心结缘……他骗我!!他就是看不上我,觉得我是个妖,而他是仙!只要有合适的仙子去追求他,他一样可以接受。他就是骗我!!我恨不能立刻冲到他们面前将那后来者撕成碎片,可我连那个贱人是什么模样都不知道!明明是我先来的!!"

雾燕愤怒的声音在二人耳廓里回荡,尖锐犹如利爪。

"明明是我先认识他的!他答应过我!是他负心薄幸,他食言而肥!!"

顾茫心中暗叹,他之前还真道是个陈世美的故事,岂料真相看下来,却并非如此。这火蝠族女妖当真是痴了,沉棠从前不曾动心,后来不好拒绝,一路下来都是她在勉强,人之感情从来都是强扭不得,也并不存在什么先来后到。虽说沉棠曾允诺她不会娶旁人,确实毁了约,可是"负心"二字,用的也真太重了。

"我出岛寻人,却不知茫茫天地,他和那个贱婢躲在什么地方。而我因逆修仙道,损耗良多,明明正是大好年华,却已满头华发,不得不靠羽民之血炼成的血灵丹才能保持青春与精力——凭什么?!"

光球里,雾燕已成一个老妇,状若癫狂地在宫殿内发作。

侍女战战兢兢地送上血灵丹,她服下了,犹如被一只无形的手抹过周身褶皱,皱缩的皮肤重新变得吹弹可破,枯槁的面目重新变得媚不胜收。

她的芳华可以用禁药浇灌,唯有眼里的纯真回不来。

"阿娘说的果然不错。神仙是会诛妖的,有的诛的是身,而有的诛的是心!骗子!骗子……"

"我看不懂这些非我族类的男子……我再也不想与这些生灵有所纠缠。"

这之后雾燕便陷入了疯狂中。她一面觉得沉棠还会回心转意,近乎病态地希望与沉棠再相遇。一面又陷入了对外族男子极度的厌恶中,她下了禁令,封闭整座蝙蝠岛,如若岛上有外族男子闯入,便喂下蛊虫,将之重塑成沉棠的模样,以解相思之渴。

"这种'喜欢',一个就够了,我再也不要重蹈覆辙。永永远远、生生世世……我都忘不掉,他骗我,他骗我……"声音渐弱,像湖面的涟漪一圈圈荡开,归于止歇。光球熄灭了,草屋内寂然无声。

顾茫站起来,一缕白光散入他的脑海——那是他在与雾燕的神识共情,掌握蝙蝠岛结界的情况。

做完这一切后，顾茫没有说话，而墨熄似乎被妖族这种过于激烈的情感弄得头疼，不但不开口，反而抬指捏着自己的鼻梁眉眼处来回地揉。

墨熄坐在草垛上，头疼道："这都是什么跟什么……"

顾茫也有些无语，他原本只是打算了解一下雾燕施蛊的缘由，却没有想到竟牵扯出了重华第一君子的前尘往事。他于是咳了一声，说道："火蝠一族趋于兽类，他们的爱与恨大抵如此，我喜欢你，我可以为了你做出许多牺牲和改变，如果这样你还不喜欢我，那你就是负心汉。可是喜爱不喜爱这种东西，从来都是难以勉强的。不是吗？"

墨熄："嗯。"

顾茫看着墨熄的侧脸，看着那恹恹模样，心里逐渐萌生出一丝残忍的念头。他顿了顿，饶有兴致地问了句："你呢，你有没有过相似的想法？"

墨熄抬起头来，黑眸子里有些茫然："什么？"

顾茫看着他犬类般不解的、清澈的眼睛，多少有些不忍心。但他记得在时空镜里发生的那些过往，知道墨熄与他再有纠葛绝非益事，所以他从镜中出来后，就时不时地刺激一下墨熄，欺负一下墨熄，有意疏远于他，与他划清界限。于是最终还是狠下心来，露出那神憎鬼厌的痞笑，问道："你有没有怨恨过我？"

大约真是被雾燕这一段絮叨给弄得头晕，又大约是顾茫这句意味深长的发问把他给整蒙了，墨熄神情怔怔地看着站在自己面前的这个人。

"你有没有觉得，无论自己做出怎样的牺牲，怎样的改变，你的师兄都没有真正在意过你。"顾茫一脚踩在草垛上，胳膊肘架在膝头，俯身盯着坐在自己面前的墨熄，咧嘴道，"墨帅，你有恨过自己无法得到回报的付出吗？"

墨熄眼里的茫然就在这字句中散去了。

顾茫明明是笑眯眯的，却好像狠狠捅了他一掌，墨熄被刺痛了，这一击利刃猝不及防，他眼底的伤心几乎是一下子就流露了出来，他蓦地将头转开去，咬着嘴唇，过了好一会儿才收拾好自己的情绪，回过头来狠盯着顾茫。

"你……"墨熄几乎是艰难地，"你说过你是在乎我的。"

"是吗？那就当我说过吧，可你应该清楚，我很多时候说的话都不能当真的。"

他说着，叹了口气，伸手去揉墨熄的发顶："你看看，你一个大男人，小丫头片子都不会去信的东西，你怎么就……"可他话还未说完，伸出去的手就被墨熄"啪"地一下，狠狠地打开了。

顾茫湛蓝的眼底似乎闪动着什么微妙的光泽，但那闪烁转瞬即逝。

"生气了？"

墨熄不吭声，只是强忍着某种快要溢出的情绪，瞪着顾茫看。

此刻他那张脸上的神情既像是那种被主人伤透了心的犬，又像是被踩到了尾巴的猫，悲伤与自尊同时在那苍白的面庞上汇聚，他眸子里都有水汽了，却仍高傲地硬撑着，咬着雪白的贝齿，凶狠而自负地盯着顾茫。

半晌，墨熄忍着声线里的颤抖，轻声道："我偏就会信。我不像你，什么都可以随便。"

顾茫沉默片刻，嗤笑道："你看，你还笑雾燕。你们这不是一样吗？她偏要勉强，你偏就要信。"

墨熄白皙的手背上青筋都已微微暴起。

顾茫却像没看到似的，只道："所以你和她其实也差不到哪里去，都是因为觉得自己付出得不到回报，怨恨了这么多年。"

"你觉得我怨你恨你这些年，只是因为觉得自己付出得不到回报吗？"

顾茫瞧着墨熄眼底的光影，几乎有些恻隐了。

但他沉默一会儿，还是道："不然呢。"

墨熄蓦地闭上眼睛，睫毛颤动着，一直压抑着的情绪猛地撕开道口子，他爆发道："我若真的只是不甘于此，你现在还能这样站在我面前跟我说这些话？！我若只是不甘于此，早已有多少种办法可以偿得自己的不甘心，折磨你、侮辱你、给你下毒，这些手段我不做但你以为我真的就不知道？！顾茫！我是把你当我的同伴，当我的挚友，当我的……"

我恨的是你的背叛与改变，你抛弃的不只是我，还有你的兄弟，你的梦想，你过去的万丈光芒，还有曾经的你。

"换一条路走，哪怕你一辈子与我再无纠葛，我也不会怨你。"

"……"

"顾茫，你当年都快把我的心挖出来了。"

顾茫指尖微微一颤。

墨熄嗓音暗哑，抬头望着他，那黑眸子暗沉沉的，像星星都熄灭了："你还没看懂它吗？"

顾茫一时说不出话来。这双黑眼睛太令人难受了。

顾茫还记得自己第一次见到它们的时候，它们不是这样的。他第一次见到墨熄的时候，墨熄站在学宫的桂花树下，一袭绣缀着金边的黑色腾蛇纹衣袍，金发带束着高马尾，臂弯处挽着一张玉腰弓，正看着远处的靶心。

起风了，他宽袖被吹得飘飞，觉察到身后的目光，墨熄将过脸侧的碎发，回头不经意地看了顾茫一眼。

那双眼眸静水深流，清澈、透亮，像未浸俗世的湖泊，没什么情绪，淡淡地就从顾茫身上移了过去。

后来顾茫又在学宫见到过他几次，一次是看到他一个人坐在石阶边看书，一次是看到他一个人靠在树下吃饭，还有一次是看到他刚刚从学宫的修炼木桩场出来，一边走，一边咬着头绳，束着马尾，白皙的脖颈沁着细汗。

他从来都是一个人。

"墨家的小少爷可真傲慢。"

"灵力高是好事，高强到变态，那可就未必了，谁知道他有没有在修什么不为人知的邪法。"

"别乱说哦，人家墨公子全靠刻苦，你没听宫主天天夸他吗，听说他入学以来，每天都在靶场练到亥时。嘿嘿，这么勤快也不知道是做给谁看的。"

这样的对话，顾茫当年其实听到了很多。在墨熄还不知道"顾茫"究竟是谁的时候，顾茫就已经对墨熄这个名字如雷贯耳，从学宫窸窸窣窣的议论中，也从主上慕容怜的冷嘲热讽中，他无意得知了许多与这个人相关的碎片。

这些王孙公子当中，性情乖戾者、名不副实者、狼子野心者……凡此种种，实在太多了。顾茫当时也觉得墨熄大概是真的咎由自取，对这人也没什么好感。

直到那一天，他无意中路过校场，看到两个学宫奴仆正跪在墨熄面前，墨熄手中率然神武的火花噼啪四溅，他以为是这公子哥在仗着威势欺压学宫奴隶，正想出去替人说话，却听得其中一个奴仆连连磕头，涕泗横流道：

"墨公子！墨公子我们真的错了！我……我们不是故意想要偷窃您的钱帛，只是……只是……"

旁边一个面黄肌瘦的丫鬟颤声道："只是真的饿惨了。前些日子得罪了慕容公子，大管事就罚我们都吃不饱饭……我们饿坏了，又看到您总是一个人，才壮着胆子，想来偷……偷您的钱袋。"

"呜呜，对不起。公子开恩，饶了我们吧，我妹妹已经三天没吃上一顿干粮了。她还那么小，我真的怕她活不下去了，您要罚就罚我吧，求您饶过我妹妹……"

"哥哥，呜呜呜……"

墨熄盯着这对兄妹，沉默了片刻，掌心中率然鞭的红光渐次熄灭了。他没有说话，低头从乾坤囊中翻拣出自己的钱袋，解下来，一声不吭地搁在了石阶上，然后转身离去。

他这番举动，着实令立在远处的顾茫呆住了。要知道因为花破暗的旧史，除了世家公子自带的奴仆之外，学宫弟子是不允许和一般的仆役有任何往来的，更别提帮忙——那是学宫大忌。但墨熄不假思索，不声不响，也不求回报地就这么做了，仿佛这是一件再自然不过的事情。

顾茫看着这个小少爷袍袖翻飞的侧影，心里忽地泛出些道不明的微妙感受。但如果事情只是这样，他对墨熄的关注或许也并不至于像后来那么深。真正让他感到意外的是几天后，学宫内忽然爆出一个消息：

弗陵君遗子墨熄因违背戒律，被惩以鞭杖刑法。

"哦呵，墨美人也有沟里翻船的时候？"

"看他高高在上那么久,这一顿鞭子总算是挫了他的威风!"

"听说他是把自己的钱袋给了一对奴仆兄妹,犯了戒律。他这人啊,平日里装刻苦,如今又装纯善,要我说,真是假惺惺得够可以。"

此时再听众人对他的议论,顾茫心里却已是完全别样的滋味。回到住处后,他忽地听到别苑里传来慕容怜放肆的笑声:

"那姓墨的也真是个傻子,不过一番苦肉计而已,那么轻易就上钩了,真是令人意外啊,哈哈哈哈!"

"主上聪慧绝伦,墨熄又哪里会是您的对手呢?"

"哼!触犯了学宫大忌,任他术法再强都无法被推为学宫才俊,跟我争?"慕容怜冷笑两声,"他还太嫩了些。"

顾茫这才明白了,原来所谓的"奴仆兄妹一案",是慕容怜为了坑害自己的对手,特意设计的。那对兄妹收了墨熄的钱袋,转手老老实实地就把东西都交给了慕容怜,慕容怜一纸状告,直接捅到了学宫的长老那边去,说墨熄公然违反学宫规矩,私下与奴仆授受。

作为墨家独子,墨熄虽不至于被严惩,但此乃学宫大忌,再加上规诫长老原本就与望舒君家是世交,自然偏袒慕容怜,所以墨熄还是因此挨了训诫。

顾茫当时是慕容怜的人,和墨熄又还全无交集,哪怕他再不安,也并不能去和墨熄说些什么。只是从那时候起,墨熄就已经在顾茫心底里下了一颗种子,日后的万斛松涛莺飞草长,种种一切,都源于此。

所谓一切命中有定,命写好了,注定是逃也逃不掉的。

几日后,顾茫从学宫的绿荫道走过,那碧绿如洗的草坪上没有别人,只有一个少年靠着一棵白桦树独自坐着。

墨熄安静地坐在树荫下,一边小口小口地咬着白糯米粽子,一边低头专注地看着摊在膝头的竹简。那张新雪般剔透白皙的脸颊上犹有一道受罚留下的鞭痕,但这并不影响什么,墨熄垂着的睫毛仍是那么浓深,目光仍是那么干净,没有任何怨戾。

顾茫站在树后远远地瞧了那孤独又清丽的侧影一会儿,直到墨熄终于觉察到了这过于专注的目光,从书卷中抬头,侧眸对上了他的视线。

顾茫:"……"

墨熄一脸蒙。

这是顾茫第一次与这双墨黑的眼眸直视,他竟有些掌心盗汗,一向开朗明快的人啊,居然也变得拙笨。他紧张地舔舔嘴唇,想朝墨熄笑一下,但却又有些不知所措。这时候恰逢陆展星远远走来,陆展星看到他,朝他挥手,喊他:"茫儿!你站那儿干什么?"

顾茫忙结巴地应了一声,仓皇转开视线,红着耳朵尖,逃也似的向远处奔去。

高贵的墨公子那时候根本不认识他这个无名小卒，想来也根本不记得他们在林荫道上的第一次对视。但是顾茫却记住了，那双黑玉般的眼睛——他记忆中尘俗不染，一心想要护住的净土。

顾茫叹了口气，看着如今，草屋中近在咫尺的那双眼。里头有恨、有怨、有痛苦、有不甘，深处甚至闪动着偏执而暴戾的光泽。可顾茫记得第一次见墨熄的时候，这双眼睛里装载的，就只是沉静与清澈而已。

他们终究还是这样了。

顾茫把目光转开，他怕自己再看下去，有些话就会再也藏不住。他那颗灵核破碎的心已经开始发酸了。

草屋幽寂，顾茫再没有说话，他在草垛上坐下来，草垛柔软地陷落，仰头躺在了松软的稻梗中央，望着屋顶发呆。他知道自己该与墨熄划清界限，墨熄是他的毒，一击致命且无药可解。他想方设法地在自己和墨熄之间垒起壁墙，可是他看到墙那头那双伤心的、藏了太多心事的眼睛，他砌着砖的手就有些抖了。

他其实很想离开这间狭小的草屋子，他有一张硬冷的假面，但他不知这张假面在墨熄身边又能坚持得了多久。

两人都没再说话，气氛一时僵凝到了极致，顾茫最终忍不住倏地起身，拍拍身上的草屑，来到屋子门口，从缝隙处往外看了一眼。那些蝙蝠精乱作一团，并不是出去的好时机。

顾茫只得又回到墨熄身边坐下，托着腮发呆。他不打算再招惹墨熄伤心了，招惹墨熄伤心的结果最终是他自己也并不那么好受。

两人干坐了一会儿，顾茫瞄了墨熄一眼。墨熄低着头，垂着眼睫。

过了一会儿，顾茫又偷瞄墨熄一眼。墨熄还是那样，也不知有没有注意到顾茫左右游移的眼神。事实上墨熄从刚刚情绪爆发了一次之后，就陷入了这种不愿多言的沉默里。

顾茫知道自己是真把他伤到了。

其实顾茫都清楚，墨熄又怎会和雾燕一样呢。他们毕竟曾经真的那样炽烈地付出过真情，他是心甘情愿与墨熄生死与共，现在却反过来指责墨熄的无理取闹。明明他都看见了墨熄的回护，墨熄的绝望，墨熄赌上性命也想换他回头的心意……

但是以他们如今的境况，他除了让墨熄恨他，远离他，又还有什么更合适的路可以走？墨熄的心是柔软的，人是正直的，他看似铁血无情，其实顾茫知道他比任何人都要善良。而这种善良就像是他当年向学宫奴仆伸出的援手，最后往往容易成为旁人用来算计他的刀枪。

所以，既然顾茫已经选择了这条路，那么他只要墨熄对他有纯粹的恨就足够了。不需要"怜悯""不平""不甘"，更不需要哪怕一点点的情分。

只是那么近挨着他，顾茫的内心仍会有如昨的不平静，哪怕再明白自己该做什么，也仍会忍不住留有那一点点可怜的念想——如果一切都能改变，他还能像从前一样飞蛾扑火地靠近他，还能随着他，与他共赴沙场；如果他还能再借着热切，无所顾忌地说一次"我陪伴你"，该有多好。

沉默了好一会儿，顾茫终于开口打破了这室闷的寂静，尽管带着些转移话题的刻意："咳……忽然想起来，岳辰晴的命晶石呢？"

墨熄仍不去看他："在我的乾坤囊里。"

"拿出来看看。"

缀着玛瑙天珠的石头被取了出来，石头的光泽充沛，并且越来越滋润。顾茫拿在手里端详一阵子，把它还给了墨熄。

"看来江兄那边一切都还顺遂，我们一时半会儿也不用太急着出去。等那些蝙蝠精都差不多进草屋了再说吧。"

"嗯。"

两人各怀心事，坐在稻草堆中出神，等着外头的蝙蝠散去。

忽然，一对蝙蝠精从他们门前经过，打破了这种寂静，透过垂落的竹帘，能看到它们如胶似漆的侧影，还能听到两妖的嬉笑声。

"别急嘛。"

"咱们这是给王上蓄积元神呢，不急怎么行？"

那女蝙蝠咯咯笑了起来……

顾茫忍不住看了墨熄一眼，墨熄觉察到他的目光，又将脸转开去。就在顾茫以为墨熄打算装聋的时候，却忽听得他问了一句——

"什么给王上蓄积元神？"

"哦。"顾茫道，"雾燕好像能吸收下面的蝠妖练功产生的灵流，这是火蝠族的特性吧。"

墨熄没吭声，但看他那小半张侧颜，也能看出他仿佛在说"简直荒谬"。

"火蝠天性而已，也没什么好奇怪的。"顾茫说，"等他们都进巢穴了，我们就走。"

眼见着那对蝠妖就要推门进来，那雄蝙蝠却忽地顿住了手："哎呀，这一间已经被占了。"

"隔壁还空着呢，隔壁去。"

墨熄正暗松一口气，却忽听得离自己较远的墙面忽然发出"咚"的一声闷响，紧接着那对蝠妖的声音就更为清晰地传到了他们的草屋中……这时候顾茫再偷偷瞄一眼墨熄——发现墨熄的脸已经黑了。

顾茫干咳两声，忽然道："听歌吗？"

墨熄："……"

没等墨熄回答，顾茫就哼哼唧唧地唱了起来，他从前会用唢呐吹许多婚丧嫁娶的曲调，哼出来的歌也是九曲十八弯，半点不带含糊。

他原本只是想把那令人如坐针毡的妖兽的声音带过去，可哼着哼着，顾茫竟有些忘情了。他换了个舒服的姿势，倒进稻梗堆里，手臂枕在脑后，一边晃着长腿，一边自顾自地哼唱着。

唱了一段，顿了顿，几乎是有些调笑地问黑暗中的墨熄："喜欢吗？"

墨熄低沉道，"你是想把隔壁引来吗？"

"不会的。"顾茫枕靠在稻草堆里，一只手搭在膝头，轻轻地打着拍子，"你看着好了，他们管不着我。"

过了一会儿，墙那边儿的声音顿住了。紧接着就是愤怒地敲墙。

"咚咚咚！"

墨熄责备地看着他，那种眼神好像是在说：我看你怎么收场。

顾茫不急不缓，低沉的嗓音停在一个花音，慢条斯理地停下来，懒洋洋地："二位怎么了？"

墙那头是雄蝙蝠精恼火的嗓音："你搞什么？你们不练功？"

墨熄好像被噎着了，顾茫笑了笑："我们正练着呢。"

墨熄："……"

"那你唱什么歌？！"

"我就好这口，练开心了就喜欢哼歌。"

墨熄："……"

蝙蝠精："……"

顾茫晃着修长的腿，揪了根稻草在指掌间把玩着，神憎鬼厌且厚颜无耻地："我就这癖好，兄弟你要不喜欢，干脆你就挪个屋呗。"

墨熄低声道："你这样恐怕——"

"嘘。"顾茫伸出手指在唇间一点，"看着，他们一定走。"

果不其然，过了一会儿，隔壁的蝙蝠精开始骂骂咧咧地起身，踹了两脚墙，又咒骂了两句，真就离开了。

顾茫听他们临走前一妖一句"变态！""有病！"，不禁仰在稻草堆里无声地绷着笑，等他们走远了，他那笑就绷不住了，肩膀颤动着，涟漪般荡开。

"哈哈哈哈——"

墨熄道："你……"

"嗯？"顾茫转头，蓝眼睛亮晶晶的，带着忍着笑意时忍出来的水汽，看着自己身边的墨熄，笑道，"厉害吧，只要脸皮厚，保准能清净。不过这一套羲和君你是学不会的，你太正经。"

"……"

又过了一会儿，顾茫觉得时间差不多了，从稻梗堆里站起来，准备往门外去。不过可能是因为他歪躺了太久，骤然起身血有些供不上，居然晕了一下。

墨熄尽管气他，却仍下意识地问："你怎么了？"

"呃，不知道，头有些晕。"顾茫扶着额角揉了揉，"缓一会儿就好。"

说着就走到门口，掀开竹帘，往外头看了看。

外面已经没什么蝙蝠精了，他们大都已进了草房。白骨累成的水榭空荡荡的，在月色下飘浮着一层薄烟……

"可以了，我们悄悄溜回去。"顾茫说着，朝墨熄招了招手，两人透过竹帘，盯着附近最后一对蝙蝠精进屋，然后顾茫伸手去卷那扇帘子。

谁知就在这时，一道红色的光华蓦地在帘子上浮现，映出一个蝙蝠纹的图腾。顾茫的手猝不及防被烫了一下，猛收回来，吃惊道："怎么回事？！"

墨熄也抬手去试，也被门帘的红光所灼。他低声道："门口有结界……"

结界术是顾茫的弱处，但墨熄却掌握得不错。他修长白皙的手一寸一寸地抚过结界咒印，感知着这个结界的灵流。

"单面结界，从外面进入时不会受到任何阻碍，但从里面出去时……"墨熄"嗯？"了一声，似乎觉得是自己探错了，又反复在蝙蝠印记的末梢摩挲了几遍，确认自己并没有会错意时，脸色就有些难看了。他沉默地放下手。

"……"

"怎么了？"

墨熄没吭声，径自回到了稻草垛旁，在草垛上坐下，闭目道："等破晓再走吧。"

顾茫蓦地睁大了眼睛："为什么？"

"没什么。"

借着还未消下去的红色蝙蝠结界之光，顾茫看到墨熄神色似有不自然，他刚想说话，却觉得眼前又是一阵眩晕。他不得不在原处缓了一会儿，然后才走到墨熄身边，坐了下来。

顾茫很聪明，就算墨熄不愿意说，他也可以猜。

"让我想想……这个结界不阻拦人来，却要拦人出去，那么设下它的目的，就应该是希望别人在屋子里完成什么事情。所有的草屋都应该有一道一模一样的结界，我们出不去，但方才那对蝙蝠精却可以说走就走。"

"……"

顾茫琢磨着，目光在这屋舍扫了一圈，逐渐就琢磨过味儿了。此处别无他物，蝙蝠精们进屋之后只为了做一件事，那就是双修。

"我知道了，结界会审进屋的人有没有练功。没有的就不允许离开，是不是？"

墨熄不答是与不是，他只道："天一亮，这个结界就会失效。熬过这一晚就好。"

那答案就是"是"了。

顾茫一时有些无语，他叹了口气道："罢了罢了，还能怎么样，那就等吧。"

但明天的太阳并不是那么容易等来的。顾茫躺下之后就打算睡觉，可却一直翻来覆去睡不着，他觉得有些不舒服。方才那种眩晕感不减反增，除此之外，他的腹腔内似乎燃起了一团火，痛感像晕在纸上的墨渍一般洇染开，让他的呼吸都渐渐粗重。

顾茫初时还觉得是自己维持了太久的易容法术，身体消耗有点儿大，于是就默念咒诀，将自己的易容和墨熄的易容都解了。可后来却发现这并没有用，他的状况越来越不受控制，浑身上下都变得不对劲，最后连手指尖都有些微的颤抖……

顾茫倏地坐起，低低地喘着气，抬眼盯着竹帘外的月色，眼神闪烁地回想了一会儿，说道：

"不对。那温泉池的香料有问题。"

他抬手狠抹了一把脸，拍了拍自己的脸颊，试图让自己变得清醒："墨熄？"

墨熄并没有睡，他靠在草垛边打坐，闻言微侧过脸。

"你有没有哪里不舒服？"

"没。怎么了？"

为什么墨熄没有反应？难道是因为他只是吸入了一点空气中弥散的香味，并不太浓？

墨熄见他沉默，问："你是哪里难受吗？"

"我……"顾茫顿了一下，"没有。"

他重新在草垛上躺了下来，背对着墨熄，开始默念心诀，试图把这种越来越强烈的痛感给压下去。

他慢慢地有些琢磨清楚了，那蝙蝠精女王倒在温泉池弥散开来的香薰效力非常强，几乎可以算是给整座水榭的妖物们下了咒。

这香薰专对妖物有效用，墨熄是人，自然没有什么感觉。但他却不同，他的身体在燎国被重淬过，混杂着一些雪狼妖的精魄，所以香薰对他的影响虽不如纯粹的妖物，却也十分恐怖。

七遍清心诀念过去，仍是不能缓解，顾茫忍不住蹙起眉头，面对着土墙蜷起身子，呼吸愈发急促起来……

真是活见了鬼，被毒咒煎熬的痛苦简直是如蚁啮噬，令人百骸酸软。顾茫喉结滚动，闭上眼睛。他不想让墨熄知道自己此刻的状况，可是他又无法控制香薰的药性在自己体内弥漫。垂在草絮间的手指不由自主地捏紧了，他咬着嘴唇，压制住自己过于急促的呼吸，但却平缓不了自己的怦怦心跳。

他在这一刻简直恨惨了燎国给他重淬的这副身体……它令他在雾燕的毒雾面前低头，不可遏制地回想起自己以前那些荒谬又炽烈的经历。

"顾茫。"

蓦地被这一声带着疑惑的嗓音惊醒。顾茫背对着他蜷缩着的身子不可自制地颤抖了一下。

尽管他很努力地在压抑了，但墨熄仍觉察出了他的异样。

"你怎么了？"

"我……"顾茫一开口，嗓音哑得连自己都觉得心惊，他喉咙吞了吞，勉强才让自己的声音听起来镇定些，"我自己的事，与你无关。"

此话说得决绝，墨熄又是个心气高傲的人，果然被他刺着，就不再追问了。

顾茫微微松了口气，咬住自己的下唇。

毒咒像是一场拉锯，他隐忍着，它便愈发强烈。顾茫的感官此刻简直不能再经受任何刺激，他觉得浑身在发软，汗水几乎要把他的四肢百骸融化。

他觉得很难受，真的太难受了……这时候他宁可时空镜没有将他缺失的那些记忆唤回，如果是浑然不知的他，会不会比现在的状况要好一些？

顾茫阖上眼眸，他实在是有些崩溃了，雪狼妖的血液在他身体里无比配合地逢迎着毒性，一寸一寸地烧熔他。可是他想要照顾的那最珍视的人，此刻就在他身后，数步之遥的地方，他如何能够不管不顾？

顾茫捏紧的拳头上青筋根根暴起，恐怕他下一刻就会被雾燕的迷瘴给摧毁。犹豫片刻，他最终倏地睁开了蓝眼睛，下定决心似的，背对着墨熄，自己去遏制那过于激烈的妖血煎熬——他悄悄抽出腰间佩着的匕首，咬紧牙关，抵着手背，顿了顿，猛然刺进去！

一声闷哼狠压在了喉间！

顾茫蓦地睁大眼眸，无声地低低呼吸着。手背传来的剧痛唤醒了一些他的理智，但实在是太疼了。加上他又不想让墨熄觉察，不想让墨熄知道他此刻狼狈的状况，所以他的动作必须很轻。可刀尖一寸一寸割着血肉远比一刀狠扎进去更令人头皮发麻，嘴唇发颤。

他不能太明显，更不能发出什么异样的响动。慢慢地，顾茫的眼圈就有些熬红了，是难受的，也是委屈的，他体内沸腾的妖狼之血是止下去了一些，可手上的痛却令他寒毛根根倒竖……他连喘息都不能发出来。

哪怕理智只剩了残渣，他也记得自己是不该与墨熄再有瓜葛的，不能让墨熄来管他，来在意他。从他选择叛国之路的那一天起，他就应该把墨熄推到旁边，而后在两人之间划下一道翻涌着仇恨的深渊。

也许是脑中太混乱了，身体的感觉又太摧心折骨，以至于顾茫竟然没有听到身后的动静。正是痛苦交织时，忽有一只大手自后揽住他，顾茫吓了一跳，身子立刻剧烈地弹了起来。

随即听到墨熄的声音："别动。"

一时间天旋地转，他看不清任何东西，可他还是本能地想要挣脱……而当他淌着血的手被墨熄整个裹住的时候，他哽咽了。

墨熄低缓的嗓音在他耳侧响起，和记忆中一模一样，只是也带着犹豫、带着愠怒。

"为什么要这样对自己？为什么不和我说？！"

顾茫："……"

墨熄其实早就已经觉察到顾茫的不对劲了，只是之前一次两次的询问，顾茫总说没事，再加上他其实并不愿意再与顾茫发生什么，所以虽然心里清楚，却也没有去管。

可是这草屋太小了，他还是忍不住时不时去看那个蜷缩在角落、离自己远远的人。墨熄知道顾茫在难受，在压抑……但他没有想到顾茫竟对自己狠到这个地步。

他想顾茫大抵是真的将过去都放下了，真的一点儿都不愿再与他有任何纠葛，所以这个曾经能跟自己笑着说出"师弟，我会一直陪你"的军痞流氓，宁愿自己割破皮肉以疼痛镇压妖血，也不愿将软肋暴露于他。

顾茫能对着江夜雪笑，能与慕容楚衣好好说话，甚至能对那只刚刚抓回来的小破鸟温言软语，唯独待自己冷漠。

那一点残破的自尊和傲气，让墨熄想要装作看不见，可是当他听见了顾茫压抑的、有些痛苦的声音……他还是无法弃之不管。

最后他自己也不知道自己是怀着一种怎样的心情，起身来到了那个瑟缩的身影边，俯下来，揽住那个背对着他的身子。

墨熄嗓音沉哑，说道："我给你镇邪，你闭上眼睛，就当不是我。"

顾茫蹙着眉尖，话语哽在喉头。他这个时候是极度脆弱的，可是极度脆弱里，他依然有着极度强硬的魂魄，他想说，怎么可能不是你呢？

一直以来我最在乎的，最不想在他面前丢人示弱的那个人，都是你。但这些难言之语，也终究只能停留在"想说"这一坎上了。

墨熄握住他的手，默念法咒为他疗伤，而后换了一种心法，将顾茫的妖血邪气一点点地镇压下去。当那熟悉又强大的温暖传到身体里，遍布四肢百骸时，顾茫最后的理智也消失了。

他像是一只困在苦海中的兽，拼命挣扎着想要逃脱这个日日的囚笼，可是他做不到。墨熄太了解他，轻而易举地就能点燃他的希望与渴望，让他手足无措。他太痛苦了，浑身都在颤抖，沙哑地喊道："放开我……"

他失去记忆，走过绝路，剜去过两魄，他不知道自己靠着时空镜恢复的神识还能持续多久，不知道这些上天怜悯他、还给他的清醒会不会很快就被收回。他失去的明明已经那么多了，唯身后这个人，是此刻他可以拥抱的最后的光与热，他却还要压抑着。

顾茫几乎是崩溃地："你……放过我吧……"

放过我，不要再靠近我。我虽已淬兽血，但终究还是人，我也会觉得不甘，我也会后悔已经选择的那一条路。但是我不能回头了，求求你……不要再靠近我……我知道前方是寒夜，你的温暖会让我踟蹰不前。我已经是个叛徒了，墨熄，我不想再做个懦夫啊……

但是墨熄该怎么办呢？墨熄亦是痛的，他甚至不明白他们之间，究竟是谁应该放过谁，谁才能赦免谁。因为顾茫不愿让他触碰，他甚至都说出了"你就当作这不是我"这般悲惨的句子——可即使这样，顾茫都是排斥的吗？

他因为这一瞬间的伤心与怔忪，胳膊的力道稍松了些，顾茫像是终于得了自由的燕雀，趔趔撞撞地爬着想站起来，想栖落到离墨熄远些的地方去。

可他浑身上下没有一点儿力气，只踉跄地支撑起了半个身子，就重新栽倒在稻梗之间。顾茫喉间发出痛苦的呜咽，他翻了个身，透蓝的眼睛大睁着，眸光涣散……然后他看到墨熄站起来，身影倒映在他眸子里。这真是太狼狈了，他想也知道自己如今是怎样的一番凄惨光景，而墨熄却连袍襟都没有乱。

药毒在他体内越来越汹涌，他痛苦地蹙起眉，抬手道："你……"他原想说，你走开。可是太难受了，他话未说完就一下咬住了自己的嘴唇。

墨熄会错了顾茫的意思，以为他伸手是想要自己拉他起来。于是他握住了顾茫的手……

"顾茫……"

听到他唤自己的名字，顾茫的眼眶一下子就有些发热了。

他真的颤抖得厉害，嘴唇哆嗦着，蓝眼睛里的光芒流淌涣散，之前他还能说你放开我吧，可强烈的妖兽之毒烧灼到了极致，他连指尖都在发抖，只能这样仰望着墨熄的脸，咬着下唇，什么话也说不出。这么多年来……他做过许多决绝的事情，走过许多血迹斑驳的路，很多东西他都抛下了，唯独墨熄。

墨熄不是被他抛下的，是被他割舍的。拿刀，一寸一寸剜着自己的血肉，从心头割裂的。他在蝙蝠血雨里看着墨熄时，心跳便是加速的、异样的，可他把这一切都掩饰得很淡然，很无情。其实怎是如此呢？他那么在乎他，那么想他，身在曹营时想他，楼船夜雨里想他，在支离破碎的记忆深处，记着他，念着他，想着他。

他死死咬着嘴唇，眼里有泪光闪动。那是因为毒性在煎熬他，但更多的，是因为他真的已被思念摧毁到了极致。他真的很想不管不顾地自私一回，想说，救救我吧。墨熄，求求你……救救我，我在血海里浸了八年了……你能不能带我回家，能不能带我回我们来时的地方……

我真的太痛苦了……心口剜去你之后，那一道疤，就再也没有痊愈过……

顾茫眨了下眼睛，眼泪顺着眼尾淌了下来，渗入鬓发，墨熄抬手，去摸他的脸颊。他一把攥住墨熄的手，他几乎用尽了全部力气，极低哑地对墨熄说："接着替我镇邪吧……"

他看到墨熄的黑眼睛里有一些微弱的光芒闪烁了一下。

心如刀割，又若火烹。

"抱歉……"顾茫闭了闭眼睛，喉头哽咽，"我还是……需要你帮我……"捏着墨熄手腕的五指颤抖得厉害。

"算我欠你的人情……我以后……定会还你……不会欠你。"

他睁开眼，看到墨熄眼里的那种光熄灭了，成了无尽的、砭骨的永夜。

墨熄是伤心的，但就像他习惯了用嬉笑来掩饰自己的内心，他的墨熄小师弟，也终于学会了用冷淡来掩饰自己的真情。他的墨熄再也不是那个雪夜战地里，想明白了心意就披雪戴风地跑来寻他的少年了。

他们都不是了。

黑眸子里痛苦隐下，寒意浮起。墨熄几乎是咬牙切齿地，紧接着顾茫就感到一种恐怖的力道，猛地将他拉了过来，恨恨道：

"又有什么欠不欠的？只是那术法很痛，你自己……忍着。"

顾茫因为妖毒的原因，整个人都浑噩极了，他伏在金色的稻梗间，柔软的脸颊微微侧着，心里很乱。

好像自从凤鸣山一战后，他就一直在败，败给了朝局，败给了阴谋，如今又败给了自己。

他很难受，难受到情不自禁地回头，意识模糊地想看一眼那个与自己同生共死过的人，可是随之而来的却是墨熄拆下了自己的玄黑发带，覆在了他的眸上。

"你……"

"你要觉得欠我，不想见我，那么不看我的脸，大概会更好受些。"

长长的睫毛在发带后颤动，顾茫不知道墨熄说这句话时是怎么样的神情。事实上顾茫也已经不能思考了，头脑中模糊一片。

"撑不住了就和我说。"

顾茫嘴唇颤动，兀自强硬道："我没事……"

可是墨熄抬手抚上他遮着眼眶的发带，却发现那发带有泪水渗出来。顾茫咬着湿润的下唇，没有吭声。他看不见眼前的事物，墨熄的嗓音近在咫尺，顾茫甚至能清晰地感受到他的呼吸："因为是我，所以哪怕你被这毒瘴逼成这样了，你还是不愿意喊一声。对吗？顾茫，你是有多想远离我。"

墨熄不知为了自己的尊严，还是为了顾茫的感受，他顿了顿，最后道："我再也不是你最能信赖的人了，也不是你想依靠的人。现在我能做的，我该做的，都只是为了离开这里，替你解毒而已，与其他什么都没有关系……"一顿之后，低声道，"你并不欠我，这样，你可以安心了吗？"

雾燕香薰的威力实在太大了，墨熄镇压顾茫被激起的妖血，着实用了好久，也费了极大的灵力。待到施术完毕，顾茫已经浑然失神，倒在稻谷间疲惫地合上眼睛，墨熄也靠在旁边微微地喘着气。

这个时候他们两人才清晰地意识到，尽管他们曾那样刻意地疏远对方，但到底还是又被命运捉弄到了一处去。屋里谁都没有说话，墨熄突然犹豫地拉过了顾茫垂在稻梗间的手，尽管已经施术疗愈，但那手背上仍有浅淡血痕。墨熄沉默一会儿后道："你真是……"终是没有再说下去。

墨熄纯澈的灵力流淌在身体里，让顾茫的呼吸逐渐地平缓下来，他虚弱地垂下睫帘，低声地："现在先别出去……"他的嗓音轻轻的，有些渺然，他阖着眼眸，"我的体质……和从前已经不一样了。"

"没有办法很快地把你的灵力都承受住。要再过一会儿，才可以……"他顿了顿，沙哑地，"才可以走动……"

这是墨熄听到他第一次谈及自己重淬过的体质，不由得心口发酸。他握着顾茫汗涔涔的手，虽然很想像从前一样，在沙场上为彼此疗伤后，分享一个劫后余生的拥抱。但这个拥抱，终究是不可能实现了。他们两个人心里都很清楚，看似与从前相似的相处，只是出于被迫而已。而彼此心里的空洞与不甘，将永远入骨入髓，一生无药可解，回不去了。

又缓过一阵子，天边开始透出绯红色的流霞之光，他们准备离开草屋。

顾茫一直没怎么说话，他起身整理装束的时候，手指尖仍有些颤抖。

墨熄沉默了一会儿，说道："你的身体……"

"狼妖之血的原因。"顾茫不愿多说，轻声道，"蝙蝠精的香薰对我一样有效。"

顾茫的身子受到的刺激太大了，此时还很虚弱，打了个趔趄，墨熄下意识地就想去扶他，可手却被顾茫甩开了。

顾茫吸了吸仍有些红的鼻子，嗓音喑哑："我没事。"顿了顿，"我只是觉得以咱俩现在的关系，你牺牲这么大，与我又搅和在一起，耗费那么多灵力替我镇邪，有点过意不去。而且我那样……也挺丢人的。羲和君如果能忘了，那就尽量忘了吧。"

他说着，撩开竹帘。苍白的晨光透过蝙蝠岛上空弥散的黑烟照射下来，林中一片清冷。顾茫往外望了一圈，说道："时辰尚早，蝙蝠精们都还在草屋里。我们可以走了。"说罢，径直往慕容楚衣他们藏身的山洞行去。

墨熄回头看了一眼他们一起待过的草屋，一个多时辰前在这里发生的一切就像一场海市蜃楼，浮生若梦。

天亮了，他仍是重华的羲和君，而顾茫也仍是羲和的奴仆，邦国的叛臣。

墨熄最后深深地看了一遍这间屋子，放下竹帘，追上顾茫的身影。

第26章

　　破晓是蝙蝠精最萎靡，灵力最低弱的时候，他们一路上并没有遇到什么险阻。而墨熄佩戴的命晶石也显示出岳辰晴的身体已经明显好转，果不其然，当他们返回洞穴内，就看到岳辰晴正靠坐着，已经清醒。

　　但不知是之前他们不在的时候发生了什么，山洞里的气氛并不和谐。江夜雪有些面色难堪地坐在旁边，绒绒更是不知所措地呆立一旁，而岳辰晴正在哭。他低着头，眼泪啪嗒啪嗒地往下掉，平日里灵光流转的眸子早已哭肿了，拿手背不住抹着泪。

　　顾茫吃惊道："这是怎么了？"

　　绒绒睁大眼睛："啊！是顾茫哥哥！"

　　她刚想上去与他解释什么，可她毕竟是羽民半仙，有着些凡人所不及的直觉与能力，才往前走了没两步，就有些犹豫地停下了脚步。

　　"咦？"

　　她望了望顾茫，又望了望墨熄，柔嫩的小鼻子忽然一皱，面上露出了迟疑的神色。

　　顾茫："怎么了？"

　　绒绒抿嘴不确定道："没……没什么。"

　　而那边厢，岳辰晴已经哭得有些上气不接下气了："四舅……我……我真的不是乱来……"

　　他一边哽咽，一边苦苦和立在自己旁边一脸冷峻的慕容楚衣解释："我只是想在自己生日之前，给你寻个草药，你每年都说不舒服，不愿意陪我……我……我……"

　　"你什么？我看我是昏了头！"慕容楚衣一拂衣袖，咬牙切齿地训斥道，"你自己是什么斤两，你自己不知道？！一个人也敢来这梦蝶妖岛！"

　　江夜雪坐在旁边，他因刚刚给岳辰晴渡了血，自己正虚弱，却还是咳嗽道："好了，辰晴也是一片好心，小舅，他这才醒来，你就不要再训他了……"

　　慕容楚衣蓦地甩开江夜雪握着他衣袖的手，狠戾道："我教训我外甥，轮得到你在旁边做个好人？！"

说罢又转头怒气冲冲地对岳辰晴道："要不是你命大，别说赶在你诞日前给我送药了，来年这时候你舅舅我就该在你坟头给你送花了！你要牡丹还是要月季啊？！岳辰晴你能不能给我省点心！你不知道你这条命是你娘拼死换来的吗？！你就这么糟践它！"

岳辰晴听到最后两句，抬起头来，他忽然不再那么委屈地哭了。他大睁着眼睛望着慕容楚衣，眼里聚积的是一种刺痛的伤心。

在场众人，无论是墨熄也好，还是顾茫也罢，甚至连慕容楚衣本人都从没见过岳辰晴这般伤心的模样。

江夜雪见岳辰晴这般神情，知道慕容楚衣最后一句话说重了，又去拽慕容楚衣的衣袖，但慕容楚衣剑眉倒竖，一下把江夜雪拂开，怒喝道："说了几遍了你别再碰我！"

他力道未控，江夜雪又失血太多，之前在岳辰晴身边渡血，也没有坐在轮椅上，这一下竟被推得摔倒在地。

洞内洞外，所有人都愣住了。

岳辰晴呆呆地看了一会儿倒在地上，手腕处血痕未消的江夜雪，江夜雪似乎不想和慕容楚衣争。他一直以来都谦谦有礼，照顾着别人的情绪，他尝试着用手臂撑着，让自己坐直，垂着睫毛轻声道："你心里有气，别冲着辰晴发，你要不高兴，冲着我来好。你是长辈，我们都是你的后辈，我被你推几下，骂几下，没什么……"

慕容楚衣却不知为什么，听他这么说，反而越气了，这回是气得手都在抖，指着他，脸色白得可怕："你！"

江夜雪垂眸道："只要小舅开心就好。"

慕容楚衣简直都快气炸了："你……你简直……"

正欲抬手教训，却陡地听得一个有些失控的嗓音喊了一声："你为什么一直那么凶啊！！"

似乎谁也不想到这一声是谁冲着慕容楚衣喊的，就连慕容楚衣自己都怔了一下，那双凤眸先向别处望去，然后才意识到什么，慢慢地转过头。

岳辰晴眼泪簌簌，又是伤心又是哀恸地瞪着他的小舅，嗓音软了下来，却是悲伤失望至极地："在你眼里是不是只有我阿娘！我也好，他……他也好，我们对你再掏心掏肺，你也只会生我们的气，只会怪我们？！"

慕容楚衣脸色苍白。他身体原就有疾，之前又为了吊着岳辰晴的命妄用禁术，以至于心脉受损，此刻被岳辰晴这样一指责，又怒又伤之下，禁不住呛咳数声，强忍着喉间血腥狠瞪着他。

但岳辰晴并不知道他四舅的伤势，他小小的脸庞上五官都拧皱在一起，显然对他小舅这样说话，简直比扎了他的心肺还要令他难受，但更令他难受的还是小舅对他们的厉色严词。岳辰晴哭得声音都有些变调了，他第一次拦在江夜雪前面：

"这件事……错也错在我啊……他……他为了救我，受了那么重的伤，失了那么多血……你为什么还要推他,还要骂他……"

江夜雪摇头道:"辰晴……"

慕容楚衣的嘴唇都青了,眸光闪动,嗫嚅着半晌,似乎在极力挣扎着什么,最后指捏成拳,挤出贝齿的却是支离破碎的几个字:"岳辰晴。你又知道什么?!"

"……"

冷厉锋锐的目光蓦地落到江夜雪那张清瘦的脸上,那一瞬间慕容楚衣恨得连眼眶都红了,咬牙道:"他不过就是个……多余之人!"

这一下莫说是岳辰晴了,就连墨熄和顾茫的神色都微微色变。

他们接触慕容楚衣以来,虽觉此人高冷,但也不是个不明是非、凶神恶煞的主,也不明白他为什么就被说成了重华贪嗔痴中的一位。

但当这一句出口,刀一般刺进江夜雪心里,众人都觉得慕容楚衣的恨实在是太过激烈,也太过冲撞了。

江夜雪的睫毛颤抖,一下子阖上了眼睛,低着头再也没有说话。

沉默一会儿后,岳辰晴泪光涟涟地仰头望着慕容楚衣,"四舅……",这一声四舅已是声线颤抖,绷到极致,弦断箭出,竟是声泪俱下,"你的心难道是石头做的吗?!"

这世上最不可能指责慕容楚衣的人便是岳辰晴了。

他自幼就崇拜慕容楚衣这个并无血缘关系的舅舅。正因如此,他这样一个锦衣玉食的少爷才会愿意跟着羲和君前往北境燎国,愿意在各种各样的卷册里埋头苦寻,试图找到可以医治百病的仙药踪迹。

私自跑来蝙蝠岛一事,他已知道自己错了,可是无论他怎么道歉,慕容楚衣都没有半点和缓,一直在训斥他,斥责他不珍惜"用阿娘生命换回来的性命"。最后竟还对换血救他的江夜雪说出这样锥心的话语,岳辰晴的内心不由得就乱极了,难受极了。

"四舅……我知道我不好,我太笨、太冲动……我真的只想看你好好的,你什么都不跟我说,我没有办法,就只能自己四处乱找……对不起,我没有替你找到药,还给你添乱了……可是你……可是你……"岳辰晴眼睫一合,泪水簌簌,"你为什么连解释都不听我解释啊……"

"你说我的命是我阿娘换来的,你又说江……你又说他是多余之人……可是他也不想是妾室生的……我也不想一出生就害死了我阿娘啊!你为什么要怪在我们头上?四舅,我敬你、爱你,那么多年了你说什么我都当是对的,你做什么我都喜欢,可你真的回头看过我一眼吗?!"

岳辰晴泣道:"你真的……你真的把我当你的外甥看过哪怕一回吗?"

江夜雪低声道:"辰晴,算了,楚衣他——"

慕容楚衣面色苍白阴鸷,蓦地打断了江夜雪的话,他一双琉璃色的眼眸盯着岳辰晴的脸,字句磨得粉碎:"你让他说!"

江夜雪："……"

岳辰晴抹了抹泪，低着头抽噎了许久，伤心地喃喃："我不说了……我……我不该凶四舅的……我也不该和四舅顶嘴……"

他似是想慢慢地让自己冷静下来，所以不住重复着"不该与四舅冲撞"这样的话。可是喃喃着，喃喃着，到了最后，他还是蓦地抬手将面庞深埋。

哭声像是幼兽的呜咽："你是不是宁愿我从来就没有被生下来过啊……"

慕容楚衣："……"

"我阿娘已经走啦，我不是慕容凰，我是岳辰晴啊！"

山洞里的气氛僵凝极了，任谁都可以看得出来，慕容楚衣已经被过激的情绪激得四肢百骸都在发颤，他瓷玉般的脸庞微泛着薄红，苍白的十指紧捏成拳。他看了看岳辰晴，又看了看江夜雪，最后闭目咬牙道："好……好。"

几许之后，慕容楚衣睁开凤眼，湿红的眼眸狠狠地扫过他二人，寒光把伤心尽数压下："你的解释，我听完了。我不训你了，岳辰晴。"

他的掌心都快要被自己的指尖捏出血来了，却还是微微抬着下颌，强自镇定道："你自己好自为之吧。"说完，转身拂袖而去。

江夜雪道："小舅！"

岳辰晴看到慕容楚衣这样的神色，似乎从一场惨痛的梦魇中醒来，他脸上泪痕未干，怔忪而迷茫地望着他的背影："四舅……"

但慕容楚衣已经走出了山洞，就连站在洞口的顾茫与墨熄，他都当作没有瞧见，一张脸苍白得像是冬夜初雪，头也不回地走了。

屋里一时死寂。半晌后，墨熄打破了这沉默。

"你们怎么忽然闹成这样？"

江夜雪叹道："刚刚辰晴一醒来，小舅就冲他发脾气，问他为什么要独自一人来蝙蝠岛，辰晴解释了是为他来寻药，他……唉，他觉得不值当，便气着了，责备辰晴不懂事……我小舅他就这个性子，他没有恶意的。对不起，岳家的事……让你们见笑了。"

这一地鸡毛，墨熄也不知该说什么，他天生又不爱多管闲事，于是顿了顿，只道："外面太危险了，我去把慕容寻回来。"

"哎——"顾茫却一把拉住他。

"怎么了？"

"那美人不会走远的，他聪明得很，他只是想静一静，你没看他出去的时候那张脸。"顾茫瞥了岳辰晴他们一眼，用只有墨熄才能听到的声音轻声道，"他都快气哭了。你这时候去寻他，愈发扫他的面子，让他一个人在外面待一会儿吧。"

墨熄怔了一下，谁哭？慕容楚衣？他不是挺凶神恶煞地出去的吗？

尽管墨熄并没有看出慕容楚衣的脸上有什么脆弱的神情，但顾茫察言观色一向比他敏锐得多，既然顾茫这么说了，他虽不认同，但也不再坚持。

只是江夜雪仍忧心道："我小舅他一个人恐怕……"

"不用担心。"顾茫进了山洞，摆摆手，"你们稍微休息一下，等过一会儿，他气消了，我就出去找他。然后我们启程回重华去。"

江夜雪一怔："你找到结界突破口了？"

"那当然。你也不想想我是谁，我多厉害。"

既然顾茫都这么说了，江夜雪心知确实也不该在这时候再强拉着慕容楚衣回头。于是只得叹了口气，作罢了。

他们在山洞里整顿一番，顾茫最闲，靠在洞壁旁休息，化出魔武匕首来在修长的手指间转动把玩着。玩了一半，忽然觉察到有两束犹犹豫豫的目光在悄然瞟着他，顾茫低头一看，对上羽民绒绒的大眼睛。

绒绒没想到顾茫会忽然觉察，忙想转开，却已来不及了。

顾茫笑道："小美人，你怎么还在偷偷看我？"

"你……你……"绒绒涨红了俏脸，踟蹰半晌，小声嘟哝道，"顾茫哥哥，我悄悄跟你说个事儿好吗？"

"好啊。"

绒绒犹豫了一会儿后道："你身上……怎么忽然有了别的味道？而且……很重。"

顾茫灵活地转匕首的手指一下停落，愣怔地："啥？"

绒绒不吭声，但眼睛偷偷地向在旁边查看岳辰晴伤势的墨熄看去；"你们好像……"

顾茫笑吟吟地一把捂住她的嘴，顺带又摸了摸她的头，俯身贴近她耳侧："好啦，知道你们羽民的能耐了，我身上有妖血，你对妖的嗅觉又很灵敏，对不对？但是小美人，妖和人到底是不一样的，你跟我们在一起，就要学一些人的规矩——有的事情，知道了也最好当作不知道。乖啊。"

墨熄听到动静，侧过头来："你们在做什么？"

顾茫松了手，笑道："没什么，逗小丫头呢。"

说完了，抬手屈指，在绒绒落着火焰痕迹的额心处轻快地弹了弹："记住我的话，准备跟我们一起出岛吧。"

接下来的事情还算顺遂。慕容楚衣果然不是个莽撞的人，并没有走太远，顾茫很快就在一株桃花树下找到了正在闭目养神的他。将他哄回来之后，依照之前顾茫探得的讯息，他们很快就找到了结界的薄弱处。

江夜雪站在呼呼的海风里，转头对慕容楚衣道："小舅，你的身体还很虚弱，不如一起坐我的核舟……"

慕容楚衣的回应是抬手拈花，化出他自己的画舫，头也不回地就撩开竹帘走了进去。

江夜雪："……"

岳辰晴裹在厚重的裘衣里，一双墨黑的眼眸颇为忐忑地望着他的背影。

虽然他四舅平时也不爱理他，可岳辰晴不傻，他能感觉得出这一次是不一样的，慕容楚衣是真的寒了心。

小孩儿正伤感着，江夜雪拍了一下他的头，叹息道："别看了，走吧。"

突破蝙蝠岛的防备悄无声息地离开此处并不难，两艘核舟破云而出，待到巡防的蝙蝠精觉察时，要追也难了。一行人乘奔御风，将蝙蝠岛远远抛在身后，朝着海岛之外飞去。

顾茫把羽民绒绒也载在了船上，待到行到云海深处，便将她从舱内带出，然后半跪下来，与她齐平，对她说：

"九华山就在这下面啦，绒姑娘，你可以回家了。"

"真……真的吗？！"绒绒激动不已地趴到船舷处往下张望，果见浩渺的云层下方有翠微连片浮现，其中隐隐透出羽民结界的光华。她不禁面色发红，又痴看了好一会儿，转头道："谢谢，谢谢几位大哥哥……"

"大哥哥？"顾茫笑道，"你叫我们大哥哥也行，虽然你岁数比我们都大，但你看起来比我们小。不怪你了。"

江夜雪道："姑娘替辰晴解蛊，已是有恩于我等，又哪里敢再受姑娘一个谢字呢？"说罢作了一礼，"姑娘多加保重。"

绒绒回乡心切，与他们再次告别之后，背后便生出灼灼耀目的金红色羽翼，轻盈地跃入云海之中，绕着两艘核舟转了几圈，然后朝着翠柏苍然的九华山深处飞去。

顾茫看着她的背影慢慢地被吞没在万丈金光里，最终消失不见，不由叹了口气："好啦，人也救了，毒也解了，总算可以回去好好歇息了。"

说完又警觉地补上一句："你们可不能出卖我，我打算回重华之后继续装傻子，之前说好了的。"

岳辰晴站在桅杆边，披着厚厚的裘衣，呆呆地望着远处慕容楚衣的那一艘画舫，他还不太清楚顾茫的状况，闻言回过头来："什么说好的？"

见顾茫打算开口，江夜雪道："我来和他解释吧。你们昨晚累了一整夜了，早些去舱里休息，等到了王城，还要和君上复命。"

顾茫道："那你能不能和羲和君换个房，你和我睡，羲和君睡别的舱。"

江夜雪迟疑道："你们又吵架了？"

"怎么？不方便？实在不方便那就算了，我去慕容先生船上凑合一晚。"

江夜雪立刻道："哪有什么不方便，小舅心情不佳，千万不要再叨扰他了。"他朝顾茫微微笑了一下，"顾兄随意就好。"

"还是江兄你十年如一日地好说话啊。"顾茫朝他眨了一下眼睛，笑痕从眼尾一直上扬，而后一撩竹帘，进船舱去了。

墨熄沉默片刻道："那我也走了。"

岳辰晴完全看蒙了，结结巴巴地："他……他们怎么回事？"

"此事说来话长，你如果不嫌弃，想听我说的话，我就慢慢讲给你听。"江夜雪指尖轻动，让轮椅停在岳辰晴身边，"辰晴，你愿意理我吗？"

"我……"岳辰晴看了看云海间慕容楚衣的船只，又低头瞥见江夜雪受伤的手，最终把头垂了下来，"对不起，是我给你们添麻烦了。"

江夜雪叹了口气道："我知道你此行是一片好意，并非顽劣之举，小舅心里一定也清楚，只是他这人，着急起来一直就这个性子，你别以为他不关心你。"

岳辰晴垂头丧气地，不吭声。

"你已经道了很多遍歉了，过去的事情就让它过去吧，以后别再这么莽撞才好。不然，你爹也好，你伯父也好，还有小舅……还有我，我们都会担心你。"

江夜雪说着，命两只小泥人拿来了软垫和点心，又对岳辰晴道："你坐吧，身体刚刚恢复，吃些东西，甜的花糕吃进去，心情也会好起来。试试看。"

晨曦微风吹拂着岳辰晴的额发，他依言坐下，看了一眼端来糕点的歪眼睛小泥人，又说了句谢谢，然后小口小口地捧着花糕咬了起来。

吃了一半，犹豫着抬头道："那个……"

"嗯？"

"渡血……疼吗？你手上的那个疤看起来很深，我……我有药的……"

"你有药，我也有药啊。"江夜雪笑了，眼眸像落了栀子花的两池清潭，浸着暗香的涟漪荡开，"放心吧，不疼，我也不会怪你，你跟我说话不必绷得这么紧。"

岳辰晴的眼眶有些红了，他的脑袋几乎要深埋到胸口："对不起……"

江夜雪长叹一口气："傻孩子，怎么又道歉了？"

"我……我以前那样对你，你还……还这样帮我。我……我觉得很过意不去。"岳辰晴说着，薄红从耳根一直蔓延到脸颊，赧然且尴尬地，"我也替四舅道个歉，我们……我们不应该这么说你。"

他搁下花糕，犹豫了一会儿，抬起黑白分明的清澈眼睛："江……呃，清旭长老，谢谢你。"

他终究还是没有叫江夜雪大哥，但至少也不再是"喂"，或者直呼江夜雪的名字了。江夜雪笑了笑，那笑容似水含珠，如风拂花，又像深夜里飘了一江的鹅毛絮雪。

"我既不怪你，自然也不会怪他。"江夜雪轻声道，"我失去过很多人，母亲、发妻……家。有些事情，大概会稍微比你看得通透些，除却死生无大事，能不计较的，我都不会去计较。而且他……他人其实挺好的，至少从前在岳府的时候，他没有欺负过我。"

岳辰晴道："你还想回岳府吗？"

"我如今在学宫授教，弟子都很是可爱。"江夜雪回头莞尔，"回与不回都不重要了。"

岳辰晴轻轻吐了口气："你脾气真好，要是四舅也能那么好——"

"那他就不是慕容楚衣了。"江夜雪笑道，"好了，不说这些了，等他消了气，你再和他好好说说。你方才不是好奇顾茫的事情吗？我来跟你讲吧。"

岳辰晴点了点头，拖着软垫，坐得离江夜雪近了些。

江夜雪的嗓音温润如流水："你听过时空镜吗……"

一番际遇讲完，日头已经大高了，江夜雪从怀中掏出一枚精致但却很是老旧的小滴漏，那滴漏非常奇妙，里头非沙非水，而是一滴滴赤红色的珠子，他低头看了一眼，说道："时间差不多了，趁着还没到王城，你先去休息。记得帮顾兄保守秘密。我们答应过他的。"

待岳辰晴去睡了，江夜雪便命令小泥人将地上的软垫和吃剩的茶点都收拾干净，核舟的帆桅迎着天风呼呼招展，江夜雪独自坐在船舷边，遥看着慕容楚衣的船只。忽然间，慕容楚衣那艘画舫的竹篾帘子上卷，露出里头男人怏怏的脸来。

慕容楚衣似乎是心情烦闷，原本是想撩开帘子透气的，岂料一口气还没透出，就隔着云海看到了江夜雪在看着他。

慕容楚衣："……"

"小舅……"江夜雪朝他轻轻一笑，那温柔无限的脸庞浸润在灿烂的金色阳光里，而后指尖微捻，一只纸鹤幻化而出，飞向慕容楚衣的画舫竹窗。

慕容楚衣"哗"的一声毫不客气地就把帘子重重放下了。江夜雪微抬眉，一副果其不然的神情，也不介意，摇了摇头，回到了自己的船舱里。

舱内很安静。顾茫已经趴在床褥间睡着了。

江夜雪原本没有注意他，只是瞥了他一眼。可是推着轮椅行了一段距离，却忽然闻到空气中散发着淡淡的皂角清香。

江夜雪不禁一怔：嗯？顾茫刚刚洗了个澡？再去屏风后面一看，果然是用过了浴桶和皂角。江夜雪不禁微微蹙起眉头，心中生出了一丝怀疑。

要知道顾茫这人是出了名的懒，一般睡前都不爱沐浴，而是喜欢早上起来再洗，江夜雪从前与他是同袍兄弟，顾茫的这个习惯他是再清楚不过的。他为什么忽然转了兴致，要在睡前洗了？

江夜雪不出声地来到顾茫床边，靠在轮椅椅背上，来回看了顾茫两遍。第一遍的时候没发现什么异样，到了第二遍，他忽然意识到什么，蓦地一顿，深褐色的眼珠慢慢转过来，落在了顾茫手背的血痕上。

那血痕明显是刚刚划出来的，又被人以疗愈术治好。江夜雪略抬指尖细细感知，不禁一愣——羲和君的气息？！

顾茫身上为什么会有这么重的羲和君的气息？

江夜雪眼眸中思虑流转，以顾茫的叛臣身份，作为军政第一将领的墨熄无论如何也是不该给顾茫输大量灵力的，而且顾茫是受了什么伤，需要墨熄灌注给他这么多灵流？越想神色越凝肃，江夜雪指尖轻敲，轮椅无声地上前，停在顾茫身边。

他们之间的关系，难道……然而就在这时，顾茫本能地感到芒刺在背，倏地睁开眼睛。

江夜雪："……"

顾茫："……"

两人的目光对上，看到是他，顾茫眼中的睡意与警觉都消失了。

"啊，江兄。"顾茫坐起来，揉了揉头发，打了个哈欠，"咱们快到了？是要起床了吗？"

江夜雪轻咳一声，迅速将目光从顾茫身上移开："不是，是我刚进来准备歇息，看你睡得正熟，我生怕吵醒你，没想到动静还是太大了些。"

他虽把话说得圆满，但侧着的脸却有些红了，尴尬地低下了头。

顾茫将他的反应尽收眼底，沉默了一会儿，露出一个疏懒的笑，然后道："是我自己容易醒，不是你的问题。"

江夜雪垂着眼帘道："那你再睡一会儿，我先去洗漱。"

"好。"

待江夜雪的身影消失在了内舱的楠竹屏风后，顾茫脸上的笑容立刻消失了，他指尖凝起一簇幽幽火苗，自己闭目凝神，感知着灵力的流淌……

半晌之后，顾茫叹了口气，神色微沉地复睁开眸——他身上墨熄的灵力实在太重了，暂时还压制不下去。不过若非存了心地特意探知，应当也不会觉察到这股异样的气息。

江夜雪应当不曾发现墨熄曾为他传了大量灵流吧，顾茫这样想着，重新躺回床上。但总感觉方才江夜雪的神情怪怪的，许是他想多了吧……

从前他和墨熄私下相交的时候，他就时常担心他们之间的事情会被别人捉到端倪。这不是他闲着无聊瞎矫情，而是尊卑有别，顾茫是真的很担心为人所觉。

墨熄是贵族，还是贵族里最高不可攀的那一支——四代英烈，将门虎子，就连次一等的门阀都不敢妄想高攀他。

如果他们之间如此紧密的私交被捅出去，墨熄要面对的会是什么？

他顾茫一无所有，无所谓别人的指摘。但墨熄不一样，他的门楣是高贵的，他的名声是清雅的，他心地仁善，为人正气，他还那么年轻，那么洁白，而和他府奴仆结交是这个年轻人唯一的污点。

顾茫不希望这个污点毁了墨熄一辈子。

他和墨熄不一样，墨熄会将两个人最美好的将来设为目标，不管不顾地往那个方向行去，而他则会把两个人最可怕的结局设为鸣钟，时刻提醒自己不可沉沦。

当时这样，现在就更是如此了，墨熄如今是重华第一统帅，而他成了叛国的乱臣贼子。他的意识回来之后，再去想自他们重逢以来墨熄做的那桩桩件件的事情，从落梅别苑的重逢，到望舒府上的祖护，从金銮大殿上要人，到除夕年宴时挡架。

只觉得冷汗涔涔，匪夷所思。这个人是疯了？为什么还要护着他？难道他过去所做的事情还不足够让墨熄恨他恨到骨髓里？更别提昨晚的逾越——什么解蛊，什么中了毒身不由己。开玩笑，中毒的是他顾茫又不是墨熄。

墨帅这种心怀家国的人，难道会因为一个叛徒生不如死，就用自己的大量灵力亲自帮对方镇压邪气吗？顾茫不傻，他知道墨熄心里还有他。这种感觉让他受宠若惊，又让他绝望不堪，他能算中棋盘上的步步黑白子，却独独算不清他的将军，他的至交——棋盘上他最重要最想护的那个人。

墨熄不受他的控制，于是这个不受控制的男人，终于还是与他又搅和到了一起。可顾茫知道这就是底线了，他们的情谊只能修复到这一步，依旧见不得一丝半点的阳光，也永远走不到正道上去。

思及如此，顾茫不禁回头看了一眼江夜雪消失的地方，然后做贼心虚地，低头把自己闻了两遍，但能闻到的只有淡淡的皂角味道，别的什么也没有，江夜雪又不是羽民，不可能觉察到更细微的气息。大概真是自己想多了吧……

顾茫叹了口气，把脸埋回被褥里。他默默地用手指抠着被褥——墨熄啊……我该拿你怎么办才好……

一觉睡到日落，傍晚时分，他们的核舟终于抵达了重华王城外。

这时候城郊的茶摊子已经收了，古道上没什么人，他们落地后不久，慕容楚衣也到了，他下了画舫，转身就走。

岳辰晴犹豫道："四……四舅……"

但慕容楚衣就跟没听见似的，一袭白衣胜雪，头也不回地离去了。

岳辰晴耷拉下脑袋，江夜雪安慰道："没事，他会消气的。"

"嗯……"

看这一对外甥如此反应，墨熄暗叹一口气，望着慕容楚衣的背影，心道他们三个人之间，虽说慕容楚衣比江夜雪年长了几岁，但怎么看都觉得江夜雪才是最沉稳的长辈。不过这是别人的家事，他也不便多言，正准备把目光收回来，却一眼瞥见重华桥边的石柱。

墨熄的目光不由得暗了一瞬。时空镜里那个乞讨的老头儿不在了，在顾茫叛国后的第二年，老头儿就过了世，如今这里再也不会有那熟悉的莲花落响起了。

顾茫走到他身边，拿胳膊撞了他一下，抱臂笑道："欸，羲和君看什么呢？看慕容先生？"

墨熄立刻回头："胡言乱语。"

"被我说中了吧，恼羞成怒了，哈哈哈——"

"哈"了几声，发现不止墨熄，就连江夜雪和岳辰晴都有些严肃地看着他。

顾茫识趣地瘪了瘪嘴，干巴巴地又笑了两声："那啥，不好意思啊几位，我开个玩笑。"

墨熄不和他多计较，说道："我也走了，我去宫内与君上复命。"

顾茫问："不用我跟着进宫吗？"

"不用，你先回羲和府去。"

顾茫笑道："那我能不能四处逛逛？我易个容，保证让别人瞧不出来。"

"你要去哪儿逛？"

"随便啊，东市的炊饼摊，西市的皮影戏，城南的杏花楼，城北的胭脂巷……"

墨熄冷然道："不许去。"

"我就看看。"

墨熄咬着后槽牙，他没有发火，但看上去一辈子的耐心与涵养都已被用来压制他心里的怒气了。他低头望着墨熄，从牙缝里挤出一句话："回府待着。"

江夜雪在旁边默默看着他俩争执，叹了口气："顾兄，你神识恢复这件事，一去就全暴露了，游玩虽好，命更重要吧？"

"也是，江兄这话说得挺在理。"顾茫嗟叹道，"但羲和府实在太冷清了，要不我去江兄府上坐坐？"

江夜雪抱歉道："我还要陪辰晴去一趟药师府。"

顾茫叹了口气："好吧好吧，那你们走吧，我乖乖回去躺着就是。墨熄，你回来的时候能不能给我带一副叶子牌？你这府上实在是太无聊了，我还不如回落梅别苑……"

他话没说完，墨熄已经走了。

王城已经落了戒严哨，峥嵘的角楼在夕阳的余晖里显得分外威严。

墨熄是军机署重臣，又是名门之后，有先君御赐的佩牌，可以不经通禀进入王城核心。不过墨熄素来懂规矩，明白天恩是天恩，帝心是帝心，所以尽管有这样的权力，但他从来不用。

"羲和君！"

"参见羲和君！"

走过主步道，行过风雨廊，来到了大殿区。墨熄像在时空镜中那样，穿过羽林禁军，军士们逐一向他低头行礼，将士们的铠甲光鲜，兜鍪上的红缨簌簌，映在残阳余晖里。

墨熄从前并未留心，但此时一看，却发现原来八年前的羽林已被换了个干净，在这些王城内卫中，他竟没有看到任何一张旧人的脸。

"哎哟,羲和君,您回来了!"近侍李公一看见墨熄就朝他拜下,行了个大礼,"老奴问羲和君安。"

墨熄停下脚步:"劳烦公公通报,墨熄求见君上。"

李公道:"君上身体不适,早就歇下啦。"

墨熄没吭声,往亮着灯烛的大殿正门看了一眼。

李公赶忙解释道:"羲和君,您可千万别误会,这大殿内的不是君上。"

墨熄微皱起眉:"那是谁?"

李公原本立刻就要答的,可他不知想到了什么,眼轱辘一转,堆上了后宫娘娘们最熟悉的那种热络又暧昧的笑。

可惜墨熄不是后宫的人,他并不懂这笑容是个什么含义,只莫名其妙道:"你笑什么?"

李公弓着身子,迎他步上书阁金殿,笑道:"没什么没什么,就是觉得来得早不如来得巧,老奴想啊,大殿上那位贵人,也一定很想见见羲和君。"

"……谁?"

"羲和君进去吧,进去就知道啦。"

既然李公不答,墨熄也不爱绕弯,他狐疑地看了一眼李公,顿了顿,直接上殿推门。

檀木大门吱呀一声开了,晚风吹进堂,吹得殿内几盏凤凰连枝灯随风摇曳。殿中的侍女月娘吓了一跳,仓皇跪落,叩首道:"问羲和君安!"

端坐在案牍中的人闻声也抬起头来,梦泽对上墨熄的目光。

墨熄:"……"

梦泽公主的笑容如清水芙蕖般绽开:"啊,是墨大哥?"

墨熄再迟钝这回也该明白李公的眼神是什么意思了,他不由得愠怒,转头去寻人,却见那老狐狸已经溜了。墨熄无言片刻,叹了口气走进殿内,到了梦泽公主案前,问:"你怎么在这里?"

晚间清寒,梦泽身体又弱,披着件淡青色罩衣,轻咳几声,温言道:"王兄御体有恙,这几日一直无暇批阅奏折,我便来帮帮他。"

慕容梦泽作为一介女流,却能跻身重华三君子之列,此事并非无理。

她对待子民宽仁清贤,通晓时局军政,于御国之道上见解不输男子。别看她如今弱质盈盈,那都是因为几年前给墨熄疗伤,落下了痼疾,而在此之前,她的术法也好、灵力也罢,都可谓是天赋异禀,教人望尘莫及。

现在,她虽然不能再去疆场前沿了,不过依旧可以坐镇帐中。若不是九州大陆未有女子统御邦国的先河,只怕君上都要给她封个一官半爵,让她名正言顺地去做些实事。只可惜在大多数人眼里,女人毕竟是女人,合该"当窗理云鬓,对镜帖花黄",那些才学也好,谋识也罢,贡献给自己当朝为官的丈夫、父亲或者兄弟就好了,姑娘家又有什么好抛头露面的。

所以慕容梦泽哪怕贵为金枝玉叶、一国公主，但人们提起她来，说的最多的也就是"哦，那是羲和君板上钉钉的妻子，只是还未指婚，还没过门而已"。

时势如此，君上也没办法，即使梦泽怀瑾握瑜，德才兼备，他也不能重用她。不过，有些王权核心的奏案他不愿下放给普通勋贵去做主，自己又心有余而力不足，放眼一看，近亲兄妹除了梦泽、宴平之外，就只剩一个慕容怜。

宴平不用说了，胸大无脑，十个贵公子，九个和她上过床，让她画春宫图可以，让她看军报简直是笑话。

至于慕容怜……别说他祖父曾有篡位之意，就冲着先君驾崩前曾认真考虑过要过继慕容怜当儿子，封太子，君上就绝不可能对他毫无芥蒂。

那么剩下的就只有梦泽。

慕容梦泽聪明、贤明、清醒、有能力。唯一遗憾的就是她生了个女儿之身。但谁说这个遗憾对于君上而言，不是最大的定心丸呢？

这滚滚红尘，女人是翻不出什么风云来的，得不到权，得不到势，也得不到拥趸，只要这个女人一日不嫁，她在世上最亲近的男子就只有她的兄长，也就是君上自己。他对她最为心宽。

梦泽将书阁的烛火拨亮，侧过脸，温声细语地对侍女道："月娘，去给羲和君沏一壶春茶。"

"是。"

月娘退下了，未几端了一只茶盘来，里头搁着茶品点心，她一一布好了，笑道："羲和君慢用，婢子去门外守着。"

侍女红罗裙轻摆，退了出去，书阁的檀木门被"吱呀"一声贴心地掩上了。

墨熄在衽席上落座，问道："君上怎么样了？怎么突然就病了？"

梦泽叹了口气："他不愿说，也许神农台的人对外多言，我只道他前几日一直卧病在床……不过没什么大碍，今晨我得了允准，去探视过他，最凶险的时候已经过去了，只是仍虚弱，恐怕还要将养三四天。"

她停顿一下，带着询问的神色看向墨熄："墨大哥是来向王兄禀奏委派结果的吗？"

"是。"

梦泽关切道："可都还顺利？"

墨熄避重就轻道："辰晴他们受了些伤，已经去姜药师那里诊疗了，别的没什么。"

"那就好。"梦泽叹道，"不过王兄他这几日怕是见不了你了，墨大哥回去之后写个陈表吧，我代你转交于他。"

墨熄谢过了，见她案牍缠身，面有倦色，原想帮她一起处理文书。但随即意识到君上既然不把这些奏报交给辅宰，而全都交由了梦泽批阅，想是一些不愿外臣置喙的卷案，于是道："时候不早了，我先回去。你忙完了这些也早点歇息。"

梦泽秀目盈波，笑道："嗯？这么快就走啦，不再多陪我一会儿？"

墨熄："……"

"好了，我不过是逗墨大哥玩的，瞧你风尘仆仆，哪里忍心让你陪我闲坐着。"梦泽说罢，又轻轻咳嗽几声，掩了掩口，温声道，"你快回去吧。"

墨熄起身，垂眸对她道："夜深露重，你记得让月娘再多给你添一件衣裳。"

梦泽笑盈盈地："好。"

墨熄便走了，他一出书阁的门，月娘就进了阁内，她服侍了梦泽许多年，在旁人面前还有个奴婢样子，可一到梦泽面前，她就容易多嘴多言，藏不住话。这不，她望着墨熄离去的地方，跺了跺脚，颇不甘心地对梦泽道："主上——"

"怎么了？"

"您怎么就这样放羲和君走了啊，您看您回城都那么久了，他也就今日难得与您独处，您也不多留他一会儿。"月娘撅着嘴唇小声嘀咕道，"好歹一起吃个饭什么的。"

梦泽将狼毫在墨砚台里蘸润，悬腕提笔，边写边说："我留他做什么，他又不愿意。"

"可他的灵核都是靠主上您的康健换来的，您让羲和君往西，他一定不会往东，他欠您好大的一个恩情呢！"

梦泽笑了笑："恩情而已，我也没有打算让他还。"

"主上这是说哪里的话，当然要他还！"见慕容梦泽如此淡然，月娘有些急了，"羲和君又英俊又厉害，名声又好，听说他在外驻军三年，连一个女人都没接触过，不像别家公子，姨太太都排成行了。这样的夫君嫁了才不亏啊，您若是放着不要，会有一群妖魔鬼怪争着要给他做妻做妾……那怎么能行？"

月娘越说越急，最后竟无理取闹地甩手道："我不管我不管，反正他除了咱们公主，谁都不许娶，哪家姑娘都不许招惹！"

梦泽听这丫头没规没矩地嚷嚷，也不说什么，只执笔书字，过了好一会儿，才似是不经意地问了句："月儿也觉得羲和君很俊吗？"

"那当然啦，他可是——"说到一半，忽然觉得自己过了头，忙道，"不不，羲和君天神一般的人物，哪里轮得到奴婢饶舌。"

梦泽笑了，代她王兄在一副缣绢奏疏上盖了玺印，吹了吹未干的丹朱，说道："也没什么，就算不说，我也知道你们这些小丫头都喜欢他这样的男子。高大，正直，可靠，都挺好。"

月娘愈发急了："主上，您就算借奴婢一千一万个胆子，奴婢也不敢……也不敢……"

"你怕什么。"梦泽温柔道，"我只是随便跟你说说，列举他这样那样的好，但是月儿，你有没有想过他这么出色的人，为什么这个岁数了还未婚娶？"

月娘咕哝道："还不是因为主上身……身体不适嘛。"

"哪里怪我？"梦泽笑道，"他若真心想娶，早就跑去和君上求亲了。"笑容一点点淡下来，"是他自己不愿，才一直拖着。"

"所以奴婢才想让主上与羲和君多待一会儿啊！您看，您二位一年到头都不单独相处几次，这男人啊都是要看到眼前人的，一月不见，月月不见，再浓的感情都该淡啦。"月娘顿了顿，咬了下嘴唇，似乎豁出去了，"而且主上您是不知道，可我听人说了，您不在的时候，那群千金小姐都挤破头了要往羲和君面前献媚，就连您的妹妹宴平公主，她都想要勾……勾——"

宴平毕竟是公主，勾引两个字，月娘就算和梦泽再熟稔也不敢说出口，最后含含混混地带过了，"想要那什么羲和君。您看她都那么主动了，主上您怎么还把羲和君往外推？您也不想想，他能有今天全是因为您啊，我真替您不值！"

梦泽摇了摇头："强扭的瓜不甜，我不逼他。"

"主上！"月娘委屈道，"唉，可您……您如今也……这样了，羲和君再不提亲，是想累您等他到什么时候？"

"月儿你不得胡言。"梦泽搁了笔，严肃道，"我与羲和君素无鸳盟，又有什么拖累不拖累的？"

"可是——"

"行了，以后这样的话就别再说了。"

月娘咬了咬柔软的唇瓣，最后只得垂头丧气道："……是。"

梦泽重新提起搁下的湖笔，拿起一份新的奏报批了起来。书阁内寂静一片，月娘忽然极不甘地低低嘟哝了一句："那如果……万一羲和君忘恩负义，已经背着主上有了其他姑娘，主上是否真的能释怀？"

梦泽的笔尖微微一顿，她抬起头来："这话是什么意思？"

月娘似是不忍，又似难以启齿，憋了好一会儿，终于忍不住道："其实……其实我想告诉您很久了，但又一直不敢说……我之前……我之前有一天遇到羲和君的时候，瞧见他系着的发带有些蹊跷。"

"嗯？"

月娘深吸一口气道："旁人不曾觉察也不奇怪，但奴婢是自小伺候人惯了的，素来留心主子们的衣饰佩件。羲和君那日的发带，应是无意间拿错了，是素缥青底，无有纹饰。"

见梦泽没有反应过来，月娘终于狠心戳破了那一层窗户纸："那是庶人才用的东西！"

"……"

话既然已说出口，话匣子就关不住了，月娘两眼红红的，鼓着腮帮难受道："公主您是不知道，坊间女子最是心机深重，为了往上爬什么都做得出来。就您心宽！人家发带都给羲和君系在发髻上了，这是得多亲密！我我我，我越想越气，真的要被他气死了！想当年他有难的时候，是您救了他啊! 他怎么可以如此待您? 如此辜负您?!"

月娘一口气抱怨了那么多, 梦泽一直没说话, 但笔尖吸蘸了太多的墨, 陡然一滴黑渍落在缣绢上, 染出一大团墨迹。

未几, 她低下秀美的脸庞, 重新舔了舔湖笔, 低声道: "那只是一条帛带而已, 许是他自己想换个新鲜, 不必多想。"

月娘急道: "您不要再自欺欺人了好吗? 您知道他有多守规矩, 他就不是这种人!"

梦泽蓦地打断了她: "够了。"

"……"

"别再说这件事了, 我不想听。"

见她态度强硬, 月娘拗不过她, 只得红着眼眶不吭声了。梦泽再也没有说话, 也没有接着看文书, 她转头看着窗外摇曳的松竹。朦胧的灯烛中, 她的目光一点一点地黯淡了下去……

墨熄并不知道梦泽那边已经知道了一些他的异常, 夜风细细, 他出了王城, 却没有立刻返回羲和府。

除了向君上复命之外, 他急着来宫城还有另外一个很重要的原因——时空镜里搜集到的线索让他亟欲重翻旧案, 而关于当年的案件, 他有三件事必须调查清楚:

其一, 黑衣人。顾茫在叛变前曾与一个黑衣人接触, 那个黑衣人用重华的局势推促顾茫反叛, 而顾茫对他也并无排斥。那么这个黑衣人是什么身份?

其二, 战魂山。顾茫叛变前与黑衣人一同去了一趟战魂山, 结合之前顾茫对他说过, 觉得战魂山的禁地"似曾相识", 所以很有可能顾茫当时是设法突破了禁地的结界, 到里面去做了些什么事情。可是战魂山禁地里究竟有些什么?

其三, 阴牢。通过与时空镜里的陆展星接触, 墨熄已确认顾茫曾在叛变之前去过阴牢, 与陆展星私下里会过面。那么顾茫当年到阴牢里和陆展星发生过怎样的对话?

只要这三件事情查清楚, 八年前的真相应当就能浮出水面。

但是这些旧事发生的极其隐蔽, 知情者除了顾茫本人之外, 一个身份不明, 一个已成了泉下亡魂。墨熄是不指望顾茫能够松口的, 那么调查这三件事就只剩下两个途径:

一、时光溯回; 二、当年卷宗。

时光溯回需要时空镜, 但是上古神镜威力巨大, 凡人之躯十年内只能进入一次, 否则必被镜子吞噬, 散作齑粉。所以时空镜这一条路已是行不通了的。

那就只剩下了调取当年卷宗这个途径……

墨熄的脚步慢下来, 往宫城的北面看了一眼, 那里是御史殿的方向。

重华的每一殿每一阁都嵌有一块载史石, 君上自登基之日起, 身上也会佩戴一串由载史石串成的挂坠, 非殒身之日不可摘落。这些石头忠实地记载着帝国发生的点点滴滴, 每年由史官收集成册，封存在御史殿中。墨熄可以尝试着在其中寻找与顾茫叛变相关的秘密记录。

但御史殿的问题在于虚假。

虽说王室对外一直都宣称载史石所记录的情境真实可靠，但大家心里都清楚，石头不会撒谎，人却可以删毁片段。一国之主若命史官将其中某些事件灭迹，又有哪个史官敢说一个不字？所以这条路其实也是前途渺茫。

天色越来越暗了，最后一点残存的霞光也被黑夜吞尽，天上的星斗与地上的灯烛一同摇曳着亮起。墨熄遥望着御史殿，远处有一行值夜的宫女提着宫灯逶迤而过，犹如一条蜿蜒的蛇，从白玉雕栏边依次穿行。

御史殿的卷册确实可能有假，但至少尚存一线希望。今夜，君上病着，禁军的守备大都集中于寝宫附近，正是潜入御史殿的好时机，确实可以试上一试。

墨熄看着那一行宫灯游远，思忖片刻，最终向御史殿的方向行去。

御史殿一共两处入口，皆设有结界迷障，且有成卫重重把守，但这对于帝国的第一将帅而言并不算太大的阻碍。墨熄没费太大工夫就潜入了大殿中。

与其他富丽堂皇的宫室不同，御史殿构架极为特殊，与其说它是个宫殿，不如说它更像一座墓穴。大殿入口处矗有一碑，由龙之第六子赑屃雕塑所驮，碑上书有四字，曰"昨日已死"。

这四个字是重华的第二位君上所书的，那时候重华方才立国，开国之君便因征战留下的宿疾而突然暴毙。当时遗诏未拟，正统未立，立长、立贤、兄终弟及还是子承父业都还没个定数，于是王室手足也好，权臣贵戚也罢，每个人都虎视眈眈地盯着那个空置着的宝座。

后来，夺权的血雨腥风在重华肆虐了整十四个月。在这十四个月内，无数人含冤入狱，多少魂死不瞑目，直到始君的第七个公子继位，这场风雨才渐趋平息。

在那样的朝局下，纵使君上登位也并不能得安宁。这第二代君王每日都活在权谋与算计之中，他的王后、子嗣，甚至他自己都遭尽了种种暗算，终日如履薄冰，致使最后他罹患了一种癔症——他必须时常来御史殿翻检记录在案的过往，反反复复地查看。

譬如，某个王兄今日都去了何处？又譬如，某个重臣昨日都见了些什么人。只要被他抓到了一星半点儿的端倪，他就一定会顺藤摸瓜地查下去，把所有蛛丝马迹都牢牢把握在掌心里。

在这样的精神状况下，第二世一生过得疲乏至极，到了老，从高位上退而传子，他终得放松。他这时候才意识到昨日种种譬如那昨日死，过去的东西真就不如让它过去。

于是他来到这座自己往日时常驾临，且对重华而言极为重要的宫殿门口，立下碑帖，留下这样四个字：

昨日已死

既然昨日已死，君又何须计较，何不回头？到了第三世，新君即位后见此碑文颇为感触，一为怀悼父王，二遵先君遗念，于是将御史殿重新修葺，建成了坟茔模样。在这座特殊的宫殿中，楼台为墓穴，往事为逝者，以告诫众人"宽仁、释怀"，无事莫追究，有事莫执求。

这么些年来，几乎没人会到御史殿里去翻查什么往事，守备虽多但精神松怠，这也是为什么墨熄能够不经通禀，轻易来到大殿内的缘由。

"笃笃"……墨熄嵌着铁皮的军靴踩在砖石地面，发出空寂的回响。御史殿很深阔，制式与真正的坟墓相同，一路修有镇墓十二石兽，往下最深可至地面以下一百五十余尺。主步道两旁尽是"墓室"，也就是封存帝国宗卷的地方，按照年份排列，外有封石，石面篆刻着何朝何代。

墨熄很快就来到了八年前的"墓室"前，他看着上面流金闪烁的碑文，抬手虚虚感应，便感知到了一股强有力的结界术。继而石门上阳刻着的镇墓兽发出沉闷的异响，石兽开口了："所来者——"

威严的嗓音在墓道里不住回响。

"何——人——？"

这也是二代君上设下的一个符印，御史台记载春秋岁月，照理应当开诚布公，不过若是人人都可以随意进入探查他人往事，那王城恐怕会愈发血雨腥风。因此，二代君上立了这样一重结界，每一个进入"墓穴"追究过往的人都必须如实报知镇墓兽真名，以便有意外时进行缉查，哪怕是君王自己也不例外。

墨熄心知此事已是大错，但为知真相，这代价并不算什么。他将手覆在镇墓兽眉心的灵石上，说道：

"羲和府，墨熄。"

镇墓兽镶嵌着的红灵石眼珠发出熠熠光芒，似乎在验证墨熄此言是否为虚，过了一会儿，华光熄灭了，巨大的封石发出沉重闷响。

那似亘古传来的嗓音念唱道："昨——日——已——死——"

随着二世君上对于子嗣们最后的警告，门开了。

一间摆着三百六十五只棺椁的石室散发着砭骨的寒意，完完整整地展露在了墨熄的眼前。

三百六十五只棺，代表着这一年的三百六十五日，每一日重华所发生的事情都被集纳成了玉卷，分门别类地安置在棺材内。墨熄对自己需调查的那一段日子记得清晰无比，根本无须再算，他没有丝毫犹豫，径直向"墓穴"深处的那几只棺材走去。

离真相越近，心跳就越快，墨熄停在棺前，深黑的眼底流淌着明暗不定的色泽。然后他抬手，但指尖尚未触及棺木，心就蓦地一紧——

墨熄的目光移到了棺椁的侧沿，那里的积灰有着明显的不均匀。

墨熄心中一冷！这棺材被人开过！他忙将那棺盖推开，一看到眼前的情形，他原本就已忐忑惶然的心脏就像一颗跌落悬崖深谷的石子，不住地下坠。

只见棺内一片狼藉，承载往事的玉简被严重损毁，有的简牍几乎都破碎成了粉末！墨熄脸色骤变，接连催动法术将周围几十座棺椁全部打开——果见那里面的简牍，也尽数都碎了……

尽管来之前就已经预料到此行不会那么顺利，但亲眼见到这般情形时，墨熄仍觉得像是被迎头击了一闷棍！他双手撑在棺边，阖上眼眸强使自己镇定下来。

棺材里的玉简乃是昆仑仙玉所制，损毁极为不易，现在它们碎了，表明一定有人知道当年的秘密，并且不希望这些秘密被抖搂出来。会是谁？

墨熄的眼眸紧合，眼珠在眼皮之下动着。一时间有许多个影子自他脑海中闪过——慕容怜、御史官、君上，甚至还有叛变前的顾茫自己……

诸种揣测纷纷涌上颅内，正在五脏六腑煎熬之际，外面忽然响起一阵吵嚷，将墨熄的思绪拽了回来。

"有人擅闯了御史殿！"

"快去搜！"

墨熄立刻抬眸看了一眼敞开的石门，又看了一眼散落着破碎玉简的石棺，心知今日之后恐怕再也没有机会可以轻易回到此地。心念闪动间，不论玉简是否可以修复，他抬手一挥，空中顿时浮起无数玉简残片，犹如星河一般，被他尽数收入乾坤囊。

而这个时候，戍守御史台的修士已持着法器，结队集结殿中。墨熄原准备潜身避绕，趁着修士还未铺开迅速离开这混乱一片的御史大殿。可仔细一想，自己上告身份，御史殿的人将那镇墓兽一一询问过来，最多只要一个时辰，他私闯御史台的事情就会上达天听。

而这一个时辰他又能做些什么？墨熄思虑之后，深吸了口气，整顿衣冠，自甬道深处慢慢走了出来。虽然距离尚远，但眼尖的戍卫长立刻发现了他，提剑怒道：

"哪里来的逆贼，竟敢绕开禁军私闯——"

话未说完就断在了嘴里。因为戍卫长见那人步伐款慢地走出了阴影，露出了那张五官深邃的脸庞。

所有吵吵嚷嚷的禁军修士们都惊呆了，有的直接就跪了下来。

"羲……羲和君！"

"属下该死，不知羲和君座驾在此，是属下失言！"

墨熄在重华的威望太高了，清正高洁的形象也实在是深入人心。别人不经通禀出现在御史殿，禁军们首先想到的一定是私闯，换成墨熄，那就不一样了，禁军首先想到的一定是羲和君接了什么不用知会他们的秘密任务。

没有谁会认为羲和君能为了某个人、某件事，做出忤逆天威的举动来。而墨熄也正是赌了这一点，他赌上了自己三十年的清名，走到这些呆若木鸡的禁军前，锋锐的目光扫过这些年轻后生的脸。

"没有什么逆贼。"他说道，"是军机署密令，需要我调用当年卷宗。"

为首的禁卫队长怔了一下："羲和君可有君上谕牌……"

"都说了是密令。"墨熄霜雪般的脸庞转去，冷然道，"又怎么会有谕牌。"

"可是——"

"此事事关军务，机密重大，我原不想让更多人知晓。只是诸位恪尽职守，倒也发觉得快。"墨熄望向禁卫队长，"如若卫队长有疑，可与我同去君上寝殿核实。"

谁不知道君上这几日病得厉害？这时候跑去较真，一来得罪羲和君，二来恐怕会被君上一通臭骂扫地出门。更何况此时立在他们面前的人，是墨熄啊。重华最光明磊落的将领，帝国的第一勋帅，四代将门的纯血贵族，又有什么好怀疑的。

禁卫队长想通这节后，当即垂下头来，拱手道："羲和君恕罪，属下例行查问而已，请羲和君勿要见怪！"

墨熄淡道："无妨。你只消记住，今日之事，不可外言。"

"是！"

就这样看似从容地离开了御史殿，走到外面，夜风一吹，墨熄才发觉自己已经汗湿重衫。虽然此事暂且揭了过去，但世上绝无不透风的墙，墨熄不知道自己在调查旧案的事情还能压得住多久。

墨熄望着帝都一轮月，万户檐上霜，手指在袍袖内捏紧——紧紧攥着那一只装载着玉简碎片的乾坤囊。损毁成这样子的载史玉简，必须要最出类拔萃的炼器大师才能修复。他没有时间拖延，必须立刻找到一个极其强悍、又值得信任的炼器师尝试修补……

他几乎是刚有了这个念头，一个合适之人的身影就立刻浮现在了他的脑海之中。

能做这件事的人，最合适的就是江夜雪了。因此墨熄不加耽搁，立刻步伐匆匆，朝着慈心冶炼铺方向走去。

这时候夜色已深浓，慈心冶炼铺所在的位置离闹市又远，一路行来也没遇上几个人。行至半路，遥遥一辆马车自寒雾中当啷驰来，马车近了，能看到上面绘着丹朱蝙蝠漆印，华盖四角垂着的金色铃铛，随着车轱辘转动而璁珑作响。

车夫帻巾包头，束袖扬鞭，抽在金翅飘雪马的马臀上。

"望舒君尊驾在此，速速让道——"

墨熄微微蹙起眉头，慕容怜？

这么晚了，他要到哪儿去？

未及多思，马车已飞驰到他身边。夜色太深，车夫没有看清墨熄的脸，依旧扯着嗓子大喊道："让开让开！别挡着望舒君的路！"

墨熄闪身避开了，跟在他附近的一个男人将他的婆娘拉到一边，恭恭敬敬地低头等着慕容怜的车马过去，而后便嫌恶尽露，小声啐道："深更半夜的，还这样嚷着开道，让让，让让。喊，叫鬼给他让道啊？这路上才几个人啊！"

墨熄暗叹了口气，心道慕容怜是真的纨绔子弟，不得人心。

不过墨熄回头望了那绝尘而去的马车一眼，心中隐约也觉得有些古怪。慕容怜此人慵懒至极，日照三竿不起，无事绝不出门，今天这是怎么回事……

望舒府的车舆很快就消失在转角处，不见了。

墨熄眼皮微微跳了两下，不知为何竟有些心悸的感觉，但他此时有极重要的事情要做，再加上他本就是个不太爱信直觉的人，所以也并没有深思多想。他转过头，与慕容怜的车马背道而行，向前方走去。

慈心冶炼铺外。

"啊……"老眼昏花的宋老伯开了门，借着清朗月色，看到月光下墨熄的脸，愣了一会儿才道，"是墨公子……"

墨熄问："清旭长老在吗？"

"夜雪啊。"宋老板咳嗽两声，带着浓浓的痰音，"夜雪他今晚上不在铺子里，他说有事，出去了。"

老头子年纪大了，讲话碎叨叨的，说完之后又很高兴地补了一句："他还说明天早上给我带些莲花坊的糕点来呢，这孩子孝顺，知道那家店的丹桂花糕最是好吃，我——"

若由着老爷子絮叨下去，可就没完没了了。墨熄只得打断他道："老伯，我找他有急事，你可知他去了哪里？"

老头子笑眯眯道："知道，当然知道。他去了学宫，今晚大概不会回来啦。"

"这样……多谢老伯。"

墨熄谢过了宋老头，将他哄回店铺内歇息，顺带替江夜雪把慈心冶炼铺的店门合上了，又将"已打烊"的牌子竖起，然后朝着学宫的方向行去。可在主步道上走了没多久，墨熄忽然又遇到了一行人。这回是一辆黑蓝色马车，缀着银色骷髅铃，车舆上绘着夜枭图腾。

这是司术台大长老周鹤的车辇。

周鹤也算是与王室关系紧密的近亲，他地位不及慕容怜高，也没有慕容怜那么飞扬跋扈，不过重华上下都知道他手段残暴，并不好惹。并且他性情孤僻，爱司术台胜过爱他自己的周家，是个不折不扣的术法狂魔。

眼看着周鹤的车马碾着青石步道滚滚驶近，墨熄忍不住皱起了眉头。今晚是怎么回事？怎么都这个时辰了，慕容怜也不睡，周鹤也不睡，一个两个都往外赶。难道是君上出了什么事情？

可若是君上真的有恙，梦泽不会那么镇定自若地坐着批阅卷宗，自己也不会毫不知情啊……他目送着周鹤长老车马的风灯在步道上越来越远，最后化作了两盏摇曳着的星辰般的小橙点，被无尽的黑夜吞没。不知为何，他心中的悸动变得越来越强烈。

他总觉得有些事情要发生了。

第27章

"羲和君。"

来到修真学宫外，十人高的养灵玉大门前，守备好颜好色，但却也十分尽责地拦下墨熄。

"这么晚了，宫门都下钥啦，您来是……"

学宫不比别处，是重华所有年轻修士闭关修行的地方，又被称为重华的曙光之宫。

因为学宫里面都是一些涉世未深的少年孩童，它的戒备甚至比王城还要森严。譬如羲和君可以不经通禀径自入王城，但却会在修真学宫门口被盘问。

墨熄懂得规矩，并不生气，只道："我来找人，清旭长老今日可留宿学宫内？"

"原来羲和君是去寻清旭长老啊。"守备笑道，"清旭长老今日有客，客还未走，您看是不是要再等等？"

江夜雪是个清雅君子。平日里别人有个什么事情要烦劳，都愿意寻他，因为知道他性子谦和，方便说话。但没想到他们才刚刚从蝙蝠岛回来，连一晚上都还没歇息，江夜雪居然就又有客来访了。

墨熄原本不想叨扰，但玉简修复一事实在不能耽搁，于是道："无妨，我自去寻他。"

于是照例取了学宫的通行玉佩，留印在册，大门洞开，进到了修真学宫里。

清夜寂静，小修士们需要遵循长老制定的修行规矩，亥时都已经入睡了，四下里什么人也没有。偌大的修真学宫檐瓦飞翘，金瓦上有银白浮光，犹如一只栖落在天幕之下安静歇息的枯叶蝶。

结业从戎之后，墨熄就鲜少回学宫。不过所幸学宫内变化不大，那些校场林苑也罢，宫殿屋舍也好，都还和他修行练术时差不多。没闲暇回忆过往，袍袖下捏着那装载着秘密与希望的乾坤囊，他径自快步赶往长老们的居处。

走到连接长老居所与舞剑坪的白玉带桥时，忽然瞧见一人远远行来，墨熄定睛一看，不禁怔住——慕容楚衣？

只见慕容楚衣低着头，并没有看到玉桥另一头的墨熄，正一人默默走着。他不似平日里那般气质若仙，飘然轻盈。不知为何，他的步履有些凌乱，发髻也有些歪了，几缕细碎的额发垂在他瓷玉般的脸庞边。

墨熄蹙眉道："……慕容先生。"

慕容楚衣蓦地抬起头来，似是吃了一惊。

他那张平素一贯冷傲的脸上，此刻笼着一层未及拾掇的慌乱与窘迫，但更令墨熄感到意外的是，慕容楚衣的眼尾是红的，仿佛刚刚受过什么屈辱，而那屈辱被他生生硬忍了下来，化作两抹胭脂色在水意里漾开，曳于凤眸眸梢。

"你……"

慕容楚衣咬了一下苍白的嘴唇，他蓦地把脸转开去，未几，又仿佛怕被人觉得此地无银三百两似的，又硬着头皮转了回来，一双清冽如霜、狠锐如刀的眼眸望向墨熄。

尽管慕容楚衣大概觉得自己已经隐藏得很好了，还带上了几分凶狠颜色，但墨熄只觉得掩盖得真的很差。虚弱、恼恨、屈辱……什么都没有掩盖住。

沉默半晌，墨熄问："先生尚好？"

"好。"

两个各怀心事，互相对望一眼。

以他俩的脾性与关系，再多关怀也没必要，墨熄不爱多管闲事，慕容楚衣更不爱被管闲事，慕容楚衣道："走了。"

彼此行了个薄礼，错肩而过。

夜晚的风吹过慕容楚衣的雪白宽袖，袖间拂起了枳花清芳，墨熄侧了下头，隐约觉得除了这清雅的香味之外，他身上还有一抹淡淡的味道，但若仔细去想，却仿若要伸手捕捉烟霭一般，怎么也捕不到踪迹。

墨熄看着慕容楚衣远去的背影，蹙眉轻声道："他来学宫做什么……"

自然是不会有人回答他的，墨熄站了片刻，转身继续往前走去——修真学宫的长老居所虽在一处，间隔却远，且每一座屋舍都是按长老喜好筑造的。譬如教习木系法术的采薇长老，她的房舍就隐匿在一片花林藤蔓之间，壁上伏满了月季花藤，每一朵花都有碗口大，且终年盛放，永葆娇嫩。教习剑术的苌弘长老，他的住处笼着雷电色的结界，房屋周围有一片偌大的园子，却不见任何山石花草，而插着宽窄不一、新古混杂的剑，少说也有几千把。

江夜雪的居所就是一间普普通通的木屋，院外一排修竹摇曳，在这群疯子里显得格外清雅、正常。

墨熄沿着铺着细碎白石沙砾的小径，走到江夜雪门前，秀长的食指屈起，在木门上笃笃叩响。

"清旭长老。"

屋内没有动静，再敲几下，门"吱呀"一声开了。虚掩着的门缝内，一只泥俑小人晃悠着探出头来，但它的泥巴脑壳被人敲破了，只剩下半个脑袋，正哀哀戚戚地哭泣着。墨熄知道江夜雪素来爱惜这些泥俑，根本不可能把它们损坏，不禁心里咯噔，问道："你主上呢？"

"主上……主上……咯咯咯咯……"小泥俑坏得太彻底，已然说不出什么完整的句子，只能吱吱呀呀地在原地打着转，"主上……不要……主上……"

门虚掩着，泥俑砸坏，墨熄担心江夜雪出了什么意外，于是推门走了进去。这一下可更令人心惊肉跳。

只见楠竹铺就的地面上散落着星星点点的血迹，照壁处摆着的一尊汝瓷天球瓶也砸在地上摔了个粉碎，还没有收拾。

"江兄！"

墨熄快步进了内厅，无人。再去寝卧，推门而入便是一片黑暗——房里没有亮灯，帘栊也紧合着，反倒是空气里弥漫着那种似有些熟悉，却又具体想不起来在哪里闻到过的味道。墨熄抬手燃起一团火球，照亮屋内，屋里没有人……

"羲和君？"

忽然一声讶异的嗓音自身后响起，墨熄倏地回头，瞧见江夜雪坐在轮椅上，穿着宽松的亚麻白浴袍，一边擦拭着黑如墨玉的滴水长发，一边讶然望着墨熄。

"怎么是你？"

墨熄见江夜雪无恙，松了口气，但随即又眉心皱起："你还问我。你出什么事了？"

江夜雪笑道："我能有什么事。"

屋门没关，满地狼藉，怎么看都不像是没事的样子。

江夜雪看出他沉默之后的意思，笑着解释道："哦，屋子乱是因为我新炼的傀偶出了些问题，把家里弄得乱七八糟，砸坏了不少摆件。"他瞥了一眼满屋子打转的那个缺了半个脑袋的小陶俑，"你瞧，这一只也是方才被弄坏的。"

"原来是这样。"墨熄轻咳一声，"抱歉，我还以为是慕容先生……"

江夜雪的睫羽倏地抬起："你看到楚衣了？"

"嗯。"墨熄道，"我来的路上，正好看到他往外面走。我以为是他来找你了，和你闹了些不愉快。"

江夜雪以袖掩口，咳嗽两声，淡笑道，"是吗？我没见过他。"

他一边说着，一边畏冷似的扯了扯外袍松散的衣襟，而后舒展双臂，将一头长发用青玉发扣扣上，拢成一个松散的马尾。

江夜雪原本就生得儒雅，眉眼似春日里水面上漂着的柳絮般柔和，皮肤又似冬夜连江的新雪般白皙，此时沐浴新出，更是犹如一块浸润过温泉水的和田美玉，能让人轻而易举就被他抚平所有的疑虑与焦躁。

"学宫有许多炼器书籍，小舅应当是来这里借书的，而不是来见我的。"他顿了一下，又笑着问道，"还有啊，这么晚了，我也没想到会有客来，家里弄成这样也没收拾，反倒先去洗澡，让羲和君见笑了。"

墨熄道："抱歉。是我叨扰。"

"你我是过命的兄弟，有什么叨扰不叨扰。"江夜雪来回打量他一番，忽然道，"羲和君今夜是为了顾兄来的吗？"

"你怎么知道？"

江夜雪纤长柔细的十指在膝头相互交叠，他垂了睫毛，温声笑道："能让你这么着急的，除了军务，也只有你那位好兄弟了。"

墨熄沉默须臾，抬手施了个泯音结界，让他们二人的谈话无法被第三个人听到。然后他的目光笔直地望向江夜雪，神情严肃。

"我带来一样东西。"顿了顿，又问，"你还记得我在蝙蝠岛上和你说过的，我在时空镜里发觉了一些不太对劲的往事吗？"

"记得。"

"我找到线索了，与八年前顾茫叛国一案有关。"

"是吗？"江夜雪问，"是什么？"

墨熄上前，将黑底金丝线的乾坤囊放在江夜雪身边的案几上，说道："玉简。"

江夜雪的神情原本还淡淡的，听后蓦地睁大了眼睛，脸上的血色蓦地褪去，难以置信道："你……难道去盗了载史玉简？"

墨熄对自己"盗走玉简"未置一词，他抿了抿嘴唇，低头将乾坤囊的丝带抽开，倒出了一些碎片在桌上。载史玉简发出幽幽荧光，支离破碎地摊在了江夜雪眼前。

"玉简被人毁了。"墨熄言简意赅道，"说明有人确实想要抹去当年在重华发生的事情。"

江夜雪愣了半晌，往轮椅背上一靠，喃喃道："墨熄，你简直是疯了……"

与此同时，羲和府。

缠枝梅花铜灯映照下，李微那张精明奸猾的脸冒着油光。他赔着笑，正好言好语地劝说着杵在羲和府大厅的那一波来客。

这些人身着紫底金边袍，绣百鸟图腾，为首的男子约莫三十出头，神情严厉，因为爱皱眉头，年纪轻轻眉心处就有了些细褶，再加上他唇薄目冷，瞧上去便是分外的不近人情，浑身上下都散发着一种生人勿近的气场。

他便是司术台大长老，周鹤。

重华的百姓都知道，周鹤这个人有点变态。他对各国的术法都颇有兴趣，无论正道邪道，黑魔仙术，他都愿意钻研，且研究的方式也生冷不忌，从正儿八经的理论探究，到血腥阴暗的剖肚肠开脑子，他都做过。之所以没有成为重华贪嗔痴三毒之一，那全是因为他前头还压着个六亲不认的慕容楚衣。

意思是周鹤虽然狠，但至少还是会按规矩办事。君上不让开的脑袋，他还是能勉为其难地忍住的。那么此刻，姓周的来到了羲和府，事情恐怕就没这么容易收场了。

李微接过侍女泡好装好的茶盘，点头哈腰笑嘻嘻地送到了周长老的案几边："长老，您喝茶，吃些水果点心。"

周鹤没吭声，手指下意识抚摸着自己腰间配着的一把黑魆魆的匕首。

别看这匕首丑不拉几的，但识货的人都知道，这就是司术台周长老最心爱的宝贝——挑过无数人脑浆，开过无数人心脏的神武"猎鹰"。

重华的许多术法，就是靠着这柄"猎鹰"被周鹤所攫得的。

有人说周家是秃鹫，从死人堆里探究法术的秘密，但周鹤对此只是冷笑，表示不一定要死人，很多法术，一定要犯人活着的时候才能探出来，不信您亲自试试？

紫底金边，百鸟图腾。

周家不只是食腐的兀鹫，还是重华的猎鹰，生着纤毫必察的眼，将敌国法术的奥秘从鲜血里啄出来，呈于君前。

李微道："周长老，这茶是翠林山雨露泡……"

周鹤极不耐烦地把话头打断了："羲和君什么时候回来？"

"您再等等，小的已经派人去传讯了，很快就——"

周鹤从怀里掏出一只精巧的水滴漏，啪地拍在桌上，说道："一个刻度前你就说过相似的话。我周某人做事最讲求时效。你给我一个准数。羲和君一个时辰内回不回得来？"

"这……"

"别这儿那儿的了。司术台的黑魔蛊虫昨日已经备齐，就等着试炼体跟我回去试炼。现在倒好了，试炼体回来了，我却不能直接将人带走，还要等着你们羲和君回来。"

他眯起眼睛："等就等吧，我周某人看在羲和君位高权重的分儿上，我买他一个面子。但我最多只能耗一个时辰——你听着李管家，顾茫是君上亲口许给我的试炼体，羲和君当时将他接回府上，也只是暂时收留。顾茫他终究是个叛国贼，是君上钦定的，最为合适的黑魔试炼对象……我搜罗了那么久黑魔蛊虫，好不容易都搜罗全了。"周鹤拉过李微的衣襟，充满胁迫地，"我没那么多耐心再等下去。"

蓦地把李微一推，周鹤跷起二郎腿，冷冷道："明白了吗？"

"是，是。"李微吞了口口水，瞟着滴漏的刻度，低声道，"我明白……"个屁！

顾茫要被重华拿来做黑魔试炼这件事谁都知道，可你说了是今天吗?！你偷偷摸摸不声不响毫无预兆地把前期准备都做足了，突然就雷厉风行地要来提人，照例是没什么理由拦着您老人家，可您至少在羲和君在府上的时候来谈啊? 羲和君不在，谁敢把顾茫交出去啊!

唯一与这满屋剑拔弩张气氛格格不入的，是坐在大厅角落的顾茫。

作为周鹤的提用对象，重华的黑魔试炼体，他倒是老神在在，没有半点慌张。周鹤进府的时候他刚刚洗过澡准备睡觉，这会儿觉是睡不成了，他于是披着宽松的浴袍坐在椅子上，墨黑的长发垂在脸颊边，正支着侧脸，望着眼前这群兀鹫。

他看起来很安静，有一个被淬炼过的人该有的乖顺。只是从前这种乖顺是真的，而此刻这种乖顺是装的。

他自时空之镜出来后，记忆虽然恢复了大部分，但仍有些非常关键的东西想不起来。而这些记忆的缺失就好像是一段行云流水的诗文，少了最重要的韵脚，令他无法参透自己现在的处境。

顾茫记得自己确实是被君上许作了黑魔试炼的对象，但其实按照他的记忆，他不太明白事情为什么会演变成今天这个局面。但他自己心里有打算，他知道自己想坚持的是什么，他可以忍。

"快去，再去通禀主上。"李微焦急地催促着府上的传音小厮。

小厮比他更急，脑门上冒着豆大的汗珠："传了十七八个啦，就是寻不到主上的踪迹!"

李微气得来回踱步，一会儿偷瞄面目阴鸷的周鹤，一会儿看看淡然自若的顾茫，感觉无论自己出头得罪了哪一边都够喝上好一壶的。他又像个陀螺似的原地绕了好几个圈儿，忽然福至心灵，停下脚步。

"来来来! 快过来，我有办法了。"李微挥手把传音小厮招来。小厮以为他有什么上好的主意，立刻睁大眼睛等着话音，却听得李管家神秘兮兮地在他耳畔落下了四个铿锵大字，"再传一遍。"

小厮不无尴尬道："李管家，这不刚刚才跟你说传了十七八遍了，可是……"

"你真是个猪啊!"李微用手指狂戳小厮的脑瓜子，"我又没说传羲和君!"

"那还能传谁?"

"梦泽公主啊!"李微简直为自己甩黑锅的机智所折服，要是顾茫被带走了，谁负责都不管用，只有梦泽公主能扛得住。李微于是催促道，"搬救兵，搬救兵! 快传音梦泽公主!"

小厮一听，眼睛直放光，恨不能立刻给李微竖起大拇指。

高，李总管真是高! 看那顾茫被主上养在府里就跟个宠物一样，虽说主上对这宠物恨得牙痒痒吧，但羲和府上下没瞎的都还是能看得出墨熄是在乎顾茫的。现在周鹤要把顾小爷给提溜走了，全府谁能扛得起这个问责?

只有一个人，正房大太太！不管梦泽有没有过门，反正她都是众人眼里铁板钉钉的羲和君夫人，而且她曾经又对羲和君有大恩，能对"宠物"处置方式负责的人也就只有她了。

于是羲和府的这两个家伙宛如抓住了救命的稻草，开始兴高采烈地给梦泽公主传音。岂料传音灵蝶还没飞出屋檐呢，就被一道黑光给重重打落在地。

周鹤面色不悦，抬起眼皮盯着李微："你给谁报信？"

"梦……梦泽公……公……"

周鹤用猎鹰虚指着他，说道："李微，你给我听清楚。周某今日是来提人的，我这是在知会，不是在请求允许，更不会给你找别人来求情的余地。"

李微被那掏了无数人脑浆的神武指着，顿时吓得冷汗涔涔，忙道："对对对！长老您说的是——"

周鹤便把目光转开了。

屋内寂寂，周鹤手边的滴漏刻度在一点一点地移动着。在这几乎要把人五脏六腑都压出来的紧迫气氛里，忽然有个东西发出一声"啾呼"的异响。

声音其实本不算太大，只是厅内太沉寂了，所以显得分外刺耳，一时间所有人都循声望去，只见发出怪声的是顾茫脚边卧着的那只黑狗饭兜。

饭兜大概和它的主人一般迟钝，它主人怡然自若地坐着，它更夸张，睡得哼哼唧唧地流了一嘴口水不算，还打鼾。顾茫觉得有趣，一双赤裸苍白的脚虚踩在了它蓬松柔软的皮毛上，饭兜睡梦中无辜挨了踩，发出"呜"的一声低叫，睁开狗眼发现是顾茫在和他闹着玩儿，于是又闭上眼睛呼呼大睡，由着顾茫那冰玉般的脚趾陷入它的狗毛深处，轻踩它的肚子，揉搓它的毛耳朵。

可没过多久，饭兜好像忽然感知到什么，倏地将耳朵后竖，蓦地睁开眼睛直直望着门厅处："呜——"

这时，一个小厮快步跑了进来，李微还道是墨熄回来了，心下大喜，可再定睛一看小厮六神无主的模样，那刚松快下来的小心脏又拧作了一团乱麻。

"怎么了？"

"禀李总管。"小厮苦着脸道，"外……外头又来了一拨人。"

"……谁？"

未及小厮回答，那拨人就不经允准、毫无规矩、大摇大摆地涌进了羲和府。开道的狗腿奴仆浮夸至极地扯着嗓子喊了声："望舒君到——！"

在众人的大眼瞪小眼中，慕容怜拿着管烟枪，领着一帮望舒府的随从优游自若地进了羲和府。他带来的人都穿着蓝金色贵族衣袍，蝙蝠纹徽章绣得熠熠生辉。这一群蓝金色装束的修士进了府，就像一柄刀子，瞬间将周鹤带来的随从剖开打乱。

谁都没有想到慕容怜居然会星夜前来，也不知道他有何贵干，是以一众皆不明所以地望着他。唯独饭兜这个狗东西，大概是之前在落梅别苑里没少搜刮慕容怜的油水，因此它见了慕容怜居然并无恶感，反而激动地跳了起来，冲过去绕着慕容怜撒欢。

"嗷嗷！汪汪汪！！"

顾茫有种被兄弟背叛了的感觉。

大黑狗一边上蹿下跳摇着尾巴叫嚷，一边拼命地拿它的狗头去蹭慕容怜的左手。慕容怜却对动物毫无怜爱之心，倏地把宽袖一挥："哪里来的狗东西，口水都蹭到了本王衣上，还不赶紧的给我拖下去！"

李微忙道："是，是！哎哟望舒君大驾光临有失远迎，真是对不住了，对不住了。"一边说着，一边命人把饭兜戴上项圈带到后院。

"呜……"饭兜一步一回头，伸着长长的舌头，依依不舍地看着慕容怜，好不容易才被侍从拖走。

慕容怜松了口气，翻了个白眼，垂眼整理自己织锦华贵的衣袖，小声嘀咕道："真是什么疯人养什么疯狗。"

这一出鸡飞狗跳后，众人方才回过神来，开始陆陆续续地向慕容怜行礼问安。在场诸人地位皆不高，唯一一个贵族是周鹤，但周鹤的血统地位也不及慕容怜，于是他也按规矩起了身，朝慕容怜行了个礼。

只不过，周鹤这人是个精绝于法术的变态，也只服那种真正的有能之士。像慕容怜这种货色，按周鹤的话说，那叫作"抽干全身的贵血之后，浑身上下剩了的都是渣"，所以他这个礼行的多少有些敷衍了事。

"望舒君。"

周鹤身后的用人也纷纷低头行礼："问望舒君安。"

这一屋子人里，只有顾茫没动，顾茫依旧坐在原处，别人看着觉得他好像是痴傻，但此刻他却是在不动声色地观察着这位他伺候了近二十年的主上。

顾茫是很了解慕容怜习性的，因此能轻而易举地发现慕容怜今日的不对劲。这种不对劲具体反应在了慕容怜的衣着打扮上。

慕容怜是个爱极了奢靡的人，喜欢无时无刻不如孔雀开屏般炫耀自己的高贵出身与金银财帛。他不像墨熄，墨熄这种贵族并不看重钱帛，吃穿用度也不爱铺张浪费。他也不像梦泽，梦泽这种贵族虽然一衣一履尽是考究昂贵，旁人却是看不出来的，她很低调。

慕容怜属于那种时时刻刻要把"本王很有钱"挂在嘴上的货色，衣着饰物最好隔着两里地都能让人感到贵气逼人。

所以平日里出门，他都习惯往发髻上扣最昂贵的金饰玉饰，重是重了点，没关系，关键是要闪，能闪瞎人的眼最好。

但今晚慕容怜却不怎么闪。尽管他披着一袭宝蓝镶金边华袍，但袍襟下面并非按制式所穿的浅蓝色底衫，而是一件丝绸雪白中衣。发髻也是——他今晚用来固发的是一枚简简单单的檀木发簪，一看就是在家里窝着，不打算见人的时候才会图个舒服，疏懒佩戴的饰物。

显然，慕容怜这趟门出得很仓促，甚至只来得及披一件华袍，连头发都不曾重新绾梳。

顾茫不禁微感困惑：周鹤昨日集得了黑魔蛊虫，想要提自己去做试炼，所以急着跑来带人。可慕容怜来干什么？

与此同时，慕容怜睁开他那桃花三白眼，在屋内扫了一圈，目光于周鹤身上停留片刻，落到顾茫身上。

顾茫和他对视。然而就在这个时候，意外却发生了。不知为何当顾茫触上慕容怜视线的那一刻，他忽然觉得脑颅内一阵地裂天崩般的剧痛，颅内好像有什么东西爆发出了撕心裂肺地尖叫，既恐惧又愤怒地想要逃离……

他蓦地抬手扶住眉骨，闭上眼睛，眼前好像有浓重的血色弥漫上来，耳畔又似有个扭曲的声音在怒吼着：

"放开我……放开我！！"

"要让你们生不如死——生不如死！！"

鲜血仿佛裂岸惊涛，他眼前闪过一些交织错杂的碎片，他看到堆积如山的尸体，城墙的砖缝里渗入血膏，暮色映照着天地，断戟沉沙。

他心中猛地升起一股极暴虐的痛快，叫嚣着想要看到更多的死亡，他仿佛在这片人间炼狱中拂掠穿行，无尽的猩红铺天盖地覆压下来，那种浓重的血腥味几乎要浸到他骨髓的最深处去。他说不出自己是什么感觉，极度享受伴随着极度的痛苦。

魂灵都像是被一剖两半……

"顾帅。"

陡的一声轻唤，像是把顾茫从浮沉汹涌的血海里猛地捞出来，顾茫倏尔抬头，嘴唇张着，急促地呼吸着，抬起一双湛蓝的眼睛循声望去。

他重新对上慕容怜那张子夜妖狐般的脸。

慕容怜道："怎么着，觍着脸跟羲和君去了一趟蝙蝠岛，玩得开心吗？"

顾茫没说话，过了一会儿，那种裂颅的剧痛慢慢消退了，唯有蓝眼睛里水汽还在弥漫，额角一抽一抽地生疼。顾茫用力阖了阖眼睑，重新直起身子。

他嘴唇动了一下，按着失忆时自己懵懂的样子，低声答了句："嗯，开心。"

李微真是被几位老爷逼到欲哭无泪，他看看慕容怜，又看看顾茫，最后看看周鹤，然后低着脖颈，端来一套新的茶点，给慕容怜奉上。

"望舒君，您坐，您先用茶。羲和君很快就——"

"不用了。我今天来不找火球儿。"慕容怜指尖一抬，点在茶盘上，推开，然后用烟枪虚指了一下顾茫，冷笑道，"我找他。"

李管家："……"

慕容怜整了整自己描金绣银的衣袍，淡淡道："既然你玩也玩得差不多了，清福也享够了。那起来吧。"

众人不解地看着他俩。

慕容怜道："跟我回去。"

满厅的人除了周鹤之外，差不多全是一头雾水，错愕至极。顾茫也坐在座位上没动，不吭声地望着他。

周鹤有些恼火了，他一生气眉心的皱纹就更深，一张脸也更阴煞。他说："望舒君，你什么意思？"

"还能有什么意思。周长老看不懂吗？"慕容怜施施然地回头，三白眼瞥着周鹤，"我是来提人的。"

周鹤道："你来提人？"

"是啊。"慕容怜懒洋洋地抽了一口烟，含在口中，一节一节地吐出来，呼到周鹤身上。

他笑道："司术长老，本王今日是来提他做黑魔试验的。"

周鹤的脸色几乎是差到了极致，看上去他是非常想用猎鹰把慕容怜的天灵盖掀开，脑浆都捣碎的，他大概是把这辈子所有的涵养都用上了，才能忍住不向慕容怜发火。但他眸间爆溅的火花已然十分恐怖，目光这回还真是凶过了兀鹜。

"望舒君。"一字一字都像是从牙缝里挤出来的，"如果周某人没记错，司术台的主事长老是我，不是你。"

"哎哟。"慕容怜咧着白齿，甜腻腻道，"周长老，如果本王没有记错，君上的堂兄弟是我，不是你。"

周鹤霍然拍桌怒道："你跟我扯这做什么！与这有什么关系！"

"怎么没关系？咱们俩现在都想做黑魔试炼。万事俱备，只差这人。"慕容怜抬手一指顾茫，"你觉得君上会把人给你，还是给我？"

这简直是慕容怜最无耻的地方，三两句话就喜欢拿君上出来说事，一口一个堂兄弟，偏生别人还没法儿说。

周鹤深紫色的衣襟随着他沉重的呼吸而一起一伏，最后他盯着慕容怜："望舒君，你是纯属在给我找事？"

"什么找事儿，只不过是凑巧而已。你昨天正巧凑齐了黑魔蛊虫，我也差不多，我今天正好得到一套燎国的黑魔法咒，需得找个人摆弄摆弄。你看，我们俩都需要个狗。只不过——"

慕容怜顿了顿，偏过下颌虚点了一下顾茫，继续说，"这只是本王自幼养大的狗，于情于理，也该由本王先宰。"

周鹤咬牙道："你非要跟我争是吧？"

慕容怜的眼神简直比浮生若梦的烟霭还飘飘荡荡、琢磨不定，声音更是软得像一匹绸缎："嗯？是又如何，周长老想跟我撒娇吗？"

周鹤沉默须臾，额角的青筋几乎是以周围所有人都能看到的程度暴起。

李微心道，你们俩打起来倒是没事，拿刀子拿烟枪互捅我也都管不着，但您二位能不能去羲和府外面狗咬狗？这姓周的变态要是真火起来一刀把慕容怜捅死了，事情发生在羲和府，我家主上也撇不清啊。

李微正忧心忡忡脑内上演着无数不可言说的血腥场面，忽听得周鹤压下出离的愤怒，森然道："若我今天偏不让你呢？"

慕容怜眯起眼睛，叹息道："那我就要建议你有空拿着你的小猎鹰掏一掏你自己的脑子了，查查里头的内容有没有发臭发馊。"

对方说话如此不客气，周鹤的脸上便连最后一丝冷笑也蓦地敛去了："行，你非要撕得那么难看是不是？"

他目光不转，只将手一抬，对身后侍立的随扈道："拿过来。"

慕容怜无所谓道："拿什么东西来压我？你家的情况我也清楚得很，是有块先帝爷留下的丹书铁券，但那是活命用的，不是抬价用的。"

周鹤不吭声，随扈小心翼翼地从乾坤囊里取出一只缃黄色包缎的锦盒。

慕容怜一看那盒子的颜色，脸上的笑就有些僵住了。

"你应当认得这是什么。"周鹤取过那明晃晃的锦盒，啪地打开，露出里头一卷上等的东海人鱼雪绡。

整个重华，东海人鱼雪绡唯有一个用途——

慕容怜倏地抬起头来："君上何时给你的诏书？！我怎么不知道！"

周鹤冷淡地把诏文展开，好让慕容怜看清上面的印玺和落款。

"顾茫当年一回城，君上就已经把诏书给我了。你看清楚了望舒君，我司术台是君上钦定的，试炼顾茫的第一机构。"

他顿了顿，以不容置否的语气冷冰冰地吐出两个字来："让开。"

与此同时，修真学宫。

江夜雪坐在黄杨嵌灵玉小几边。这张小几鼓腿膨牙，内翻马蹄，桌面攒框镶嵌着上佳的归元石，流淌着充沛的灵力。

由于炼器师们常需要修复一些破损的物件，他们的房间内一定都会有一张类似的桌几，能够配合修士逆转损耗。只不过每个炼器师的水准不同，有的炼器师只能修补一只破碗，而像江夜雪、慕容楚衣之辈，他们能复原的东西就太多了。

这一套术法看起来容易，但实际对于炼器师的要求极高，修复时灵流稍有偏颇就可能导致不可逆转的后果，所以如果一个年轻修士想成为炼器师，学宫最终的结业试炼一定会有"修复"这一大项。

相传，当年炼器世家的大公子，也就是如今岳辰晴的老爹岳钧天，结业的时候能够在极短的时间内复原出一百七十八件损毁的宝器，破了学宫百年来的纪录。岳钧天总爱拿这件事吹嘘，曾经还想拿这当年勇威压他内弟慕容楚衣，结果最后把慕容楚衣弄得很不耐烦，当即毁了岳家玲珑阁一千余件珍玩，又在岳辰晴铁青的脸色中于一炷香内将这些珍玩统统还原，狠狠打了岳钧天的脸。自那之后，岳钧天就绝口不提自己学宫结业的旧勇了。

然而，慕容楚衣也好，岳钧天也好，他们那时候修复东西都只是为了炫技，器物只是随意被砸碎，并不是故意被碾得七零八落。江夜雪却不一样，他此刻面对的是一堆几乎碾成了粉的载史玉简，碎得彻底不说，顺序也完全是乱的。

"……怎么样？"

"难怪毁掉这些玉简的人不必把残片带走。"江夜雪叹了口气，"载史玉简附着灵力，哪怕碎成了末，也容易被探知所在。他把它们毁成这个样子，整个重华，能修复它的人恐怕不出三个。"

墨熄沉默一会儿道："我潜入御史殿的事应当遮不了太久，还请你帮忙，能复原一卷是一卷，总比什么都不知道要好。"

江夜雪道："顾兄的旧案若有隐情，我也很愿意助你揭开。只是……"

墨熄的眼神一黯："修复不了吗？"

"倒也不是。"江夜雪抚着小几上拼了一半的简牍，"但你也看到了，此刻我只能将它修出一个雏形，并不能逆转到原貌。如果想得到完好无损的玉简，至少需要一月时间。"

墨熄摇了摇头："等不了那么久，君上必然会觉察此事。"

"……"

"我想在他发现之前，至少知道一部分的隐衷。"墨熄抬眼，黑沉沉的眸底像是无尽的长夜，他低声道，"你还有别的办法吗？"

江夜雪迟疑良久，低头抚摸着那些玉简，没有说话。

墨熄却从他的举动里捕捉到了一丝希望，追问道："是有的，对吗？"

江夜雪闭了闭眼睛，抬起纤长的手指，将残片小心翼翼地拼合在其中一卷玉简的最边沿。

"……是。"

不等墨熄说话，江夜雪就又立刻道："但是羲和君，那太冒险了。"

"怎么？是会因为修复未全而知晓错误的过往，还是会使得这些卷牍受到破坏再也没有完全修复的可能？"

江夜雪看着墨熄，他很少在这个男人脸上看到这样心焦又失控的神情，但此刻，墨熄那张因为连日煎熬而已经很憔悴的脸庞上承载着太多情绪，竟让他看起来有些陌生。

江夜雪道："你会受不住的。"

"你知道，三大禁术之一的时空生死门，至今无人能够彻底复原，但是九州大陆其实有着无数通过生死门衍生而来的术法和宝器。它们大多只是承袭了它最微末的一处细节，或者是一个雏形还原——就像你刚刚经历过的时空镜。"

墨熄眼神里的迷雾逐渐散开了，他望向搁在江夜雪小几上的卷轴。

"载史玉简也是？"

"是。"江夜雪道，"时空生死门是源起，时空镜是复刻，而这些……"他汝瓷般白皙的指节在几缘点了点，"这些载史玉简，道理也是一样的。它们无论威力大小，究其滥觞，都来自伏羲留下的时空生死门之术。"

"关于这门禁术，所有传闻中都隐藏着一道神谕——若有开启生死门者，将注定不得善终。时空镜、载史玉简没有生死门那种真正逆转过去的能力，不至于能诅咒涉入者的性命，但是……"

他顿了顿，看向墨熄憔悴的面容。

"每一次强行进入，身体都会受到极大的损耗。……你在蝙蝠岛的时候，应当就已经体会到了。"

"……"

"羲和君，我与你相识也近半生，你血统纯粹，灵力惊人，是以过往无论再疲乏的攻坚，你都没有展露过任何弱处。但是从时空镜出来的时候，你的灵流也罢，身体状况也罢，都已经弱到了极致。"江夜雪叹了口气，"你知道如果你再贸然进入未修复完全的载史玉简会怎么样吗？"

柔白的指尖滑过那冰冰凉、散发着象牙色微光的简牍。

"你可能会筋骨俱碎，也可能会灵核暴走。"

"但我必须进去，我相信顾茫当年叛国是有隐衷的。"

两人几乎是同时说了一句话，而后屋内陷入了沉寂。

窗外修竹摇曳，沙沙作响。

墨熄无疑是听清了江夜雪的话，他垂下眼帘，道："……江兄。兜兜转转这么一圈，我还是选择相信他。"

江夜雪宁静地望着墨熄，那双温柔的黑眼睛似乎有些湿润了。

"墨熄。"

"……"

"你当年已经相信过他一次了。"

八年前的金銮殿上，青年将帅站在满朝文武之前，他出离愤怒、伤心，独自面对着环伺的虎狼。

当年墨熄颤抖的声音仿佛穿过了湍急的岁月，再次抵至两人耳边——

"谁叛国？顾茫怎么可能会叛国？！你们是疯了吧？他坐拥我朝大军的时候不叛，他四面楚歌生死一线的时候不叛，他所有的真心和热血都沤尽了沤烂了，他最好的年华都献给脚下这片土地了，你们现在说他成了叛徒？！疯了吗？！"

满朝文武色变："羲和君……"

君上雷霆暴怒："墨熄！谁给你的胆子！"

而墨熄则像是失去同伴的孤兽……不，远比那种失却更痛。像是雄鹰失去了羽翼，夸父刖去了双足，绘师眇去了双目，赤子挖去了丹心。

那个天真的、正直的、悲伤的青年站在指责与私语间——他是贵胄间叛群的异类，而以顾茫为首的那些奴籍修士也注定无法接纳他。

他只能一个人孤零零地杵在大殿里，守着他的兄弟、他的至交、他的神祇留下的最后的墟场。

墨熄眼眶湿红，哽咽着，却还是坚定地说："他不会叛的。"

"……"

"我愿拿性命替他起誓，为他担保。"

"他一定还会回来……"

其实这样的誓言，他甚至都不知道是说与君上听的，还是他给予自己最后的安慰。

江夜雪叹息着重复道："你已经信过他一次了。"

"那一次，你几乎为他送了性命。你还要再信第二次，去探一个并不确定的真相吗？"

墨熄沉默须臾，说："当年在洞庭战舰上，我跟他说过一句话。"

烛泪又淌落一串，流在莲花灯盏深处，静静地汇积成潭。

"我说只要他能回头，什么都好。"墨熄闭了闭眼睛，双手交叠于眉骨前，低下头，轻声道，"只要他能回头，杀了我也好，性命、荣光……于我而言都不再重要。"

"但他没有那么做。他用那一刀与我做了了断，又用百万修士的头颅告诉我，他选择了一条复仇的路。"

"这些年，他杀了重华无数修士，多少人命丧他手，那些贵胄的子嗣牺牲了，他们的亲眷父母都会来咒骂我，来恨我——说我当年为厉鬼作保，说是我的兄弟害得重华多少村落夷为平地，多少黎民家破人亡……都说是我瞎了眼，是我蒙了心……一笔笔血债摆在我面前，我却还不敢去面对他，不愿去打与他对峙的仗。"

男人说到这里的时候，尽管因为骨子里的贵气与高傲而竭力隐忍着，可是声线是颤抖的。江夜雪听得出他喉咙里的哽咽。

墨熄缓然睁开双眸，沙哑地自嘲道："他们骂的从来就没有错。"

"这么多年我知道他欠了重华数以万计的性命，我走过战火烧过的村镇，看到倒在血泊里的修士，豺狼掏食的肚肠，我看到失去了丈夫的妻子，没有了儿子的老翁，坐在父母躯骸边痛哭的孩子。"墨熄食指痛苦地揉掐着眉宇，这些话那么多年他能与谁说？

他冷着，他绷着，他支撑着。

旁人尚有妻儿爹娘，他有什么？连一生唯一的光与热都成了他的黑暗。

他还剩下什么呢……

直到今天，直到孤注一掷想换取一个并不确定的希望时，墨熄才终于能把这些话与江夜雪说出些许。

他的肩膀都在微微颤抖着，他声音嘶哑得已经难辨原本的音调。

"我看到过被活活撕开的副将的骸骨，看到过可以填河的死人——是我护着的人犯下的。"墨熄怆然阖眸道，"他带着燎国的修士做下的……"

"你知道那是什么感觉吗？"

好像所有枉死的魂灵都围聚在他身边，向他唾骂，向他诅咒，向他哀号，向他求救、索命——你的顾茫、你的灯塔、你这辈子曾经最仰慕最珍惜的人杀了我们！

羲和君……四代忠良，将门虎子，重华的守护之神……你救救我们啊，你保护我们，求求你还我们一个公道，求求你把那个满手血腥罪无可赦的魔头送上绞架，求求你杀了他！！求求你为你的山河洗去恨血，还我们一个公道……

你为什么不下手？你为什么不去与他针锋相对杀个你死我活？为什么不斩钉截铁地披挂上阵要他性命？你还信他吗？你还那么执迷不悟，指望着厉鬼回头，指望他自己幡然醒悟，指望他回到昨日吗？！你也是叛徒！懦夫！

墨熄把脸庞深埋，手捂在耳侧，这些声音紧随着他八年，无时无刻不在撕咬他，折磨他，鞭笞他——是！他曾恨不得顾茫死！想到失去了爹娘的孩子在他怀里哀哭着，小猫儿似的抽噎，最后仍是魔气上漫，死于燎国黑魔之疫毒；想到鹤发鸡皮的老翁拄着拐杖在残阳如血的破败村庄里老泪纵横，一遍一遍地重复着再也回不来的孩子的名字……他怎么能不希望顾茫伏诛？！是以在顾茫落网之际他曾选择不置一词，将此人交由重华，交由君上依律处置。

可是当他真的看到那个人的时候……他就会发现原来那颗早该被淬炼成铁石的心，还是肉长的。他是有私的。

他为他的私而耻辱，为他的私而感到日夜难寐、心绪不宁，他看到怀里的孩子睁开血红的眼睛诅咒他，唾骂他，他看到老翁转头化作青面獠牙喝问他，怒斥他叛徒！！

江夜雪望着眼前的人，终究是忍不住，轻声道："墨兄……"

墨熄没应声，唇角泛起了一个悲伤极了的笑痕。

"如果载史玉简能让我知道当年的真相，如果我真的能发现他是有隐衷的——"他抬起眼，目光湿润地望着江夜雪，"哪怕死了，我也会是开心的。"

"……"

"至少这一生，我没有护错人，没有看错人。我也……我们也……"镇定和冷静终究是在言辞里又趋破碎，墨熄蓦地合眸，喉结滚动，没有再说下去。

我们也终于不再是叛徒与懦夫。这八年来的血海浸淫，也终能到一个尽头。

一卷残破的玉简摊在小几上，散发出微弱的荧光，好像一个气若游丝的将死之人倒在冰天雪地里，等着有谁能听到他弥留之际唇角漏出的最后一缕真相。

江夜雪道："羲和君，我最后再提醒你一遍，你要认真想清楚了。载史玉简不比上古神镜，到底只是一件俗物。所以如果你硬要窥其内容，那么它的残破，会需要你的血肉灵力来填补。"

"或者你可以选择等。君上也未必就能在一月之内发现载史玉简被你盗走，这样你也不用冒险，一切都可以更稳妥些。"

墨熄没吭声，烟云般的浓深睫毛垂遮着，遮去他眸底流淌着的光影。

"我已经让他等得太久了。"墨熄说，"清旭，开始吧。"

第28章

羲和府外，周鹤一手按着腰间的猎鹰，一手负在身后。顾茫被司术台的几个侍从羁着，站在周鹤旁边。周鹤的目光扫过惴惴不安的羲和府众人，扫过满头冒汗的李管家，扫过面目阴森的慕容怜，唇角研开一个冷冰冰的淡笑。

"不劳诸位相送，周某告辞。"

说罢就要带着顾茫离去。

也是，已经过去一个时辰了，墨熄并没消息，而君上的御诏又确实掌握在周鹤手里，白纸黑字地写着试炼顾茫的第一机构就是周鹤的司术台。

哪怕是慕容怜想向他要人，那也一样没有余地。

眼见着顾茫就要被周鹤带走，强烈的求生之欲让李管家嚷了出来："周周周长老！您看您要不要再留下来喝杯茶？羲和府有蓬莱仙岛三十年母株的瑶池飞叶，还是当年先君当作敕封礼之一赏赐给我家主上的！"

李管家有这一搏，并非毫无缘由。

周鹤乃是个好茶之人，据说是因为平日里司术台的事务太过血腥，物极必反，周鹤除了挖人脑浆之外最爱干的事情居然是品茗。拍卖行每年只要有上品茶叶竞拍，周家必然会派人过去，这是整个重华都知道的事情。

果不其然，周鹤听到瑶池飞叶的时候瞳孔微微一缩。

李管家立马趁热打铁道："这茶封了十余年了，寻常客人我们都不拿出来招待，唯独周长老这样的内行人，那才配喝呀！"

周鹤的手摩挲着猎鹰的刀柄，似乎在挖脑浆的快乐与品茶的快乐中天人交战，但最后仍是变态击败了正常，周鹤抿了一下唇，下颌一扬，示意随扈："不必了。把人带走。"

"是！"

随扈押着顾茫就要塞进司术台的马车，李管家看上去简直像是看家护院不力，屋内遭了窃贼生怕主人责罚的狗子，扶着门框都快要昏厥了。可就在这时，慕容怜忽然开口了："等等。"

周鹤眯起眼睛："望舒君，御诏都给你看过了，你还有什么指教？"

慕容怜用力抽了口烟道："人你带走可以。但是话说清楚了，你不能玩得太过分。我这里还等着用这个试炼体，你要把他用死用残了，以至于我的试炼没法做……"

他眯起眼睛，拿烟枪不轻不重地敲了敲周鹤的脸颊，森然道："那你怜哥就会很生气，你怜哥一生气，接下来你在重华可就不会活得那么痛快了。"

周鹤冷笑道："慕容怜你要不要脸，你比我就大三个月。你哪里来的面子称自己为哥。"

慕容怜的回应是又抽了一大口，而后笑吟吟地呼在了周鹤脸上："哥哥我就喜欢了，不服让你娘把你塞回去重生一次啊，你要早我三个月，我也管你叫哥。"

"你——！"

"哎哎哎，等一等。"慕容怜忽然竖起根手指摇了摇道，"先别你啊我啊，你怜哥我刚刚忽然又想到个好法子。"

"……"

"你看要不咱俩这样。"慕容怜一边咬着烟嘴，一边晃晃悠悠地走到马车前，"反正君上的御诏是给你了，我自然也不可能拦着你。人，你先带走，明儿我来取，毕竟我那里的黑魔线索也急着需要尝试呢，你一晚上够宽裕了吧？"

"不够。"

慕容怜倏地眯缝起眸子。他那双桃花眼原本应当生得风情万种柔情万丈，可偏偏眼瞳微上浮，是个三白眼，不免就自带些阴狠凶相："小宝贝，你不要以为揣着一卷御诏就可以肆无忌惮。你今后还是要在重华混下去的。"

周鹤转过淡琉璃色的眼珠："望舒君听过哪个试炼只需一晚？"

慕容怜盯着这人看，他手里的那一管水烟枪简直成了他心情的映照，正愠怒地冒着青烟。最后慕容怜道："……行。你不给个时限也成。但我最起码要确保，这个人还有条活命能等着给我用。"

周鹤问："你要怎么确保？"

慕容怜不答，他上前，不客气地一把揪住顾茫浴袍的衣襟，把人扯过来，懒洋洋地斜睨了一眼睛，回眸对周鹤道："我要留个追踪印记。"

他说罢，将自己左手戴着的一枚指环取下来，众目睽睽之下施了个法术，而后套在了顾茫的拇指上。那指环嵌着一枚蓝光流淌的宝石，看不出质地，但顾茫戴上之后忽然有一种说不出的心慌感，又有一种莫名其妙的悸动。

"跟之前火球在你身上留的追踪法咒差不多。"慕容怜抓着顾茫的手端详一会儿，而后点了点头，"我施了法，没人可以将它随意摘落。这样你是死是活，我心里多少有个数。"

这话与其说像是讲给顾茫听的，不如说是讲给周鹤听的。

他做完这些，甚是厌烦地挥了挥手："行了，你们这群弟弟都可以滚了。"

顾茫低头盯着自己左手拇指上戴着的这一枚宝蓝色扳指，眉心间流淌的怔忪愈来愈深，他抬起头来不明所以地看向慕容怜，却见慕容怜已经背过身去提着杆水烟枪又开始吞云吐雾。

顾茫望着他的背影，觉得自己尚且缺失的记忆里一定有一段是和这枚指环有关的，这段记忆自己并不知道，慕容怜却好像很清楚……

但以他对慕容怜的了解，他并不指望慕容怜会松口告诉他。只是摩挲着这枚蓝宝石指环时，那种熟稔的感觉却不可自制地涌上心头。顾茫甚至有一种可怕的直觉，他觉得这枚指环原本就应该是自己的，天生就应该和自己待在一处。

为什么会有这种直觉？与它相关的那部分回忆，究竟是什么呢？

周鹤走了之后，慕容怜又站在原地望着星夜，慢慢地抽完了一整管浮生若梦。吸食完这种强烈的迷幻药后，他整张脸便犹似浸在春水里，眉目之间尽含着一种飘飘欲仙的舒爽感，只是这种舒爽感下面似乎压着某种极度扭曲的情绪。

烟霭一呼，那种情绪才蓦地被吹散，逐渐地淡却……

"李微。"

"啊，望舒君有何吩咐？"

背对着府衙灯笼，面朝着无尽黑夜的慕容怜站了会儿，绾着发髻的木簪子和他融嵌金丝满目浮华的衣袍显得那样格格不入。

半晌，慕容怜偏过脸来，眼神间充斥着阴暗。

"墨熄死了吗？"

"啥？"

"足足一个时辰找不到人，是他死了还是你们羲和府的都是一群蝼蚁！"

李微忙替主上和羲和府委委屈屈的仆佣们说话："这个……望舒君，话不能这么说啊，方才等的时候您也都瞧见了。传音蝶放了都快百来只了，没一只能找到主上的人影，而且主上又是军政署要员，他如果在署里，传音蝶也穿不过结界，咱们也不可能进王宫找他……"

这话说得也没错，但慕容怜的脸色却无半分好转。他咬着烟枪转身，踱过来。

"整个帝都，传音灵物无法随意抵达的地方，除了王城，还有哪里？"

李微怔了一下："望舒君不知道吗？"

"本王为何要知道这种无用之事！本王平日里需要给什么人传递讯息吗？"慕容怜怒道，"说！"

"哦哦哦，是是是。"李微道，"除了王城之外，传音灵物无法随意抵达的有阴牢、姜宅、慕容楚衣的炼器室……"林林总总枚举了二十余个地方，到了最后，声音渐渐轻下来，瞄了慕容怜一眼。

慕容怜好奇道："你看我干吗？"

李微硬着头皮："还有望舒君您开的楚馆……"

"……"

"以及修真学宫。"

慕容怜道："你派人去这些地方询问火球下落，立刻马上。"

"这样查恐怕要查到明早……"

对上慕容怜的眼睛，李微脖子一缩，忙道："查查查，这就查。"

慕容怜吩咐完了之后又偏着脸思忖片刻，看样子好像是把李微跟他说的那二十余个点又重新在心里筛了一遍。

最后慕容怜转身吩咐自己的随扈："走。"

"主上是打算回望舒府吗？"

"不。"慕容怜踩着包缎软凳上了马车，冷冷道，"先去阴牢，再去修真学宫。这两个地方他们去未必方便，我来。"

半个时辰后，江夜雪坐在四出头黄檀官帽椅上，纤细的双手于膝头交叠，正专注地望着昏睡在载史玉简边的墨熄。

屋子里的灯火不算太亮，可以清晰地看到墨熄的心口源源不断地涌流出火红的灵流，将残破的玉简裹挟着。他的灵流仿佛成了连接卷牒损坏之处的纽带，使得整个玉简变得不再那样残破。

已经有一段时间了，江夜雪抬手看了看自己掌心里的滴漏器，墨熄陷入法术沉眠已经过了一个刻度。

随着墨熄灵力的大量损耗，玉简已经恢复得很完全，想来也就是现在，墨熄的神魂应当已经能够开始阅读载史卷内记录的讯息了。

然而这时，外头忽然传来粗暴的敲门声。

"咚咚咚！"

江夜雪微微蹙眉："何人？"

慕容怜的声音从外面传了进来："死瘸子，滚出来开门！"

江夜雪看了一眼桌上盗来的玉简和沉睡的墨熄，说道，"夜深了，江某不便与望舒君相见，还请……"

"砰"的一声响，慕容怜居然直接把门踹开了。

隔着飞腾飘拂的尘埃，逆着月光，两人互相对视着。但慕容怜的目光并没有在江夜雪身上停留太久，那两束阴晴不定的光芒很快就越过江夜雪，在整个屋内扫了一遍，又二话不说地往卧房内闯。

一圈下来，什么人都没有瞧见。

慕容怜回到主厅，问："墨熄不在你这里？"

江夜雪的脸色不变，他看上去算是镇定自若，但修长白皙的手指却已然扣在了轮椅扶手最隐秘的一道机关处。

江夜雪淡笑道："他为什么会在我这里？望舒君如果要找羲和君，直接问我便是了，为何偏要硬闯？"

但慕容怜这性子，无理取闹横着走惯了，门能用踢的就不会用推的，能用推的就不会用敲的。再加上他本来就看江夜雪这种好好先生不顺眼，自然愈发不会客气。他瞪了江夜雪一眼，没好气道："本王养的狗，放在他府上寄养，现在狗被周鹤抓去做黑魔试炼了——你说我要不要找他合计着算账！"

江夜雪目光一凝。

"顾茫被司术台带走了？"

慕容怜懒得跟他说第二遍，咬牙道："怎么哪里都找不到墨熄的人……难不成他还真的在军机署密谈室？"

墨熄自然不在军机署密谈室里。

他依旧枕在载史玉简边，就在江夜雪与慕容怜咫尺之远的地方，只是江夜雪的竹屋内机关重重，就在方才慕容怜破门而入的那一瞬间，江夜雪已经打开了厅室的幻境术，是以墨熄虽仍在原处，慕容怜却并不能看见。

"行吧，那你若是见了他，替我转告他一声。"慕容怜狠抽了一大口烟，吐出来道，"走了。"

"不送。"

慕容怜离开了，江夜雪转着轮椅来到门边，将房门合上，然后重新移到墨熄身边。屋里很静，他盯着墨熄看了一会儿，将手探至对方的颈动脉处，眉头微微蹙拢。

墨熄已经进入读卷状态，此时此刻若将他强行搜出，情况只会更加凶险，只能等待，不能介入。

他放下手，目光幽晦。顾茫那边……能撑到墨熄探秘醒来吗？

载史玉简幻境中，墨熄慢慢睁开了眼睛。

他发现自己躺在了一片无边无尽的黑暗里，周围是浩渺无垠的夜幕苍穹。天空中，一道青碧幽蓝的光带横穿而过，光带上闪烁着明暗不定的篆体小字。

忽然间，一个空幽的声音自天幕向他压来，暗哑犹如磨损的卷轴——

"所阅……何事？"

这就是载史玉简已经拼凑完成，可以追溯过往的邀约了。

墨熄撑着身子坐起来，对着那腾雾青龙般在夜空中张牙舞爪的碧色光带道："我想知道，顾茫在这一年之内，是否曾有叛国的隐情。"

"……"

光带依旧扭曲盘绕着，没有任何的异动。就在墨熄的希望一点点地凉下去，以为玉简或许并没有记录到有关往事的时候，光带忽然爆发出炫目的光，紧接着无数闪烁的字汇集到一起，化作一条通天彻地的虚渺巨龙之形。

但见它长吻修目，鬣鬃飞扬，霎时间这片玉简营造出的宇宙洪荒内云雷暴起，风云腾浪！这幻龙鳞爪遒劲朝着九天腾跃而上，继而猛地俯冲下来，朝着渺如天地一粟的墨熄飞去！！

霎时间风沙飞滚，狂暴的碧色华光刺得人睁不开眼睛，轰的一声巨响！墨熄最后的感知是那巨龙像是苍穹坠下的瓢泼大雨，光芒如万箭洞穿魂灵。

"昨……日……已……死……"

一声幽幽叹息，犹如对窥卷之人最后的警告。

"君……自……当……宽！"

五光十色交织的斑斓犹如雪片般压进他的眼眶，侵入他的瞳眸，好像要把玉简中铭刻的所有岁月都在这一夕间刺入这副血肉之躯里。

蓦地，光芒熄灭了。

墨熄喘息着，眼前还闪着交织不定的强光残余，以至于他无法立时看清自己被载史玉简带到了八年前的哪一天。

他站在原处，用力眨着眼睛，时不时甩一甩头，想要尽快恢复视力。此刻他只能知道自己来到了一个光线十分昏暗的地方，能听到雨打屋檐的淅沥声。

过了一会儿，有人来了，脚步声自远处传来，在尺许外停下——

雨声哗啦，这个人没有立刻开口，就在墨熄几乎要以为那脚步声是他的幻觉时，一个熟悉的声音终于打破了这沉默。

来人道："庶民顾茫，拜君上安。"

这轻若飘雪的声音犹如一声轰雷，将四肢百骸的血液都骤然惊起！墨熄眼前仍晃动着光怪陆离的虚影，耳膜内也嗡嗡作响，但他顾不得强烈的眩晕感，猛地转头。

夜风吹进来，夹杂着风雨和晚间玉兰花的甜香。

都说人的记忆里，其实嗅觉是镌刻得最深、最难以磨灭的，墨熄一闻到这气息，哪怕此时并未看清所在何处，也一下子如醍醐灌顶——黄金台。

载史玉简竟带他回到了重华王城最机密、最难以企及的殿台！

黄金台修筑于王城后山前，飞檐斗拱，矗立于九百九十九级长阶之上。全台以黄梨木建造，通殿俱是榫卯结构，无用一钉一胶，皆靠木头之间缓缓扣叠。在它周围，栽种着大片来自东海仙岛的龙舌玉兰，此花花色绯白相间，状若鲤尾，终年不败，香气馥郁且极为特殊。

正所谓"报君黄金台上意，提携玉龙为君死"，历朝历代，只有君上最重视最信任的臣子可以登顶于此，无数修士从小就被爹娘寄予殷切希望，望他们日后能得承君诏，带着旁人所不能企及的荣华走上这九百九十九级上阶，从此提三尺剑，立不世功。

墨熄自己是立下天劫之誓后，才得到君上的黄金台赐筵，成为君上的"可信之臣"。所以他怎么也没有想到，玉简带他溯回的第一个地方居然会是黄金台，更没有想到君上曾经在黄金台上召见顾茫。

未及深思，就听得君上淡淡道："顾帅，你终于来了。"

眼前的光斑还在晃动，但已没有方才那般炫目。墨熄闭上眼睛又咬牙缓了片刻，待他再睁开眼时，他终于可以看清面前的景象了。

是雷雨之夜，看不出时辰。黄金台四周的罗帷在风雨里被吹得聚散飘飞，犹如烟篆。君上背脊挺直，踞坐于衽席之上。

他的身侧是雕绘着蟠龙祥云的朱栏，一幕箬竹半卷着，外头暴雨滂沱，湍飞的雨珠溅至黄金台内，但君上并不以为意，他把目光从几乎已模糊不可见的青山远黛处收回来，隔着朦胧的烛火，望向楼台入口。

墨熄随着他的目光看去——

自时空镜之后，他又一次见到了八年前的顾茫。但载史玉简里的这个顾茫显得更为清冷，一道惊雷裂空而过，闪电之光照亮了顾茫的脸庞，令他看上去竟有几分阴鸷。

"顾帅，请进。"

顾茫抿着嘴唇，他手里还握着一把收拢的油纸伞，正滴滴答答淌着水。黄金台上什么侍从也没有，顾茫自己将纸伞倚在了廊柱旁，带着寒气，缓步走进了台内。

"坐。"

君上示意顾茫。

"孤夜半虚着前席翘首以盼，总算把你等了过来。"

顾茫在衽垫的另一边入席。

看他的神情，除了冷淡与落寞之外，他的眉宇间还笼着一丝淡淡的疑惑。他仿佛并不明白君上为什么要让他到黄金台上来，也压根儿没有想到君上会让自己到黄金台上来。

果不其然，过了一会儿，顾茫就问："不知君上找我，是有什么要事？"

君上没有立刻答话，他摆弄着案几前的红泥小炉，用青竹小扇子将茶汤烧得更旺，蒸汽蹿进湿冷的寒风里，顷刻又被雨幕吞没。

在这疾风骤雨的夜里，君上道："顾帅，你现在是不是特别恨孤。"

"……"

"孤听说，羲和君找你喝过酒，你跟他说，你很累，你撑不下去了……"

顾茫冷冷道："君上派人跟踪我？"

君上继续扇着青竹小扇，没有否认。

"君上这是何必呢。您已经卸了我的军衔，削了我的军权，羁留了我所有的残部。"顿了顿，顾茫道，"还判刑了我最好的兄弟。"

"我如今庶人一个，折翼难飞，君上大可不必再在一介草民身上浪费这个心力。"

君上重复道："孤只问你，顾帅，你此刻是不是已恨极了孤？"

"……"

"其实你不用说，孤也清楚。你为邦国卖命打了那么久的仗，最后除了自己，什么都没剩下，都被孤夺走——就连你那天当着满朝文武的面，为你的兄弟们向孤求一座墓碑，得到的都只有讽刺和训斥。"

君上轻笑一声。

"如果可以，顾帅恐怕早已拆了孤的骨头去熬汤了吧。"

顾茫道："君上今日请我前来，就是来闲聊的吗？"

冰裂瓷壶烧沸了，壶盖子被撞得发出丁零当啷的脆响。君上握起包裹着竹卷的提梁，分别给自己与顾茫斟了两盏酽茶。

长指将茶壶往顾茫面前一推。

君上道："不。孤来找你，是为了一个人洗脱罪名。"

像是冰面蓦地裂开一道缝隙，顾茫那张犹如冰冷假面的脸庞一下子流露出了属于"人"的情绪，他立刻抬起眼来。

因为某种感知，顾茫的嘴唇微微颤抖着，他紧盯着君上的眼睛。

半晌，抖出一个字来："谁？"

帘帷外，闪电亮了亮，苍白的光照亮了夜与青山，也照亮了秉烛夜谈的两个人互相盯伺的眼。
君上道："你心里想的那个人。"

"……"

"陆展星。"

轰的一声惊雷破空！那撼天动地的炸响仿佛一柄利剑刺透了穹庐！余音震颤刺破了屋檐，直扎到墨熄的心口去！

入骨的寒意犹如浪潮滔天，猛地翻涌上背脊！陆展星是……含冤的？更重要的，君上是知道陆展星是含冤的？

强风斜吹雨，瞬息扑灭了几盏烛火。

黄金台上的光芒更微弱了，可即便如此，墨熄依然能够看清楚顾茫的脸色——苍白得可怕。显然被这个消息刺激到的不止旁观的墨熄，顾茫一下子被钉在了座上，整个人都蒙了。

半晌，顾茫才仿如傀儡偶被注入了生气，他一字一顿，极缓慢地问："什么？"

君上道："陆展星是含冤的。"

"……"

"你的兄弟，他是被算计的。"

顾茫看上去已然苍白得像是一具死尸，风吹拂着高台上燃着的几盏连枝宫灯，而宫灯颤抖明灭的光影则映照着他毫无血色的脸。

四野雨瓢泼，一只不知何时飞入檐下的飞蛾以为自己逃脱了暴雨的魔爪，可它不知道这高台上也有它的坟场等待着它，它在摇曳的火舌附近扑扇着翅膀，像是随时都要奔向会吞噬它性命的光明里。

良久后，顾茫才道："……君上是在说笑吗？"

"孤就知道你会是这样的反应。"君上把茶盏又往顾茫手边推了推，"喝吧。再不喝就凉了。这是皇祖考当年留下的桃花源仙茶，一共五块，皇祖考拜相时曾拆过一块奉茶以表相敬。这第二块，今日孤奉与你尝。"

顾茫这时候已经不只是震惊了，他甚至是愤怒的，是惊惧的，他像是被团团戏耍的牲畜，被萝卜和大棒已搅得晕头转向，他甚至不知道眼前这个人究竟想要干什么，想要从他身上谋什么，下一步又到底是蜜糖还是鞭鞭。

他倏地站起来，胸口起伏着，自上而下俯视着这个重华至为尊贵、权力最高的男人。

"这到底是什么意思？！"

墨熄在旁边已经看出来，顾茫恐怕是倾尽了毕生的忍耐力才使自己没有怒喝出声。

但顾茫的手在抖，指甲已然深深地陷入了掌心之中。

君上举起茶盏，淡淡看向顾茫。急剧的悲风吹得他宽大的袍袖猎猎作响，墨熄这时才注意到今夜的君上并没有穿任何制式的帝王服冕。只是再寻常不过的衣冠，白玉玉簪再简单不过地束着一头乌发。

"意思是，对不起，顾帅。是孤欠了你。"

说罢，他并未去理会顾茫错愕且混乱的眼神，而是将杯中浓茶一饮而尽。

顾茫往后退了一步，嗫嚅着，嘴唇喃喃地翕动着。但哪怕他不出声，墨熄也明白他在说些什么——陆展星是蒙冤的……陆展星是蒙冤的……

"他蒙了什么冤……他蒙了什么冤？"顾茫忽然有些混乱起来，他声音沙哑，由缓到急，由喃喃自语到歇斯底里地喊出来，"是不是凤鸣山来使并不是他斩杀的！！是不是！为什么他不跟我说，为什么他不鸣冤？为什么突然告诉我这些，为什么告诉我这件事的人居然是你！！"

他瞳孔几乎是瑟缩地盯着君上面色不变的脸。当真是失了理智了，以至于一介布衣戴罪之身竟敢与天潢贵胄这样说话，以至于在贵胄面前一向谨小慎微的顾茫竟然敢对君上以"你"直称。

而君上呢，他缓然抬起头。一向多疑且暴戾的他，竟没有对顾茫的越矩置以训驳。

君上道："不，凤鸣山一役，来使确实是陆展星亲手斩杀的。"

"……"

"没有人构陷他，没有人强迫他，但是……"

看着顾茫摇摇欲坠的身影，君上停顿须臾，从乾坤袖中取出一枚血迹凝固、鲜红斑驳的白色棋子，轻轻扣置在了桌几上。

"他是受了他人蛊惑，不知不觉中便心甘情愿地做了他人棋子。"君上的指尖自案几上移开，轻声道，"顾帅广涉禁术，看看……你认得这枚白棋吗？"

凝着血迹的白色棋子在乌黑的紫檀茶桌上，像是爬满红丝的眼白，无神却森幽地看着四面八方。

顾茫强忍着激动的心绪，缓然自案上将棋子执起。

他一开始并没有觉察出这枚棋子的不同之处，但是端详片刻之后，瞳孔猝地收拢，错愕至极地抬起头来："珍珑棋局？"

"顾帅到底是和燎国打交道多了，见多识广。"君上道，"司术台花了三天两夜才确认这就是珍珑棋局，顾帅却只消几眼就能判断。"

"不错。这就是上古三大禁术之一的……珍珑棋局。"

珍珑棋局。从洪荒时期留下来的血腥之术，能够以自身灵力炼就黑白棋子，从而操控世间万物，无论是飞禽走兽，还是人鬼仙妖，只要被种下了棋子便会沦为傀儡为虎作伥。不过这种禁术有一个很大的局限，就是对施术者修为的要求极高，因为每炼制一个棋子都需要耗损非常多的灵力，所以非大术士级别的人不可能驾驭。

不过就算这样，珍珑棋局也仍旧是上古三大禁术里传世痕迹最清晰的一个。比起众说纷纭的重生秘术、宛如神话的时空生死门，珍珑棋局搅起的血水风云简直溅满了整个修真界的历史。

无数有野心称王称霸的人，趋之若鹜地在五湖四海搜集珍珑棋局的残卷。虽至今仍无人能够像禁术卷轴上写的那样，撒豆成兵，落棋百万，以一人之力就能炼就数以万计的黑白子，没有人能够彻彻底底地掌握并使用珍珑棋局来令乾坤变色，山河染血。但是，能够凑合炼出几十枚、几百枚棋子的修士还是存在的。

而有的时候促成一场哗变，颠覆一个政权，也只需要最关键的几个人被暂时操控就够了。

顾茫眼中有光晕在颤抖。

"珍珑白子……"他喃喃着重复了几遍，嘴唇微微发颤，"所以……所以陆展星是被珍珑棋局操控的？！"

君上道："是。"

只这轻描淡写的一声，却像是把顾茫身上熄灭的那种光华在瞬间全部点亮。

顾茫激动道："君上告诉我这些，是想要我替展星做什么来平反吗？我什么都可以——"

"顾帅。"君上打断了他的话，又斟了一盏茶，"你先冷静些，你坐下。"

"可是——"

"你相信孤，既然孤愿意把真相亲自告诉你，孤就绝不会让陆卿平白蒙冤。"

他这句话说得太精巧了。什么叫"不会让陆卿平白蒙冤"？乍一听仿佛是要给陆展星平反的意思，但仔细思忖，却还有一种可能：他会让陆展星之冤案获得一个价值，不至于白白折损这一名副帅。

牺牲有所值，这也是一种"不平白无故"。但是顾茫此时哪里能听得出君上言语中这样隐秘的意思？他眨了眨湿润的眼眸，望着君上诚挚的脸，坐下来。

顾茫是一捆多好点燃的劈柴啊，前一刻还冰冰冷冷似乎永远不会再相信任何人，为任何人效力，可是原来只要这一点点火种，他就又肝脑涂地地把自己的一切都献于君前。

墨熄闭上眼睛，睫帘颤抖着。

此时顾茫重燃的希望有多炽烈，墨熄心里的痛苦就有多深重……因为他知道事情最终并不会像顾茫此时盼望的那样走下去。

这转瞬即逝的光焰，不过是顾茫留在重华最后的倒影。

"顾帅知道孤是怎么觉察到这一枚棋子的吗？"

顾茫摇了摇头。

君上道："陆展星被收押阴牢之后，狱卒照例对他进行了细节审讯。但他们发现他那时候的状态很是古怪，有些语焉不详，反应也非常迟钝。孤心中有疑，所以让周鹤对他进行了法术剖析。"

他说罢，点了点桌上的白棋子。

"而后他们就在他体内发现了这个。"

"珍珑棋局毕竟也不是那么容易驾驭的法术，从古至今尚未有哪个人可以将它真正掌握。所以这一枚白子炼制得也并非如书中记载那般尽善尽美，只能算是个失败品，不过它依旧可以在极短的时间内控制生灵，让他们做出施术者希望看到的事情。"

君上顿了顿，抬眼道："顾帅你一向聪慧，想必不用孤说，你也应当知道当时那个状况下，陆展星斩杀来使，会对哪一方最为有利。"

顾茫沉默一会儿，低声道："……燎。"

"不错。就是燎国。"

君上将这枚白子拈着，立起来，两指一用力，白子陡地飞速旋转起来，他盯着这枚棋子，接着说道："那个施术者，他因为修炼不到家，无法长久而稳固地使用珍珑棋操控别人，也无法左右诸如你、诸如羲和君之类灵力登峰造极的修士，而你的副帅陆展星当时孤身坐镇军中，于是他就成了对方下手的最佳人选。"

仿佛纱布一层层被揭开，露出下面鲜血淋漓的真相与狰狞丑陋的伤疤，顾茫的指尖都在发抖，眼睛一直盯着那枚白子看。

"试想一下吧，顾帅。无论从陆展星的脾性、出身、地位……他怒斩来使这件事都顺理成章。若不是周鹤探查得仔细，这案子就将这样终结，无人会起疑心。"

白子还在桌几上陀螺似的不停旋转着，隔着这一枚疯狂打转的珍珑棋，隔着一张窄木桌几，一君一臣对视着。

"一枚棋子，葬送重华第一骁勇的军队，摧毁重华持续未几的变法，让孤彻底沦为老士族的傀儡，而你，你们这些人将再也没有翻身之日。你能想象那副光景吗？"

"……想象？"

良久，顾茫不无疲惫地轻声道："君上，我这些天一直活在这幅光景里。"

他双手交叠抵着自己的眉骨，把自己的脸庞深埋："从我跪于朝堂之上，恳求您为我的兄弟们修建那七万座坟碑时……我就已经……就已经……"

他像是在荒漠中跋涉太久而濒死的旅人，突如其来的希望反倒让他哽咽了。从墨熄站的角度，可以看到顾茫的侧脸，那纤长凤尾蝶般的眼梢有清亮的水痕。

君上静默片刻，低声道："顾卿，孤很抱歉。"

面对一个曾在朝堂上辱骂轻慢自己的君上，有多少臣子能够毫无芥蒂地释怀？撇去那些奴颜媚骨的货色不说，换作慕容怜也好，换作墨熄也罢，他们谁都不可能打心底里轻而易举地接受这样一句道歉。

但顾茫是一个穷酸的将帅，别的将军可以高高在上意气风发，他呢？他往往是涎皮赖脸的，笑嘻嘻地去和贵族老爷磨军饷，厚着脸皮去和其他统领攀关系。他不是下贱，贱到别人打他左脸，他把右脸也凑上去。

他是没有办法。他有的只有那么多，他要对十万袍泽的性命与尊严负责，他兜里空空，又无背景，能可怜巴巴掏出去的只有自己的笑脸，只能点头哈腰。

他还能怎么样呢？顾茫一声不吭地用拇指在眼睫边擦了擦，抬起头来。

风吹残烛，墨熄看到他泪痕犹未干，却还是努力地笑了一下，那笑容简直破碎得厉害，却又坚强得厉害。

顾茫说："没有关系，那时候周长老尚未觉出珍珑棋子的法术痕迹，君上不明真相。那样斥责，也是应当的。"顿了顿，又用湿润的黑眼睛小心翼翼地窥望着君上的脸庞，"那么敢情问君上……打算如何为陆展星翻案？"

君上却并没有接话，在这样的沉默中，白子的旋转趋势慢慢地缓了下来。

外头又是电光闪动，映得远山犹如一只只从大地腹内钻出来的厉鬼。

轰的一声天雷空破，暴雨仿佛瀑布在人间浇落。君上道："顾帅，恐怕不能了。"

顾茫的瞳仁在雷光紫电中收缩，而桌上的白子也在此时转到了力竭，它挣扎着用尽了最后一点余力又打了几个狼狈不堪的圈，伏在桌上，不再动弹。

一切复归寂静，仿佛一潭湖水暗潮涌动、浪花腾跃，眼见着就要有冯夷破出，华光漫照的鳞甲将照亮深渊，还诸公道。

但骤然间，风又止，水又熄。河伯重新潜入寒潭深处，害岸上的人苦苦等待了良久，白白开心了良久。

顾茫的喉咙都有些发涩："什么意思？"

君上没有立刻回答他的这句话，而是问道："顾帅知道陆卿如今在牢狱里，是什么感受吗？"

"……"

"他到现在都仍以为凤鸣山斩杀来使，是他一时冲动所行之事。他愧疚极了，周鹤说，提审他的时候他一直说想要见你。他想要为他的冲动亲自和你道歉。"

顾茫蓦地合上睫帘，垂在腿边的手指紧紧捏成了拳，额角青筋突起，神情极度痛苦。

君上的指尖重新抚上那枚苍白的棋子，摩挲着："陆卿并不知道，被白子操控了心智的人，无论杀人、叛变、奸淫，他们都做得出来，且都会以为是自愿为之——他不过是一个无辜受害之人，一柄杀人之刀，却以为自己就是凶手。"

顾茫霍然直起身子，经不住地颤声道："那君上何不与他言明！"

"何不与他言明？"君上似是反问，又像是扪心自问，他有些悲哀地轻轻笑出了声，半晌道，"……因为孤问心有愧啊。"

他转头望向那茫茫雨幕，下得天地间一片荒凉，他的声音却比这山色更为寂冷。

君上轻声道："孤不知该如何面对他。他不是逆臣，而是一位为了重华备受折磨的帅将。孤的心也是肉做的……孤无颜见他。"顿了顿，"你以为孤不愿意为他洗刷罪名，不愿意立刻还你们一个清誉、一个公道吗？"

"你错了。天下哪有君王愿意这样寒重臣的心？"君上起身，走到风雨飘摇的黄金台边缘，负手望着眼前无边无尽的长夜。他沉默一会儿，忽然喟叹般说道："顾帅啊，有一句话，今日恐怕孤跪在你面前说，你也断不会信。"

他停了须臾，道："在孤眼里，你的那支军队才是孤自父君手里继承的至为贵重的珍宝，给孤再多的土地，再绝色的美女来换，孤都不答应。"

"……"

"孤一点儿都不想失去你们。"

顾茫没吭声，只觉得很荒谬。

然而觉得荒谬的不止顾茫一人，墨熄也觉得君上此言委实太过可笑。贵重？不愿失去？弃如敝屣，亟欲遣散……说它是君上的眼中钉肉中刺还差不多，珍宝谁信。

君上见顾茫沉默，偏过头来，忽然问道："顾帅，你觉得孤是个怎么样的人？"

顾茫嘴唇动了一下，随即又紧紧地抿上了。

"其实你不说，孤心里也清楚。你们这些人都觉得先考是个贤君，愿意给奴籍出身的修士一个建功立业的机会。在你们眼里，先君是高瞻远瞩。而孤呢？"君上笑了一下，"孤则是胶柱鼓瑟、冥顽不灵。"

他看着檐角边涓流而落的水帘，过了一会儿道："但是你们可曾有谁站在孤的位置上，想过孤的处境？"

"孤也没有别的办法。"君上轻叹道，"顾帅，你以奴籍出身，一路走到今天这个位置，遭遇了种种非议、无数摧折，孤看在眼里，最多的不是佩服，也不是怜悯，而是感同身受。因为你的这条路，我的这条路，都是一样的不好走。注定要背负无数的骂名与罪名。"

"……"

"不，其实孤还不如你。你好歹还有一个可以交心的羲和君，有一群誓死效忠于你的孤勇猛士。孤有什么呢？梦泽？宴平……还是慕容怜。"君上说着，自嘲地轻笑了一下，"偌大一个王城，旁系直系诸多亲眷，却没有一个是与孤毫无芥蒂的。你知道为什么吗？"

顾茫摇头。

君上道："因为孤走上王位的这条路，早已溅满了兄弟的血。"

他说着，仰头望着翻墨般的天穹："孤跟你说一个传闻吧。不……应该算是禁闻。不过世间人言最难禁，孤想，这一段传说，顾帅或许也曾听过。"

顾茫没有说话，君上顿了顿，便开口道："事情发生在很久之前，孤才刚刚出生的时候……众所周知，孤是王家的嫡长子，按理当立为储君，但重华夺嫡之争并非没有先例，只要没有正式登基，就什么都有可能发生。于是，在孤满月那一日，母妃偷偷寻相师占蓍，算了一卦。卦象凶险，相师说孤命中终有一劫，紫薇星宫中，孤注定将同室操戈，与兄弟难睦。

这一卦令母妃寝食难安，大病数月。而等她恢复康健之后……"君上停顿片刻，闭了闭眼睛，"不知为何，宫中妃嫔所诞但凡是男婴，便再也没有一个可以活过足岁。"

墨熄知道君上说得没错，他年幼时常与父亲入宫，见到的小皇公子自始至终就只有一个……那就是当今的君上。而且他还很清楚地记得宫里曾有一位温柔若水的君妃姨娘，善做糕点，每次他来都会特意为他做上两盒带回家去。那位君妃身子骨赢弱，后来怀了身孕，拼尽所有心力诞下一个孩子。是位公子。

墨熄那时候还记得父亲曾和母亲商议要送什么贺礼合适，然而贺礼尚未敲定，宫里的丧钟就响彻了整座帝都——小公子夭折了。

具体的死因，因为墨熄那时候太年幼，隔着的时光又太久，所以他记不清了，好像就是一种小儿急病。而最让他难以忘却的是那位君妃夫人因为幼子丧命而悲痛欲绝，数日后，趁侍女守卫不备，自缢身亡。

这件诡谲蹊跷的事情传遍了整个重华，而除了这位君妃之外，其他夫人也是人人自危，之后但有所出，只要是个男孩儿，对这些母凭子贵的女人而言竟不是好事，而是一个诅咒。

当年这桩桩件件的命案，其中不知凝结了多少母亲的泪水，冤死的亡魂，但要真的归结起来，也就只是这样简简单单一句话而已。

君上望着茫茫雨夜，眼神很空蒙，像是在雨里看到了自己那些未能长大成人的骨肉兄弟。他轻声道："这些事情，究竟是巧合还是真是母妃所做，孤不当妄揣。然而……每个人都会觉得孤是踩着一条血迹斑斑的路上来的，所以先君的那些妃嫔……有谁会盼着孤好？她们的那些裙带外戚，又有哪一家会真正愿意与孤一条心？"

"他们本就不服于孤，不归诚于孤。更何况先君殡天时，还曾想过要废了孤——过继慕容怜。孤的这个位置你以为有多稳妥？"

顾茫："……"

君上说罢，贝齿咬着嘴唇，眼中的光芒晦明不定："所以不是孤不愿承先君所拓之道，也不是孤当真视你们为浮萍草芥。是因为……"他闭了闭眼睛，"孤没有其他选择。"

"孤初掌大权，内忧外患，诸事未稳。你们看上去好像以为重华的大小事宜只要孤丹朱一批，就什么都可以做主，但事实上孤连动个望舒君开的落梅别苑都做不到。这就是重华新君的境遇——你看有多可笑。"

顾茫："落梅别苑为何会无法封禁？"

君上冷冷嗤笑，抬眼望着顾茫："顾帅知道这里的水有多深？你不动它的时候，只知道它是望舒君手下的场子，而等你真的想将它连根拔起了，你就会发现它的根系遍布了大半座王城，你一动它，埋在泥土深处的那些利害关系都在向你示威，向你喊疼，与你逆向而行。"

"只一个落梅别苑，就广涉了官官相护，销赃受贿诸般丑事……这还只是一桩。如今的重华，孤做一件事便有一万双眼睛盯着，一千张嘴巴说不，一百条手臂急着把孤摁回座上，那如果有朝一日，孤想改制司礼台，改制军机署，甚至彻底地改变重华的国制呢？又当是何种局面？"

风吹雨斜，有湍急的雨水斜打进黄金台里，一时间谁都没有说话。无论是旁观的墨熄，还是当时的一对臣子，都陷入了沉默之中。

未几，君上又道："退而守旧，并非孤心，而是孤不得不行之策，不得不背之责。"

不得不行之策……不得不背之责……两句话像钉子般钉进顾茫的血肉里，令他心胸震颤。

"顾帅。"

顾茫蓦地抬起头来。

君上将修长的手指搭在暗红色的雕栏边，低声道："你知道孤这一生最想做的是什么吗？"

"……"

"孤想让那些蝇营狗苟的老贵族都学会闭嘴，孤想让那些废物把嘴里叼着的肉都给孤吐出来——沉棠错信了花破暗，有了燎国，有人便觉得奴隶之身的修士就断不可取了。但父王信对了顾卿，重华就有了对阵燎国的铁将。这世上有花破暗，就会有你顾茫，有他陆展星。"

"先君选的路是对的，但孤想比他走得更远。"

他顿了顿，眼神一凝，手指也不自觉地慢慢握紧了，仿佛接下来要面对的是什么恶心透顶了的东西。

"那些裙带之臣，那些遗老贵族……他们眼里根本没有重华这个邦国，只有他家今日得了什么封赏，明日有了什么官爵，真要上了沙场全是纸上谈兵的一群废物！那么多年了……借着花破暗叛国一事，死也不肯让有能之人、有识之士出头，稍有奴籍出身的修士冒个头，恨不能群起而攻之，扣一堆莫须有的罪名让对手死在风波亭里——"

这一番话莫说是顾茫了，连墨熄都惊愕了。君上何曾如此一口气不停而情绪激动、不加掩饰地说过那么多话？更何况他说这些话的时候，眼中闪烁的光芒好像让他外头笼着的一层无形的厚壳裂开了，他这时候才真的像是个挥斥方遒的意气少年。

"他们畏惧重华改制，畏惧对黑魔法咒的了解，畏惧一切未可知的变化，只想一辈子安逸到死。不想百年之后国可能会破，家可能会亡，只争一夕欢愉。这就是重华的贵族，我的兄弟。"

"……"

"但是你不一样。那些骨子里流着与我一样血液的人成日想的是怎么从重华多喝一口血，多当一日风光无限的霸王。顾帅，你不一样。你的那些兄弟，你的那支军队，那是重华几百年来都不曾炼出的一把利剑。孤说了，不论你信不信，那是孤的珍宝。"

困在夜雨里无法逃离的飞蛾在烛火边疯狂飞舞，终于扑向火光。忽的一声火舌上蹿，发出刺鼻的焦臭……飞蛾终于殉了光明，跌落在了烛潭中央。

"孤这一生，非但想承父之道，更想削权贵，贬裙带，更想涉前人不敢涉之险——重华不习黑魔禁术之道，但必得掌握，必得知晓！知而不行不义，又有什么可耻的？试问若是重华先前就能对三大禁术广加普习，陆展星又何至于此！"

顾茫的身子陡地一颤。

"顾帅，一个陆卿就够了……孤不想再看到第二个、第三个陆卿为黑魔所害而无人觉察。"

他向外远眺，此时天幕恰又闪过一道电光。

未几，雷鸣闷响。

君上的眸子被雷霆之光点得极亮，他喃喃道："重华的天，该变了……"

风云滚滚，黑夜里，深宫内院的烛火大都熄灭了，唯有矗立于王城之巅的黄金台还在呼啸的狂风中亮着微弱的光。它就像是一把泛着幽寒的剑，笔直地指向九霄，破开浓深重云。

"顾卿，孤需要一个人，他要足够忠诚，足够勇敢，他还要足够聪明。孤需要这样一个人打入燎国内部，为孤传递情报，成为灌入燎国和老士族腹内的毒药。"

顾茫不傻，顾茫已隐隐地明白了今日君王邀他黄金台上见的缘由。果不其然，君上接下来便道："顾卿。你可愿为重华之股肱，隐忍负重？"

顾茫沉默一会儿，开口道："君上想要我诈降？"

极寂，风雨哗哗浇落在屋瓦檐顶上的声响几乎要钻透耳膜。这个答案，顾茫在等，墨熄也在等，仿佛一柄玉弓的弓弦已拉到了极致，只待最后一寸力道的施加。

君上阖了眼帘，而后说："……是。"

犹如砰的一声弓弦绷断，残弦不住地发着抖，震颤着……

纵使身在玉简之中，不过是个旁观者，墨熄仍觉得这一晚的凄风楚雨都在瞬息浇在了他的头顶，他浑身的血都涌上了头颅又立刻凝成了玄冰。他像是被这一声肯定冻住了，四肢百骸都失去了知觉。

冷，真冷。可又或许是他一直以来都在等待着这一句平反，这一句叛国的真相，他等待了八年，悲伤了八年，痛苦了八年，也绝望了八年。

当他真的听到这句话，知道顾茫确实是有隐衷，甚至是重华反插在燎国的棋子时，这些年所有的情绪都在瞬间化作了酸楚和心痛……

报君黄金台上意，提携玉龙为君死……多讽刺。只有真正走上这座万人称羡的高台的人，才会知道什么叫作"重臣"。

所谓"重臣"，上不临天，下不临地，所有的阴谋诡计、诡谲牺牲全都出于君王之口，入臣子之耳，从此灿烂真挚的笑容被从脸庞上鲜血淋淋地揭落，一张由不得你选的面皮被死死扣在你的脸上。

待血干了，疤褪了，你抬起头来，却再也不能从铜镜里瞧见自己的脸。

所谓"英雄"，或许为了一个梦想，或许为了一个目标，或许为了一个人一句约一片意，在某个暴雨滂沱的夜晚点头。

从此便付出了一辈子，再也没有退路。

风吹得他的广袖哗哗作响，顾茫撩开鬓边碎发，说道："君上想要证明自己是对的，想要做出一番惊天动地的事业，让老士族看清楚您究竟是踩着血肉登上君位的废物，还是一位顶天立地的君王。是吗？"

他这番话说得太过沉静，仿佛在竭力压抑着什么情绪似的，因此君上没有立刻回答。

"君上想做明君，想改重华之根本，自然是一件好事，顾某也十分佩服。"

听他这样说，君上稍松了口气，正欲接话，却听得顾茫道：

"但是君上，我已经死了七万次，心口的伤疤还未结痂，七万的英魂还未安葬。是，我愿意成为您的利刃，成为您灌入燎国腹内的毒药，成为替您搜罗黑魔情报的探子，成为你为安抚老士族送上的牺牲。"

"这些我都可以答应，我都愿意去做。只想求您看在这七万死人的分儿上，留我的兄弟一条生路。"

"……"

"我不是什么战神，我只是那十万奴籍修士里的一个。我愿意成为您钦定的叛徒背负一生的骂名，但我恳请您还他们一个该有的公道。"

君上缓然合上眼睛，似乎被他的话搅扰得痛苦不安。他低声道："孤不会让你白白受累，总有一天……顾卿，总有一天，孤会替你沉冤昭雪，待那一天，孤将亲自替你配上蓝金佩绶，孤将昭告整个重华昭告每一个安居乐业的百姓，告诉他们是你付出了这样牺牲，才有了那样的天下……"

顾茫的眼眸有光闪烁，却最终并没有为君上所描述的未来所动容。他依旧是清醒的，清醒且死死咬住他认定的东西不松口。他盯着君上的脸，一字一顿地："那陆展星呢？"

君上看着他，他们之间的对视像是一场无形的角逐，最终君上在这片令人心慌的死寂中败落，他阖上眼帘，低声道："顾卿，陆卿是断没有生路了。"

尽管早已揣得君上心思，但当这一句话真的如重锤擂下时，顾茫的声音还是蓦地颤抖了：

"为什么？！"

"因为这枚白子上淬了魔气，陆展星的灵流已经不再纯粹了。你觉得重华有多大可能允许一个身上带了黑魔法术的人好好地活着？"

君上接着道："从古至今这些染上黑魔气息的人不是被车裂分尸，就是被架在试炼台上煎熬而死。你是想让他洗刷罪名而后被这样毫无价值地折磨到死去，还是想让他的死至少为重华、为你们铺下前行的路。"

顾茫："……"

"孤想要重华接受奴隶，了解黑魔。"顿了顿，君上说，"但是代价是，陆展星的冤案注定只有你知我知，他必须被判刑。"

灯火又在强风中灭去几盏，黄金台的光芒更暗了。

顾茫听完这句话，微仰起头，似乎在忍着眼眶里什么湿润的东西，过了一会儿，他似乎不想与君上再争执下去，低哑道："那么……接下来？判刑之后，又当如何？"

"接下来，孤会给你的叛国铺设下一条顺理成章的路。今年秋猎之后，陆展星会照例问斩，孤对外不会释放出哪怕一星半点对奴籍修士心慈手软的信号——孤会做得很彻底，让满朝文武都认为孤最终选择了老士族阶级，让所有人都看到孤在削你的权、贬黜你、排挤你……孤会将你往绝路上逼。"

"……"

"到秋猎问斩完毕，孤会给你最后一臂推力，让你有充足的叛国理由。"

顾茫道："叛燎国？"

"叛燎国。"

顾茫低低地笑了，似乎听到了什么荒唐至极的笑话："君上要做到什么地步，才会让人相信我顾茫会在九州二十八国里选择了最堕落最黑暗的那一个？叛燎国……"他的笑痕蓦地拧紧，那张清俊的脸在这一刻甚至因为仇恨而显得有几分兽类的狰狞。

"我要被逼成什么样子，才会叛向那个杀了我无数手足同袍，将战火烧遍整个九州的荒唐国邦？！"

君上道："所以陆展星必须死。"

"如若陆展星不死，谁都不会觉得曾经叱咤风云、忠君忠国的顾帅会选择走向燎国的城门——唯有陆展星死了，你心中那仇恨的种子才会抽芽，一切才会有一个契机，显得顺理成章。"君上顿了顿，复又道，"顾卿，你想想吧，如果保住了陆展星，损失的会是什么？看上去好像他是被冤枉的，他的冤屈得到了昭雪。可他注定还是会因为感染黑魔之气而被处死，你或许以为他这样死了，至少你军队的七万英魂三万英杰能够得到一个公允的对待，然而孤告诉你，不会。"

君上黑沉沉的眼眸里像积压着深云浓霭，那是一种以一人之力如今绝无可能突破的重围。

"陆展星一死，哪怕孤要给你的军队平反，要给你的将士封赏、立碑，都会立刻有老士族跳出来用各种各样千奇百怪的理由死谏。甚至还有最可怕的……他们会说，陆副帅感染了魔气，难保军队中就没有被传染的人，宁可错杀不可放过——他们甚至会逼着孤将你剩下的三万手足尽数杀光！

"顾卿，你的军队此时就像一座走了水的老宅子，孤能从里头抢出些什么，就会尽力去抢出些什么。但是陆展星是火种落下的地方，他已经被烧成了渣滓。

"孤很抱歉。"

顾茫顿了良久，几乎是漠然的："好。我明白了。我们是珍宝，但一把火，就能让君上的珍宝变成渣滓。"

他抬起眼帘："君上，您知道我的军队在我眼里是什么吗？

这真是反了天了的诘问，但君上居然没有驳斥，相反的，他的睫毛是颤抖的，眼神是闪躲的甚至是悲凉的。

顾茫道："他们是我的血，我的眼睛，我的双手与双腿，我的亲人与性命。"

"珍宝再珍贵，摔碎了就没有用了，烈火烧过就成了灰了。但是骨血亲眷是不一样的，哪怕死了，哪怕焚去了，哪怕成了灰烬……他们在我心里也永远会有一座碑，我会记得他们每一个人的名字，每一个人的模样，直到我自己也死去的那一天。"

君上道："孤并非此意……"

"那您是什么意思？"顾茫轻轻地、几乎是怆然地冲他展开一个虚渺的笑容，"君上，您说我们是您的珍宝，但珍宝终究并非活物，我们是活生生的人啊！为您流过血，为重华流过泪，报效过付出过努力过——甚至身死……不知您察觉了吗？"

他一步一步，追得是那么紧，仿佛那七万死士都化作了厉鬼，夺了他的舍，尽数附在他一个人身上。他们在向他们的君上讨债。

"顾帅……"君上的脸色慢慢灰败下去，却最终还是仰起头来望向顾茫的眼，"孤一直都看得见。但是为了一个人的清誉，付上三万人的性命，七万人的哀荣，重华所有奴籍修士的未来，值吗？"

顾茫的肩膀颤抖，嘴唇哆嗦，他想反驳，却什么话也说不出来。

他是不世将才，他自然知道君上说的是对的。君言无情，但却是最正确的、牺牲最小的一条路，只是……只是他怎么能够点头，怎么能够释怀……

"那天金銮殿上，你跪在孤面前恳求为你的死士立碑，放你的残部生路，孤斥责你痴心妄想——但现在孤就站在你面前，孤可以对天起誓，绝不会白白辜负陆副帅的献祭。孤可以对你许诺，你当日所求的一切，除了陆展星的性命——你要的七万座墓碑，你三万残部的归属，孤全都可以给你。"

君上道："孤甚至可以与你承诺，孤一定会让你看到那个英雄不论出身、人人得之公允的未来。"

顾茫往后退了一步，他摇了摇头，君王的许诺太沉重了，压得他几乎有些佝偻。半晌他才沙哑着喃喃道："虚言……"

"孤不曾诳语。"

顾茫要被逼疯了，他蓦地抬头目光犹如利剑出鞘，他双目赤红不管不顾地朝着君上怒喝道："骗子！！"

雷霆暴怒。

瞎目断爪的神坛猛兽被棍棒和蜜糖搅扰到不知该相信什么才好。它向驯服它的主上发出怒吼，它将困住它的牢笼撞得砰砰作响。

墨熄阖上眼睛，承载玉简修复之痛的躯体，却痛不过一颗蜷缩沥血的丹心。

神坛猛兽……神坛猛兽……昔年旁人皆说此乃顾帅流传天下之美誉，可如今，墨熄只看到一只被剥去了皮，困在笼子里哀号的血淋淋的牲畜。

君王的牲畜，重华的牲畜，它为它的手足的苦难而痛不欲生，可豢养它的人撕下它的皮，要在它血肉模糊的身躯上新裹一层别样的革，他们要把它送到别的国度去，让它忍下痛苦去燃尽最后一丝光与热。

暴雨滂沱声中，君上直挺挺地立着，像是有某种天生属于君王的力量在支持着他，让他在顾茫这样强烈的情感之前仍能不退缩，不闪躲。

尽管他的脸色已有些难看了，但是他仍能忍耐着。

"你以为孤做出这样的决定，心中能安吗？"君上静默须臾后，终于低声发问，"你以为孤构陷忠良时，心中能安吗？"

"……"

"你以为孤将孤手下最了不起的将领折磨得遍体鳞伤，还要驱赶他至别国心中能安吗？你以为孤今日站在这里，站在雷霆九霄之下黄金高台之上对你亲口说出这句话孤心中能安吗！！"话到最后，君上的嗓音越来越大，他的指尖在颤抖，眼里的光也在颤抖，"顾卿……你曾说，凤鸣山一役死去了七万人，你看到七万个冤魂在向你日夜不停息地讨债，责问你，谩骂你，唾弃你，问你为什么……"

他的声线抖得厉害，一字一句从齿缝中碾出来，都沾着血："你以为这些景象……孤就看不到吗？！"

顾茫抬起眼来，几乎是感到荒谬地："君上看得到什么？君上是看得到七万个珍宝破碎了，还是看得到一个个长着相似五官的泥佣毁灭了？"

疯了，当真是疯了。大不敬的言语冲口而出，被折去了臂膀，剜去了心脏，顾茫竟是什么话都敢面刺龙颜。

"君上口口声声说把我们当人看，口口声声说看得到我失去的兄弟，您死去的臣子……但您是在痛心你的铁军损失了七万，您心疼的是一个数字，一批豪杰，不是心疼他们那一个个活生生的人！"

最后一声掷出，黄金台外是江山风雨，黄金台上是一片寂静。

良久之后，君上紧紧闭了闭眼睛，复又睁开。他嘴唇嗫嚅了一下，似乎想说什么，但又抿上了……再过一会儿，他喉头阻哽，轻声又悲伤地道出了三个莫名其妙的字来——

"徐小毛。"

就这三个字。顾茫僵住了。

顾茫原本因为愤怒而颤抖的手指像是被玄冰封结，他几乎是一动不动地、不可置信地盯着君上的脸，似乎觉得方才一定是自己的错觉，一定是自己听错了，才从天子口中听到了这样卑微的、可笑的、他的袍泽兄弟的名字。

但这样的名字一个接一个地从天子的唇齿间说出来，清晰的、哀戚的、庄严的。

"兰羽飞、金成、孙鹤、骆川……"一个接一个的名字被君上道出，他每说一个，顾茫眼前就能浮现出那个兄弟的音容笑貌。

爱喝烧刀子的汉子、鼻梁上有颗大痣的叔伯、逢赌必输还总是屡教不改的小丫头片子，还有十五六岁满脸青涩就冒冒失失挤入行伍的小鬼……

顾茫在这一声声招魂般的絮语里躬下身子，他将脸埋入指掌，手指插入发间，哽咽道："别说了……"

"秦飞、赵盛、卫平……"

秦飞爽朗的哈哈笑声仿佛穿越生死回到他耳边；赵盛曾在某个戍守的夜里跑到他营帐边给他送一壶镇子里带来的甜酒酿，揣在怀里，还带着余温；卫平明明已经三十的人了看上去却很嫩，笑起来的时候有两颗虎牙，他在凤鸣山自请留下断后的时候咧着嘴笑得飞扬跋扈，却是顾茫与这家伙最后的分别。

这些人的名字，谁会记得……谁会记得？！

顾帅……顾帅……生当作人杰，死亦为鬼雄……

不，这些都是虚的，我只希望你们每一次战役都能平平安安地回来，没谁会希望自己的兄弟马革裹尸，身后哀荣。

"别再念了……"顾茫痛苦地抱住自己的脑袋，他佝偻着跪下来，几乎是崩溃地哀号着，困兽般哭喊着，"别再说了！别再说了！！"

"我也都记得。"

"……"

君上不再念了，他走到顾茫身边，看着那在他跟前把自己埋进尘埃里，蜷进沙泥里的男人，再一次轻声道："顾茫，我也都记得。"

他说这句话的时候，甚至没有称自己为孤。

"对不起，我不像你曾与他们朝夕相处，能够记得他们的年岁、相貌、喜好……桩桩件件。但从我收到凤鸣山死难兵简的时候，我就一直在记他们的名字。"

顾茫冰冷的额头狼狈不堪地贴碾着地面，他的眼泪大颗大颗地顺着脸颊滚落，他呜咽着，他是真的崩溃了。他一身伤口隐忍不言，好不容易自己镇了痛，舐了血，勉强能够佯作无事地出现在人前，可是君上却把他方才凝结的血肉重新猛地撕开，鲜红的血和肉争先恐后地翻出来，痛极了，痛极了……痛至将死！

"我当时心想。"君上说，"哪怕我不能给他们立一座名正言顺的英烈碑，我也要将这些名字都埋葬在心里……顾帅，每一天每一夜，我都在铭记。对不起，孤有这样那样难为之事，难行之举……"

他握着顾茫的手臂，扶着顾茫，让顾茫慢慢抬起头来。

君上的眼眶也湿润了。

"但是请你相信孤，孤这一生，从未，也绝不会将你们看作草芥走狗，奴籍贱躯。"

明明只是这样一句简简单单的、再平凡不过的句子。可顾茫却失声痛哭，他跪着，踉跄着，挣开君上的手，他来到黄金台的边缘，看着那巍巍青山，渺渺高天，他的恸泣悲声像是从喉管里挖出来的，沾满了淋漓的鲜血。

暴雨顷刻将他的哭声吞没，江山一片风雨悲凉。顾茫犹如力竭，将头抵上雕栏，肩膀颤动着，眼尾潮红，鼻尖潮红，什么话也说不出来。

良久之后，君上慢慢踱到他身边，唇齿轻动，低声道："顾卿，你现在可信了？孤句句真心，不曾骗你。"

"孤甚至可以对天起誓。"他竖起双指贴于额侧，是重华立誓之举。

在电光闪动几近九天的黄金台上，重华的新君对重华的重臣许诺。

"若顾帅允孤今日之求，孤定将如约履行三件要事。其一，顾帅之三万残部，孤将妥善安置。其二，重华奴籍可修仙法一制，断无戏言。其三，凤鸣山牺牲之七万英魂，孤将以国礼安葬于战魂之山，立碑铭刻。以上三事，凡有一样背弃承诺，孤将生无子嗣之孝，死无葬身之地，重华国祚将毁于孤手，孤这一生，将为千古罪人。"顿了顿，最后几个字自齿间掷落。

"生前死后，永无宁日。"

顾茫颤抖得太厉害了，他没法不颤抖，他有的太少，明明是一个名扬天下的将军，却一直像个乞儿似的涎皮赖脸地去问权贵们讨要一点好处，讨一句认可。现在君上把他哀哀乞求的东西一样一样地都砸在他身上，全都许诺给他。他的脊梁如何能继续直起？

傲不可摧是墨熄慕容怜这些人的特权，从来不是他的。

君上或许也是深谙其理，所以他不急，他负手立在原地，等着顾茫慢慢平静下来，等着顾茫慢慢地屈服，慢慢地走向绝路。

等着神坛猛兽别无选择，只能自己套上辔头。

果不其然，良久之后，顾茫抬起头来，漆黑湿润的眼睛望着眼前的君王。他已经平静了，只是眼睛里的光成了余烬，心如死灰。

"烦请君上……"

最后他轻声道："答应我一件事情。"

"你说。"

"展星……他不该被蒙在鼓里，我想亲自去阴牢里，告诉他所有的真相。"

君上沉默片刻，阖眸叹息："顾卿，你这又是何必——"

"因为我问心有愧。"

"其实他不知道真相，才是最好的选择，无论是对你，对孤，还是对重华。"

"不，他必须知道。他的牺牲已经够大了，我恳请您，至少这一次……只为他考虑考虑吧。"顾茫痛苦地闭上眼睛，泪珠从浓浓的睫毛里渗出，潸然落下，"他已经含冤了。我也救不了……救不了他。但我至少可以让他……"最后几个字，每一个字都残酷得像烧红了的铁在烙着心，"我至少可以让他知道，他从未做错。"

"我至少可以让他，不……含冤而亡……"这一句之后，声音减弱，人影渐淡。

眼前的场景慢慢地黯了去，在黑暗吞没整个黄金台之前，墨熄看到的是顾茫对着君上缓慢地磕落了头颅。

那不像是臣服，而是一种精疲力竭。

眼前黑了下来。

与此同时，一阵剧痛顺着墨熄的四肢百骸炸开！载史玉简开始再一次从他血肉中汲取力量，可墨熄觉得从他身体里流逝的不仅仅是灵力，他的魂灵亦像是被整个从躯壳里抽了出来，被碾成了细末齑粉。

可墨熄竟不觉得疼。他耳边仍回荡着八年前黄金台上的对话，他眼前仍晃动着顾茫绝望至极的神情。

第29章

一场夜雨，一局权谋，一次牺牲。欺世八年——

"顾卿，孤需要一个人，他要足够忠诚，足够勇敢，他还要足够聪明。孤需要这样一个人打入燎国内部，为孤传递情报，成为灌入燎国和老士族腹内的毒药。"

"你可愿为重华之股肱，隐忍负重？"

你可愿意……从此之后，天上地下，唯有一人知晓真相；你守护的子民唾弃你，你所有的旧部误会你，你一生的至交与你为敌；你将掏出一颗鲜活的心脏，献上毕生的热血，而所有人只会记得你的背叛与污名。

顾卿，顾帅，顾茫。你可愿意？

一声声仿佛来自灵魂深处的叩问，像天音痛彻肺腑，像尖锥穿凿人心。

眼前地转天旋，场景里的所有色泽都如雪片般崩析而后相聚。墨熄在这晃动不安的残片里不断下坠，像坠入一个永无止境的深渊。他大睁着眼睛，直到眼尾有某种灼烫的湿润潜然滑落，他才恍然间意识到自己是哭了。

身体都仿佛不再是自己的，魂灵亦像是被一剖为二，在坍圮的场景中龙争虎斗着。过去和顾茫发生的种种对话都在此刻复涌上他心头，将他摧折成灰——

顾茫说："他们是我的血，我的眼睛，我的双手与双腿，他们是我的亲人、我的性命。"

而他曾怒斥顾茫："你满手血腥杀了无数手足同袍的时候——顾茫，你可曾有过哪怕一星半点的后悔？！"

顾茫说："我要被逼成什么样子，才会叛向那个杀了我无数手足同袍，将战火烧遍整个九州的荒唐国邦？！"

而他曾言："你要叛国也不止一个去处，但你偏偏选了燎国。你想的是复仇，为你的野心，为你的战友，为你们的出路，你无所谓其他人更多的血。"

顾茫说："他们在我心里也永远会有一座碑，我会记得他们每一个人的名字，每个人的模样，直到我自己也死去的那一天。他们永远不会成为渣滓。"

而他却曾掌掴其颊，一个字就洞穿顾茫的心腔。他说他……还未想到那个字，墨熄不可遏制地战栗起来，他为自己当时的言语而感到悔恨——他说他……脏——顾茫失忆后，本能地想要佩上重华的英烈帛带，本能地渴望着终有一日能够沉冤昭雪，能够再一次光明磊落地披挂上阵站在三军将士前，看甲光映日。这恐怕是顾茫卧底的那一年又一年，唯一的慰藉。他拥有的就只有这一场虚无的幻梦，痴心的想象。可他都嫌他脏。

"我也该有的……我也该有的啊……"失去神识的蓝眼睛顾茫争抢他的帛带，那固执又透着悲伤的声音仿佛隔着岁月重回着他的耳畔。而当时他重重扇在顾茫脸上的一巴掌，仿佛抽在了自己的脸上，火辣辣地疼。

你怎么配……你怎么配！！

墨熄惊异于自己竟没有在此刻失声痛哭，竟还能忍住——他甚至不知道自己是已经痛至麻木，还是已经在一载又一载的绝望里真的将心炼成了铁石。

黄金台上意，乾坤有谁知。

他的四肢百骸像是都要被撕碎了，玉简啮咬着他的魂灵，而他头颅深处似有一个声音幽幽响起，缠着他，不住地追问他。

你还要继续看下去吗？墨熄，羲和君。你的心肠是什么做的？缘何竟还能够面对这血淋淋的过往与真相。

一声声一句句都像是尖刀把他的胸腔剖开，可身体仿佛已不是他的了，鲜血流了满腔，他竟也不觉得这有什么。

他茫茫然大睁着双眼，犹如行尸走肉。疼？死？灵核崩溃？——这些都不再重要了，他只喃喃地说——怨我是铁石也好，是寒冰也罢。

让我看下去吧。

我想知道一切，那些被隐瞒的，被吞没的，被粉饰的真相。

为什么要瞒着我？为什么走上这条路之前，连我也被摒除在外，什么都不得而知……为什么？为什么啊……

玉简道："君心既如此，献予吾血肉——明尔心头憾——"

墨熄胸口猛地抽痛，像是有一只尖爪猛伸进来，狠狠攫住他的心脏，灵核的灵流开始疯狂逸散——江夜雪说过，强读不曾完全修复的玉简，必将耗损天元灵力，遭受剜骨擢筋之痛。可墨熄此刻却觉得，原来剜骨擢筋的痛不过如此而已。

就这样，无数过往的岁月犹如层云，在眼前散去又聚合。

黄金台消失了，重新浮现在他眼前的，是阴牢寒室。这是他在时空镜中所见过的，陆展星待过的牢房。

玉简带他重回到了那个上不见天，下不见地的地狱里。而随着眼前的景象变得清晰，墨熄喉间涌起一股浓重的血腥气。

他忍着阵阵眩晕，努力看清眼前的事物——八年前的阴牢里，亮着一盏微弱的灯。那灯无精打采地往外吐着幽火，好像随时要油尽灯枯。

陆展星坐在狭小冰冷的石床上，此时他还没有见过顾茫，所以他看上去和时空镜里那个老神在在、问心无愧的陆副帅简直判若两人。他颓然靠着墙，脸庞深埋于浓浓的阴影里，几缕蓬乱的额发垂在他眼前。他浑身上下都散发着潦倒和颓丧的气息。

牢狱的门"吱呀"一声开了。

狱卒道："姓陆的，君上御派的提审官来了！你有什么冤屈都可以诉，有什么请求都可以提，但记得老实点！千万别发什么疯！"

说完之后换作一副谄媚笑脸，对门外站着的男人道："官爷，您请。"

"你退下吧。"

戴着假面的"提审官"走进了牢房内，催动术法，抬手将门关上。逼仄的囚室内除了旁人不可见的墨熄，再也没有任何可以听见他们说话的人。

陆展星没有因为这个可以诉冤的"提审官"的到来而感到激动，大概是这些时日这样的人来得多了，却一个都没有给他带来希望。所以他甚至没有抬脸，他结实的手臂搁在膝头，只沉闷地重复着那句他或许已经重复了几千遍的要求。他干巴巴地说："我想见顾茫。"

"……"

"没别的了。我没有冤屈，没有别的诉求。"陆展星毫无生气地喃喃，像是他被抽干了所有的魂灵，只剩下了这一缕执念，"我想跟他亲口道歉。然后你们就可以杀了我……车裂凌迟什么都可以。我不喊冤。"

"提审官"没有说话，只是忽然跪下来，在陆展星脏兮兮的榻前，磕了三个头。

陆展星怔住了："什么意思？"

"凤鸣山交战前，我跟你玩骰子，十局未完，我就不得不离开。当时约定好打了胜仗回来继续。"对方说着，从乾坤囊里取出了两枚木骰，"仗是打不赢了。但骰子我带来了……"

两枚木骰，六点边侧落着莲花红痕。

陆展星一愣之下，如遭雷击，他蓦地从床上跳下来，几乎是一把揪住了"提审官"的衣襟。话还未说完，假面未摘，但自幼一起长大的俩兄弟便有这样的熟稔，陆展星看着那假面之后的黑眼睛——他从没见过有谁的眼睛能比他的好兄弟，的茫儿更明亮，更有神。

堂堂八尺硬汉，一下子就哽咽了，他看着顾茫的眼睛，失声道："茫儿！！是你？！"

"提审官"抬起手，摘掉了覆在脸庞上假面。

昏暗的灯光中，顾茫早已满脸泪痕。俩兄弟上一次见面，还一个是天威赫赫的将军，一个是意气风发的副帅，可如今不过弹指转瞬，一个贬作庶人，一个已为罪囚。

"是我。"顾茫嗓音哑得厉害，他红着眼圈道，"对不起，过了那么久我才来见你……"

兄弟二人阔别重逢，不由得情绪激动，抱头痛哭。半晌后，陆展星才擦了脸上的泪，紧紧攥着顾茫的手。

他明明有其他更多的话要问的，比如你怎么来的，你为什么要来，你如今怎样……可是陆展星望着自己兄弟的脸，问出口的第一句话却是——

"茫儿，凤鸣山一战……你，你还怪我吗？"

顾茫哽咽道："展星……"

陆展星却是悔愧极了，这些话在他心里憋了那么久，早已泛滥成灾。他不住地喃喃道："是我一时冲动，我不知道为什么……我就好像……就好像鬼迷心窍了一样，忽然觉得这一生为国抛头颅洒热血太不值得，我忽然觉得我们做的一切那么不值得……可是……可是……我不是这么想的……我只是曾经偶尔有过一点点这样的念头，但我真的不是这样想的！"

"我对不住七万凤鸣山的兄弟……我不知道我自己当时是怎么了，茫儿，是我辜负了你的信任，是我辜负了兄弟们的信任……"

声声句句，穿凿人心。

陆展星的神情是那么的懊悔，他眼眶通红、泪痕未干的样子刺痛了墨熄。

眼前因为自己铸下的大错而悔恨不已的陆展星哪里有半分像时空镜里那个吊儿郎当的男人？当时他在时空镜里看到的那个陆展星，分明字字句句都说得疯狂至极——

"我毁了他一辈子，也好过看着他毁掉自己和更多人的性命。"

"君上削他的权……削得好！！"

不……不不不，错了，都错了。真相原来不是这样的。

墨熄看着跪在顾茫面前后悔不迭、痛苦不堪的陆展星。他听到陆展星在对顾茫不住地道歉。

墨熄只觉得遍体生寒——如今想来，当时时空镜里的那个陆展星，分明是已经知道了他的死可以保住三万残部的生，所以才会想把一切罪责都往自己身上揽。他明明不是一个毁了兄弟梦想而自以为是的疯子，却宁要在墨熄面前死守秘密，绝不让世人知道他原是英雄铸了佞骨，忠良蒙了冤屈。

为了保护顾茫，保护剩下的袍泽，君上给他的罪臣假面，一个莽夫的假面，他强忍着竟戴到了死！原来，陆展星从来就没有辜负过顾茫。他是顾茫的挚友，是顾茫的副帅，他们都是殉道者，是一路人。

顾茫好不容易才稍微抚平了一点儿陆展星的情绪，他将陆展星扶起来，让他坐到床沿上，他对这个悔愧不安的男人哽咽道："展星……你从来就没有辜负过我们什么。自始至终，你都是我们的兄弟。"

这句话让陆展星原本稍冷静下来的心绪又崩溃了，陆展星将脸埋在掌心里揉搓，他喃喃道："不……是我斩杀了柔利来使，是我当时没有克制住，被私心冲昏了头。"

顾茫紧紧反攥着他的手，眼圈红得厉害："不是这样。"

"……"

一句话犹如雷光彻霄，贯破重云——

"你听我说，冲昏你头脑的不是你的私心。而是燎国打在你身体里的珍珑棋局。"

陆展星像一头笼中困兽，他的情绪太激动，顾茫花了很久才把始末和他解释清楚。墨熄作为一个旁观者，很难形容陆展星听完真相之后的表情。

事实上从顾茫开始讲述"珍珑白子"起，陆展星脸上的情绪就一直在变幻。从错愕到茫然，从茫然到狂喜，从狂喜到愤怒，从愤怒到悲伤，中间错愕崩溃了无数次。

待到一切讲完，陆展星一下子脱力地瘫倒在了冰冷的石床上，他大睁着双眼，怔怔地望着阴牢低矮的天顶。良久之后，他才梦呓般喃喃道："我……没有辜负你们……"

顾茫目光柔软湿润，嗓音沙哑，低声道："你从来都没有。"

"我没有辜负你们……我没有辜负你们……哈哈……哈哈哈哈！"陆展星额角青筋突起，脸颊涨得通红。他蓦地笑了起来，可他笑着笑着就哭了，他大抵是觉得丢人，抬手遮住了自己的眼睫，只是清泪还是从手臂的遮掩下漏出来，滑落至鬓发深处。

他泣不成声地呜咽道："我没有辜负你们……"

顾茫在他狭窄的石床床沿坐下，转头看着陆展星。他当然看不到陆展星的眼睛，那汉子仍用结实的手臂遮着。

顾茫静了片刻，忽然小声问："展星，你也能时常瞧见他们吗？"

没头没脑的一句话，但陆展星却听懂了。墨熄也听懂了。

你也能时常瞧见他们吗？瞧见七万个人泅渡过冥河来到你身边，那些曾和你并肩作战，在无数次沙场征伐前和你一同痛饮烈酒，与你誓师豪言的弟兄们来到你身边，你被七万个死人重重包围，他们日夜不停地向着你呢喃。渐渐地，你就看不清眼前的尘世了，你不知不觉地就和死人活在了一起。

你成了一座活着的墓碑，心脏上镌刻的都是亡魂的名字。你也能时常瞧见他们吗……陆展星干裂的嘴唇嗫嚅着，第一次，没有发出像样的声音来。到了第二次，他才说——

"一直。"

"……"

"我一直都看得见他们。"

静默良久，顾茫说："我也是。"

阴牢的烛火无声地淌落一串烛泪。

顾茫道："展星，一场凤鸣山，咱俩都成了活死人了。你怨我吗？"

陆展星慢慢地把胳膊移下来，露出半只湿润的黑眼睛："什么？"

"是我忽悠你……忽悠你们跟着我走上了这条路。我许给你们一个空口无凭的未来，你们跟着我，好日子没有过上几天，反倒成了罪臣与莽夫。"顾茫低头看着自己的手，"我这阵子一直在想，自己究竟是个什么样的人。"

他纤长浓密的睫毛轻轻颤动着，在鼻梁处打上柔和的影。

顾茫轻轻道："我知道重华有许许多多对我的评价，褒赞的，贬低的，污蔑的，高捧的……我从前都不在意，因为我觉得我一直在做对的事情，我顾茫对得住自己的良心。"

"但是凤鸣一战后，我对我的良心再也没了交代。我一直口口声声说，要改变重华乃至九州对奴隶的看法，我一直对所有跟随着我的人说，我会带他们回家，给他们一个比现在好得多的未来。可原来只要败一场，我就像个跳梁小丑一样被打回原形，作为一军主帅，我连一个最起码的公平都不能为我的兄弟们讨要。"

耳畔仿佛响起从前那不以为意的声声句句：功高震主！那个贱奴爬得有多高，跌下来就有多惨！他就是下一个花破暗！不，他岂配与花破暗相提并论？花破暗好歹有创国之能，好歹能让他的兄弟们都得到封赏，讨到好处，他顾茫不过是一条泥潭里打滚的狗，有那个贼心也没那个能耐！他就是个骗子！骗得一群傻子跟他去死，追随他的能得到什么？梦想吗？

好一个神坛猛兽啊，哈哈哈哈……

顾茫缓缓闭上眼睛。

再睁开时，他看着自己布着细茧的手，说道："现在我终于想明白了。原来我只是个掘坟的人，碌碌半生，把我所有兄弟都埋进了坑里。"

"……"

陆展星没吭声，他把头转过来，打量了顾茫一会儿，说道："君上不会为我翻案了，对吗？"

不等顾茫回答，他又说："我想也知道。老士族、黑魔诀……我们的新君还是太稚嫩了，换作是谁在我这个位置，他都保不住。"

顾茫低头道："……展星，对不起。除了告诉你真相，我什么也没有做到。"

陆展星又盯着天顶发了一会儿呆。

他眼尾的泪痕已经干了，过了好久，他说："没事。我不怪他，也不怪你。"

卸下"罪臣"的桎梏后，陆展星整个人都松下来了。尽管人面临自己死亡的宣判会有这样那样的复杂心情，但对于陆展星而言，他此时并没有那么多的不愉快。

"是我自己比较倒霉，成了中了珍珑棋子的人。"陆展星拿过顾茫给他带来的那两枚木骰，慢慢摩挲着，"你还记不记得我们小时候玩骰子，我总是输给你，不得不把糕点都让给你吃。我运气一向都是不好的，这和谁都没有关系。"

他说着，随手掷了一下，两枚木骰骨碌碌滚动着，最后开在了两个"一"上。

陆展星道："你看，我说得没错吧。"

顾茫蓦地低下头，肩膀微微颤抖，半晌他道："我很早之前就听说，重华有个赌场鬼见愁，那个人总喜欢戴着青铜面罩出现，逢赌必赢，在赌桌上从来没有败过。"

"……"

"那个人是你，对不对？"

陆展星不吭声，有些僵住了。

"想掷出几个点就是几个点。你不是运气不好。"顾茫沙哑地说，"是你一直让着我，想把点心分给我。"

陆展星看着在他面前的顾茫，未几，轻轻叹了口气。他当然想保护这个小家伙。这简直是从他们第一次见面起就注定了的——那时候，他被买回望舒府没多久，见到只有四岁的顾茫被慕容怜欺负了，强迫着涂了一脸的油彩，头上顶着一只装满了水的碗一动不动地站桩。

小慕容公子笑得肆意而张扬，跟他说：站足一个时辰，要是碗里的水洒出来了，今天整个府邸的奴隶都跟着没饭吃。

陆展星腹中一阵哀鸣，心道自己真是倒了八辈子血霉，这么小的一个小鬼，怎么可能坚持得了那么长时间？看来今天第一天入府就要挨饿啦。

可是他说什么也没有想到，等晚上派饭时，伙房大师傅还是给他们每个人发了俩又大又软的白馒头。这时候陆展星才听说，原来那个小小的孩子居然真的铆足了劲儿，一动不动地站足了一个时辰，这个结果让慕容怜不高兴极了，最后其他奴隶倒是没有受到株连，可顾茫的晚饭还是被无缘无故地扣掉。

陆展星听在耳中，吃了一个馒头，揣了一个馒头去找那个小伙伴。他在偌大的望舒府里翻了个遍，才终于在后花园找到了蹲在草丛边的顾茫——

"喂。"

他拍了一下顾茫的肩膀，转过来的是一张被油彩画得花里胡哨的小脸，嘴巴默默地动着，唇瓣上沾着土星子。

陆展星看不清他的五官，只能瞧见那双黑漆漆的眼睛，像繁夜星辰一般灿亮。

陆展星吃惊道："你……你怎么在吃土啊……"

顾茫委屈极了，四岁的小家伙，脆生生的嗓音带着哭腔："哥哥，我饿啊。"

陆展星望着那双幼兽般无助的眸子，心一下子就化了，他忙不迭地掏出揣来的馒头，小声道："给你的，别哭了。哎哟……哥哥罩着你，你这小可怜样。"

此时此刻，陆展星看着在他面前的顾茫，原来卸去了战甲与荣光之后，顾茫还是和当年那个默默低头吃着泥土的小家伙一样无助，一样一无所有。

他们拼搏了近半生，其实什么也没有得到。

陆展星那张狼狈污脏的脸上，渐渐地露出一丝无奈与温和，他抬手，脏兮兮的手抚上顾茫的面庞，指腹在顾茫湿润的眼尾擦了擦。

"茫儿，别哭了。"

"……"

陆展星嘴角卷起淡淡的笑："哥哥罩着你，你这小可怜样。"

顾茫蓦地闭上眼睛，眉目间俱是伤楚。

陆展星道："最后一次了。哥哥保护好你，以后的路，是进是退，是继续往前，还是解甲还乡，都由你。"

"茫儿，我很高兴你能告诉我真相，尽管看上去什么都已经改变不了，但是至少我知道我没有背叛我的七万同袍，没有背叛你。我心中的石头终于落下了。"

"你往下走吧，你的任何一个选择，你陆哥都会替你高兴。"他说着，将咬着下唇竭力隐忍，却早已泣不成声的顾茫揽过来，额头抵着额头，手用力在顾茫肩上拍了拍，"谁让你是我兄弟呢。虽然咱俩从没拜过把子。"

顾茫狠狠擦去脸上的泪，抬起黑亮的眼："拜吧。"

"……"

未及陆展星反应，他就戴上假面走出了囚室，不出一会儿，便提了两壶牢狱里的梨花白来。

顾茫忍着泪，郑重其事道："陆展星，今日一别，你我唯有秋斩之时方能再见。我顾某人生来无家无父，无依无靠，故肆意不敢，放纵不敢，出格不敢，与他人面前素是隐忍，难得真情。而……而在陆兄面前，却能体会到原来拥有家人，拥有大哥，便是如此滋味。"

他这样说着，陆展星的眼眶也红了，两人从小到大互相照顾，互相扶持的情形历历在目，一一闪过。

顾茫道："这二十余年，多谢兄长照顾了。"

陆展星蓦地仰头，他原本思及自己数月后便将问斩，不愿再与旁人有任何更深瓜葛，可听顾茫此言，句句真心，字字泣血，不禁心潮澎湃，热血涌动。

他忍了涌上的热泪，接过顾茫手中的梨花白，道："我陆某这一生微末如浮萍，未曾想过真能在世上有个名正言顺的兄弟家人，更没有想过我如今污名在外，命数将近，还能德蒙天眷，与你有八拜相交。曾经不拘、不信、不屑这些礼节，但今日……今日我陆展星，也当真觉得十分痛快！好！拜就拜了！"

"哪怕是奴籍之身，哪怕大限将至，哪怕前路茫茫遥不可知。也图今天一个快活！咱们俩，不求同年同月同日生，难求同年同月同日死，但求一生铭记，黄泉不忘！"

两人当即仰头痛饮，相对拜下，而后携手大笑，只是笑中含泪，热泪盈眶。

顾茫道："大哥。"

陆展星哈哈笑道："从此以后，咱俩都不是孤家寡人了，老子走到阴曹地府里，也知道自己有个确确实实的兄弟。"

在那悲怆而又豪迈，绝望而又光芒万丈的笑声里，阴牢的情形也开始模糊，变得越来越邈远，那俩兄弟的身影渐渐地都模糊了。

陆展星……顾茫……兄弟。

原来顾茫曾经去阴牢里见了陆展星，两人已结八拜之交。所以陆展星在时空镜里的种种反应，皆非真心实意。

陆展星从来不是弃顾茫梦想而不顾，弃七万同袍而不仁的叛徒，他的真心……他的真心分明是——

"哥哥保护好你，以后的路，是进是退，是继续往前，还是解甲还乡，都由你。"

"你往下走吧，你的任何一个选择，你陆哥都会替你高兴。"

"谁让你是我兄弟呢。"

原来秋日问斩，刀落阴阳两相隔，带走的并不只是顾茫的最后一个袍泽，那一把斩刀落下，带走的，还有顾茫唯一的亲人。

刚刚拜过的，才拥有的，甚至只来得及叫了那么几声的——他在世上仅有的大哥。

剧痛犹如地裂的缝隙，从心口炸开，蔓延至全身。载史玉简中，墨熄单膝跪地，竭力支撑着，却猛呛出口血来。

眼前的阴牢已经破损了，只剩下模糊不清的光影，又或许模糊不清的并不是光影，而是他的视野。玉简在不断地褫夺着他的灵流，撕裂着他的血肉，魂灵的痛苦和肉体的煎熬像万钧海水洪流倒灌，压入他的脏腑之中。

玉简那冰冷的声音又响了起来，在他耳中回荡着。

"简有损毁，毁页巨大，若汝执意强读，必遭血肉重创……"

血肉重创……什么是血肉重创？有什么血肉重创会比真相更痛。明明是背负着使命的忠臣，却要深埋进污脏泥潭里不得脱身；明明知道所有的真相，却要打碎牙齿和血吞落；明明是想要温暖人间的火，却要被你一脚我一脚地踩熄，踩灭，碾成残灰；明明方才认了一个兄长……

墨熄咳着血，压着喉头的破碎哽咽，睫毛颤抖地一合，泪水便夺眶而出，顺着脸颊不住滚落——他几乎是崩溃了，顾茫那时候……是什么心情？

明明方才认了一个兄长，这一辈子，只喊了那么一声大哥，就要将人送上绞架。明明知道大哥是无罪的，是蒙冤的，却不能为之平反，不能公之真相。顾茫笑着与陆展星结拜时，到底是什么感受……

这世上还有什么血肉重创，能痛过身为一个探子的悲怆？知不能言，爱不能语。一双手……迫不得已沾上袍泽的血。眼看着周围的虎狼妖魔肆虐自己守护的邦土，却还要哈哈大笑着，说一句好不痛快！耳听着母国百姓的哭喊，婴孩的啼哭，战士的怒号，却还要戴上坚不可摧的假面，不能流一滴泪，不能有一丝一毫的手软心慈，不能被看出一星半点的犹豫悲伤。

那是怎样的心情呢……

他的顾茫，他的顾师兄，重华的顾帅，明明是一个会努力抱着兵册卷轴，嘟哝着铭记每一个无名小卒的人。他曾那么温柔，那么善良，那么爱笑，那么珍视、尊重着每一条性命；他曾连沙场上的一朵小花都不忍伤害，却要用手中的刀，亲手刺进那鲜活的血肉——他何尝不是在剜自己的心！！

墨熄呛咳着鲜血，慢慢地挪动着踉跄的步子，向前走去，周围已是一片混沌，唯有遥远的尽头亮着一簇幽光。他知道那是载史玉简承载的下一个他需要的记忆。

他往前走着。每一步都像有无形的手撕裂他的肺腑，从他躯体内疯狂地攫取着鲜血和真元，他的灵力已经被载史玉简吞吃得所剩无几了，可那个光源离他还是那样遥远。

遥远得就好像八年前的顾茫，背着破旧的小布包，装着义兄的头颅，在夕阳下，在老叫花悲怆的莲花落中踏歌行远——

"今日黄金散尽谁复矜，朋友离群猎狗烹。昼无擅粥夜无眠，落得街头唱哩莲。一生两截谁能堪，不怨爷娘不怨天。早知到此遭坎坷，悔教当日结妖魔。而今无计可奈何，殷勤劝人休似我！"

原来……那个背影不是一个叛臣的背影，而是一个英雄的告别。

顾茫站在重华桥上，回头朝着帝都城门一眼眺望，一声喃喃，他知道他将要去打一场无人应援的仗，他将要去赴一场血肉斑驳的局。

他知道自己将入地狱，他轻轻说一声走啦，然后小心翼翼地揣着故土能给他的唯一盘缠——那张老叫花赠他的已经冷透的炊饼，他低着头，走到他死去的七万兄弟中去。

顾茫……顾茫……你停下脚步好不好……我怎么追不上你……

墨熄一步一步往光源处行着，眼泪顺着他的面庞不住滚落，四周的黑暗里像是有无数的身影在舞蹈，在讥笑着他，谩骂着他，在把过去桩桩件件的恶毒反刺到他的骨血里。

"叛徒！"

"你知不知道你究竟有多脏……"

"你想的是复仇！为了你的野心，为了你的战友，为了你们的出路，你无所谓其他人更多的血！"

不是的……不是的。不要骂他，他是无辜的啊……！！

墨熄几乎要被那黑暗里疯狂的倒影逼疯，玉简裂心的痛他甚至已感觉不到，他只想能够涉回时光的河流，去告诉过去的自己，不是的。真相不是这样。

顾茫他……从来就没有想过要复仇，从来就没有什么野心；他只想守好那七万座碑和他们一群兄弟生而为人的最后尊严；

他只想看到重华的雪化之后，江山又能吐翠，桃花又红两岸；

他只想……他只是想看到君上在黄金台上许给他的那个公正的、太平的天下，能在他们已经被踩作泥灰的身躯上生根发芽，能看到新的取代旧的，芳菲取代鲜血，正确取代错误，欢乐取代悲伤；

他只想看到英雄终不论出身，烈士的墓碑前终能搁一壶清酒，化一纸安宁；他哪里有过一丝一毫的恨啊……他只想带他的兄弟回家。

墨熄挪着跟跄的步子，一步一步地往光影处走去——好像每走一步，他就能离八年前的那个顾帅近一点。太痛了……灵流被汲尽，他不停止，玉简便去汲取他灵核内的力量，似要将他的心脏四分五裂。可是他感到的并不是这锥心的痛，他是想……只一个念头，便泪如雨下。

他是想，顾茫被摧毁了灵核的时候，是不是就是这般滋味。他那其实很怕疼，很柔软，很容易哭的小师兄，是不是曾比他现在更痛上十成、二十成。那么痛了，还要受尽同袍的白眼和误会，没有人关心他，没有人照顾他，没有人知道他都付出了些什么。

更没有人知道，那个笑吟吟的顾帅在转身离开重华的一刻，神情究竟是怎样的。

"顾茫……"在这样的竭力前行中，墨熄竟生出了幻觉。

他看到那道微弱的光芒里，穿着重华军礼服的顾茫走了出来，他笑嘻嘻的，身后跟着陆展星，跟着他战死的那些兄弟们的幻影，赵盛、卫平、骆小川……都在他周围。顾茫看起来开心极了，比墨熄见过的任何时候都要干净，都要清秀，都要意气风发。

墨熄向他们走去，顾茫好像看到了他，黑色的眼眸里有一瞬的惊讶，最后洇染到纤长的眼尾，却是再灿烂不过的笑容，他张扬地笑着，眉眼里没有半点伤痛和阴霾。他向墨熄伸出手，他说："师弟，别哭啦，没事的……"

"你看，我一生的梦想就是这样，我希望有一天，重华也好，这个修真大陆也好，都能变成正确的样子。你不要笑我太天真，太理想，我知道事情总会越来越好的，就像花会开，雨会停，冬天会过去……我的殿下，你要相信我。你看你的顾茫哥哥什么时候骗过你。"——那是他在学宫时躺在河滩边，与少年墨熄说过的话。

隔着尘世传来，已是泪湿脸颊。

花会开，雨会停，冬天会过去。你要相信我，我的殿下。因为……如果你也不相信我的话……

光芒骤然暗去，顾茫的身影模糊了，军礼服成了雪白的奴隶衣裳，脖颈处勒上漆黑的环钩，陆展星他们的幻影像雪片一般在他身后飞散飘零。顾茫在黑沉沉的暗夜里跪落，一双手沾满了鲜血，他像是孤兽般蜷缩着。

如果你也不相信我，我就真的只是在孤军奋战。我就真的只有一个人了。你相信我吧……

那个身影越缩越小，越来越佝偻。墨熄忽然疯了般不管不顾地向他奔了过去，怆然道：

"顾茫！！"

我信你……我信你说过的花会开，雨会停，冬天会过去……你能不能回来，你能不能不要一条道走到黑。

三十三年了。他的顾师兄当了二十余年的奴隶，五年的叛徒，三年的俘虏。细数下来，竟连一天好日子都没有过。

这个时候墨熄才彻彻底底地明白，其实顾茫从来就没为自己考虑过。从来就没有想过花开了，雨停了，冬天过去了，他一个满身污脏、满手鲜血的人又会在哪里。而他竟曾和这样一个无私无欲之领帅，说了一句——

"你无所谓更多人的血！"

顾茫哪里会无所谓更多人的血呢，在他被迫杀害了第一个重华无辜百姓的时候，他恐怕就已经将自己在心里埋葬。

玉简尽头的那束光影晃动，那个顾茫起身走得越来越远了，他追不上，他开始听到江夜雪的声音似隔着山海传来，在唤着他：

"墨熄！墨熄！！"

"……"

"快醒醒！你再这样强撑下去你的灵核会碎的！！墨熄！！！"

玉简里的那个顾茫的幻影忽然停下脚步，他转过头来："墨熄……别追啦。"

雪白又单薄的衣裳在风里轻轻拂动着，墨黑的长发垂在他消瘦的脸颊边。这么多年，从一呼百应的将帅，到人人喊打的叛徒，他瘦了很多，憔悴了很多，再也不复当年的康健模样，甚至连瞳眸的颜色都已改变。

可是那双经历过无数生死，藏匿着无数秘密与悲伤的眼睛还是那么亮，还是温柔的，最深的痛苦里，藏着最坚定的希望。

顾茫道："别追了。每个人都有自己的路。我早就选好了我要走的那一条……那不是什么好走的路。但我知道它是对的。"

"顾茫……"

"它是对的，所以，我不后悔。"

起风了，吹得顾茫衣裳飘飞，渐渐地整个人也如揉碎的花瓣一样被吹散不见，顾茫最后朝他笑了一下，那笑容灿烂得像是春日里第一朵金黄色的迎春花，勇敢地从经冬的雪色里扎出头来。

仿佛在说，你看，我没有骗你。春天会来的。

春天已经来了。

猛地一阵强烈的力量将他推出重重黑暗——玉简内那个顾茫的幻影仍在眼前，仍没有散去，而他已彻底回到了江夜雪的宅邸里。

他没有回神，血不住地从皲裂的皮肉，从唇角淌出，但他不觉得疼。他听到江夜雪在焦急地唤他，在替他把着心脉，输送着灵力。

可是什么都感觉不到。他大睁着眼睛，一直都没有眨眼，他怕一眨眼，那个笑容的残痕就彻底消散了，眼泪顺着他血污纵横的脸庞流淌下来，淌进鬓发里。

"墨熄……"一探之下，灵力枯竭，那一颗之前就被顾茫毁去的灵核，又濒至临界，江夜雪也不禁有些哽咽了，"你这……又是何必……"

墨熄没有答话，像是魂灵已经死去了一样。良久，他才嘴唇翕动，轻轻把手从江夜雪掌中抽了回来。

"墨熄？"

墨熄挣扎着，他都已经这个样子了，不知是什么支持着他，他竟然还能挣扎着下床，挣扎着站起来，向门口走去。

江夜雪见他濒临崩溃却还坚持着往前走，不由得面白如纸："你要去哪里？"

墨熄顿了一下，回道："回家。"

他要回家去见顾茫……他要回去与那个其实已经恢复了记忆的顾茫诉说自己看到的真相……他要赶回去……他要赶回去，赶回去补一句八年前的等等我，补一句八年后的我信你。

对不起……我不会再让你一个人了。黑暗也好，污名也好，我与你一起度过，我和你……一起扛……

"他已经不在羲和府了！"蓦地一声，犹如惊雷。

墨熄倏地回头。

江夜雪的脸色更差了，似乎是拿不准说还是不说，但最后他仍是咬牙道："在你读卷的时候，慕容怜来过。顾茫已经被司术台带走了。"

与此同时，重华司术台——

"周长老！"

"参见周长老！"

周鹤是个很严谨的人，他有着良好的更衣习惯。在外，他穿着自己家族的常服，可只要他回到司术台，不管有多重要的事情等着他做，他一定都会先去更沐室把司术台的衣袍换上——其实做到他这个位置，当差不穿正装早就没什么人会计较了，但周鹤偏不。

他一定要穿司术台修士的法袍。

重华的每一个机枢都有着一套能够代表他们职能的装束。最受少男追捧的，是墨熄他们军机署的黑色修身战衣，窄袖收腰翻领，缘口配有金扣，襟口配有金穗绶带。最受少女喜爱的则是神农台的衣冠，孔雀丝线织就的青碧绸袍，用沉香熏过，外罩一件素纱襌衣。

相较而言，司术台的着装就没有那么好看了，只一件立领窄袖月白色长衫，并无特殊之处。

对此，有人将周鹤对法袍的执念解释为轻微的强迫症，有人则说他是因为某种迷信，众说纷纭。

而其实周鹤一定要换衣服的原因很简单：

他喜欢自己的这份差事，喜欢到每次接任务都有种莫名的仪式感，而换上法袍一定是这一场仪式的开头。他此刻正要享用这令他痴迷的狂欢。

"周长老，试炼的蛊虫和法器都已经备好了。试炼体也已经带到了修罗间，目前状况很稳定。"

周鹤正一边沿着长长的甬道往前走，一边调试着自己左手戴着的钢爪指套，闻言倒是怔了一下："很稳定？有多稳定？"

随侍点了点头："没有任何过激反应，非常镇定。"

周鹤没立刻吭声，半晌低声说了句："还真是传说中的'神坛猛兽'。"

司术台的修罗间建在地下，周鹤靠近时大门的铁链哗啦一声自行缩回，阴刻着刑天绘像的石门一左一右缓缓打开。

一股砭人的霜寒立刻从敞开的石门缝隙中喷出。

侍立在石门左右的守备向周鹤行了礼，而后抖开一件早已备好的黑貂大氅欲替长老披上，但周鹤抬了抬戴着指套的手，示意不必了，径自走了进去。

修罗间是一方约莫五丈宽的寒室，由于大多试炼都需要在寒冷的场所进行，所以修罗间的内壁是用昆仑万年冰斫砌，四壁天顶脚底都是冰面，乍一看就好像进入了神话传闻中的镜宫一般。

顾茫在修罗间的中央，正闭着眼睛打坐。

周鹤走过去，饶有兴趣地打量着这个男人——他任长老以来接触过不少试炼体，大多数人别说进入修罗间了，押进司术台大门的时候就已经吓得浑身筛糠、屁滚尿流了。而像顾茫这样没事人一般的，他还真是见所未见。

这人是傻得彻底了，所以不知道自己接下来将会面对什么吗？还是燎国的黑魔融淬赋予了这副肉体凡胎什么能力，譬如不畏疼痛，不惧生死……那剖析起来该多有趣。

周鹤愈发有些心潮澎湃，他伸出舌尖舔了舔嘴唇，修长的手指按在了腰间的"猎鹰"上。

或许是因为这个人的身份也好，反应也罢，都太特殊，所以一向习惯把试炼体当作牲畜来看的周长老居然生平第一次——对于剖析的对象产生了一点儿好奇。他不禁思考，顾茫此时在想什么？

而顾茫简直就像窥见了他内心的发问似的，缓缓睁开眼睛，湛蓝的眸子望向他，吐出一个字来："冷。"

冷? 就只有这一个念头吗? 周鹤盯着那双透蓝的眼睛, 似乎想从里面攫得一些更刺激的情绪。但是没有。怎么可能会有。只要顾茫不想, 周鹤怎么能够发现他一星半点的真实情绪——顾茫是什么人啊。君上钦定的卧底, 潜伏在燎国长达八年的密探, 背负着无数误会、指摘、谩骂、人命、自责, 还能咬着牙坚持着一条路走到黑的顾帅。

当年他投敌燎国, 对方初时不敢信任, 亦是百般试炼、施尽毒法, 这都不能从他嘴里撬出一句秘密, 周鹤又怎么可能做到?

"没关系。" 周鹤道, "你一会儿就不会在意这种冷了。"

他说罢, 抬起手, 指节屈了一下, 与他配合试炼的随扈们看着命令进入了修罗间。周鹤道: "开始吧。"

顾茫抬起眼睫, 透过浓密的长睫毛, 看着那一个个月白长衫的司术台修士列阵排开。那些人手上都拖着一只木托盘, 里头放着匕首、蛊虫、法器, 还有伤药。匕首是用来割开血肉的, 蛊虫和法器是用来进行黑魔试炼的, 伤药倒是金贵得很, 上品天香续命露, 在危急时可以吊住他一口气。

离他最近的那个修士托盘里放着一卷雪白的绷带, 顾茫知道那不是用来包扎的, 是用来垫住他的牙齿, 以防他咬舌自尽。

顾茫闭了闭眼睛。在他现有的记忆里, 这是他生平第二次见识如此阵仗。

第一次是在燎国——对, 尽管时空镜没有归还他所有叛国之后的记忆, 但或许因为太痛苦了, 这一段却是例外——

那时候他将陆展星的头颅在唤魂渊之畔埋葬, 然后他按照和君上的商议, 佯作被逼到了绝路负气而反, 投敌燎国。

燎国的大殿铺着金红色的砖石, 整个厅堂犹如烈火烧灼, 满殿文武俱如妖魔鬼怪, 各有各的诡谲之处。年轻的君王戴着冕旒坐在高高的王座上, 他才不过一个十六七岁的孩子, 根本镇不住他座下的这些乱舞群魔, 真正做主的是君王身边立着的那个戴着黄金面具的男人——燎国的国师。

顾茫记得当时自己单膝跪地, 俯首献上自己的投名状——一卷重华近百年来的秘法创立玉简。

虽然已和君上商量, 剥去了最重要的几大法术, 但这卷轴仍可谓是最重要的重华邦国机密之一。燎国群臣一看到这玉简, 所有人的眼睛都开始放光, 就连燎君也情不自禁地伸长了脖子, 面露喜色, 亟欲翻看。

唯有国师一人, 透过那张眉眼弯弯的黄金假面轻笑出声来: "顾帅, 献礼先可不议, 不如先来谈一谈你为何要叛重华吧。"

顾茫便将凤鸣山之败后的遭遇义愤填膺地与燎国诸君陈说, 说到义兄被斩首处, 竟是声泪俱下, 几番哽咽。

其实在他投奔燎国之前，燎国就已经有不少人得到了风声，他们已听说了顾茫在凤鸣山兵败之后的种种遭遇。此时亲眼所见，加上这样一份玉简，一时间对他的怀疑都削弱了不少。

顾茫最后道："花国主当年之耻，我亦尽数体尝，与其继续留在重华受人欺辱，不如与花国主做一般抉择，叛出重华。"

花破暗乃是燎国的开国之君，在场又有谁不知道花破暗与顾茫的相似之处？

燎君登时就有些被说服了，嗓音微微发着抖，里头有按捺不住的激动："卿……卿既有如此觉悟，那……"

话说一半，忽觉自己越矩，蓦地住嘴，悄悄看向身旁的国师，却对上国师笑眯眯的眸眼。燎君的冷汗瞬时湿透了重衫，喉头吞咽，忙开口道："那皆听国师意见！"

国师这才眯着眼睛，笑吟吟地笼着手转过头，对大殿上跪着的顾茫道："顾将军神坛猛兽的威名，在下是如雷贯耳。猛兽归降自然是天佑我大燎国祚，大喜一桩。只不过……"

声音渐渐弱下来，国师倏地睁开眯着的笑眼，一双细长的眸子隔着黄金假面的挖孔睨向顾茫，里头迸溅着寒光。

"只不过，顾帅啊。"国师道，"你知道花国主叛出重华之后，做的第一件事是什么吗？"

"……"

顾茫被那双幽寒狭长的眼睛盯着，竟生出种被毒蛇啃咬的痛感来。只见得那国师微笑着，黑眼睛底下却全无笑意——

"花国主可是找了几个自己的贴身死侍，让他们把他绑起来，花了三天三夜，将他一身重华的法咒尽数剖开驱散……又在胸腔血管内注入了黑魔之息。以示他这一生，与重华也好，与他的'恩师'沉棠也罢，就此恩断义绝。"

他每说一个字，眼里的凶光与残酷就多上一分。

到最后，那张黄金假面都像是要被他那昭彰的恶给熔穿了，几乎能看到假面后头那张穷凶极恶的脸。

国师森森然微笑道："顾帅，你既愿跟随花国主的脚步，那么该献上的投名状到底是什么，你应该很清楚吧？"

最后，顾茫被押解到了燎国的淬魂室。

那是与重华司术台非常相似的地方，也是一模一样的玄冰寒室，一模一样的月白长衫，甚至连装载法器、蛊虫、匕首、纱布的托盘都如出一辙。

审讯与重淬同时进行，持续了三天三夜。

这三天三夜中，他的后背皮肉沿着脊柱被整个划开，吞吃灵力的蛊虫被放进伤口深处，千万根傀儡线沿着肌肉血管扩散，将施展重华法咒的灵流经络一一挑断，将他的肺腑搅得天翻地覆、一塌糊涂。

而那个国师，始终坐在淬魂室的玫瑰紫檀椅上，跷着腿，双手交叠于膝头，好整以暇地看着他。

在他痛苦，在他哀号，在他生不如死、口角流涎、血肉模糊、肝肠寸断之际，温柔地询问他："顾帅，你后不后悔？"

"从白到黑，从黑到白，都是一样的不容易，你可要想清楚了，一旦你身上注满了黑魔灵流……九州二十七国，也就只有燎国可以收留你。"

"你对重华的恨，真的有那么深吗？"

顾茫浑身都被自己的鲜血浸满了，但这并不算什么，让他最痛的还是那犹如螃蟹八爪从他后背深插入他血肉的傀儡丝。

那千丝万缕的钢丝线里，一定有淬炼了吐真之能的。他一撒谎，那遍布全身的钢线便竖起尖刺，亿万根小刺瞬间在他血肉中炸开，几乎要将他整个人生生撕碎！！

顾茫眼前早已是模糊一片，血、泪、汗……什么都有。他听到燎国的国师在不无蛊惑地问："你真的恨他们吗？恨到不惜与他们戈矛相向，恨到不惜与他们一生为敌？"

顾茫的喉管都在阵阵痉挛，几欲呕吐，他垂着头，却笑了，他说："是……是啊，我恨极了，恨得太深……"

钢刺根根入骨，浑身抖若筛糠。重华的神坛猛兽，却还是能守口如瓶，还能忍着身心的剧痛，嘴唇颤抖地吐出零碎不堪的字来。

是，我恨。我不后悔。

我顾茫从此与重华恩断义绝，我顾茫……叛入燎国，效忠燎国，为报血仇，甘受重淬，堕入魔道，永志不悔。

永志……不悔……

浑浊的血泪流了满脸，他被折磨到疯癫，蓬头垢面，犹如厉鬼，悲怆地狂笑着。他不知自己是怎样咬紧牙关的，只是每到撑不住的时候，他都会竭力地去回想那过去的一桩桩一幕幕。

他想到君上在黄金台上对他说，顾帅，请你相信孤，孤这一生，从未，也绝不会将你们看作草芥走狗、奴籍贱躯。他想到陆展星对他说，茫儿，你往下走吧，你的任何一个选择，你陆哥都会替你高兴。他想到墨熄……

墨熄，想到这个名字便是一阵锥心的痛。他记得初见墨熄时吹过的夏日清风，记得墨熄侧过脸时清澈的眼眸，记得墨熄第一次朝他展露的微笑和最后分别时悲伤的眼神。

十余年了，他不是没有相信过。可是……他们到底还是争不过天，斗不过命。他的小师弟，知道他叛国后，会是怎样的神情呢？应当会恨他吧。

要是恨他，那就好了。别再那么冲动，千万别傻乎乎地跟满朝文武对着干，愿意替他作保什么的……千万不要这么做……墨熄。

对不起，你的师兄，是真的……真的很在乎你。从前说的每一句宠你，每一个愿意，都是真的；今后说的每一句恨你，每一次讽嘲，都是假的。

你也千万不要因为师兄叛国时，你不在我身边，没能劝我，而感到后悔。因为……顾茫的眼泪顺着脸庞不住地无声滚落，和着汗与血，纵横在那张几无人样的脸上——因为设法调开你去边境，拖延你回国的人根本不是君上……提出那个建议的人，其实是我！

是我软弱了，我不敢让你看着我走，我不敢再听你一句劝，再看一遍你伤心的眼神。我怕你看着我，我就走不了了。

对不起，我必须远行，我一定要走——对不起，我最后还是选择了重华，选择了我的兄弟们，选择了这条路，而割舍下了你。

对不起……

又有血顺着额头流下来，一路淌入他的眼眶里，故人那清俊的侧脸顺着他的泪水蓦然滑落，墨熄消失了。他在一片模糊的猩红中看到凤鸣山的烈火与兵败。看到山河破碎，生灵涂炭。看到那些曾与他围炉而坐，与他雪夜饮酒，与他共同进退的人，都在冥河对岸回望着他。

顾茫生出了一种强烈的幻觉，好像自己正浸沐在这茫茫冥河里，亟欲泅渡过去，亟欲抓住他们之中任何一个人的手——等等我。

等等我，我来了，我带你们回家，我接你们回去。

可就在这时，一阵擢筋剐骨的剧痛猛地袭来，贴合着他脊柱白骨的魔爪钩吸饱了他身上所有的重华术法灵流，从他皮肉翻开、裸露在外的白骨上猛地后抽——

"啊……！！"

七万的袍泽，清白的魂灵，期许的未来。

就在这一狠戾至极的撕扯中化归了虚无……黑魔灵力混合着狼妖之血汩汩地注入他体内。

他眼前那些灿笑着的袍泽兄弟们的脸在一片猩红里渐行渐远……

顾茫哽咽了，他知道，从此自己这辈子，再也不可能回到过去。

再也不可能……

他知道自己再也不可能回到他们中间。

"啧啧……"国师适时地捏起了他的脸，伸出拇指摩挲着，轻声道，"顾帅，你心痛了吗？遗憾你那光明正大的母国的术法被就此剥离？"

顾茫痉挛着，哆嗦着，他并不坚强，他其实是很怕疼的，也很怕苦，怕到指甲边缘生了倒刺都不想拔，生了病连药也不愿喝。

但是柔软的身体并不一定就装载着同样柔软的魂灵，顾茫抬起眼来，双目赤红，暗哑道："不。"

国师颇为意外地盯着他的眼睛看，却没从那双黑眸中看出任何的动摇与欺骗来。

顾茫柔软的唇瓣颤抖着，他虚弱却固执地低声道："我不后悔，我想要报仇……"声泪俱下，他蓦地垂下脸来，几乎是声嘶力竭地哀号着，"报仇！！！"

国师终于有些动摇了。他松开了捏着顾茫下巴的手，慢慢地伸到旁边，屈了一下："来人。"

旁边的侍从看到国师的指令，立刻道："听候国师差遣！"

国师道："把燎国的黑魔法咒都烙刻到他的骨上。"

"是！"

他吩咐完，抬起手来，犹如某种地位的认可般，将那双沾着鲜血的手覆在顾茫的发顶，摩挲着。

"顾帅，你知道这意味着什么吗？"国师的深褐色瞳仁里有令人捉摸不透的光影在流淌，"这意味着，你这一生，哪怕失去记忆，哪怕打碎筋骨，哪怕剜目割舌，只要你浑身上下哪怕还有一根骨头在，你就会被黑魔法咒所左右。永此无法摆脱。"

"你能用的，你会用的，刻进骨子里的，将永远是我们这受世人唾弃的肮脏法术，你永远也忘不掉。"

他说完，咧开白齿犬牙，森森一笑。

"恭喜你，顾帅。你是我燎国的人了。"

视野变幻，梦醒交错。

那张覆盖着黄金假面的面庞消失了，取而代之的，是周鹤颦着眉的脸。周鹤用猎鹰的刀尖挑起顾茫的下巴："你在想什么？"

顾茫没吭声。

他不知道自己曾经究竟算不算是个有担待的将军，但是，至少后来，他都一直在做一个尽职尽责的密探。

尽管记忆丧失，他自己也有很多困惑不解的地方。但他一直死守住了他的秘密。无论是对燎国，对陆展星，还是对墨熄。他都守住了自己绝不该提的真话。这样看来，他这密探至少目前而言，当的并不算那么失败。

周鹤大抵是被他的沉默触怒了，有些阴森地说道："我倒要看你能撑到什么时候。"

法咒光阵亮起，四面蹿出飞锁，将顾茫的四肢与脖颈尽数扣住。

周鹤吩咐左右道："开始吧。"

第30章

只要有邦国，便会有黑暗。

而一个邦国的秘术台，永远是那个国家最肮脏、最血腥、最见不得光明的地方之一。无论是燎国还是重华都是一样的。

周鹤坐在铺着银狐裘软垫的玫瑰圈椅中，翘着长腿，侧脸支颐，望着眼前的景象。

黑魔试炼非常残酷，但也很快。

从他下令开始，才过了一炷香的工夫，试炼已经进行了两轮。顾茫被锁链绑缚着吊起，由于术法需要，周鹤并没有给他使用任何麻沸镇定的药草，也就是说每一刀的穿刺，每一只蛊虫的啃咬，顾茫都是能感觉到的。

纱布横勒在口中垫着柔软的舌头，已经被血浸湿。一旁的小修士取下来一块，捏着已经昏迷过去的顾茫的脸庞，再换上新的。顾茫对此毫无反应，他的脖颈无力地垂落，那张脸已经比冰面还苍白，就连嘴唇都完全失去了血色。

周鹤问："灵流如何？"

"非常虚弱。"

"心脉呢？"

"极度紊乱。"

"……"试炼中有三大标尺。灵流、心脉、精神力。如果不是怀着"把这个试炼体搞死也无所谓"的心态，这三点是必须时刻关注的。

周鹤微微皱起眉头，看着顾茫那张惨淡无人色的脸，指甲不由自主地捏紧了圈椅扶手。

除了君上的试炼交代之外，他还有……那个人的嘱咐需要完成……

但照现在这个情况下去，顾茫恐怕支撑不了太久。没有谁可以在灵流和心脉都濒至临界时继续被折腾下去，他会崩溃的。

周鹤蹙起眉头，咬着下唇闭着眼睛暗自焦虑，捏着圈椅的指节慢慢松开，有些烦闷地吐了口气，几乎是放弃地问：

"精神力如何？"

负责监守顾茫状态的修士指尖抬起，覆在顾茫早已被冷汗湿透的前额，一探之下蓦地睁大了眼睛，几乎是不敢置信地又探了一次。

"……"

周鹤不耐烦道："怎样。"

"回……回长老。"小弟子转过头磕磕巴巴地说，"顾……咳，试……试炼体的精神力仍很强大，神态并无崩垮迹象！"

周鹤脸色一变！

怎么可能？他接手司术台那么久了，别说熬到第二轮试炼了，能在第一轮中期还意志不崩的人已是凤毛麟角，那还得是身板特别结实、耐磨耐操的那种人。可顾茫的身体状况明明并不好，燎国的重淬在他身上留下了种种旧伤，落梅别苑三年更是将他摧折得清瘦羸弱，如今他的心脉和灵流都撑到了极限。

他怎么还能……

周鹤倏忽起身，大步走到顾茫身前，催动法术抬手去探那冰凉的额头。

一触之下，更是心惊！

顾茫的意志完全没有任何松动的迹象，如果撇开这副血迹斑驳的身躯不看，周鹤根本不敢相信这是一个已经被黑魔试炼摧残到昏迷的人的精神力。那好像是一种刻进骨子里的坚定，太执着，也太强大了。

他到底在坚持什么？

"长老，接下来怎么办？试炼体的身体已经撑不住了，但是按精神力来看，或许还能……"

周鹤打断了弟子的询问，他盯着顾茫的脸，心里陡生一阵强烈的不安。由于私交关系，除了完成君上的黑魔试炼之外，他还另外秘密地接了一个挚友的嘱托——他需得错乱顾茫的记忆。

虽然他并不知道顾茫的记忆有什么值得打乱的，本来就已经是个失忆的人了，脑子也不好使，但既然"那个人"开了口，他一定会买对方的面子，会照着做。

只是他原本以为待试炼完成之后，趁着顾茫神志崩溃至极再行此举会更为方便。但是现在看来，事情恐怕并不会像他预料的那般顺利。

周鹤思忖片刻道："你们先退下吧。"

"是！"

左右退下了，周鹤上前，抬起猎鹰，指节将它一寸一寸地擦亮。

刺刀近前，冰冷的刀面贴上顾茫同样冰冷的脸颊。神武能够清晰地感知到这个人躯体里装载的强韧魂魄，嗜血良多的"猎鹰"不由得在周鹤掌中兴奋地发起抖来。

周鹤俯身，嘴唇贴在顾茫耳侧，对那个昏迷中的男人喃喃低语："顾帅，我经手了千场试炼，将无数铁骨硬汉捏成了一摊泥水——唯独你是个例外。说句实话，周某人很佩服你。"

猎鹰的光芒闪动，慢慢变得刺眼耀目。

周鹤道："只可惜，我受人之托，必须乱你心志。"

"……"

"抱歉了。"

他手一捻，猎鹰在他掌中化作数道透明的锁链，那些锁链只有柳枝粗细，在他手指间犹如小蛇般摆动着，悬停在顾茫的头脑旁侧。

"猎鹰。"周鹤低声命令道，"乱魄！"

最后几个字从薄唇间飘落，猎鹰像等待已久的捕猎者终于等到了主人的令下，它发出一声尖锐的啸叫，紧接着那些细锁倏地飞出，尽数钻入顾茫的头颅！

"唔——！！"

顾茫被这剧烈的疼痛惊醒，他蓦地仰起头，纱布紧勒着的口舌间发出含混的呜咽……他已经力竭，叫不出太大的声音了，只是眼泪顺着血污斑驳的面颊簌簌滚落下来，一双湛蓝的眸子大睁着，瞳孔收缩。整个吊在半空的人儿，挣得捆缚着他的铁链哗啦作响。

神武化作的细链在他颅腔内疯狂地游走流荡，像个肆无忌惮的入侵者，啸叫着打破他所有的记忆。

那些好不容易想起来的，好不容易拾回的，那些好不容易拥有的……弥足珍贵的清醒。

顾茫大睁着湛蓝的眼睛，在地裂天崩般的剧痛里，塞外边关里兄弟们的欢嚷被抹去；

黄金台风雨里君上的许诺被抹去；

阴牢寒室里陆展星悲怆而豪迈的笑声被抹去；

记忆深处，墨熄温柔地望向他的那双眼睛被抹去……猎鹰每撕裂一段记忆，顾茫就在竭力地将它们聚拢，他抗拒着，因为绝望而发着抖。他已经被洗去过一次神识了，如今却又要在周鹤手里再走一遭。

他忽然升起一种强烈的不甘——

为什么要这么待他……为什么要将他逼到这一步！

他为了那个更好的九州，献出了自己的血肉、兄长、良知、清名。

什么都没有了。

他甚至都忘了自己是谁，甚至都以为自己确实叛国叛邦，以为自己确实不择手段。他甚至曾因此痛苦地跪在墨熄面前，跪在慕容怜面前，跪在战魂山的那些英烈墓碑前，一个一个地叩首，想着如何能够重头来过。

后来天见垂怜，时空镜阴错阳差令他恢复了那些叛邦前的记忆，虽然这些记忆是那么痛，但是至少他能知道自己是个密探，是个卧底，是重华刺入燎国肺腑的一把先锋之刀。

他不是叛徒……

顾茫的眼泪成串地滚了下来。他能有的就那么一点点，他只想记得自己是谁，为什么还要夺走？！

他的嘴被堵着，什么话也说不出，但那双蓝眼睛几乎是哀求地望向周鹤——这是试炼到现在，顾茫第一次用这样的眼神看着他。

好像是一个被逼到绝路的幼兽，在哀哀地看着面前的猎户。

他的意识反抗换来了猎鹰锁链更疯狂的穿刺，顾茫蓦地发出撕心裂肺的哀号，他脖颈的青筋暴突，指甲深深陷入掌心。他被纱布堵着嘴，却还哀泣着发出含混的悲号："不要……"

求求你，不要……不要抢走我的神识，不要抢走我的记忆。我才刚刚拥有它们那么一会儿啊……我还来不及去看一看北境军，看看曾经与我同行的那些少年如今都成了什么模样；我还不及在重华的街头巷陌走一走，看看我的邦国有没有比从前更好；我还没来得及，去唤魂渊边，去埋葬大哥头颅的那一棵老槐树下祭一壶酒，焚一炷香。

我还没来得及将我那"傻公主"的后路安排妥当……我不想忘记。

我不想！！！——竭力相抗让周鹤手中的神武竟发出嗡嗡颤鸣，猎鹰像是扑杀不到猎物一般爆溅了绝望又愤怒的华光。

"砰"的一声。

顾茫颅内的灵流细锁竟然尽数收了回来，重新化作一把血迹斑驳的匕首形状。

周鹤大吃一惊，后退一步，瞪着失败了的神武，又抬头瞪着顾茫，渐渐地面如土色。

怎么会？这个人究竟是为什么……

未及他想完，顾茫已躬下身子，鲜血从他额侧的伤处汩汩流下，可那并不算什么，他五脏六腑的心血都像是在方才那一瞬耗透了。他佝偻着，不住地痉挛哆嗦着，鲜血大口大口从口鼻呛涌出来，勒在他唇舌间的纱布已经被尽数染透。

也就在这时，周鹤听到修罗间外传来嘈杂的响。

似乎是守在外面的司术台弟子和什么人吵起来了，可是周鹤一时有些茫然，有些反应不过来，直到石门轰然打开——

周鹤见到了一个和顾茫差不多一样狼狈的男人立在修罗间外面。所有的弟子都围着他，阻拦着，却又不敢真的动手，只怯怯地簇在他周围。

周鹤简直不敢相信自己的眼睛，他喃喃道："羲和君……"

墨熄站在门外。

他看上去像是刚刚从尸山血海里爬出来，脸色白得像纸，衣衫上尽是斑驳血迹，眼神则乱得可怕。

除了墨熄之外，同来的还有江夜雪，但是江夜雪似乎为难极了，神情惨淡地坐在轮椅上，哀戚又无奈地看着石门内外的两个人。

这两个人啊，同样的满身血污，同样的伤痕累累，却同样的固执，坚不可摧。

墨熄一看到顾茫就崩溃了，他好像怎么也感觉不到自己身上的痛，又好像承受了叠加的痛楚。他挪动脚步，向顾茫走过去，可也只有前几步可以说是走的，到了后面，成了奔，成了跟跄，成了跌跌撞撞。

"顾茫……"

轻弱的喃喃从青白的唇角滑落，反复两遍，情绪像卸了辔般不可遏控："顾茫，顾茫！！"

纵使灵核濒临崩溃，墨熄也不管不顾地召出了率然，一鞭抽断捆缚着顾茫的锁链，那早已被鲜血浸透的身子软软地倒了下来。

墨熄张开双臂拥住他。

"没事了，没事了……我带你走，我现在就带你走……没事了，我现在就……"怀里的人是那么冷，指尖冻得青紫，额角淌着黑红的血。

墨熄颤抖地伸出手，去解勒在顾茫唇舌间的纱布，他的视野已经被泪水模糊，眼泪淌下来，落在顾茫脏兮兮的小小脸庞上。

其实他的师兄从来就不是什么高大的人，他稚嫩、天真，眉眼里总有一种天生的孩子气。是环簇在他周围的人习惯了他的坚强、他的勇敢，他冲锋陷阵的锐气与无微不至的温柔，所以他成了他们的灯塔，被他们看得那么战无不胜。

可是此刻抱着他，才发现怀里的人是那么瘦小，岁月带走了顾师兄与顾帅的活力，留给顾茫这个人的，只是一身的疤痕。

这些伤痕，新的也好，旧的也罢，都在墨熄眼里交织，于是有无尽的悲伤和痛苦涌上心头，他那么清晰地意识到——顾茫已经被摔碎了无数次了，袍泽的死亡，大哥的问斩，密探的身份，燎国的重淬，敌敌五年间被迫杀死的手足同袍。

他被命运一次又一次从高处推下，砸得支离破碎，可他一次又一次努力地把自己拼凑回一个人样。

他真的很尽力、很尽力地在黏合自己了，换作其他人或许早已被碾作了粉，碾作了尘，或许就再也站不起来。

可是顾茫一直在咬牙坚持着。因为，他身后有他再也回不来的兄弟，前方有他一直渴望着的黎明。

"顾茫……"

猎鹰给顾茫的刺激太大了，纵使顾茫最后将它挣脱，他好不容易恢复了的记忆还是受到了不可逆转的损害。

他转动着那双含着泪的、清澈的蓝眼睛看向墨熄。墨熄确定有一瞬间顾茫仍想伪装得很坚强，顾茫甚至想要推开他，可是抬起的手被墨熄抓住了，墨熄抓住那只冰冷的、被铁锁勒出紫痕的手掌。

顾茫的眼皮无力地半睁着，眼神涣散地看向他，半晌道："墨熄……"

"是我，我在，我在。"墨熄哽咽着，将顾茫的手贴于脸颊，"我在的……"

顾茫怔怔地望着眼前的人，他的意识已经很模糊了。所有的记忆都在脑海中支离破碎地打着转，似乎随时会消散。那些风雪连营的夜晚，那些学宫夏日的午后，弱冠那一夜的酒醉荒唐，他的殿下一遍又一遍地许诺着他们的未来。

所有的一切都像覆了一层雪，又一层雪，大雪在他的颅海内飘零覆压，想要把过往的痕迹一点点地都遮盖掉。

顾茫知道自己恐怕坚持不了多久了，那种失而复得、得而复失的剧痛压入他的五脏六腑。或许是因为他这一生最珍视的人此刻就在他身边，而他却要将他遗忘掉。顾茫在这剧痛中陡然生出一种从未有过的不甘与软弱。

他忽然用力回握住了墨熄的手，他大睁着眼睛，急促地喘息着，望着墨熄的脸，极沙哑也极轻弱地：

"我……"

可他该说什么呢？我不是叛徒？我不是坏人？我不是不在乎你，不是有意疏远你。你能不能相信我？他什么都说不出口啊。哪怕此时，他还是什么也不能说！

黄金台的风雨隔着那么多年的湍急岁月浇在他火烫的心头，将他唯一那一点儿自私的火种熄灭掉，他仿佛听到了君上的声音，似是恳求又那么威严——挟持着他穷极一生都在追求的那个梦。

"孤可以与你承诺，孤一定会让你看到那个英雄不论出身、人人得之公允的未来。"

英雄不论出身，人人得之公允。再也不会有人需要像陆展星一样卷入新旧势力的斗争，含冤而死；

再也不会有人需要像他一样，护不好自己的兄弟，做不成想做的事情……一生都在因为出身卑贱而备受打压；

再也不会有珍惜彼此的人，因为血统而躲躲藏藏，不敢把真心交给对方……

"孤需要一个人，他要足够忠诚，足够勇敢，他还要足够聪明。孤需要这样一个人打入燎国内部，为孤传递情报，成为灌入燎国和老士族腹内的毒药。"

"顾卿。你可愿为重华之股肱，隐忍负重？"

黄金台的雷霆闪电仿佛又一次把他的心"劈"醒。他睁着双眼，把所有生而为人的自私一一掐灭，把所有的话都咽回了腹中。

是，他是探子。从他答应了君上请求的那天起，他就再没有后路可以退。

可是……就像是上天怜悯他,就像是上天都觉得他这一生的苦楚里终该有一场甘甜。他虽什么都没有说出口,却听到墨熄紧握着他的手低声道了一句:"我信你。"

蓝眼睛茫然而迟钝地转过来,愣愣地看着墨熄悲伤的脸庞。

"我永远都信你……再也不会离开你。"

顾茫知道自己该吃惊,该问他为什么忽然这么说,该问他到底都知道了些什么,遭遇了些什么——可是或许他的神识已经乱了,他最强烈的感受竟是潮涌般的委屈。

我信你。叛国五年,归乡三年。

他忽然无比清晰地意识到这么多年来他一直在等着这句话。他梦里睡里都渴望着有人跟他说的这样一句话,可谁都没有跟他说过,谁都没有施舍过他这三个字。直到今天。

这些年密探的生涯,终究是太苦太苦了。

顾茫眼里的泪水一下子就滚了下来,他哽咽着,似乎想要说些什么,可是他喉咙里都是血,他发不出声音来,只有嘴唇翕动着,瑟缩着,无声地哭花了一张狼狈不堪的脸。

这是墨熄认识他那么久以来,第一次见顾茫哭得那么伤心无助。墨熄抬起自己血迹斑驳的手,抚摸着那张脸,他想要替顾茫将眼泪拭去,可是却笨拙地越摸越脏了。

墨熄的眼泪不住地往下流淌,他手指颤抖得厉害,他摩挲着顾茫柔软却冰凉的脸颊,他不擦了。他注视着顾茫,周围这么多人,他什么也不想管,什么也不愿顾了,他垂着湿漉的长睫毛,只注视着这一个人。未几,他哑声道:"师兄,对不起,是我让你等了太久。"

"我来带你回家了……"

他把顾茫抱起来,手臂绕架在肩上——直到这时候周鹤才如梦初醒地喊住他——

"羲和君!"

"……"

"你知不知道顾茫是君上钦定的试炼体,他……"

墨熄没有让他说完,凤目蓦地抬起,眸眶通红。

"君上钦定了他很多事情。有的根本无人知晓。我现在只想知道君上他给你下达这个任务的时候他是否问心有愧。"

"你疯了?你知不知道你在说什么!"周鹤转头厉令,"拦住他!"

墨熄是真的疯了。他没有再说什么,抬起空着的那只手,掌心出现了蓝色光芒。江夜雪见状面色煞白:"墨熄!停下!!"

他怎么会停呢,他和他的师兄之间,可是隔了八年的时光。他如果轻易就停下了脚步,又该怎么追上那个八年前背着小小包袱,孤独踏歌远行的顾茫。

墨熄闭上眼睛,怒喝一声:"吞天!召来!!"

一道劲风卷地而起,幽蓝权杖蓦地在掌中显形,墨熄感到自己心口一阵刀绞般的剧痛,有鲜血从他唇角沁出——他的灵核开始裂开细缝，每一次术法都在对他的身体造成难以逆转的重创。

墨熄的眼眸被权杖的锋芒照亮，他催动灵力，吞天延展开来，化作十尺有余比人更高的权杖，白柄金首太阳纹饰，内嵌的蓝宝石发出耀眼华光。

铮的一声鸣响！

完全状态下的吞天灵流力强悍震荡，只一点地，便震起灵力波流，有几个较弱的弟子竟直接被压迫得半跪在了地上。

"羲和君……"周鹤的脸色已经十分难看了，"你知不知道……私斗，释放神武，你这是犯了军戒的！"

"参我吧。"权杖的蓝金色华光照在墨熄清俊而苍白，却异常决绝的脸庞上，"我等着。"

周鹤："……"

江夜雪："……墨熄……"

吞天是能在一招内伏尸百万的可怖神武，虽然无人信墨熄真的会拿它来对付重华的人，但这完全体的太阳锋芒权杖握在他手里就已经足够骇然了。别说是司术台，哪怕是高手云集的军机署也不会有人敢拦着他。

墨熄扫了一眼不敢上前的众人，紧扶着已经昏迷过去的顾茫，他带着他，两个遍体鳞伤的人依偎扶持着，慢慢地走出了这血迹斑驳的地狱。

周鹤眼瞧着墨熄带着顾茫离去，脸色变得愈发难看。

"长老，您看……咱们现在该怎么办？"

"还能怎么办？速去禀报君上！就说墨熄目空国法，擅闯重地，违背君诏，内庭私斗！"

江夜雪蹙眉道："周长老，此事状况复杂，君上此刻又御体欠安，还请你三思妥当。"

周鹤怫然大怒："姓江的，你是站着说话不腰疼吗？！"

江夜雪："……"

"他一个军机署的人敢擅闯我司术台，从我台内劫人，我若还能忍气吞声，今后脸往哪儿搁？！我知道你是他兄弟，但你最好弄清楚了，你兄弟现在触了王法！怎么着，你还要包庇他的罪行吗？！"

说罢哗地一挥衣袖，周鹤对手下厉声道："你们都愣着干什么？还不去禀奏君上？！"

"是！"

半个时辰后，羲和府。

黑魔试炼给顾茫造成的损害太大了，以至于顾茫出了司术台就陷入了昏迷，这之后也一直没有清醒。

而在这长久的昏迷中，顾茫做了个梦。

梦里，他和墨熄都只有二十出头。他们一起走在重华城郊的长堤上，是个黄昏，旭日卸去了一半浓妆，绯红的胭脂和绚烂的金粉涨腻于天际，浮作云霞万里。

他折了一根狗尾巴草，边走边甩，说："真想不到君上点兵点将，最后点了你去攻打璠城。"顿了顿，"第一次挂帅吧，你紧不紧张？"

墨熄垂着眼帘，没说紧不紧张，只说："我会赢的。"

顾茫笑道："这就对了，你记住啊，当领帅的人，最重要的就是不能垮。无论遇到什么事情，你不垮，其他人就能从你身上看到希望。要是连一军主帅都没有魄力，这支军队就是一盘散沙，士卒们再怎么冲锋陷阵都没有用。你是一军之魂，当你挂上帅衔的那一刻，就要对每一个兄弟的性命负责。"

墨熄点了点头，抬起手，逆着夕阳，看着顾茫的脸。

"我会的。"顿了顿，又补上一句，"你等我回来。"

顾茫笑道："怎么忽然这么严肃，是有什么要紧事？"

这个年轻男人很是认真，又很是笨拙，偏偏还要故作镇定："君上说，若是我此战告捷，他便允许我离开墨家独立门户。"

"所以呢？"

墨熄咬了下嘴唇，一时间竟有些不敢与他对视，先是把头偏过去望着粼粼河面，碎金般的光映在他的眼睛里，浮在他的睫毛上。

不知是因为映着晚霞的光，还是因为别的什么原因，墨熄的脸看上去竟有些红了，尤其是耳朵尖，薄薄地充着一层血色。

"我可以有自己的宅院了。"

顾茫："……"

他当时也是迟钝。两个人其实都是涉世未深的少年郎，事实上谁都没比谁高明到哪儿去。顾茫迷惑不解地看着墨熄，实在不明白墨熄到底想要表达什么，犹豫一会儿，说道："好啊……那……恭喜了！"

而几乎是同时，墨熄轻声问："你愿意和我一起住吗？"

顾茫："……"

墨熄："……"

两人面面相觑着，墨熄那张清俊秀美的脸庞更红了，他轻咳一声，似乎是想拾掇自己的尊严，说道："不……不愿意的话也没关系。我的意思是，图……图纸我都看好了，我只是随便问问……"

顾茫记得自己当时看着这个年轻男人笨拙又倔强的样子，忽然就明白过来了。他这个小师弟啊，仗还没打，还没出征，却笃信了一定会赢，居然还自己偷偷跑去看起了图纸……想到最后，却有些心口发酸。

他知道墨熄待他从来都是真挚的，只是他不敢拥有罢了。

但或许是因为墨熄很快就要到前线去了，又或许是因为他心底里原本就藏着一些私心，于是当时他并没有拒绝墨熄的提议，这可把那个人开心坏了。

那天他与墨熄都没有回各自住处，而是在城外的小镇里喝酒。这一晚他们喝了很多，过得恍若一梦，到最后他一点儿站起来的力气也没有了，脸埋在臂弯间，他在意识模糊之际，听到墨熄轻声对他说："有个东西，想要送给你。"

他没有力气多问，而墨熄捉住他靠在客栈酒桌上的手，宽大的手掌一一覆住顾茫的手指。他感到手背上传来细微的刺痛，紧接着两人相连的手心手背都亮起了红色的光阵，那光阵顺着紧握的手，一路浮移到颈侧。

顾茫实在是喝多了，有些无力，他低低地问："这是什么？"

"一个很小的剑阵。"墨熄松开他的手，结着细茧的指腹抬起来，轻轻抚摸过顾茫的颈侧，"我知道总有人会欺负你，他们怕事闹大，不敢动术法，只敢逞些手脚上的便宜。"

他睫毛垂落，侧过头拨弄开顾茫颈侧垂着的柔软细发。

"我留了一滴血，结成了这个阵，我还没有给它凝神化形，所以你想凝成什么样子都可以，一个字一朵花……什么都行。我不在的时候，它会保护你。当然如果你不想要……你也可以将它封印。"

顾茫伏在酒桌前默默地听着。

他心里头百感交集，有些想高兴地笑，又有些难过得想哭——他其实并不会住到墨熄的宅邸里。那是宅邸，不是家。

墨熄或许能够给他一个栖身之处，却并不能给他一个真正意义上的家。他们不是一路人，从来都不是。他知道自己最终会拒绝墨熄，可此刻看着这青年认真又恳求的模样，他一时什么也说不出口。

他的心软得一塌糊涂，他几乎是被歉疚驱使着侧过脸来，道：

"只有你给我留剑阵吗？"

"嗯？"

黑眼睛温柔地笑着："那要是有人欺负你呢？"

墨熄："……"

自然不会有人敢占墨公子拳脚上的便宜。可是仿佛是两个注定不可能走到最后的人，偏要在对方身上留下点什么只有他们互相知道的秘密，顾茫咬破自己的手指，侧翻过身来，指尖点在墨熄颈侧，认真地化开一朵红莲。然后他笑道："我也留一滴我的血，你替我演化成守护剑阵，算我也陪着你。好不好？"

墨熄的眸中有非常明亮的光彩。那光彩让顾茫看得极不忍心。

墨熄道："好。你要等我回来。等我回来，一切都会变好的。你相信我……"

当时的画面和墨熄的声音都开始渐渐邈远，像所有被猎鹰刺穿的记忆一样，支离破碎。

顾茫在自己的深层意识里挣扎着，对那个满心虔诚的墨熄不住地道歉——对不起，我也希望我能一直等着你，我也希望一切都会变好，我一直都相信你。

但是……墨熄，有些事情总得有人要去做，有的牺牲总有人要去完成。当命运找上你的时候，你不想做个懦夫，就注定只能面对。

我们都有自己的路要走。

那个未来，那个家，你都已经跟我描绘过了，我已在你的眼睛里度过了那样美好无忧的一世一生。已经足够了。

所以，当你万丈荣光凯旋的时候，看不到我……也不要难过……

我是在乎你的。我这一生中，说过的每一句想要陪伴你，想要照顾你，都是真的。墨熄……

昏迷中，依然有泪水顺着顾茫的眼尾滚落，渗进鬓角里……

一群术士守在顾茫床边忙碌着，为首的大长老沉声道："凝血阵，再开三个。神庭、风池、人迎三个穴道落定魂针。"

说完却不见配合的小徒有动静，于是白眉怒竖："走什么神？还不快点！"

小徒慌忙应了："哦……哦。"目光仓皇从顾茫脸上移开。心中却仍忍不住犯嘀咕——想来黑魔试炼是真的痛。

不然，这个顾茫怎么在昏迷之中都还哭了呢……

他的师父催促道："三穴落针，手势要稳。"

"是！"

药修们聚集在羲和府的寝卧床榻前。淡墨色回纹罗帐低垂，狻猊金兽里燃着安神宁心的香薰，可却镇不下屋内紧张的气氛。神农台的医官进进出出，处理伤口洗下来的血水换了一盆接一盆，煎好的汤药、调好的敷剂也一样接一样地送进来。

没人敢说话，细密的汗珠沁在每一个修士和奴仆的额前。

屋里一共两个病人，一个是此刻躺在床上的顾茫，另一个则是坐在桌几边的墨熄。

谁也不知道墨熄到底经历了什么，为什么忽然之间伤成这个样子，为什么伤成这样了却还浑不在意，只在意床上昏迷着的那个……那个叛徒。

神农台被急召来医病的修士们心里头其实疑惑极了。一个药修小心翼翼地上前道："羲和君，上品生肌膏拿来了，您的伤……"

"给他。"

小修士："……"

"这些上品伤药都给他用。"墨熄眼圈通红地，视线片刻也不曾从床上移开，"我没事。"

唯一一个负责给墨熄疗伤的药修脸色蜡黄,欲言又止:大哥!您有事啊!您这灵核都快崩裂了,您怎么会没事呢?

但是瞧见墨熄那样固执的神情,谁也不敢再说什么,只得继续沉默着在屋子里外来回奔忙。

正忙得焦头烂额,忽然有个小家奴紧张地跑进来:"主……主上!"

"怎么了?"

"君……君上派了赵公过来宣旨,说……说是让您快去外头接诏。"

墨熄没吭声,也没动,他一只手仍支在漆黑发亮的檀木桌上,由药修给他治疗。过了一会儿,他的唇间落下四个字来。

"让他等着。"

满堂皆惊,有个正端着汤药进屋的小修士差点把碗都打翻了,瞪大眼睛惊恐地看了墨熄一眼。所有人都有一种感觉:羲和君难道是疯了?

小家奴磕巴道:"这这这……这怎么能……"

墨熄眼也不眨地重复,这次干脆只有两个字了:

"等着。"

小家奴没办法,只得又跌跌撞撞地出去了。墨熄依旧盯着床上那个被法咒光阵所笼罩的身影。

一把银髯的药修长老之前就说过,顾茫的体质被燎国改造得太诡异了,身上涌流着非常重的阴气,仿佛是一副被千万人所诅咒的躯体。

重华对这种体质的人本来就很陌生,加上顾茫受的伤又重,这些药修各个使出了浑身解数也只能勉强稳住顾茫的性命,却无法治疗他头脑再次受到的重创。

药修长老擦了擦自己脸上的汗,问道:"神识如何?"

一直在施法稳固顾茫脑颅的修士脸色青白得厉害,显然已是耗费了九牛二虎之力,但却还是摇了摇头:"……快绷不住了,他本来就少了两个魂魄,现在更是……咳咳咳!!"说到最后,连自己都是力竭呛血。

墨熄耳中嗡嗡作响,整个人如坠冰窟。

"什么意思?"

药修们你看看我,我看看你,皆是低眉垂眼的,谁也不敢先做回答。

"他会变成什么样?"

这时候到底还是只有长老能出来说话了,药修长老非常为难,却还是只能硬着头皮:"恐怕会……什么都不记得……不会说话……如果崩溃得厉害,甚至还可能损及双目……"

墨熄霍地起身,他整个人都在颤抖,原本就色泽浅淡的嘴唇更是渺然无色。一直在稳着他心脉的药修被他忽然混乱的灵流猛地震开,失声道:"羲和君,您不能再妄动啦!您——"

话音未落，就被一个轻叹着的缥缈女音给打断了："墨大哥，你得了我的灵核，就是这样糟践自己的吗？"

众人齐齐回头，俱是低首行礼。

"梦泽公主！"

"参见梦泽公主！"

梦泽公主一袭淡金色袍披，绾着堕云髻，自门外花影里踱入。侍女月娘跟在她身后，手里拎着一只缠金黄檀锦盒。

她进了屋，目光在众人脸上一一扫过，看了眼罗帐里躺着的顾茫，最后落在了面色苍白的墨熄身上。

"你又要不顾惜自己的性命了，是不是？"梦泽眸光碎闪，"上一次你心脏破碎……也是因为想挽回你的这位师兄。他那时候差点就要了你的性命。是我把你救了回来，我对你别无所求，唯愿你从此之后遇人遇事，都先要想一想值不值得。"

屋里静得可怕，唯有梦泽低低的，却明显伤心极了的声音。

她一字一顿道："墨大哥，那么多年过去了，现在我问你，你是不是仍要和当初一样执迷不悟，做出相同的抉择？"

梦泽说的是当年洞庭水战之事。

那一年，他想要用自己的命去换顾茫的回头，于是有了洞庭水战的锥心一刺。那一刀是如此决绝，以至于后来他只要一想起来都会感到心寒。

可如今知道了顾茫作为探子的真相后，再去回想，却只觉得顾茫太痛——

"你算什么东西，你以为你死了我就会愧疚，就会回头？别傻了。"

"当将当士，生而为人，那都不能太念旧情。"

顾茫说这些话，做这些事的时候，究竟是怎样的心情呢……

墨熄闭了闭眼睛，他实在无法在这么短的时间内与梦泽解释清楚，他也觉得梦泽并不能立刻明白其中的曲折。

他的心已作一团乱麻。他想保住顾茫的神识，想护住这个已经遍体鳞伤的男人，想替这个潜伏在鬼蜮里足足五载的密探讨得一个该有的公道，可神农台药修长老的话却不住在他脑海中回荡着——

恐怕会什么都不记得……变得不会说话；崩溃得厉害的话，甚至可能损及双目。

记忆里那双明亮而温润的黑眼睛弯起来，眨了一下，再睁开时，又变成了湛蓝的色泽。

重淬前的顾茫无虑地哈哈笑着，重淬后的顾茫安静而乖顺地望着他，他们唤他——墨师弟，墨熄，我的公主，我的主上……

墨熄的手都在颤抖，他没有再答梦泽的话，而是走到顾茫的榻边。他俯身凝视着那张擦去了血渍后苍白到了极致的脸。

沉默了一会儿后，他对神农台的长老道："继续。"

梦泽眼里终于闪起焦急的光斑，她道："墨熄——"

"之后我都会跟你解释。只要你信得过我。"

梦泽："……"

墨熄道："我必须救他。"

四下里寂得可怕，似乎有某种看不到的暗潮在涌动着。有一瞬间几乎所有人都以为梦泽要怒斥要爆发要崩溃了，可梦泽最终停顿了好一会儿，慢慢说道："……好。既然这是你的选择。"

顿了顿，她上前。

"我帮你。"

月娘惊道："公主！"

梦泽似乎在竭力绷着什么情绪，她一直以来都是一个极会隐忍的人，但这一次，几乎所有人都能看见她眼底涌流着的伤痛与委屈。

梦泽嘴唇微动，似乎想接着说些什么，但她大概是高估了自己的极限，话未出口她的眼眶就有些红了。她偏过脸去，垂了眼睫。

月娘心疼极了，也顾不上什么主仆尊卑了，她痛惜道："公主，您……您这又是何苦……"

梦泽的睫毛颤动着，这一次她终于生生忍住了那几乎流溢而出的悲伤。

她睁开眼眸道："拿我的药箱。"

众人皆是一愣！慕容梦泽居然是打算自己再行医术吗？！

重华两个药修大宗师，一个是"贪嗔痴"三垢里的姜拂黎，还有一个就是"戒定慧"三圣里的慕容梦泽。可是梦泽多年前因为救治墨熄，透支了自己的灵核之力，许多事情都不能再亲力亲为。这些年她悉心调养，身体才终于渐渐恢复。

若是再亲行医术，虽然能达到最好的效果，但她恐怕会彻底沦为一个废人。而墨熄怎可能允她再牺牲一次？

他一把握住她的手臂，低声阻止道："梦泽，回去吧。"

"……"

"我已经欠你一条性命了。他不能再欠。"

慕容梦泽被他握着臂腕，眼里渐渐有水雾聚起。或许真是这些年等待得太久，克制得太多，从来喜怒不行于色的玉叶金枝居然落得一个在众目睽睽下湿红眼眶的境地。

"墨大哥……他有事你会难过，那你有没有想过我呢？"

一众人从未听过梦泽公主有过这样情绪激动的表露，一时间都有些不知所措，他们明知道不该听不该看，可又不能从屋里离开，只得充作木雕泥塑。

梦泽声线颤抖道："你觉得若你再出事，我会怎么样？我这一生都不能再修成正道了，难道我这一辈子在你眼里就这么不值当，就只能换你这么短短几年的安平吗？！"

她说着，泪水终于忍不住夺眶而出，顺着晶莹软润的脸颊淌下，滴在墨熄握着她臂腕的手背上。

"你这师兄……若他对你而言真有这么重要，我宁愿再行一次禁术，将他给你救回来！墨大哥……能做的我都做啦，我只请你今后能多记得我一点……那我也……我也……"

她蓦地合上眼帘，大颗大颗的泪水便如断了线的珠子簌簌滚落。

墨熄原本心境就已如绷到极致了的弓弦，顾茫的病症根本不能再拖了，他要询问神农台长老还有无解决之道，可一边又是梦泽这般模样。

他根本不会哄女人，他心里又急又闷，却不知道该怎么说才能让她不要再插手管这件事情。

墨熄是知道亏欠一个注定还不了的人情是有多难受的。

他每一次看到梦泽都会觉得内疚，觉得自责，而这种内疚和自责注定无法弥补。因为梦泽想要的东西，他早就给了别人，根本没有办法再施与她。

正因为如此，他在她面前总是不知该怎么说才好，怎么做才好。就好像被无形的傀儡线绑缚住了一样，许多事情不管他情不情愿，只要梦泽开了口，他都会去做。

这种身不由己的滋味太难受了，所以他根本不想让顾茫与自己再承一份根本不可能偿还的恩情。

而正当这时，一直维系着顾茫神识稳定的药修忽然"哇"地呛出一大口淤血来，手上的法术光阵一下子就暗了。

神农台长老惊道："怎么了？！"

"他……他体内的神识太古怪了，刚刚忽然有一种很凶狠的意念冲出来，弟子不才，实在支撑不住……"

正在这时，床上的顾茫忽然双目大睁，可是他并不是恢复了意识，他的眼珠左右转动着，瞳孔涣散得厉害，嘴唇喃喃地似乎在诅咒些什么，紧接着血泪就涌出了眼眶，顺着他长如凤尾的眼眸流下。

有道行不足的小药修失声道："这是怎么回事？！"

"这是……这是黑魔咒在他身体里开始反噬了……"梦泽喃喃道。

她蓦地抬头对墨熄说："他的神识已经开始崩散。现在这样我就已经不确定能不能将他救回来，如果再得不到控制，墨大哥——他会殒命的。"

墨熄脸色骤白！

梦泽将他的关切都看在眼里，哀然道："你不想他有事的话，就让我试试吧，反正……反正我在你心里也……"

但她话未说完，就被门外传来的一个声音打断了。

"公主何必这么悲观呢？"那个声音懒洋洋的，带着些天生的鄙薄和傲慢，"依我看来，床上这位的命硬得很，并殒不了，而且脑子也未必会坏。"

话音方落，一个青衣大袖，金扣束发的男人信步走入了房中。

"这不还有我在吗？"

如果说之前梦泽公主出现，已经让在场的那些仰慕她医道法术的药修们紧张不已，那么这个人一进门，几乎所有的药修都要给他跪下了。

"参见姜药师！"

梦泽也微微怔住了："姜药师……"

姜拂黎神情寡淡，眯着眼睛。他总喜欢眯着眼睛，大概是因为数钱数多了，他视力一直不是太好，不戴琉璃目镜的时候，一双杏眼前总像下过一场江南烟雨。

姜拂黎竖起两指，白皙修长的指间夹着一张金色的兑票，他转头对墨熄道："是你派传信灵兽给我送来的？"

墨熄道："你夫人说你去了南境……"

"是啊。但我走的还不算远，更何况我为什么要与钱过不去。看到票我就赶回来了。"姜拂黎轻弹了一下那张熠熠生辉的金兑票，瞥了床上的顾茫一眼，"不过他人病得不轻，得再加三张。"

墨熄心焦道："我师兄的性命——"

"他的性命、眼睛都不会有问题。"姜拂黎停顿片刻，走上前，抬手点了点顾茫的额心，"神识说不好，不过也不至于什么都保不住。得先治了再说，不管怎么样，我尽力。"

姜拂黎这人寡情，没有任何立场，他做事的原则只有一个，那就是钱。

只要钱帛到位，他必然尽心尽力。

姜拂黎在床沿坐落，抬手解开了顾茫的衣袍，查验着顾茫身上的伤疤。

一边看一边感叹道："花了这么半天才治成这样，庸医啊。"

神农台众人："……"

姜拂黎抬起手指，疾迅地在他几个要穴处点落，涌流的血立时便止住了。他抬手道："递一下。"

他没说递一下什么，大概觉得旁人能够自行参悟，离他最近的那个小药修忙不迭地给他递上了药箱。

姜拂黎："……我要你们这小破盒子做什么？给我纱布！"

小修士被他杏眼一盯，吓得哆嗦，忙慌乱地双手递上一块纱布。

姜拂黎替顾茫擦了擦那几处重伤处的血，擦着擦着，擦到肩膀时忽然愣了一下。

墨熄立刻道："怎么了？"

姜拂黎皱着眉头看着顾茫肩膀上的一处疤痕："这个花瓣型的疤印子……"

"这不是这一次落下的，他年幼时就有。"

"我自然知道不是新伤。"姜拂黎的目光依旧落在那个疤痕上，"我只是觉得眼熟，怎么感觉之前在另一个病人身上也看到过一个差不多的……"

说着说着自己也不确定起来，摇了摇头："大概是有点像，记错了。"

说罢将那沾了血的纱布扔了，坐直了身子，开始正式为顾茫施法疗伤。

寝卧案几旁的水滴漏在缓缓流淌着，屋内十分安静。姜拂黎坐在顾茫身边，两根修长的手指搭在顾茫的手腕处，一边诊着脉，一边往他的身体里输送着法咒灵流。

他所用的医咒和重华传统的法咒并不相同，因此周围一群药修也看不出什么门道来，只眼巴巴望着，瞧见顾茫皮肉上的伤痕以一种惊人的速度在愈合，脸颊上的青紫也慢慢消退。

梦泽轻声说："诡道回天姜拂黎，果然是名不虚传。"

姜拂黎从容不迫道："公主过誉。"

神农台长老谨慎地凑上前，问了句："姜药师，您看……您需不需要别的什么，我们可以搭得上手？"

姜拂黎道："哦，有啊，需要啊。"

长老忙道："姜药师您尽管说，我们一定照做。"

姜拂黎道："我需要你们安静。"

可事情仿佛偏偏跟他对着干似的，就在他刚说完这句话没多久，外头忽有个小厮火急火燎地跑进来，扯着嗓子大声嚷道："不好啦，不好啦。"

姜拂黎："……"

墨熄倏然回头："又怎么了？"

小厮："不好啦！主上，李管家在外头快撑不住了，赵公已经大怒，说主上您抗旨不遵，若您再不出去，他就要率人硬闯押您入宫啦！"

第31章

李微笼着手垂着眼帘立在正门中央的牌匾之下。他的身后是重重闭锁的羲和府大门，面前是先君御赐的镇邸石柱，上头用小篆刻满了墨家四代英烈的荣勋。

"李管家，你这是翻了天了！你们羲和府难道要举府抗旨吗？！"

"赵公，您这是哪里的话啊。我不都和你解释过了吗？羲和君这会儿身体抱恙，没有办法出来接王旨，等他状况稍好了，我立刻向他禀明圣意。您可千万别动怒，气坏了身子多不好。"

赵公简直怒发冲冠，指着李管家的鼻子骂道："李微！你说谎也要有个度！今夜羲和君私闯司术台的事情已经捅上了天！他可是从周长老眼皮子底下把那个姓顾的叛贼给劫走的，你现在来说他身子骨不舒服，你是把谁当蠢材？！"

李微摸着鼻子："咳，此事也是说来话长，其中恐有误会……"

"能有什么误会！一晚上，神农台的人进府去了，梦泽公主进府去了，姜拂黎进府去了——怎么着，这些人羲和君都能见，却唯独把王上派来的人挡在门外——什么道理？！"

李微一拍手："哎哟喂，您说的可太对了！您也发现了吧？进去的都是药宗修士，全是给主上夜诊的，主上他可病得不轻啊！"

"你——！"

正激烈争执着，忽然"吱呀"一声，府门开了。

墨熄站在大门之后，月色中央，抬起一双疲惫却依旧凌厉的凤眸，向外望去。

李微实在已经拖到了不能再拖的地步，见墨熄出来，不由得立松了口气，忙让到一旁，垂首道："主上。"

墨熄迈出门槛，嗓音低缓深沉："辛苦你了。下去吧。"

"是。"

李微退下了，墨熄走出来，目光顺着府邸台阶，自上而下俯睨着赵公。赵公虽是君上身边最亲近的奴仆，备受君上信任，但地位尊卑仍摆在那里，更何况墨熄身上天然有着一股极冷冽的气质，他不开口，不笑的时候，这种气质几乎能让所有人感到万钧重的压力。

赵公方才的锋芒一下子便收敛了，他低头行了个礼："羲和君。"

墨熄没有吭声，微抬头，望着眼前的星夜，眸中闪动着一些说不清道不楚的情绪。

赵公接着道："君上请您——"

"君上贵体如何？"

赵公愣了一下。他想过墨熄的各种反应，坦然接受、怫然动怒、不遵从……却还是被墨熄这句没头没尾的话给问得噎了一下。

"梦泽说他前些日子旧疾复发，如今他怎样了？"

"劳烦羲和君惦念，君上自有天佑，已然好得差不多了。"

"行，那就好。"墨熄嵌着铁皮的军靴踩着地面，他走下台阶，淡淡道，"我随你进宫。"

王城深处。

朱雀殿。

这座寝殿是整个宫城内最暖的地方，宫殿不大，但皆用运自于极南之处烈火山的岩石斫就，殿内终年熏着驱寒香料，到处铺着厚织绒毯。每次寒疾发作的时候，君上都会选择在这里歇息，温养身体。

墨熄随着赵公来到朱雀殿外。赵公进去禀报了，而后拿着拂尘退出来，躬身对墨熄道："羲和君，君上有请。"

墨熄迈进殿门——他一贯不喜欢来这座殿厅，因为朱雀殿的地毯铺得实在太厚了，只要一进门，他的脚掌就会深陷到柔软的垫子里，仿佛一只落入了泥淖的野兽，又像堕入蛛网的虫蛾，一股身不由己的感觉就会顺着脊骨森森然爬上来，再上乘的香薰都驱散不掉。

赵公将殿门合上，珠环翠绕的朱雀殿里流散着浓郁的香味，仿佛连空气都黏稠了，无法搅动。

这个时节，天气已经有些热了，但朱雀殿的中央仍生着一盆炭火，熊熊烈焰烧得正旺。君上正侧坐在一张沉檀小榻上，裹着厚重的狐裘，垂着眼帘，转着掌心里的菩提天珠手串。他的脸色很差，很白，就连火光镀在他脸上也无法给他添上一星半点的精神。

听到动静，君上转动珠子的手顿了一下，随后一声叹息比纸还微薄："羲和君，来啦。"

墨熄没有说话。

事实上从他看到真相的那一刻起，他就有过滔天的愤怒，想要立刻进宫质问君上诸多事情——可是顾茫一直未脱险情，他无法抽身，直到姜拂黎兼程赶回开始替顾茫稳住了状况，他才终于能到宫里来，面对这个其实早已知道一切的男人。

而当他真的站在君上面前时，他的愤怒更深了，但却不再如初时那般。他可以勉强压抑下自己怒火的爆发，盯着裹在狐裘里的那个君王。

君上道："今夜找你来，也无甚大事。只是周鹤方才禀奏了孤一件奇闻，孤觉得应当与羲和

———— 232 ————

君同赏。羲和君有兴趣听一听吗？"

等了一会儿，不见墨熄回答，君上便兀自接了下去："周鹤跟孤说，今日他在践行孤授任给他的黑魔试炼。正进行得好好的，外面就闯进来了一个人。那个人不顾他的劝阻，也全不把孤的命令放在眼里，一意孤行要带试炼体离开。甚至还违背训诫召唤神武，就差让司术台的修士血溅当场。"

"羲和君是不是觉得这个截和之人乃是个大奸大恶之徒？"君上又转过一枚天珠，嗤笑道，"孤当时也是这么觉得。直到周鹤告诉孤，救人的那位英雄——"

他缓然抬起眼来，虚弱的脸庞上，一双眸子却寒锐至极。

"是你。"

两个字犹如从齿缝里截碎了道出来。君上坐直了身子，深邃的眉弓在眼窝处笼出浓重的阴影。君臣二人隔着燃烧着的炭盆相望，热气和熏烟上蹿，彼此眼里的脸都被模糊得有些扭曲。

君上阴鸷道："羲和君，你太令孤失望了。"

"孤问你，孤在将顾茫交给你的时候，跟你说过什么话？"

"……"

"孤当时就告诫你，以顾茫犯下的重罪，早当处以极刑，之所以还留他活着，只是因为他身上的燎国法咒值得钻研。有朝一日他注定将被提作试炼之用，孤希望那时候你不要忘记自己是谁，头脑一热站在了错误的地方。"

这些话语确实是君上曾经与他申令过的。当时他听在耳中只觉得沉重，可如今再一次听到，却觉得讽刺得厉害，荒唐得厉害，可怖得厉害。

墨熄俯视着君上的脸，试图从那张脸上找到哪怕一丝一毫的愧疚、伤心或者犹豫。可是没有。那是一张精致极了的假面，每一寸情绪都像是丈量过百遍再描绘出来的，甚至连眼神都没有一星半点的动摇。

最难窥见的是君王心，这句话又怎么会有错呢？

墨熄缓缓阖上眼眸，寒意和愤怒，失望和悲痛顺着他的血液流遍全身。君上的言语却仍旧像蝎子的毒螯猛扎进他的耳膜里："羲和君，如今看来，你是已经昏了头，把孤的叮嘱都彻底抛在了脑后。你根本就已经不记得自己是重华的第一统帅，也根本就不记得当初是谁在你心口当胸刺了一刀，你不记得是谁救回了你，给了你第二次性命，也不记得是谁杀了我邦国数以万计的子民——你根本不记得谁是叛徒了，对不对？"

炭盆中有一颗花椒木噼啪爆裂，一簇晶亮的星火蹿上来，飞舞在空气之中。

墨熄睁开眼睛。

他忍着满腔的愤怒低声说道："君上说完了吗？"

君上蓦地一怔。

他的黑眼睛盯着墨熄的脸，这时候他才发觉墨熄的状态非常差，再一感知，甚至连体内的灵流都极度不稳。

难道说——！

君上陡生出一股极度的不安，手指不自觉地捏紧了天珠手串，脸上最后一点血色也褪去了。一君一臣在这样的眼神交锋中似乎什么都已摸得清清楚楚。

"如果君上说完了，那么我这里也有一件奇闻。不知君上敢不敢听。"

"……"

半晌后，君上往榻椅深处一靠。他几乎已经猜到墨熄想说什么了——能让他忽然发生这样的态度转变的，就只有那件事。

他们之间最后那一层纸已经瑟瑟颤然，行将刺破。

墨熄盯着君上的眼睛，一字一顿地将那层纸撕开："……很多年前，我认识一个人。那个人曾为邦国立下过赫赫战功，征战多年，唯独只败过一次。后来，他为了七万座墓碑，为了他的君上曾经向他许诺过的公允天下，深入敌营，忍辱负重备受煎熬整整五年，这五年间，他没有一天不在痛恨自己沾染的鲜血，没有一天不在希望他的君上能够让他看到昔日的诺言兑现……"

他每说一个字，君上的面色就更难看上一分，这些字句就像是尖刀刺在了他那张完美无瑕的假面上，要把他所有的伪装都划得破碎支离。

墨熄说的字字句句，都裹挟着浓重的鲜血，抵在君上眼前。

"那个人最后回了邦国，却失去了记忆。可是除了他曾经交托以性命的君上，没有谁知道他是蒙冤的。他于是被万人唾骂，被凌辱关押，所有人都恨他怨他指责他欺凌他恨不能让他去死——而他的君上……那个曾经亲口许诺他……总有一天，会替他沉冤昭雪，亲自替他戴上蓝金佩绶的人——却说容他活着的唯一意义就是拿他去做黑魔试炼！"

砰然迸溅的怒火灼烧上了墨熄的眼眶。哪怕再是隐忍，说到此处，墨熄的声音都在发抖，火光像是淬进了他漆黑的眼珠里。

"君上，这个故事，不知您耳熟吗？"

君上的面色已比纸还白，在这僵凝的气氛中，他将串珠套回腕上，他的手有些颤抖，套了一次，并没有套上，第二次才将串珠绕好。

"墨熄。"君上抬起眼来，"你好大的胆子……你竟敢私闯御史台盗取载史玉简……"

"这么说来……"墨熄阖了阖眼眸，声音因为激愤而颤抖得厉害，"那些玉简果然是被你销毁的！"

他蓦地睁开眼睛，此刻他眸中的那种痛苦与寒光，是君上前所未见的，简直令人心惊——君上与墨熄的岁数差不多大，可以算是一同成长过来的，他很清楚这位年轻的帝国将领是个怎样的人。

他的父王曾经说过："墨氏一脉，忠诚、强大、勇敢、固执、坚忍……认一个死理。这种人绝不会觊觎你的王座，也不会轻易做出什么大逆不道的事情，但是一旦有一天，他认为你做的事情违背了他所认为的'道'，他就会不顾生死、不畏荣辱地站到你的对面去，成为你眼中最尖的一根钉，肉中最痛的一根刺。"

他无时无刻不记得父王的这一番话，在与墨熄相关的事上，他一直步步为营。但墨熄还是站到了与他对立的位置。

墨熄森然道："君上，他为你做了那么多，而你就非要把这一段真相隐藏吗？！"

朱雀殿内一时静得可怕，屋顶上刻绘缠绕的蛟龙像是活过来了一样，狰狞地俯瞰着殿内的针锋对峙。

过了好一会儿，君上开口说话了。没什么可以躲避的，也没什么可再掩瞒。君上抬起眼，低声道："不然呢。"

明明是四季如春的温暖屋子，却突然散发出了砭人肌骨的寒意。

君上靠坐在深深的扶椅之中，于王座自上而下睥睨着墨熄。他裹紧了狐裘，慢吞吞道："过去的事情都已经过去了，孤留着它们，没有任何意义。"

"羲和君，请问你冒着性命危险修复的这些玉简，它们是能为邦国添砖加瓦，还是能让百姓安居乐业？是能让燎国土崩瓦解，还是能镇九州太平天下？"

君上顿了一下，说道："都不能。"

"那些玉简留着，只会造成不必要的误解和麻烦。只会造成……你看，造成今日你我君臣相向的局面。"

"你还记得御史台大殿门口矗着的石碑吧？上面写着'昨日已死'，这四字箴言其实是没错的。有些往事、有些秘密，合该被岁月掩叠过去，一旦挖出来，于时势有百害而无一利。"

沉默须臾，君上淡道："孤没料到你这样想不开。"

墨熄的眼睛被猩红血色所弥漫。他的心腔里仿佛流淌着滚沸的熔浆，血流都往脑门上冲。他指捏成拳，嗓音低哑得厉害："不是我想不开。而是君上……您想得未免也太开了！"

"八年前的风雨夜，你几乎在黄金台上对顾茫许诺了他想要的一切，你把所有漂亮话都说尽了，你说从来没有不把他们当作蝼蚁孽畜，你说会还给他一个人人得之公允的天下，你说迟早有一天会亲手为他配上英烈帛带——所有这些你说过的话，许过的诺言，难道这些都是你的君王权术，都是假的？！"

"羲和君。"

君上眸光乍然冷冽，他鼻梁微微往上皱起，宛如虎狼扑杀时的眼神。

"你简直太放肆！"

"我放肆什么？！我只想要事情对就是对，错就是错，我只想看到他得到他应有的尊重而不是接着被人构陷！八年了，这个秘密他在心里沤了八年，再痛苦的时候他都没有背叛过你，没有告诉过别人哪怕一星半点的真相！现在他已经力竭了，他再也不能为你效力，你还他一个该有的清白就这么难吗？！你骗到他走投无路，然后一弃了之，君上，你昨天的棋子是他，今天的棋子又是谁？我吗？！"

砰的一声爆响，案几上的果实糕点稀里哗啦打翻一地。豆糕砸成了烂泥，葡萄果子摔碎了，浆汁流了满地。

君上霍然起身，脸上浮起一层冲涌的血色。

"墨熄！孤提醒你，别忘了自己曾经立下的誓言！"

他也是猝不及防被逼到极处才会脱口说出这一句话。而他一说，自己几乎是立刻就后悔了。

果不其然，墨熄眸中光影闪动，他仰起头，几乎是嗤笑地喃喃："天劫之誓……"

君上："……"

"减寿十年，自立血誓。从此奴籍修士不举兵而反，我亦不会举兵而反，誓死效忠君上，效忠重华。"

当年立下血誓身不由己，长磕而落的情形仍历历在目。墨熄阖着湿润的眼眸，低声道："真是天大的笑话。"

他静了片刻，手臂遮挡着眼睫，努力压克着自己的情绪，可是这只是徒劳，咬牙切齿的恨意在他消瘦的脸庞上印刻得清晰无比。一会儿后他蓦地放下了手，黑眸再次睁开时，眼底已是冷锋骤亮！

君上心底顿时一凉，立刻抬手格挡，可他没想到就算墨熄的灵核已经崩溃到这个程度了，暴怒之下却仍有这样的余威。只听得"砰"的一声，破空游出的率然蛇鞭猛地击破了他造出的结界，爆溅着猩红光芒的鞭子当空狠抽，继而化作一柄吹毛断发的利剑抵在了君上的咽喉。

君上脸色瞬变："羲和君，你若对孤下手，便会灰飞烟灭，死无全尸！！"

墨熄眼底弥漫的都是血色，他提剑上前，森森然咬牙道："用不着你提醒。"

"君上，你当时明明已经知道真相如何，你明明已经拿定了主意不会去动顾茫的残部——却还要在我这里再求一次心安。"

"羲和君……"

"同一个筹码用两次，一次捆他出生入死，一次绑我永不能叛。一石二鸟，君上不愧是君上，好权谋！"

君上将头扭开去："孤当时根本不能和你解释！你自己回想回想，孤是否曾一直回避于你？可你在孤的宫殿前跪了三天三夜……"

他霍然又转过脸来，剑光映在那张脸上，竟显出几分狰狞。

"三天三夜！孤还能说什么？要你滚回去？打死也不见你？请你替孤想想吧，羲和君！满朝文武几千双眼睛盯着孤呢！如果孤告知你真相，你会做出什么事情来你自己心里没个谱吗？你能眼睁睁看着你那位好师兄去燎国受那么多年罪，受那么多年辱？！你根本做不到！"

君上说到这里，眼睛因为激怒和不甘而布满了血丝，他瞪着墨熄，颤抖道："你做的那些事情，何尝不是在逼着孤？你以为孤愿意那么做吗？！你以为孤真能问心无愧，高枕无忧吗？！"

墨熄怒道："君上如若问心有愧，为何还能做出今日这样残忍之举？"

"孤有什么选择？"君上喘息着，眼睛通红地瞪着他，他反手指着自己的座席，对墨熄道，"你要不要坐上来看一看？有多少事情孤根本身不由己，你不在这个位置上，魑魅魍魉你都看不清！"

"……"

"你以为孤不想还他一个清白吗？你以为孤不想看到孤的战神重新披甲上阵征战沙场，你以为孤不愿意拉着他的手告诉整个重华，告诉他们，他们的信仰从来不曾破灭，他们的顾帅仍是他们的顾帅，一颗丹心始终没有变过，你以为孤不想吗？！"君上咬断了最后一个字，声音都有些哽咽了。

"我实话告诉你……日日夜夜，我做梦都想有这么一天……"

君上蓦地转过头，忍着一国之主不该有的激动，将脸侧到一边。他的情绪缓下来了，终于不再自称我。

"但孤做不到。重华老士族的根系尚未动摇，奴籍修士的境况虽有改善但依旧不好，燎国依然时时刻刻危及我国边邦，对于他们的黑魔咒，重华仍是闻之色变，知之甚少——你让孤怎么还给顾帅一个清名？"

"……"

"是在这个时候昭告天下，顾茫其实是孤打入燎国的暗探？"

"还是在这时候对顾茫不加解释，宽仁以待？"

君上有些哀戚又有些荒谬地惨笑起来："羲和君，你清醒一点。顾茫手上沾着的血太多了，后者已是绝无可能。而照着前者做的后果会是什么，你冷静下来想一想就能想到。是，他的污名是会被洗清了，可然后呢？燎国会知道顾茫曾经窃取他们的法术机密传于重华，因此严加设防。老士族会猜到孤当年与顾帅做的交易，而后人心动荡。内忧外患一举交织，顾卿这五年潜伏，三载受辱……所承受的一切痛苦，所付出的一切努力都将付之东流！"君上停顿片刻，眸光闪烁，"这不是他想要的。"

"……"

"羲和君，你是他最珍视的人，你知道他的选择。"

墨熄擎着的长剑光芒颤抖，心头大震。他怎会不知道？

那些年顾茫曾无数次在他耳边说过的梦，初时说的那么小心翼翼，仿佛生怕自己的天真理想会被同伴嘲笑。

后来又说的那么斩钉截铁，那时候顾茫已经认定了死理再也不会回头。他怎么会不知道他的选择。

从看到顾茫在黄金台跪下来的那一刻起，他就已经明白了顾茫心中的路究竟是什么……可是——想到方才司术台那个浑身是血的男人，想到那个倒在他怀里，大颗大颗地往下滚着泪珠，恳求不要剥夺自己记忆的男人，他又怎能释然……

万念缠心，五内俱焚，他整个人都像是被一剖为二，一半的自己在心疼顾茫所受之罪，叫嚣着说别管了。什么家国天下忠孝仁义，什么人人公允海晏河清，他的师兄就是太傻了，明明什么都没有被这个世道赠予，却还把自己的一腔热血、一世清名、血肉之躯奉上。墨熄，他意志崩溃的时候曾经那样向你哀求，他是怕痛的啊，你怎么忍心不救他？

而另一半的自己却在喃喃着，不是的……顾茫自幼就渴望着每个人都能够得到公平的对待。他的师兄为了这一天的到来，在这条路上走了那么多年，蹭得一身是血，满目是伤。他如果清醒着，他那么固执的人，是一定会让你坚持的……墨熄，你怎么可以背叛他？

两半意念互相争斗着，互相折磨着。

他之前灵核就已近崩裂，神农台的长老虽勉强将它维稳，但终究还是太过虚弱。这时候心血交涌，原本就已岌岌可危的灵核竟阵阵绞痛，激得他猛地一下呛咳出血来！

君上见他如此状况，一直紧绷着的神情稍微松垮下来："羲和君……"

墨熄反手将率然化作的长剑拄在地上，剑身削铁如泥，径直没入金砖。他喘息着，拭去唇角的血，却仍是唇齿猩红，哑声问道："……即便……你不能在此时还他清白，那我问你——"

他用力闭了闭眼睛，脖颈处青筋突起，他捏着拳，一字一字地从齿缝中挤出来：

"黑魔试炼，又是为了什么？！"

君上："……"

一句如石沉海，得不到回声。墨熄瞳仁上抬，又是愤恨又是悲怆地盯着君上那张骤然苍白下去的脸。

染着血的嘴唇慢慢翕动着，他倾吐出来的字也是腥甜的："他回城之后，你为一国主君，纵使你出于这样那样的苦衷，无法保全于他……但是，让他少受些折磨，你也做不到吗？"

墨熄的嗓音像破陋的陶埙，眼圈更是红得厉害。

"黑魔试炼那可是剐骨擢筋之痛！君上！你是为了什么？做戏？给不知情的人一个血债血偿的交代？还是你想要得到更多黑魔咒的秘密！"

君上脸色青灰，似是欲言又止，最后却咬了下唇，将头转了开去。半晌才道："羲和君，有许多事你并不明白——"

"我是有很多事并不明白，我不知道你这些年究竟是怎么想的，你的话到底哪一句是真，哪一句又是假，我就是因为什么都不知道才被蒙在鼓里整整八年！但是君上，你以为你就知道所有的真相吗？"

君上眼眸中光影微动，他慢慢道："什么意思？"

墨熄心绪太震荡了，喉头又有一阵浓烈的腥甜弥漫上来。他闭着眼睛，微仰起头，没有立刻说话。而这时候朱雀殿炭盆上的那两个施了法咒的小金兽苏醒了，它们将火盆里熏起的烟炭吸纳入腹，而后打了个嗝儿，十年如一地扯着嗓子开始嚷。

"君上洪福齐天！"

"君上威加海内！"

墨熄沉默地听着这两只小金兽争前恐后的吹鼓，慢慢地，几乎是有些讽刺又无限可悲地笑出声来。

君上神情愈发紧绷："顾卿之事，孤还有什么是不知道的？"

墨熄没有直接回答他，而是道："君上。慕容怜赠你这一只炭盆熏炉，是为了安你之心，以示臣服。无数人向你下跪，对你称颂，为的是官爵地位，身家性命……你要想在重华找一个心如磐石且对重华忠诚不移的人，其实很少很少。而顾茫是其中一个。"

"……"

"你因为你的种种苦衷，没有兑现你的承诺。但他与你不一样。他答应过你的事情，君子一言驷马难追，他都做到了。"墨熄说着，轻笑一声，那笑容里是无尽的悲伤与凄怆，"君上，你知道我们在蝙蝠岛的时候，顾茫其实已经恢复了大部分记忆吗？"

君上眸光隐动，怔了一下，随即大骇！

"他已经……？"

墨熄几乎是残忍的，看着他瞬间色变的脸，一字一字切入这颗君王之心："除却身在燎国的那五年，他几乎什么都记起来了。自然也记得你对他的承诺，记起了他自己是个什么样的人，他记起了陆展星的死，记起了凤鸣山的败，记起了黄金台上你说过的桩桩件件——他都想起来了。"

君上脸上血色全无，摇着头，喃喃地后退，他好像还没有咀嚼过来这段话的意思，又好像已经全都明白了，所以浑身都在发着抖。

"怎么可能……"

他蓦地后退，几乎是不可置信地望向墨熄，眼神却是空洞的，仿佛某种一直支持着他残忍的东西垮塌坍圮了，支离破碎一地。

君上那张素来薄凉的脸庞上蓦裂出一丝无形的裂缝，而后越来越明显的情绪开始从那裂缝中涌现出来。君上摇头道，声音慢慢响起来，变得有些失控："他怎么可能想起来了？……他若真的都想起来了，那……那岂不是……"

墨熄隐忍着泪，说道："是。他就是在知道真相，也知道自己已经被你放弃的情况下，依然守了你们的秘密！"

"……"

"八年了，你曾许诺给他的东西，他什么都没有得到。只看到自己声名狼藉，遍体鳞伤——但他还替你守着。他没有来质问你，没有把委屈告诉任何人，在周鹤将他的血肉剖开依照你的旨意对他进行黑魔试炼的时候……他是清醒的……"墨熄压抑着自己声线的颤抖，但眸前已是氤氲一片，"君上，你明白了吗？他跟周鹤走的时候，已经知道自己是蒙了冤的！"

君上颓然跌坐回了榻椅之中，看起来寒疾又要犯了，嘴唇青白得厉害："他知道……他都已经知道了……那他……他当时……"到最后已说不出一句完整的话来，君上抬起苍白枯瘦的手，将自己的面庞深埋，低哑地喃喃道，"顾卿……顾卿……"

明知自己被弃，却一言不发步入修罗间的时候，他会是怎样的心情呢……君上怆然合眸，声至凝绝，终成悲咽。

这一真相的刺激对他而言实在太大了，良久良久，君上都无法缓神。他一直在喃喃自语，掌心已经被泪水浸润，眼眶周围俱是濡湿的。他低着头，颈椎像是被一只无形的指爪给折断了，肩膀也垮塌得不像话。

墨熄认识他这么多年来，从来就没有见过君上这般模样。

君上深陷于王座中央。过了很长的一段时间，他望着眼前熊熊燃烧着的火盆，望着火盆里的劈柴，双目空空地颓然道："墨熄。"

"……"

"你是不是觉得孤铁石心肠，将顾卿利用绝了，就弃之不顾，毫无旧情可言，承诺可守？"

君上说完这句话，抬起头来，眼圈和鼻尖仍是红的。他闭了闭眼睛，在这沉默里，最终下定决心，起身道："如今孤说什么，你都不会再信。罢了……当初的载史玉简，其实还剩下一卷，孤一直带在身边。"

墨熄蓦地一凛！

君上疲惫至极地说道："……既然事已至此，孤也没什么好隐瞒的了，就请你跟孤来吧。"

君上领着墨熄，来到了朱雀殿的后殿。

那里有一池聚梦水，能够将往事聚化为现实，浮现在看客眼前。

君上在池边站定，他看着池中他与墨熄的倒影，然后从手腕上慢慢地将那一串菩提天珠褪下来，握在手中盘玩。菩提珠包浆温润，被他一颗一颗地拨弄过去，拨到第七颗的时候，他停住了。

"墨熄，孤……虽然选择了毁去御史台的玉简，但是……"

他阖眸扼腕："但是，请你相信，孤从来没有想过要诓骗顾卿。这一颗能够还给他清白的天珠，孤一直都随身佩着。如果孤有生之年能够将承诺兑现，那孤必将亲自昭告百姓。但是如若孤难抗天命，那么孤也会将这一颗载录着真相的天珠留存于世，等有朝一日，时机成熟了，自会有后人将当年黄金台的盟约大白于世。"

夜风起了，吹得池边的梧桐叶子哗哗作响。

"那么，孤九泉之下，也终于有了颜面，可以再见忠良。"

他说着，指尖点在那枚天珠上，不出一会儿，天珠散发出了耀眼夺目的辉光，一缕银白色的记忆从其中飘然而出，落到了化梦池里。水波涟涟，碎了一池月影霜华，紧接着寒雾从化梦池中四下溢散。

寒雾逐渐聚化成了场景，亦有微弱的声音从大雾深处传出，继而变得无比清晰。

燕语莺声的青楼在他们眼前徐徐展开。

"荼蘼香散一帘风，杜宇声干满树红。南轩一枕梨云梦，离魂千里同。"双调水仙子的曲声自花楼戏台上悠悠传来，清倌人纤细的嗓音犹如吊着的丝线，在胭脂粉场里吹拂而过。

"日斜花影重重。萱草发无情秀，榴花开有恨。断送得愁浓。"

池中飘出的雾气越来越浓，将整座朱雀殿的后露台重重包裹，营造出珠环翠绕的幻影。

杏花楼——

墨熄和君上站在大雾中央，慢慢地，一切都变得清晰无比。墨熄发现自己又一次看到了时空镜中的情形，这是八年前顾茫叛变的前夕，顾茫正在青楼的厢房中和那个神秘的黑衣人说话。

只是当时墨熄并不知道这个黑衣人是谁，如今想来，恐怕就是君上无疑了。

果不其然，君上走到墨熄身边，看着雾气化成的黑袍男子，说道："这是顾卿叛变之前孤与他的最后一次见面。他当时知道自己很快就要走了，情绪不太稳定，所以孤与他约定好了，这天的午夜来找他，带他去战魂山上看一样东西。"

和时空镜内的对话分毫无差，幻境中，裹着黑袍的君上推给了顾茫一个包裹，搁在桌上："给你带来的。去换上吧。"

顾茫的举动亦是别无二致，他抬起手，掀开了包裹一角，但很快地，又将包裹拢上了。

顾茫问："这什么意思？"

"你要去那个地方，总该准备准备。"君上道，"那里的情况，只跟你说，怕你不信。今夜带你亲眼去看一看，眼见为实。"

周围的场景黯淡下来，待重新亮起时，浓雾里的情形已转换到了战魂山山脚。

顾茫和君上都披着黑色的斗篷，从头到脚遮得严实。

顾茫走到上山的曲径前，看着蜿蜒深入的青石板小路，将斗篷的帽兜摘落，仰头看着那巍峨山道。

君上问："不上去吗？"

顾茫道："只是想到很快我就要离开这里，手上将沾上重华军士的血，我心中……"

君上打断了他："重华如今的局势也就是这样。凤鸣山败北后你也亲眼见到了，你与你的军队落魄，只有落井下石的，没有雪中送炭的。"

他看出了顾茫想要辩驳，于是又补上一句："你不必跟我说如果羲和君在，他会向着你。他向着你也没有用，你是个聪明人，你应当已经很清楚，以你一己之力，并不能扭转什么。"

顾茫："……"

君上道："事情到了这个地步，叛国这一棋，你已是落子无悔。"

他说着，在渺然寒夜中抬起手，握住了顾茫冰凉的五指。顾茫回头看向他，也微微动了一下，似要挣脱，但最后却没有这么做。

墨熄看着眼前的情形，第一次在时空镜里看到这段过往时，他觉得这个黑衣人是燎国人，觉得顾茫被握住手时的颤抖是因为犹豫不决。但此刻他知道了真相，他心情复杂至极，从脑海中浮出的第一个完整的句子，居然是："冷吗？"

君上立在他身边，怔了一下："什么？"

"他的手。"墨熄轻声道，"那时候很冷吗？"

明明已经是八年前的往事了，照理而言谁也不可能记得当时的这些细节。可是君上在片刻的愣怔之后，明白了过来。

他垂下眼帘，说道："……冷。"

"……"

"对不起，是孤把他推向了这一条绝路。"

墨熄没有吭声，而幻境中的君上正在重复着时空镜里的对话，他对顾茫说道："顾帅，要拓出一条路来，没有双手不沾血的。趁着你手上现在还没有一条无辜的人命，再走一次战魂山吧。以后就再没机会了。"

顾茫蓦地合上了眼眸，夜风吹着他稍许凌乱的鬓发。他沉默良久，而后将手从君上掌心里轻轻抽出来，他的指尖仍在轻微地发着抖，谁也捂不热这一双手。他说："……走吧。"

黑袍滚滚，君上与顾茫一前一后沿着小径拾级而上。

时空镜中，墨熄的追踪到这里就断了，但是这一次不一样，这一次浓雾次第排开，凄迷变幻，他终于看到了顾茫和君上当年究竟是去战魂山看了些什么——

君上和顾茫来到了战魂山禁地的结界前，君上抬手割破了自己的掌心，将鲜血抹在了结界光阵上。血液顷刻就被法阵吸收，有个空蒙得仿佛从大地深处传来的声音隆隆响起："燕然勒功书青笔。"

君上答道："草野英冢有旧铭。"

燕然勒功书青笔，草野英冢有旧铭。

这一句简简单单的对诗，何不是顾茫一生的梦想？顾茫一听到这段对答，眼圈便蓦地红了。而君上见他如此，叹了口气，拍了拍顾茫的肩，轻声道："这里不会再有别人了，把斗篷除了吧。"

顾茫于是抬起手，将斗篷的束绳解开了——那斗篷遮掩之下的，原来，是一件白底玄边的军礼服丧衣……

"走吧。"

他们穿过结界屏障，进了战魂山禁地。

饶是墨熄之前心中已有猜测与准备，但是真的瞧见其中景象时，墨熄的心依旧像是被重重擂了一击。

整一战魂禁地，半个山麓坡头，俱是一座座林立的青冢坟碑，那些碑上有的已经斫刻了名字，描摹上了细致的金漆，有的还什么也没有写。但满山遍野的一大片，汇聚在一起，像是冥间的草莽英魂回来了，热热闹闹地聚首山巅。

顾茫怔了好久，而后他像是不敢踩碎一场好梦似的，小心翼翼地往前行了几步。慢慢地，他的小心翼翼变成了跌跌撞撞，他蹒跚地走近去，当他看到第一座墓碑上的名字时，他的眼泪一下子便夺眶而出。

"……"

他抬起手，抚摸着墓碑上金光熠熠的铭文，眼泪顺着脸庞潸然滑落。

"回家了……"

然后他跪了下来，他的喉间慢慢地透出哽咽，他不无悲戚地蜷跪在那未竟的墓葬群碑前，一次又一次地，向那七万个被他遗落在凤鸣山的袍泽叩首。

"回家了……"

君上立在他身边，半晌，把手搭在了他的肩膀："这座禁地，是孤向你兑现的第一个承诺。七万座墓碑，每一个名字都是孤亲自斫刻的，每一座坟茔都是孤亲手立下的。顾帅，有你与孤一同筹谋，孤会信总有一天，战魂山禁地将不再是禁地。"

顾茫没有再吭声，他穿着军礼丧服，白麻束着发髻，哽咽着，一拜，又一拜。

他眼里再没有活人了，他眼里只有他那些离散故去的兄弟。君上见他如此，也不再叨扰他，只陪在旁边看着。

过了很久，顾茫跟跄地站起来，他双手合十，在墓前又拜了拜，手贴着额心，喃喃低语着什么。

君上问道："你还有什么想要孤做的吗？"

顾茫闭上眼睛，良久之后，他眼眶湿润道："如果可以的话……我还有三件事，想要恳请君上允准。"

"你说。"

顾茫的指尖摩挲着墓碑上的金书，一路滑落。

"第一件事，如果我真的回不来，请君上不要在战魂山上替我立碑立冢。我此去燎国为探，注定满手沾染同袍鲜血，无论是否被迫，是否有隐衷，杀了的人就是杀了，我无颜再与他们同葬。"

君上似乎被他的说法弄得很是不安，他道："但是——"

"请您听我说完。"

"……"

"第二件事，羲和君秉性纯善，他为勋贵，却与我私交甚厚，早已开罪了无数遗老元勋。我叛之后，他必然不信，甚至会有偏激忤逆之举，请君上无论如何都别将真相告诉他，也请君上谅其心哀，莫要追责。"

墨熄听到这里，眼泪再也忍不住，夺眶而出。他情不自禁地上前，看着幻境里那个神情肃穆的顾茫，喃喃道："顾茫……"

八年前的顾茫的倒影什么也听不到，他立在料峭的山风里，衣袂飘飞，他不是去赴死，但是胜似赴死，而此刻他在与君上桩桩件件交代着自己的身后事。

"其三。"

说完这两个字，顾茫却沉默了。

他垂下眼帘，抬手看着自己的双掌，良久后，他轻声说："其三，我想趁着我的手还干净，为他们吹一曲招魂歌。但是君上，我只有一把上不得台面的小唢呐。您能借我您的神武一用吗？"

他说罢抬起头来，清风吹拂着他细碎的额发，他在月光下，渴求地看向君上。

重华的招魂曲赠予英烈，往往有礼官用神武唱奏，但顾茫是绝不可能盼得到礼官来告慰他的兄弟了，他唯一能求的认可，只能来自眼前的这个男人。

"君心赤诚如此，孤又有何不允？"君上说罢，掌心里浮现出了一柄碧竹箫。将碧竹箫递给了顾茫。

顾茫谢过了，双手接过洞箫。他举目望去，像是要把战魂山的这七万座墓碑一一铭刻到心里。明月松影之下，他将竹箫贴上了唇，阖目吹响。

"昔有儿郎抱剑去，碧血沉沙骨难还，此骸去岁仍玉貌，此躯昨夜曾笑谈。君遗丹心我相照，君余浩气我将传，英魂重返故里日，人间无处不青山……"

一曲终了。

顾茫放下竹箫，眼眸湿润。他转头把洞箫还给君上，重新在碑林前跪落。沉默几许，他低着头，小声哽咽道："君上，我很快就要走啦，不知道回不回得来，也不知道什么时候才能回来。"

"顾卿……"

"我不在的时候，请您来替我多看看他们……不用焚太多的冥纸金箔，只要……只要多带几壶好酒，多捎几样小菜。"他说到最后，已是泣不成声，"他们跟着我的时候，军饷一直都不太够，看着其他军队的配给，时常跟我开玩笑，跟我说……"

额头抵上冰冷的石碑，眼泪像断了线的珠子一样跌落。

"说他们饿了……想好好地吃一顿饭。"

君上："……"

"这些年虽然我不说，但是我都听得到，总有人说我们想要夺权……想要翻天……贪得无厌，狼子野心……"顾茫缓缓地仰起头，"可是君上你知道吗？他们这些人最大的狼子野心，其实只是想吃上一顿饱饭而已……"

幻境里的君上戴着假面，没有人知道当时他听到这句话时的神情究竟是怎么样的。

然而墨熄却可以看到此刻的君上，饶是这么多年过去，当他再一次听顾茫说这句话时，眼神仍满是痛苦黯淡了下去。

"替我多来看看他们吧，多给他们带些粮饷。"

君上道："……顾卿放心，孤一定做到。"

"还可以有酒吗？"

"孤会把重华最好的酒都给你的人带来。"

"烧刀子就好了，他们穷惯了，要是太好的酒，他们舍不得喝。"

"好。"

顾茫便再也没有要求了。他跪在山林之间，仰头呆呆望着他成了碑的兄弟们，良久也没有动弹。

幻境中的君上轻轻叹了口气，抬起手，却并没有将碧竹箫化散，而是重贴到自己唇边，也吹了一曲招魂乐。

洞箫悠悠，月白风清，在这悲戚又庄穆的曲声中，战魂山的一切渺去了。

所有的迷雾与幻境都在此刻消弭散尽，可那饱含着深情的竹箫之声却仿佛穿过了真实与虚幻，从八年前的战魂山麓传来。

迷雾淡去，余音却绕梁不散。

良久后，朱雀台上，君上重新将那一枚天珠整顿好，而后仰望着云间皎月，轻声道："火球儿。"

"……"

"这八年，孤时时刻刻佩戴着这手钏，守着这个秘密。每当孤坚持不下去了，孤都会化出这段记忆，再看上一遍。每看一次，孤就会再深记一遍，这条路，不是孤一个人在走，也不是为了孤一个人在走。八年了，日日夜夜孤都不曾忘记，也不敢忘记。"君上抬手抚着腕上的天珠，轻声道，"孤非铁石之心，只因是……人在九重，如在囹圄……"说到最后，音已哽咽，"其实孤又何曾不知孤愧对顾卿……愧对于你呢……"

再也无人说话了。

朱雀殿露台，墨熄与君上默然相望，已俱是神情怆然，泪湿眼眶。

第32章

墨熄回府后，连续闭关了三日。

人们对之前发生的事情有诸多揣测，众说纷纭，大家都好奇墨熄那天去王城里究竟和君上发生了怎样的对话，以至于他铸下了这么大的过错，君上居然不对他加以惩罚，只是让他禁足三天，如此草草了之。

可真相却无人能够知晓。

这三日间，姜拂黎一直没有离开羲和府，顾茫的伤势太重了，他得闭门替他疗伤，众人屏退，谁也不能靠近疗房。

第三天，阳光透过窗棂照入，随着时辰的推移，墨黑的影子在地上缓缓流照，墨熄坐在檀木书桌前，看着面前的一叠书信。

这叠书信在这几日里已经被墨熄翻看了无数遍了。它们是这些年来，顾茫从燎国给君上送来的线报，一直以来都被君上随身带在乾坤囊里。

五年间，厚厚的一沓，最早的信纸早已墨渍褪色，最晚的也已边缘泛黄。

唯一不变的是上面的行书，那是墨熄再熟稔不过的字迹，笔势微倾，有些潦草，撇捺的末梢习惯性地微微打着卷——

君上，我已入燎，燎国国师戒心甚高，日前与我稍有为难。然如今诸事皆安，无须挂念。问君上安。

君上，燎筹谋秋收之后攻打重华北境澜城，澜城百姓众多，望君上多加恤民，早作备防。

君上，我随燎师驻扎天荡山，如今我为燎帅，战场厮杀不可避免。七日后攻打澜城，将与重华同袍兵戈相向，此属无奈之举，顾某先行谢罪，顿首跪拜。

其中甚至还有一封洞庭水战之后，顾茫修予君上的信函。那封信的字迹比之前任何一封都要潦草，甚至笔锋有些颤抖，似乎写它的时候顾茫正因情绪激动而无法做到冷静地将那一笔一画写得工整，透过那封信的字就能看到他当时的心焦——

心口一刀情非得已，实在乃是墨帅太过天真固执，万望君上好生关照。另外顾某尚有一请，我与墨帅兄弟情深，恐怕以后再也不可与墨帅对阵……

墨熄每次看到这里，都会忍不住试想顾茫写这封信时的心情，到最后，只觉得太痛太痛，无法自宽。

一封一封翻过去，除了禀奏燎国军情，陈奏黑魔法术之外，最常看见的就是顾茫在信中禀知自己一战之后，杀了多少人，毁了多少城。与其说是向君上在谢罪，不如说他是在算一笔人命账。

到了第五年，顾茫忽然不再细算了。大概他也终于知道，不论自己怎么算，怎么数，那些人都已确确实实死在了他手下，他并不能够挽回什么。

他只在每一封信的结尾处，落款署名的地方，写下一个小小的"罪臣顾茫，顿首再拜"。

墨熄抚摸着那蜷缩在角落里的字迹，罪臣顾茫……他抚摸着抚摸着，泪水就这样流了下来，滴在那自卑自责极了的四个字上。

再翻到最后一封信。那封信上，顾茫写了简简单单的几行字，道清了君上为何非要将他拿作黑魔试炼的缘由。

顾茫写道：

五年前我初入燎国，燎重淬我身，倾注狼血，斫刻黑魔法咒于我骨之上。然这五年间，我心智渐乱，变得越来越不受控制。我已能觉察到燎国将行之意图，他们应当会在不久之后，将我神识分离，记忆毁坏，而后作为议和之礼送回重华。顾某微尘之身，此一躯血污沾尽，君上无须为我费心疗治。若君上当真怜我所受之苦，请将我收归天牢，剖析试炼，以求早得法门破燎国黑魔之道。如此，余愿已足。

信的末尾，依然是那一行卑谦至极的小字——

罪臣顾茫，顿首再拜。

朱雀殿里，君上最后的话犹在耳边："火球儿，你知道孤看到这封信的时候是什么滋味吗？五年前的第一封信，他告诉孤，燎国对他稍有为难，但诸事已经安定，让孤不必挂心。可是五年之后，他觉察到了燎国接下来可能对他做的事情，这才把当年的真相说了出来，原来他曾说的'稍有为难'，竟是重淬身躯，黑魔刻骨。

现在你明白了吗？燎国之所以把他送回来，是因为顾茫身体里的魔咒和妖血压不住了，谁也不知道等顾茫的神识被黑魔完全吞噬之后会变成什么样子，也不敢对这异变魔躯妄下杀手，所以他们才将他遣回了重华。"

君上顿了顿，复又道：

"火球儿，孤别无选择，黑魔试炼纵然残忍，但这也是孤唯一能够想到的，或许可以解救他的方法，否则，待到顾茫体内魔息爆发的那一天，重华也好，顾茫也好，就都将变得无可挽回……"

虚掩着的门被笃笃敲响，墨熄蓦然从痛苦的回忆里回神，他抬手迅速拭去了未干的泪痕，将书信收好，而后道："进。"

李微进来了。

这几日也只有他能够进到这个房间而不被赶出去。李微道："主上，好消息！人已经救过来了！"

墨熄一怔，旋即起身就想往外跑。李微忙道："但他还在睡，姜药师吩咐了目下千万不能去吵醒他。另外姜药师在后院等您，说有事要与您细说。"

羲和府的后院荷花池边，姜拂黎倚着亭柱坐着。他看着满池荷花馥郁盛开，眼底流淌着一些教旁人无法琢磨的光影色泽。他似乎是在思考着某些令他自己倍感困惑的东西，眉尖微微低蹙，薄唇亦是紧抿。

墨熄走过曲廊小径，来到他身旁："姜药师。"

不知是三日的疗愈实在太累，还是别的什么缘由，姜拂黎难得地没有立刻回神，而是兀自望着莲池内游弋的池鱼发怔。

"……姜药师？"

唤了第二遍，姜拂黎才如梦初醒似的缓过来："哦，是你。你来了。"

此刻墨熄心中只有顾茫一人，所以他并未留心姜拂黎的异状，而是问道："我师兄他怎么样？"

姜拂黎道："稍有些复杂，你也不用太过紧张，你坐下来，我讲给你听。"

墨熄实在坐立不安，但姜拂黎一副你不坐下来，我就懒得开口的架势，他没办法，只得在姜拂黎对面坐了。

姜拂黎道："我先问你，在周鹤进行黑魔试炼之前，顾茫的记忆是不是已经恢复了大半？"

他单刀直入，墨熄也没有否认。

"姜某不涉朝局，旁的无意过问，你且宽心。姜某只是好奇，他失却了两魄，照理而言记忆绝对无法恢复到那个地步，不知你们去蝙蝠岛经历了什么，是什么东西使他成了这样？"

墨熄答道："时空镜。"

姜拂黎沉默片刻道："难怪。那我就明白了。"

"我这样与你说吧，羲和君。时空镜确实能够恢复顾茫的神识和记忆，但人的魂魄终究是无法取代的，时空镜所做的不过是'闪回'，而不是真正的恢复。"

"闪回……"

"不错。"姜拂黎道，"就像是回光返照一样，持续不了太久，一两个月之后，这些靠着时空镜回来的记忆就会全部散去。"他顿了顿，继续道，"抱歉，哪怕是我，也无法将之逆转。"

其实对于这件事情，墨熄也早有预料。山膏在施展时空镜术法的时候就曾经嚷过要"闪回"顾茫的记忆，当时他就对山膏的说法有所介怀，只是当他从姜拂黎口中得到了这种印证时，心仍是狠狠地沉了下去。

墨熄垂了睫毛，低声道："我知道了……多谢你。"

"拿人钱财替人消灾，谢倒不用了。顾茫的其他伤势，都已不是问题，只需安心将养就会慢慢恢复。不过有件事情我得提醒你。"姜拂黎说着，神情忽然严肃起来，"他的精神绝不能再承受大的刺激了。"

墨熄的心一下子揪了起来，追问："他还是有恙?"

"怎么会无恙呢。"姜拂黎伸出三根手指，竖在墨熄面前，"第一，魂魄不全。第二，被上古神镜强行刺激着闪回了一段记忆。第三，周鹤剖了他的脑子……我这么跟你说吧，羲和君，你这位顾师兄实在是不一般的坚强，这要换成其他人，随便遭受三个中的一个就已经崩溃发疯了。"

他每说一样，就屈下一根手指，等到三根手指都屈下，姜拂黎这样狷介自傲的人都忍不住叹了口气："他承受了三个，却还没有失去自我。"

清风吹过莲花池，荡起水波粼粼。

姜拂黎转头看着吹皱的池面，低声道："其实作为一个医者我很是好奇，不知是有怎样的精神执念，才能让他变得那么不可摧折。"

"……"

静了一会儿，他那双杏眼望着莲池里的游鱼聚散又离合。

忽然间姜拂黎道："羲和君，我问你一句，顾茫其实是重华派去燎国的密探，对吗?"

墨熄蓦地抬头盯着他，姜拂黎大抵是消耗了三日精力，实在太累，慵懒地靠在亭柱上，侧着脸眯缝着眼睛，望着縠纹迭起的莲花池。他慢悠悠道："你放心，我没有借着疗愈之便去窥测他的内心，更何况他的精神力那么强大，哪怕是给他灌下诉罪水，他所说的也未必就是真相。我只是自己这么觉得，随口一问罢了。你也不用回答我是不是。"

墨熄喉头苦涩至极，半晌道："你……你为何会这么觉得?"

"很简单。"

姜拂黎道："一个承受不住打击，堕入杀人复仇之道的叛臣，是绝不会拥有他那种意志的。我没有证据，也无意搅入朝局之中，但作为一个医者，我已可以确诊他不是个恶人。"

阳光浮涌在姜拂黎眼底，将他的面容打磨得不再如平日里那般桀骜不驯，天地不服。姜拂黎此刻看起来竟似有些嗟叹，亦是有些温柔的。

而他温柔的样子，隐隐让墨熄觉得有些似曾相识。

"你好好照顾他吧，羲和君。他现在的神识已如岌岌可危的开裂冰面，如果他再承受第四次精神上的重创——"姜拂黎顿了一下，肃穆道，"他会失心疯的，到那个时候除非找回他的两片残魂，不然饶是大罗神仙下凡，也救不回他。"

是夜，一轮吴钩当空而悬，天幕繁星璀璨。

这个夜晚，重华城的许多人都各怀心事，自有难处。

王宫内，君上裹着狐裘蜷在朱雀殿的软帐中，正阖着眼眸，抚着自己手腕上戴着的菩提天珠串。

岳府，慕容楚衣走到岳辰晴的寝卧前，犹豫良久，终于抬手叩响了房门。可是等了一会儿仍不见有人回应，他于是轻轻推扉，却见里头亮着一盏未熄的孤灯，枕褥书桌整整齐齐，岳辰晴并不在其中。这时候家仆见状走来，告知他岳辰晴去了学宫江夜雪处学习技艺，慕容楚衣没说话，良久之后，闭上了眼睛。

药师府，姜拂黎不知为何正急着收拾行李，说要远行，而他的妻子立在房门边，似乎有什么想说，又终究没有开口。

望舒府，慕容怜躺在庭院的竹榻上抽着浮生若梦，烟霭慢慢地从他口中呼出来，吹向盛开了一树的泡桐花。慕容怜咬着烟枪，伸出手看着自己的手指发呆，眼神时明时暗。

而羲和府在历经了这样的一波三折和血雨腥风后，一切终于复归了短暂的安宁。顾茫躺在主寝卧的大床上，盖着薄被，还未苏醒。墨熄让用人都退下了，只他一人守在床边。

他守得很耐心，丝毫也不嫌顾茫睡得太久，不嫌顾茫占了他的床榻。

"我曾经答应过要给你一个家的。"墨熄握着他的手，"对不起，师兄，我让你等得太久了。"

床上的人很乖顺地躺着，浓密的睫毛垂遮下来，小扇子般挡在了他的眼前。这时候他再也不用伪装，再也不用忍耐，再也不用殚精竭虑了。他看起来是那么疲惫又瘦弱，墨熄凝视着眼前的这个人，竟有些无法想起他顾茫哥哥最初是什么康健结实又阳光灿烂的模样了。时光已经将他摧残得太厉害。

墨熄低声哽咽道："师兄，你现在已经在家了。"

温热的泪水顺着他的脸颊潸然滑落，浸湿了顾茫的指掌。

而似乎是被这样的喃喃与情谊所唤醒，顾茫的指尖忽然微微动了一下，继而睁开了眼睛。

墨熄蓦地抬起头来。只见昏暗的灯烛中，顾茫睫羽轻颤，继而缓然睁开了眼眸，那双蓝眼睛深得像海。

他望着墨熄，所有的意识都还未涌上来，掌控他神情的只有本能，于是那张清瘦的脸庞是放松又柔软的，像"顾茫哥哥"该有的那个样子，温柔极了。

"我的殿下……你怎么哭了……"

他呢喃着，可墨熄还未回答，顾茫那种做梦般的神情消失了，他逐渐清醒了过来。于是几乎肉眼可见的——错愕、惊惧、执着、残忍、悔愧……每一种情绪都是他过去的残片，潮汐般涌将上来，将他眼里的温柔冲刷殆尽。

待这些情绪都褪下之后，顾茫蓦地起身，将手从墨熄掌心里抽回，脸上是那种他早已戴习惯了的狠戾假面："墨熄你疯了？！谁让你来修罗间寻我？你知不知道——"

"我已经什么都知道了。"

只一句话，顾茫浑身都绷紧了。

墨熄沙哑道："师兄，别再说什么傻话了，也别再做什么傻事。"

顾茫有些无措了。这么多年以来，他一直都将自己伪装得很好，他筑起最坚硬的蚌壳，让世人都只能看见他的冷酷决绝、仇恨残暴。可只一觉醒来，他发现自己的伪饰被刺得支离破碎，他最想保护的那个人眼眶通红地出现在他面前，触及他那一颗无所遁逃的柔软的心。

他几乎是本能地否定："墨熄，你根本只是一知半解，再说我的事情与你又有什么关系？我早与你说过咱们俩不是一路人，我根本……我根本……"

墨熄道："你根本就不是那样的人。"

顾茫："……"

他们像是隔着一层冰面，外面的墨熄要拥抱冰层底下的顾茫。他无论玄冰有多冷，怎么也不肯退却，于是冰层在一点点地化开，一点一点地崩毁。

"你根本就不愿杀伐，不想征战。你也从没有想过要害我，没有想过要报复任何一个人……"

墨熄声音低低的，方才顾茫睡着的时候他在哭，如今顾茫醒了，他却又不愿了。顾茫受的苦已经够多了，他不想再让这个柔软而坚韧的生命再为他担忧，替他难受些什么。

"八年了，顾茫，你很苦吧……对不起，是我没有懂你。"

他每说一个字，顾茫的颤抖就越明星。而等最后这句话说出口，顾茫便在这一瞬间像是要被什么压垮了，他瑟缩得那么厉害，墨熄甚至能听到他堵在喉头的低低哽咽。

"不……不……"顾茫不停摇头。墨熄从前从来只看过他顾茫哥哥聪明机敏的模样，而此刻被逼到绝路里却还要挣扎着说谎，只为了保护他，不让他接近自己的顾师兄却这么笨拙，笨拙到固执，笨拙到可怜。

顾茫不知道自己还能解释什么，还能献祭什么，他只是一直在保护着别人，这种保护成了刻进他骨子里的本能，而一旦做不到，就会让他如瞎目断爪的龙一般手足无措。

他不住地重复着："不是这样的……你不明白……"

墨熄眼圈微红着："那么多年了，师兄，你知道我最痛苦的是什么？不是你刺我一刀，不是你离我而去，而是你变成了一个彻头彻尾我不认识的人……你知道我那时候有多难过？我清楚你是想保护我，不想牵连我，可是我也早已和你说过的，我在这世上除了你之外，再没有一个可亲之人了。你护着我的时候，何不想想什么才是对我而言最残忍的？我难道会怕与你同受苦难，怕受众人非议指责吗？我怕的是你再也回不到我身边，顾茫，我怕你走啊！"

墨熄闭上眼睛，即使泪能忍住，睫毛却已是湿润的。

"这么多年……我待你一直都是真心的。但是经历了这么多，你在不在乎我，愿不愿意陪伴我，这些都不再重要……我只请你……"

他抚着顾茫的头，垂眸强忍着声线的颤抖，喑哑道："我只请你能给我保护你的机会。我只想陪着你……你就真的什么真相都不能与我吐露，不能把你肩上的重担分给我哪怕一点点吗？顾茫……我也是你的手足同袍啊。你宁愿我坠入寒窟，也要让我这样痛不欲生地活着吗……"

他说的是那么真挚深情，可是顾茫却只觉得难受得厉害。

八年了，从顾茫决意成为密探的那一天，他就筹谋过墨熄的未来。但那个时候他们还那么年轻，尚未经历过太多离别的苦楚，因此顾茫很天真地以为只要自己绝情一些，这个年轻人会觉得陪伴他是一件极痛的事情。只要痛了，墨熄迟早就会放手的。可是他一直等，一直等。他扎得墨熄满掌是血，刺得墨熄一身是伤，墨熄却始终都没有将他放下。

这些年，他一直希望墨熄能够好好地过日子，娶一个温柔贤良的妻子，有一群活泼可爱的孩子。年少轻狂时萌生的那些不可遏制的愿望与野心，迟早都会被岁月涤荡成再也看不清的墨痕——他原本就是这样为墨熄考量的。

忽然之间，顾茫意识到有什么不对，他能感知到墨熄的灵流是那么微弱，灵核近乎是破碎的。昏迷前修罗间里的情形仿佛又闪至他的眼前——墨熄来救他时，脸色白得可怕，难道说……

顾茫蓦地抬头："你是从哪里知道这些真相的？"

"……"

"你又去了蝙蝠岛？又用了时空镜？"

墨熄看着他骤然紧张的脸，凝视着那双不安惶然的蓝眼睛，慢慢地，眉目间有了些柔软而悲伤的笑意。

"你是在替我担心吗？"

不等顾茫答话，他又像是生怕遭到否认与拒绝似的，低头摸了摸顾茫的发鬓："我没事。"

可顾茫的心却像被割裂开了，万般猜测涌上心头随即又褪下，唯剩一个至为清晰的答案。这一次顾茫没有问，他喃喃着，眼泪顺着他柔软的脸庞淌了下来，他说："是……载史玉简……"

顾茫隐忍着，压抑着，似乎想再说些什么来划清他们之间的鸿沟。可是……八年了，生死残忍做尽，也终挡不了墨熄追着他的步伐，走到了这条布满荆棘的小路上。他设下的障碍，留下的险阻，最终并没有拦下那个年轻人的步伐。

他的小师弟还是追了上来，他在黑暗里回过头，看到八年前的至交已经不再年轻，他风尘仆仆，满身血污，唯一不变的是那双固执而黑亮的眼睛。被他割舍的那个人奔向他，追上他，然后站在荆棘丛里，喘息着，对他说——

师兄，顾茫，我来接你了，我们回家吧。

顾茫忽然再也忍不住，那根紧绷了八年的弦终于砰然断裂，他终于失声痛哭，他不住地说："对不起……对不起……"

是我轻视了你的情谊，没有看懂你那颗固执难移的心；是我妄自为你做了选择，没有问你愿意去行哪一条路；是我没有尊重你的意愿，没有明白你最在意的是什么，而把我的谋算，强加到了你的命运上；是我一直在欺瞒你，不给你同行的机会……

八年了，我伤过你，害过你，疏远过你，刺痛过你，我做尽了让你失望的事情，甚至差一点要了你的性命。你为什么还不回头啊，我的小傻瓜，我的殿下，你为什么还是要冒着粉身碎骨的危险把真相掘得，然后披风戴雨，伤痕累累地来到我身边，你为什么那么傻？

"墨熄，对不起……"

墨熄抚摸着他头发的手微微一顿，他会错了意思，于是道："没关系，我知道你选择了什么，我也知道你为了这个选择忍耐了什么，遭受了什么，付出了什么……不用跟我道歉，其实我早也与你说过，你若真想要无拘无束，我也不再勉强，只要你能回来……"他说着，眼圈慢慢地红了，手掌轻轻碰着顾茫的额头，像是最虔诚的祷祝。

"只要你好好的，能让我陪着你，能给我机会和你一起分担……顾茫，我的好师兄，那就够了。"

顾茫像是离群的兽终于得归同伴，已经完全泣不成声了，这个流离失所，孤独了太久，承受了太多，独守秘密八年的男人，终于在故人面前崩溃得大哭，近乎是哀号地，像是要把这些年所有的心酸苦楚都在这点滴眼泪里流尽。他终于哭着道出了这些年来一直沤在心里，几乎已沤烂了的话："太痛了……墨熄……我真的太痛了……"

墨熄的心一下子被攫紧了，他摸着顾茫的头，低声喃喃："我知道，我知道……"

"我做什么都是一个人……我做什么都只能是一个人……那么多年我不能和周围的人说哪怕一句心里话，我还要去杀我自己邦国的百姓、修士……杀我的手足同袍……真的太痛了……墨熄……"

墨熄哽咽着："是……我都知道……"

"我真的快要被逼疯了……就好像每天每夜，每时每刻都有一把刀在狠扎我，我却还要说……扎得好，扎得痛快……"顾茫颤抖着，痛苦地闭上眼睛，"我不想杀人啊……我想回重华……我想陆展星还活着，我想什么都没有发生……"

"我知道，我知道，你说吧，你说出来心里会好受些，我陪着你，我一直在你身边……"

顾茫却不说了，顾茫睁着那一双被泪水洗到透蓝的眼睛，半晌后，他低声地喃喃："我也不想离开你……"

"我……"墨熄原想不住地安慰他，不住地说我都知道，我都理解，可是听到这句，他却怔了一下。

良久良久，两人谁都没有再打破这份寂静，唯有心跳怦怦的声音。

顾茫轻声的，那个坚忍强大，无时无刻不在散发着安定人心的魄力的人，此刻却是如此的怯懦；好像是一个穷怕了的人，在小心翼翼试着拥有一个他曾以为自己注定得不到的昂贵馈礼。他低低道："我不想骗你……不想你走，我……我一直都不想……"

墨熄的心跳仿佛就在这一刻凝止了，他看着眼前的人，看着那张憔悴却真实的脸庞。他一生做过最好的梦里也不敢奢望听到顾茫真心实意地道出这句话。

"我放不下你，一直都放不下你……对不起，从前是我太自私了，是我没有想过你真正要的是什么，真正怕的是什么，我只是想以自己的方式保护你，却不知道……却不知道……"

却不知道你会跌跌撞撞地追赶八年的时光，把最好的青春年华都辜负，只为寻我归来。我不知道哪怕经历了这么多，你最后仍愿陪我，哪怕到地狱去。

顾茫没有再说下去。墨熄眼眸湿润，他抬起手，一点一点地拭去顾茫脸上的泪痕，低声道："却不知道我也那么在乎你？"

顾茫垂下眼睫，轻轻地："对不起……骗了你那么多年。"

"……"

"你还愿意给我一个家吗？"

墨熄的心都在发颤了，却还竭力维持着自己的镇定。他不能再在顾茫面前落泪的，他告诫过自己。于是他弯起那双湿润的凤眸，展开一个似是无限灿烂，又似是无限悲伤的笑容，他说："我答应过你的事情，都是一生作数的。这才过了八年啊，你我这人生路还有很长，你说我怎么会不要你。"

这两个承受无数被迫的谎言，历经无数悲欢离合的人，傻傻地，怔怔地看着对方。他们因为终于而来的破镜重圆，于是谁也不再哭，但也因彼此心里都知道人生路虽长，却注定再也不得康健，不像从前，于是谁也无法释怀欢言。

他们早已被命运与时势折磨得遍体鳞伤了，可是当那两双沾着湿润水汽的眼睛互相凝望着的时候，他们却还是哽咽着，慢慢地从自己心中拾掇出所有的勇气与温暖，朝对方尽力绽开了他们如今能浮现的——最为柔软的笑痕。

一双伤痕累累的困兽，终于再无间隙与隔阂，冰层融化了，他们终于可以给予对方温暖，分担对方身上的伤痛。

第33章

顾茫慢慢地将身子调养起来。

由于他的情况特殊，君上也好，墨熄也罢，都无法在此刻还给顾茫一个公道。墨熄明白君上的意思——重塑重华之格局，这是顾茫的心愿，如若就这样将顾茫的身份公之于众，所有的牺牲与努力都将付之一炬。

所以无论是君上，还是顾茫，都希望他能够保守这个秘密。

可是墨熄从来都不是个长于伪装的人，这不是说他口风不靠不住，相反的，他严谨、自律，一定能够守口如瓶——无法遮掩的只是他对顾茫的感情。尽管他什么也不说，也尽力在外人面前克制着自己，但没出几日，羲和府上上下下差不多都看出来他对顾茫的态度发生了翻天覆地的变化。

从前他总板着张俊脸，好像顾茫欠了他五百万的金贝币没还，如今却是连说话都很温和，低低的充满磁性的声音很好听，一点儿脾气也没有。

顾茫休息期间，曾有不长眼的小厨娘来差遣他去帮忙烧火。这本来也不是什么劳累的事儿，只是脏了些而已，何况顾茫之前就总是负责劈柴生火这一类的活儿的，于是也就跟着去了。结果墨熄外出回府，听闻顾茫被拉去烧柴，径直就去了伙房，在众仆人的惊慌失措手忙脚乱中一把将顾茫拽出来。

厨娘惶惶然："主……主上……"

"胡闹什么？"

厨娘："我就是看他闲来无事，想……想让他帮个忙。"

"他还是个病人，怎么能来帮忙？"又对顾茫道，"躺回去睡觉。"

厨娘："……"

谈及此类事件，有感触的还不止伙房的仆人，平日里负责羲和府珍玩保养的小厮也有话要说——

"烧火这件事算什么？我跟你们说个更匪夷所思的，那天顾茫去捉饭兜，饭兜跑得快，顾茫追得急，一不小心撞翻了条案上的那只釉里红梅瓶，没错，就是全府最贵的那一只，摔得那叫一个粉碎啊！"

他每说一段，周围听他讲述的人就发出"哇""嘶"一类的惊叹声。

有小厮心急道："然后呢，然后呢？您去通报主上了吗？"

那仆人一拍大腿："那可不！那只花瓶都够买一套城北的五进宅院了，我能不通报吗？我立刻就去跟主上把情况说了。"

"天啊……主上最喜欢那只花瓶了，他该有多生气……"

"他是挺生气的，你们知道他跟我说了什么吗？"

众小厮齐齐摇头宛如拨浪鼓。

那仆人模仿墨熄的严肃语气："为什么要把花瓶放在那种地方？砸到人了怎么办？他受伤了吗？"

"……"

一阵静默后，有个小厮发出了一声令人极度尴尬的感叹："哇哦。"

没谁知道墨熄和顾茫之间究竟发生了什么，不过墨熄对顾茫的态度转变却是每一个不瞎的人都能看出来的。所幸羲和府人员对墨熄还算忠心，加上李微管束得当，所以府外之人暂时并不知情。

"李管家，您说主上这是怎么了，顾茫再怎么说也是个叛臣，他现在待他这样，君上该怎么想，旁人又该怎么想啊……"

李微笼着手站在风雨连廊下面，望着院中池水粼粼，说道："主上的为人你信得过吗？"

"这是当然了，重华有谁比他更正气？"

"那咱们就信任他，旁的就别再过问了，他行事一定有他的道理，而我们作为他身边的人，要做的只有一个。"

"什么？"

李微道："守口如瓶。"

在悉心调养下，顾茫的伤口很快就结痂了。由于淬了妖狼之血的缘故，他的体质比从前好了很多，但令人难受的是，姜拂黎虽然能治好顾茫身体上的伤，却无法阻止时空镜效用的减退。那些被山膏"闪回"的记忆，慢慢地都开始从顾茫的意识中流沙般消散。

顾茫大概也知道自己有些话若是现在不讲，以后或许就没有机会。他拥有的清醒，到底也只是一场上天垂怜，赐予的镜花水月而已。

于是他问墨熄讨来了纸笔，墨熄在他身边的时候，他与墨熄说话，墨熄不在的时候，他便独自在房中，将一些他回想起来的事情写在纸上，每天醒来，他都会看看头一天写下的内容，如果有淡忘的，他就会再去记一遍。

他在努力尝试着延长自己的清醒。

墨熄曾在他睡着的时候，看过他放在枕边的浣花纸，纸上最显眼处就写着他们在学宫的初见，信纸上顾茫写道——"他坐在树下吃粽子，虽然是抬头看了我一眼，但可惜此人面无表情，唉，应该对我毫无印象。"

刚想再仔细看下去，顾茫就醒了。他见墨熄在翻看他写的纸页，一下子坐起来，连忙将纸张从墨熄手中抢过去。

"哎哎哎！不许瞧，不许瞧。"

"……"墨熄怔了一下，"你介意？"

"你看了我多不好意思啊。"顾茫护住他的纸，"你要看也等我彻底把闪回的记忆都忘了再说，反正那时候我痴痴傻傻的，脸不红心也不跳，不知尴尬为何物。"

墨熄的眼神暗了一下。

顾茫又忙道："哎呀，好了好了，我也不一定那么快就忘光了不是？你看我每天都在加深自己的记忆，没准过个一年半载，哦不，是十年二十年，我都还能记得呢？"

墨熄没揭穿顾茫的谎言，他只是低声道了一句："怎么手上都沾着墨了，也不知道去洗一洗。"他叹了口气，接着说道，"你啊……"

顾茫笑了："你是师兄还是我是师兄？你厉害还是我厉害？你怎么教训起我来了？"

"自然是你厉害。"墨熄苦笑道，"我至今也无法想象你是怎么做到的，明明都已经知道了事情的前因后果，却还是什么话也没有说，跟着周鹤去做了黑魔试炼。"

"那有什么办法，我有我的无奈。你也有你的，君上也有君上的。其实君上做的那些事情，你不要太怨恨他。人在高处，身不由己，说句实话，他若真的心中不存任何善念公正，他完全可以找机会杀了我，但他到底没有那么做。"

墨熄没有吭声。

过了一会儿，他垂下睫毛，看到了顾茫戴着的蓝宝石扳指。这枚扳指他之前就已经问过顾茫，得知是慕容怜给他的之后，墨熄实在有些不明所以，但当时顾茫的身子骨还很虚弱，他也没有再多询探，现在再一次注意到它，墨熄不禁微微皱起眉头。

顾茫觉察到了他在看那扳环，睫毛不易觉察地颤动了一下。他的这种微妙的神情被墨熄尽收眼底，但是墨熄没有点破。顾茫曾是慕容怜家里的人，和慕容怜之间的纠葛长达近二十载，有些事情经过了漫长时光，确实是难以一言蔽之的。墨熄也不勉强他，只道："这枚扳指，要我替你去还给他吗？还是你想亲自去见他。"

顾茫没有立刻回答，他展开五指，看着那枚溢彩流光的蓝宝石戒指，考虑了一会儿，说道："我还是想自己去趟望舒府。"

墨熄沉默须臾，道："好。"

顾茫听他声音闷闷的，忍不住抬眼笑了："你不高兴啦？"

"没。"墨熄顿了一下，"但是要记得戴面具，披上斗篷。"说到这里，他的神情有些黯淡，"你知道的，重华许多人都想要为难你。"

顾茫道："我会注意的。"

屋内的水滴漏慢慢流淌着，时辰已经不早。

墨熄道："那我先回书房了，你早些休息。我还有些卷宗要看。要是有什么事情，你就直接来找我，没人会拦你。"

顾茫笑道："你也别给我太多照顾啦，千万别忘了我是罪臣身份，在外人面前要收敛一些。"

墨熄因这一句外人而怦然心跳，陡然心酸，心跳是因为他等了那么多年，从少年到而立，等到了三十余岁，才等来一句顾茫真真切切的认可。

心酸则是因为他们经历了太多，许多崭新美好的东西都已经磨破，他们两个人都像打了补丁的布匹，虽然还完整，却终究是面目全非了。

顾茫看出他心情不好，于是逗他："墨熄。"

"嗯？"

顾茫趴在枕头上，抬头笑道："批完卷宗回来我这里睡吧，别回你自己房间啦。你让我睡主卧，自己睡厢房，一连那么多天，传出去又说我欺负你。"

墨熄低着头，抿着唇，不吭声。

月光洒下来，照在他的耳缘，透出些薄薄的桃花色泽。

墨熄低声说了句："这个房间还是给你，你好好休息。"

"这么谦让。"顾茫的笑意便愈发浓深了，他垂着眼睫，从被褥里伸出手，摸了摸小师弟的脸，"你好乖啊。"

"……"

"可惜师兄没有糖可以赏给你吃。"

墨熄抬眸看了他一眼，而后道："你愿意在这里住着，就和给了我很多的糖一样，用不着别的。你早些睡吧，我还有些事情没有做完，我先出去做了。"

顾茫抬手摸了摸自己的脸颊："是吗？"

"……"

顾茫趴在床上踹了两脚被子："好歹说句话呀你。越长大越闷，再这样闷死了该如何是好？"

墨熄沉默一会儿，还真的说了一句话。他说的是："不会的，晚安。"

顾茫："……"

第二天晚上，顾茫准备去望舒府归还扳指。

为了掩人耳目，他披上了斗篷，戴上了银制假面——修真界常有些修士会做这样的打扮，倒也不会分外惹眼。

临走前，墨熄给了他一块玉佩。顾茫觉得好奇，摆弄着那块玉佩问道："这是做什么用的？"

"羲和府特使的佩件。不然望舒府的守备问你，你该怎么说？"

顾茫笑道："我就没打算走正门。我要飞檐走壁。"

墨熄当真了，一把将他拽过来，严肃道："不要胡闹，慕容怜那个脾气你不是不清楚，一会儿又被他欺负。"他说着，低了头，将玉佩系在了顾茫的腰封处。

"好了。"墨熄说，"你就说是我派去的人，给他们看这个玉佩，他们不敢拦着你。"

顾茫抚摸过玉佩穗子，朝他笑着。

墨熄望着他，看着他的师兄像他一生最好的梦一样立在他面前，忽然就有些舍不得："要不还是我跟你一起去，我在望舒府外面等你。"

顾茫怔了一下："为什么？有了这个玉佩，你还怕我被慕容怜为难吗？"

墨熄侧过头："我也就是随便说说。"

顾茫慢慢地反应了过来，笑了："你是不是不想和你顾茫哥哥分开？"

墨熄抿了抿嘴唇。

他不是不想，他是怕。他怕与顾茫的离别。大抵是因为知道顾茫的清醒是有时限的，又大抵是因为他和顾茫曾经的分别实在是太苦又太漫长了，所以他那么强大的人，竟会如此畏惧顾茫离开他的视线。

顾茫伸出手，兄长般摸了摸他的头，这个举动让墨熄的眼眶愈发湿润。他已经很久没有被顾茫这样对待过了。

"这件事我想单独去做，但你不用担心，我很快就会回来。"顾茫说着，纤长的眉眼倏尔展开一个柔和的笑，"你顾茫哥哥什么时候骗过你呢。"

这话说得过分了，墨熄道："经常骗。"

顾茫忍不住噗的一声笑出来："哈哈哈，好好好，你讲得很有道理，你别瞪我——是我说错了，你罚我吧。"

墨熄低声道："你现在这个身子骨，经得起我怎么罚？"

顾茫最后还是自己去的望舒府，他出示了玉佩，顺利通过了望舒府的门禁守备，而后走在了檐角飞翘的风雨连廊之下。

望舒府仍是与他记忆中一般通幽，到处都透着一股极具慕容怜特色的疏懒气息，院子里随处可见夏榻、软衾、小扇、茶桌。屋檐下挂着金丝绣眼鸟的鸟笼，里头的禽雀儿栖在木枝上，也和它们的主子一样懒洋洋的，不爱搭理人。

与内庭守备作了求见禀报，顾茫便来到望舒府中庭等待，那里有个偌大的花园。

顾茫记得这个院子，他小的时候，这座院子里有秋千，有倚在墙边的竹马，还养了一堆小鸡小鸭小兔子。孩子都喜欢这样的花园，慕容怜也不例外，时不时就来这里打秋千，撵着小动物满园撒野。而当公子不在的时候，顾茫这些小奴隶也会跑进去，借着喂养小鸡仔的名义，偷得浮生半日闲。

有一次院内无人，顾茫坐在秋千上玩，晃着晃着，不知不觉就睡着了，结果慕容怜进来一看，大怒。当即就把顾茫从秋千上推了下去。

"你这个贱奴！我的东西你也敢碰！"

"来人！这个秋千我不要啦！给我拆下来！丢到坑里当劈柴烧！真是脏死了！好晦气！"

那时候慕容怜的神情犹在眼前，张牙舞爪地那么夸张，好像顾茫有毒，沾到一点儿跟顾茫有关的东西，他就会毒发身亡似的。

顾茫被他从睡梦中推下秋千，半天才缓过劲儿爬起来，等他坐直了，转过头，慕容怜那叫叫嚷嚷的狰狞表情忽然就凝住了。

"你……你……"

顾茫在他那苍白的脸色中抬起手摸了摸额头，结果一掌的血。小孩子没有经历过这样的阵仗，呆愣一会儿，哇的一下子就哭了。

他一哭，慕容怜就慌了。

慕容怜道："你你你……你活该！！你这个小贱奴！"可看着顾茫额头的血越流越多，慕容怜就怕了，往后退了两步，居然掉头就跑。

顾茫就坐在地上哭，他第一次见到那么多血，额头又摔得那么痛，他眼泪不停地往下滚，也不知道怎么办才好。哭到昏天黑地时，院门口匆匆忙忙跑来一个女人——

"阿茫，你怎么了？你怎么了？啊呀，怎么摔成这样了？快让林姨看看……"

林姨是望舒府最丑的女用人，她的整张脸都烧烂了，府邸里所有人都嘲笑她，所有孩子都畏惧她，只有顾茫与她亲。

顾茫从小没有父母，不知道被爹娘疼爱是什么滋味，而林姨那时候会偷偷塞给他点心，会给他裁小衣裳，教他认几个字。他能从那么一些微末的照顾里，去努力汲取一点点与"亲情"有关的感受。

所以他一看到她，就愈发害怕地大哭道："泥姨！泥姨！我要死啦！"

他那时候大舌头，那么小的孩子，讲话都还不利索，总是发不对"林"的音，而是管她叫泥姨。

"好了好了，不哭了。没事的啊，林姨看过了，没关系的，阿茫乖，林姨带你去包扎。"

林姨把顾茫从尘土里抱起来，饶是过了那么多年，顾茫依旧记得她身上的那种温暖和香味——那时候他曾想，如果他有娘亲，那么阿娘的怀抱，应该就是这样的。

他从来都不觉得林姨丑陋，她的眼睛总是那么清澈，那么温柔，让他总觉得她烧焪的五官像是一副已经摘不下来的假面，而假面背后藏着的，合该是一张秀美绝伦的脸。

他伸出小手，颤巍巍地搂住她的脖子："泥姨……"

林姨将他抱去了望舒府的坐府药修那边，一路上他血流不止，哭得很凶，看到药修也并不配合。

林姨就蹲下来逗他，分散他的注意："叫林姨。"

顾茫含着泪，抽噎着："泥姨。"

"林——姨——"她耐心地拖长音调与他重复。

"泥——姨——"他笨笨地说。

坐府药修是个中年男人，对这个卑贱的孩子和这个丑女人冷眼相加，治病归治病，嘴上却阴阳怪气地嘲笑道："这个蠢孩子有什么好教的，教出来以后也是给慕容公子当牛做马的命。"

林姨的眼梢似乎微微抽了一下，仿佛压制着什么不可见人的情绪。但她受惯了欺凌，知道以自己的地位争这些口舌之快也毫无用处，于是对药修笑了一下，又转过头，摸了摸顾茫布满泪痕的小脸："来，喊林姨。"

顾茫依稀能记得自己当时的心态，他似乎是铆着一口气想要给自己和林姨出头，于是很努力地憋红着脸，也顾不得头上的疼了，歪着头较劲道："泥，泥……泥姨……"

药修在旁边理着纱布，毫不客气地大笑起来。

顾茫在那刺耳的笑声中愣了一会儿，哇的一声哭得更伤心了。他其实很努力地想要咬准字音，可是奶声奶气地总是说不清楚，他觉得好丢人，大概自己真的是个笨孩子，以后只能做牛做马，这个药修说的一点儿也没错。

只有林姨心疼又温柔地看着他："很好了，阿茫以后会念清楚的，乖，不要难过。"

"丑女人哄贱娃娃了，哈哈哈——"

林姨丑吗？

不，在顾茫心里，林姨是世上最美的姑娘。

他那时候暗下决心一定要快快长大，捋直了舌头，能够好好地唤出她的名字——可是他终究是没有等到。

林姨在他四岁那年就去世了，她临终前告诉了顾茫一件事，而那件事最后成了顾茫留在望舒府，与慕容怜不争不闹近二十载的理由。

那个女人，她说……

"特使。"身后忽然有人这样唤他。

顾茫从回忆中回过神，他眨了眨眼睛，让眼角的湿润淡下去，而后回过头来。望舒府的总管正站在廊庑边："已经禀奏过主上了，主上有请。"

慕容怜正歪在内庭小院的一张春榻上吸着水烟。床头小几搁着几本闲书，一壶小酒。他见顾茫进来，不紧不慢地抽了一大口浮生若梦，缓然吐出，吩咐左右道："你们先下去吧。"

"是。"

用人们退下了，院落中只剩了他们两人。

慕容怜懒洋洋地躺在竹榻上，也不正眼去看顾茫，只敲了敲烟锅里的灰烬，然后重新叼回嘴里，冷笑道："火球儿还真有趣，派个特使来我府上，居然还是个戴着假面披着斗篷的——说吧，有什么事儿？"

顾茫道："是我。"

慕容怜一听他的声音，顿时被吸入的烟给呛着了："噗咳咳咳！！"未几他起身，脸上飞快地闪过了许多情绪，震惊、焦虑、憎恨、犹豫……甚至还有一些旁人看不透的复杂内容在里面。

"你？你装成个特使来我这儿做什么，找揍？"

整个重华除了极少几个人，没谁知道顾茫此刻是恢复记忆的状态，顾茫自然不会在慕容怜面前表现出太多的清醒。他是蛰伏在燎国五年的探子，伪装对他而言不是什么难事，于是他佯作迟钝道："你别生气，我来还你东西。"

"……"

"主上说过，不能随便要别人的好处。所以我来把这个圆环还你。"

说着他将那枚蓝宝石扳指褪下来，交递到慕容怜手里："谢谢你把它送给我，但它什么用都没有，我不喜欢。"

"……"

慕容怜仿佛受了极大的侮辱，差点儿没跳起来："你知道你在说什么？"

"这样的扳指羲和府上有几百枚。你要是中意亮闪闪的小圆环，我还可以多送你几个。"

"屁！他的那些能跟这个比？！"慕容怜怒气冲冲地夺了过来，"这可是——"

顾茫一脸平静地等着他说。

"这……这可是……可是……"慕容怜却好像噎住了，噎了一会儿，他眼里闪动着些明暗不定的光，随即恶狠狠道，"……算了。我跟你说这些干什么。这本来就是借你的，什么时候成了送你的？哪怕你不来还，我过两日也会去羲和府要这扳指，你少给我自作多情！"

他说着，重新把扳指套回了自己拇指上。

顾茫心中暗叹，果然慕容怜也并不会那么轻易就把这枚指环的秘密告诉他。不过他原本也就只是想试一试而已，他来望舒府的目的，其实只是想回来自己走走看看，这个宅邸里终究还是有一些他太过怀念的痕迹。

慕容怜见他一直不怎么说话，盯着他来回看了一会儿，问："怎么，被周鹤折磨傻了？倒是回个声啊。"

顾茫钝钝道："我不傻的。"

顿了顿，瞥了一眼慕容怜的烟枪，说道："抽这个的人才傻。"

"你——！"

顾茫道："你又要生气了。你总是生气。好了，我是一只好狼，不惹你不开心。东西送完了，我回去了。再会。"

慕容怜看着他转身，狭长的眼睛蓦地眯起，等顾茫走到了庭院月圆门的旁边，慕容怜忽然阴森森地说了句："站住。"

他踱步到顾茫身边，绕着顾茫看了一圈，吐字道："顾茫。我怎么记得你去蝙蝠岛之前……已经恢复了不少神识？"

"……"

用纤细的金色长柄烟斗抵着顾茫的下巴，将之强行抬起，慕容怜眯着桃花眼，说道："你不至于还觉得自己是头狼吧。"

"……"

"让我想想……你今天来这里，莫不是来怀悼你那位泥姨的？"

顾茫蓦地一顿，随即侧过脸："那是谁？"

"……"慕容怜不吭声，眼神诡谲地盯着顾茫看了一会儿。

两人僵持着，庭院里起了一阵清风，吹得顾茫斗篷袍袖猎猎拂摆。慕容怜说："你当真想不起她是谁？"

顾茫摇头。

"你最好不要跟我说谎。你跟我这么久了，欺骗我会是什么后果，你心里应当很清楚。"

"我不清楚。我也听不懂你在说什么。"

顾茫说着，抬手打开慕容怜抵着他下巴的烟斗，鼻梁上皱："味道真难闻，你怎么会喜欢这个。"说罢打了俩喷嚏，转过了身，头也不回地向院外走去。

他看似淡定，但其实心怦怦直跳——慕容怜怎么会忽然跟他提起泥姨？

他恢复记忆的事情，只有屈指可数的几个人知情，是有人向慕容怜泄了秘密，还是慕容怜并无把握，只是在试探呢……

一路心里打鼓地走着，出了望舒府，顾茫原地站着思忖了片刻，却理不出什么头绪。最后他叹了口气，决定先不再想这个问题了，而是绕路去了一趟姜宅。

他实在是受不了慕容怜现在嗜烟如命的样子，慕容怜这人很野，自幼没爹，母亲赵夫人去世后就再也没人看得住他，而且至今也没娶媳妇儿，说起来是个穿金戴银的贵族老爷，其实也就是个作死无人管的单身汉。

顾茫觉得他再这样子下去不行，所以打算趁着自己还清醒，去姜药师处给慕容怜求个戒烟方。

到了姜府，才发现今日在厅堂内开药坐医的却并不是姜拂黎，而是他的夫人苏玉柔。

苏玉柔照例戴着绡纱斗笠，遮着那张传闻中倾国倾城的容颜。她送走了一位病患，抬头看到顾茫进屋，淡道："客官是来问诊的吗？"

"抓药。姜药师在吗？"

"拙夫前些日子外出云游了，您若非疑难病症，妾身也可以诊上一诊。"

"怎么又去云游了……"顾茫忍不住低头思忖。

这个姜拂黎真的行踪诡谲不定，而且一年三百六十五天，大半辰光都是在外头度过的。人都说温柔乡埋葬英雄志，他倒好，娶了个绝代风华的美女，却天天让人家守活寡。不过再转念一想，自己好像也没比姜拂黎好到哪里去。

苏玉柔问："您的药笺，是非要拙夫开不可吗？"

"倒也不用。"顾茫叹了口气，说道，"打搅夫人，我就是想问问浮生若梦，有没有什么戒除的方法。"

"客官是望舒府的人？"

"算是吧。"

"那客官还是请回吧。"

顾茫睁大了眼睛："为……为什么？"

苏玉柔道："您应当知道，望舒君是自己无意戒除。这"戒"一字，从来药是辅，心是主，他一心想抽，给他再好的药都是无济于事的，又何必砸了我药师府的招牌。"

顾茫张了张嘴，想辩些什么，可转念一想，这位苏夫人说的也不无道理。慕容怜自己想抽，又有谁能拦得住他？

顾茫心下焦躁，却没有办法，只得重重叹了口气，谢过了苏玉柔，然后离开了药师府。

其实不得不说，对于慕容怜这个人，顾茫的感情很复杂。

他一方面确实很不赞同慕容怜的许多做法，一方面又还算了解慕容怜的内心，并且不由自主地怜悯他。

慕容怜的父亲走得早，母亲赵夫人大概是希望他能成为故望舒君一样的人物，所以完全扼杀了慕容怜的天赋才能，执意要给慕容怜规置一条道路，而那条道路的终点是让他成为一个和他父亲一模一样的人。

顾茫记得很清楚，慕容怜小时候很喜欢幻术，他时常会坐在院子里，化出满庭彩蝶翩跹，花海摇曳。但赵夫人不允许——

"幻术能做什么？只能去做军队的后援！都是没用的东西！你爹擅长的是器乐法术，你是他的孩子，乐修才是你该做的事情，你少给我走弯路！"

"你看看人家墨熄！与弗陵君如出一辙的能耐，人家比你有天赋还比你刻苦努力，你自己不知道反省？"

"慕容怜！你再买这些幻术卷轴回来试试！你信不信我全给你撕了！"

一天天的打骂吵嚷过后，望舒府就再也见不到那些幻术变出的彩蝶和鲜花了，这些慕容怜觉得很美的东西，在他母亲面前全都不值一提，全是上不了台面的东西。

赵夫人还在世的时候，府中最常听到的一句话便是："慕容怜，照你爹的样子好好学，别给望舒府丢脸。"

他好像活在他爹的模子里，旁人不会去管他完全是另外一个生命，只照着这个模子把他套进去，一旦他做出了什么超出这个框子的事情，他们就残忍地将他的血肉切割去，全然不理会他梦想破灭的痛苦。

只要有些地方做得不到位了，惹来的就是一顿教训。

"胡闹什么，还不去好生修行？"

"吃那么点儿苦就喊累，慕容怜，你就不能有点出息！"

"给你的都是最好的，你再不成器，我看你对得起谁！"

顾茫记得初时慕容怜还挣扎得很厉害，还和夫人争吵，哭着跑出宅邸过——

"可我就是喜欢幻术呀！我不喜欢琴！你为什么要这样一直逼我？我不要当慕容玄的儿子了！谁要当谁当去吧！"

这一句话换来的是赵夫人的雷霆震怒，那是慕容怜唯一一次被打得皮开肉绽，那么小的一个孩子，被痛打成血糊糊的一团，趴在床上哽咽着，有气儿进没气儿出……那个模样，当真是可怜极了。

顾茫一路看着他长大，看着他像病梅一样，被剥夺了所爱，剔除了天性，扭曲了命运，强制成长为他父亲的一个翻版。

在这过程中，慕容怜从反抗到隐忍，从隐忍到麻木。

最后，那个曾经坐在庭院阳光中，因幻化出满庭彩蝶而扬扬得意的孩子再也见不到了，唯有琴房的古琴铮铮如流水，玉笛声飞满王城，在严寒酷暑里，在芭蕉夜雨里，十年如一日地缠绵着。

旁人都道那琴声曼妙，只有顾茫知道不是的，慕容怜在那些金玉丝竹声里，为他的蝴蝶和花海办了一场又一场的葬礼。

慕容怜终究还是扭曲了。

之前顾茫是缺失了记忆，所以面对如今醉生梦死，终日抽着迷烟的慕容怜，也没觉出什么不对劲来。可当他的童年记忆被时空镜唤回之后，他觉得事情并非那么简单。

旁人或许不了解慕容怜，觉得他是个烂到骨子里的人，但顾茫是从小伺候着他长大的，顾茫很清楚慕容怜的烂法儿绝对不是像现在这样。

慕容怜从小的这种遭遇，令他性情变得非常恶劣，他会使坏，会用阴招损招击败自己的竞争对手。比如当初在学宫利用奴隶兄妹骗取墨熄同情，致使墨熄被鞭笞。又比如利用顾茫来要挟墨熄，让墨熄被迫在竞师大会上输给自己。

他的这些行为虽然很下三烂，但是无疑都显示了一点——慕容怜喜欢赢。

慕容怜怎么会不喜欢赢呢？他自幼被苛责训斥，已经像是挨惯了打的狗，听到棍子敲响就会牙齿发颤，浑身发抖。争强好胜已经成了他的本能，哪怕他母亲已经过世了那么多年，他都没有办法戒除。

但浮生若梦是什么？是积弱者自欺欺人才会抽的香料。脑子清醒的都知道，一旦沾上此类迷幻烟，那么这个人差不多就废了。

试问以慕容怜这种削尖了脑袋都要出一口气的性格，他怎么就在自己叛国的五年里，忽然抽起了这种会让人烂到骨子里的东西？

还有那枚戒指。

那枚戒指虽然用途不明，但是应当不是什么害人之物。顾茫能在那枚指环上感受到一种非常奇异的能量，他几乎可以确定当时慕容怜给他套上这枚戒指是为了帮他。

慕容怜……慕容怜……这个人到底知道些什么，在隐瞒些什么，又承受了些什么？

顾茫眉头深蹙，怎么也想不出个端倪来，只觉得头疼欲裂，最后只得不了了之。

回到家的时候已经是晌午了，正值午膳时间，顾茫进了厅堂，却并没有在桌上看到菜，也没有在屋里瞧见人。

正觉得纳闷，就见一个用人端着果盘从院子里进来，顾茫过去问她："姊姊，羲和君呢？"

羲和府的仆人从前待顾茫没好气，但许多人都是会见风使舵的，墨熄这些日子待顾茫这么好，瞎子都能看得出来，他们又怎可能嗅不到其中一星半点的深长意味？

那丫鬟立刻伶俐笑道："哎哟，顾先生哪儿用得着叫我姊姊啊，叫我小苏就好啦。"

顾茫还没来得及适应过来"顾先生"这般尊敬的称呼，就见得她把果盘摆在了桌上，擦了擦手，笑着指引道："主上头先在后花园的橙花树下，你可以先去那里找找，如果找不到的话，就去小厨房吧。"

顾茫惊了："小厨房？"

"是啊。"

"他在那里干吗？"

羲和府的小厨房是露天的，修葺在一方偏院里，院中一株老榕树葱葱郁郁，撑开碧色烟云，遮了一整院。

院内没有别人，顾茫进去的时候就看到墨熄背对着他，正在灶台前忙忙碌碌。这个男人并不会做饭，但他似乎觉得多拿几本菜谱能给他一些心理上的宽慰，所以桌上摞了一叠诸如《淮扬味集》《巴蜀食记》之类的书籍。

而此刻他手里执着的也并不知道是一本什么食谱，正一边皱着眉头看着，一边无意识地屈起指节轻轻敲击着灶台台面。

顾茫见状不禁想笑。他这位小师弟有个习惯，但凡遇到什么棘手的事情，总喜欢这样屈指敲着身边的东西，不过他上一次见到墨熄产生这种焦躁反应还是在两军阵前，却没想到一顿饭就能把羲和君为难成这样。

"木薯粉二两，盐一平勺……虾蛄去尾壳，裹粉……"

墨熄单手从笭箵里拎出一只虾蛄，虾蛄是渔家已经处理好了的，他只消按食谱上说的去了尾部的硬壳，蘸了木薯粉往油锅里炸就是了。

但问题就出现在这里：墨熄并不知道该如何去壳。

他来回将食谱看了好多遍，确定了上面并没有教他，于是剑眉皱得更深。过了一会儿，他指尖居然聚起了一道微弱的红光，释放出些许灵力，两指一合。只听得咔嗒脆响，那只可怜的虾承受不了羲和君这样的高看，瞬间被捏成了粉末。

墨熄似乎是惊呆了，眼睛一下子睁得大大的，看上去简直像一只初次捕猎却被猎物夹了鼻子的狸花猫。

"……搞什么？"半晌他才喃喃道，"我都还没施咒……"

顾茫实在憋不住了，在他后面倚着院门，捧腹哈哈笑出声来："你哈哈哈——你怎么可以用解甲术对待一只可怜的小虾？"

墨熄回头，那张俊美无俦的脸上闪过一丝尴尬："你怎么回来了？这么早。"

顾茫三步并作两步地蹦过去，笑着想从后面一把揽住墨熄的肩膀，但墨熄太高了，最后作罢："来看俏美人大战胖头虾。"

墨熄更尴尬了，阳光透过枝丫落在他脸庞，他的耳缘泛着些薄红，强自镇定地解释道："我今日闲来无事，正好瞧见渔夫挑着新鲜的鱼虾从府前路过，倒也不是有意去买的。"

顾茫逗他："说起来我一直想跟你讲件事来着。"

"……什么？"

顾茫仰头对他笑道："你腿好长啊。"

墨熄："……"

"腰还很瘦……肩背又宽。"顾茫感叹道。

墨熄又是好气又是好笑，但他又嘴笨，不知道说什么应对才好。

顾茫拖了一把椅子，反跨坐着，手肘搁在椅背上。

院子里很恬静，木盖子焖煮的土豆饭飘着香味，散养着的芦花胖鸡在旁边的草丛里咕咕踱步，啄食着虫蚁。

顾茫知道墨熄的心事很重，眼睛里的忧思一日甚过一日——担忧顾茫的记忆会很快消失；担忧顾茫的声名无法洗干净；担忧顾茫体内的黑魔邪气会越来越不受控制……

那么多悬而未决的事如尖刀抵在他心里，墨熄松快不起来。他才刚刚拥有他的珍视之人，可他们已然四面楚歌，如履薄冰。

顾茫是即将要忘记的人，墨熄是永远都会记得的人。而从来记得要比遗忘苦太多。

顾茫不知应当拿他的殿下怎么办，不知道怎么哄，他的小师弟才能不再为了他那么忧心忡忡，阴云不展。于是他只能尽力逗弄他。

其实他顾茫也不是真的那么会说这些乌七八糟的话，他和墨熄一样都是一场羁绊持续十四年，一样的青涩和没有经验。可只要墨熄开心一些，那些话语顾茫觉得没什么道不出口的。

一生就那么长，很多东西不说或许就再也没有机会了。

"殿下，你真好看。"

"……"

"真的，以前我都不能好好夸你，其实我心里头一直就是这么觉得的。"

"……"

"我在意你。"

"……"

"看到你就很高兴。"

"……"

"能欺负你最高兴。"

墨熄哐当放下调着面粉的碗，回头又是尴尬又是无奈地看着他："你存心的？"

顾茫笑着趴在椅背上，举起一只手："我真心的。"

墨熄不吭声了，他低头将手在池缸里浸洗干净，洗着洗着，忽然淡道："过来。"

"干什么？"

"过来帮我把袖子卷一卷。"

顾茫于是哦了声，从椅子上起身晃到墨熄身后，他把脑袋凑过去一看："你这袖子不是好好的……啊！"

墨熄的手指抬起，提着一只湿漉漉张牙舞爪的虾对着顾茫，顾茫只觉得自己的后背都有些发麻发僵，他最讨厌挨近这些水里的铁甲将军了。

"知道害怕了？"

"……"

墨熄嗓音低沉："那就别来招我。"

说着把顾茫放开了。

顾茫捂着喉咙咳嗽连连，转头看墨熄，那闷骚的男人已经垂着长睫毛，继续去处理他的木薯粉和他的虾了。墨熄这人就是这样，看起来很严肃很正经，偶尔也会突然掐中你的七寸然后使坏吓你，但他的分寸一直把握得很好，不会真的吓到或者伤到顾茫，就是这样一个控制力非凡的人。

教人无奈，又教人欢喜。

顾茫没办法，只得又坐回他的椅子上，趴着看墨熄忙碌。他瞧着这个男人的背影，那颗曾以为历经苦楚再也不复纯粹的心，逐渐又生出了泪泪的甜水，从皲裂的胸腔里浮冒而出。

他当然知道自己如今已经和从前不一样了，他们都和从前不一样了，但是这样陪伴对方，这样嬉闹的时候，他还是能轻而易举地捕捉到昨日的幻影。

墨熄在与他一起努力地试图回到过去，尽管他的身躯已然为岁月所蚕食，但他的殿下珍惜极了他这副黑魔缭绕的残躯。墨熄的情义是那么浓，墨熄的意志是那么坚若磐石那么真，这让顾茫也情不自禁地开始生出些美好的幻想，好像他残破的躯壳仍是珍贵的，是有救的，只要他们坚持着，那么所有的一切都能变得和从前一样。

他的墨师弟总有一天会带他泅渡上岸，他们终能别无所忧地相守在一起，就像少年时曾期冀的那样。

折腾了大半天，都已经下午了，墨熄才总算把饭做好。

一碟酥炸虾，一尾糖醋鱼，自然还有他唯一擅长的荔枝果木脆皮鹅，还有一锅落汤青。顾茫趴在石桌前，看着墨师弟将这些菜肴端上来，饭是之前就焖在锅里的，木盖子一揭，米饭和土豆的清香飘满院子。

"虾有点焦，糖醋鱼酸了些，脆皮鹅也没你做得好。"墨熄说着，舀了两碗汤端过来，青碧的嫩叶清清爽爽地漂浮在碗里，每碗都捞了三颗浑圆白嫩的鱼肉丸子，"你要是不喜欢，我们也可以去外面吃。"

"别啊，我早就饿死了，现在你就算给我焦炭我都能面不改色地吃下去。"顾茫说着，举起竹箸夹了一颗鱼丸，一咬之下烫热鲜浓的汤汁在口中爆开来，整颗丸爽滑弹嫩，"唔，好吃！看不出来你还是挺厉害的嘛。"

"……这是我去东市的张记鱼丸店买的。"

"……哦。"

"你从前最喜欢这家的鱼丸子……你或许是忘了。"

顾茫心中暗自叫苦，哪怕他再努力，也仍然无法逆转他记忆在逐渐减弱散去的事实，但他平日里竭力避免让墨熄觉察到这些端倪，却没承想失算在了这小小一颗鱼丸上。

马屁没有拍对，反而令墨熄心情更沉重了，顾茫连忙道："没忘没忘，我是说这汤煮得好，你很厉害。"

墨熄用瓷玉白勺舀着碗里平平无奇的清汤，没有说话。

顾茫又接着尝了另外几道菜，不得不说，墨熄对庖厨之道确实没什么天赋，不过因为这个男人做得很仔细，所以也没有出什么大纰漏，味道虽然不怎么样，但也都能入口。顾茫就夸他："这个鱼虽然酸，但是下饭啊。"

"这个虾虽然焦了点，但是脆啊。"

"这只脆皮鹅烤得明明比我好吃嘛。"

所谓美食或许分为两种，一种是确实好吃，无可挑剔，一种则是像此刻的顾茫一样，因为眼前人是心中人，所以即使心中人做的菜肴有这样那样的不好，他都可以找出这样那样的好来弥补。

其实说到底也只是一句——你做的什么都好，我都欢喜。

墨熄被他夸得有些不好意思，侧过头，轻轻咳嗽了一声，说道："你要是愿意，我天天给你做……总会越来越熟练的。"

顾茫笑道："下回我和你一起，我教你。你看我，我脑门上写着两个字呢。"

墨熄怔了一下："什么？"

顾茫虚点着自己光洁的额头，煞有介事道："食谱。"

墨熄笑着揽过顾茫的后脑，在他头发上揉了一下："少了两个字。"

这回轮到顾茫愣住了："什么？"

墨熄那双深黑的眸子缱绻地望着他，低声补道："我的。"

顾茫盯着那双静水深流的眼眸，暗自嚷道为什么重华上上下下的姑娘们都会觉得他的殿下不解风情？他的墨师弟虽然很老实，但老实人认真说出的暖心话，何不比任何花言巧语都更令人动心。

吃过午饭后，两人在院子里一同收拾碗筷。

墨熄没有允许任何一个仆役进来，这一方别苑只有他和顾茫两个人，一株大树，几只家禽，一直以来他所求的也就是这样的日子而已。

当最后一只碗洗净，顾茫伸了个懒腰。墨熄走过去，站在他的身旁。

"接下来做什么？"顾茫仰起头，转过来问他。

墨熄想了想。他们以前也经常想接下来要做什么，比如接下来要拔营了，接下来要淬炼武器了……他们从来都过得很匆忙。

但是今天，当顾茫习惯性地问了他这一句，墨熄想了一会儿，只觉得什么都没有此刻的宁静珍贵。

他说道："有的。你有一件很重要的事要做。"

"什么？"

"陪我晒会儿太阳。"

第34章

日子过得很快，转眼就快要到端午了。

这段时光里，饶是顾茫再为努力，他的记忆仍是如指间沙一样流失了不少。有些事情他明明今日还记得很清楚，明日墨熄再提，却发现他已然没有什么印象了。这无疑令墨熄非常难受，每一次他看着顾茫坐在书房，借着一豆青灯翻阅着那一摞厚厚的信纸，他就会觉得很心疼。

他虽然没有看过那些信纸，却知道那上面写着的都是顾茫不希望遗忘的事情，每一天顾茫都会将它们从头到尾读上一遍——明明那么竭尽全力了，却仍然留不住两个人共同的过往。

不过除此之外，其他状况都还算令人宽慰。顾茫的身体在逐步恢复健康，神识也还算清楚，体内的黑魔气息也暂时没有任何压制不住的兆头。

好歹还能安稳地过一阵子。

端午前夕，君上派人送来一份密函，密函送到的时候他们俩正在院子里合酿一坛青梅酒。墨熄拆了书信，扫了一眼。

"君上给你的。"

顾茫红润的嘴唇间咬着一颗圆滚滚的青梅，闻言怔了一下，反手指自己："我？"

"你自己看吧。"

顾茫舌头一卷，将青梅含入柔软的口中，右侧腮帮鼓起一个小包，瞧上去甚是可爱。他垂着睫毛仔细将书信看了一遍，最后嚼着梅子，含混地道出一个字："……哦。"

君上自那日和墨熄见面之后，就又接连病了好些天。后来或许是病情实在太重，无力与外臣相见，又或许是君上也实在不知道该怎么面对顾茫——该说什么呢？他将顾茫送上了黑魔试炼的刑台，顾茫却始终保守着他们之间的秘密。想也知道君上有多羞愧。

湛蓝的眼睛抬起来，浸着一丝苦笑："他请我端午去战魂山祭祀。"

"我看到了。"墨熄顿了一下，"你去吗？"

"不去。"

"你不想见他？"

"我想也知道他会跟我讲些什么，其实我们俩都是为了自己的目的在做这些事情，但他见了我，免不了要情深意切一番，我也得配合着流流眼泪。"

说着又从旁边的竹篮子里挑了颗青梅塞到嘴里，咕哝道："除了一通伤心，什么也改变不了。"

墨熄没立刻说话，他知道顾茫心里的痛苦。

顾茫其实很厌恶"叛徒"这个身份，从前神识俱失的时候是这样，如今就更是这样了。

他想起就在不久前的一个晚上，忽然下起了倾盆大雨，电闪雷鸣，顾茫之前是睡在主寝房的，但那天夜里忽然就披着一件薄薄中衣，从雨幕里跑到旁边的厢间来寻他。

他当时睡得正熟，忽然感到周遭的动静，他迷糊地睁开眼，看到一个湿漉漉的躯体打着战蜷在他床边，把他彻底惊醒。然后他就看清了原来是顾茫，顾茫白着脸，一边发着抖，一边紧靠在他身旁。墨熄又惊又急地问他怎么了，是不是有哪里不舒服。

顾茫只是摇头，他冻得厉害，嘴唇青紫。他说："我做梦了。"

这只孤狼忍不住哽咽着说："他们都在追……墨熄，他们要向我索命。"

平日里顾茫从来都是个鬼神不惧的模样，但那天晚上，在惊怒的雷霆和苍凉的大雨中，梦醒之间他才显得那么真实而又脆弱。

咬着梅子的顾茫被墨熄盯得难受："你老这么看我干吗？"

墨熄沉默了一会儿道："对不起，还是没能还你一个清名。但如果你想去战魂山祭拜，我也可以——"

他的话还没说完，就被顾茫打断了："我不去。"

"……"

"不管怎么说，那些人都是我杀的，那些城都是我打的。我手上有太多无辜之人的血，八年前我尚且清白的时候，已经和我的兄弟们道过别了，如今我不想再去那里。"

墨熄倏地抬起头来："你是在保护他们的时候，被迫沾染的血。"

"别人并不会这么想啊。谁杀人谁偿命，不然怎么办呢？很多人因为儿子死在我手里，丈夫死在我手里，父亲死在我手里，恨了我八年，日夜都想将我绳之以法，血债血偿。然后忽然有一天，你们告诉他们，不是的，顾茫是被迫的，他不该是个囚犯而应该是个英雄——你觉得谁会信？"

顾茫说这些话的时候，神情淡淡的，像一盏温得恰到好处的薄酒："墨熄，你有没有想过，你把他们最直接的泄恨对象给拿走了，那些人会崩溃的。他们根本不会因为一句解释一个真相而放过我……恨一个人很简单，释怀太难。你我都是战场上走下来的人，你不会不清楚这一点。"

"我不去战魂山。无论是君上也好，你也好，谁陪我，我都不会再去。"顾茫说着，抬起头，遥遥看了一眼战魂山的方向，他的口腔内还有梅子恬淡的清香，可喉咙却是酸涩的。他叹了口气。

"在活着的人眼里，我已经臭名昭著了，但我不去战魂山的话，至少在那七万个死去的袍泽心中，我还是那个问心无愧、干干净净的顾茫。"

"这样就够了。"

于是他们回绝了君上，可最后却还是没有关起门来在羲和府度过一个无人搅扰的端午。因为在节日的前一天，他们收到了第二个人的邀约——

"这次又是谁？"

墨熄道："江夜雪。问去不去他家和他一起包粽子。"

"啊。"顾茫微微惊讶了一下，睁大了眼睛，"邀你？"

"邀我们俩。"

顾茫笑道："他也不嫌我是个恶人。"

"你忘了吗？"墨熄将江夜雪的书信卷起来，轻轻往顾茫额前敲了两下，"玉简是他帮我修复的，我当时的反应他都看在眼里——你在他面前也已经不是一个叛臣。他一向很聪明，尽管没人跟他解释前因后果，但我想他也应该猜得八九不离十了。"

顾茫没吭声。墨熄顺手揉了揉他的发髻："去吧，你也好久没和别人一起热闹过了。你想江兄吗？"

顾茫点点头。

"江兄也一定很想顾帅。就是在他婚礼上，不管不顾为他吹了一曲《凤求凰》的那个小疯子。他一定很高兴你能过去。"

顾茫垂下眼来，像是往事被撬开了磐石一角，流露出下面隐忍着的委屈，那一瞬间，墨熄看到顾茫的眸梢有些红了。

江夜雪的私宅在城北一个幽僻清净的角落，正是他当年成亲时墨熄赠予他的那一套小院。这么多年了，他如今已是学宫大长老，酬薪不菲，但他一贯节俭，又是个念旧的人，所以也没有再换过。

端阳时节，路上洒雄黄的，卖香囊的，舞着菖蒲叶子驱邪的，热热闹闹满街满巷的人。为了避人耳目，墨熄他们是坐马车来的，抵达江府后，他俩都不由得怔了一下。

他们原以为江夜雪只会一个人在家，却不料还没进门，就听到两个年轻后生脆嫩的笑闹——先是个少年在说话："我不是妖怪，你对我洒雄黄酒也没有用。"

然后传来一个更稚气的嗓音，咯咯地带一串笑，是个小姑娘，听起来只有七八岁，嗓音柔柔道："那你对我洒洒看，我看看我是不是妖怪。"

转过照壁，看到小院里已经挂了艾叶蒲草，挂了龙舟灯笼。那俩正在玩闹的人一个大，一个小。大的穿着白底金边的衣裳，金色配环束着发辫，额间缀着金银点翠的攒珠勒子，腰间配着彩绸织就的梅花香包，正是岳辰晴。

小的却是个穿着五毒彩衣的丫头，臂上系着五色丝线织成的厌胜佩饰，手里提着一只蜈蚣形状的小纸鸢, 岳辰晴正蘸着雄黄往她额头上画"王"字。

她听到脚步声转过头来, 看到顾茫, 不由得喜上眉梢: "哎呀! 大哥哥!"

原来这个小姑娘不是别人, 正是长丰君那位患了狂心症的女儿。顾茫没料到在江夜雪家中能碰上他们两位, 不禁有些意外, 又有些无措: "小兰儿……你怎么在这里?"

"先生让我来的, 我最近一直住在先生家里。"小兰儿依旧是羞羞怯怯的, 不过瞧上去比从前开朗了不少, 她挣开岳辰晴的手, 兔子般怘忑又雀跃地蹦到顾茫面前, "先生说大哥哥今天会来陪我们过端阳, 我还以为他哄我, 没有想到是真的呀!"

岳辰晴也一副早就知道他们会来的样子, 笑着点了点头: "羲和君, 顾……呃……"他也不知道该称呼顾茫为什么, 直呼名字现在肯定是不行了, 称顾帅又触了君上的逆鳞, 若是叫顾茫大哥之类的, 听上去他好像和墨熄成了一个辈分, 于是斟酌片刻, 笑道, "顾师叔。"

墨熄颇有些意外道: "你今日也来江兄这里过节?"

"是啊。"

"那你父亲……"

"唉, 别提了, 我之前想让大哥回家来过端阳, 结果只试了一嘴, 就被我爹骂得狗血淋头, 叫我不要跟——"岳辰晴说到这里, 往内庭看了一眼, 压低声音, "叫我不要跟不三不四的人混在一起。"

说完之后, 又忙补了一句: "羲和君你不要介意, 我爹爹他就是这样的人。再加上他最近身体越来越差了, 总是发脾气, 疑神疑鬼, 他连我都骂得很难听呢。我和伯父都商量过了, 等这段时日忙过, 就带他去老封地的浑天洞里休养精神, 他要是身体好一些, 讲话也就不会那么不中听了。"

墨熄道: "你总算愿意认他这个大哥了?"

岳辰晴有些不好意思, 挠了挠头: "江大哥他……他人挺好的, 对我也好, 对四舅也好。岳家这样对他, 他也从来不说岳家的坏话, 以前我听风就是雨地那样对他, 是我做得不对。"

顾茫在旁边一边蹲着逗小兰儿玩, 一边听着岳辰晴的述白, 抬头笑看着他: "你能愿意认他, 能来陪他, 他一定很高兴。他以前就跟我们说过, 要是逢年过节有些个亲眷往来就好了。你啊, 慕容楚衣啊, 要是都能陪陪他就好了。"

一听到慕容楚衣的名字, 岳辰晴的眼神有些黯淡下来。

"四舅他……不要说对江大哥了, 他最近对我都不太好。听府上的人说, 四舅他似乎是想搬出岳府一个人住去。"

"慕容先生要搬出岳府?"顾茫吃了一惊, "那他一个人孤零零的, 到哪里去?"

"我不知道。"岳辰晴低着头, 心不在焉地摩挲着自己的驱邪香囊, 神情瞧上去很是难过, 但又有些心灰意冷。

这种状况从来没有在岳辰晴身上出现过, 岳辰晴追着慕容楚衣那么多年, 有过失落, 有过伤心，有过不甘，唯独没有过像现在这样的疲惫。

大抵是一个人的心终归是肉长的，长久以来的热忱得不到任何回报，最终还是会有冷却耗尽的一天。更何况同为他的长辈，同为炼器大宗师，江夜雪待他则是和慕容楚衣全然不同的宽容态度，如此比对之下，其实很难不生出动摇之意。

"四舅之前就说过，他和我们身上流着的是不一样的血，也从来没有把我们当亲人看过，之所以一直留在重华，只是想报我娘收养他的恩情。现在他大概觉得我也弱冠了，恩情也报完了，所以……所以他就想走了吧。"

岳辰晴的手指在绳结上绕了一圈又一圈。

"……我也不知道他要去哪儿，他可能是想四海云游，寻找自己真正的亲人，也可能只是嫌我们烦了，想搬得离我们远一些。我不知道该怎么劝他，反正我的话，他……他始终都是听不进去的……"

墨熄和顾茫互相看了一眼，彼此都没有说话。这实在是没法说什么，该说什么呢？

岳辰晴不是他们的亲人，慕容楚衣更不是，别人家的事情，外人总是不方便多言的。

正尴尬时，忽听到身后珠帘璁珑。

首先反应过来的是小兰儿，小姑娘欣喜又乖巧地迎将过去，一迭声地唤道："先生先生！"

院中的几位一齐回头，见江夜雪从内堂里坐着木轮椅出来了，他今日穿着件青蓝色的衣裳，一头墨发由青玉发扣扣着，垂在肩头。他笑着摸了摸小兰儿的头发，小兰儿欢欣道："我来给先生推轮椅。"

"好啊。"

小丫头就把蜈蚣纸鸢往背后一背，绕到江夜雪身后把他推到了院子里。

江夜雪抬头，眉眼温柔，笑道："我在里头调避祟香包，一时没听着动静，怠慢了。墨兄，顾兄，端阳安康。"

人齐了，这青石铺就的小院子便热闹起来。

江夜雪的家里没有用人，洗芦苇，拌糯米，这些都要他们自己动手。不过正是这样才觉得人间正好，岁月安平。

岳辰晴和小兰儿年纪轻，举止活络，一大一小两个后生在院子里跑来跑去的，一会儿往露天的灶台里添火，一会儿搬来大桶大桶的井水来浸粽叶。

顾茫坐在小板凳上，卷着袖子搅糯米，看着这两人热火朝天的样子，摇头道："这样恐怕不到中午，他们就能把水缸里蓄积的水都用完。"

"就是要用完才对啊。"江夜雪笑着说，"端阳要取午水，午时阳气最盛，传闻里这个时候储藏的水源能够辟邪除瘴，你从前不是最信这个了？"

顾茫暗道，哎呀，忘了。

不过他看了一眼在远处石台边清洗粽叶的墨熄，又暗自庆幸这件事是江夜雪提醒了他，一会儿他可以拿去和墨熄说，让墨熄觉得他连这些小细节都还记得，宽一宽墨熄的心。

顾茫这样想着，转头和江夜雪岔话题："你把我的事情都和岳辰晴他们讲了？"

"倒也没有。"江夜雪道，"我只是告诉他，说顾兄你身上有些秘密，不方便对外透露。不过我知道你不是个十恶不赦之徒，如果他信得过我，那我就希望他也信得过你——辰晴还是很聪明的，许多事情都不需要我们点破。"

顾茫不知该说些什么，最后垂眸道："……谢谢。"

"你跟我还有什么好说谢的？"江夜雪叹道，"其实我也是对不住你，我之前也没有一直坚持着相信你，你不怪我，我就已经很感激了。"他的目光投向院子，仿佛穿过了重重岁月，看到了多年前这院子里办过的一场简陋至极的婚礼。

一双新人，寥寥宾客，旁人避而不及，可顾茫却唯恐全天下不知道他的态度似的，一曲唢呐吹着《凤求凰》，在满院彩纸飘飞里，朝江夜雪眨眼微笑着。

"我受人排挤的时候，你没有背弃我，我却不曾对你始终信任，是我欠了你。"

顾茫听他这样说，有些不好意思了，他挠挠后脑："哎呀，哥们儿之间，什么欠不欠的。"再一次急着切话茬，蓝眼睛在院内转了一圈，落到小兰儿身上，忙道，"对啦，兰儿是怎么回事？她怎么住你家里？"

江夜雪叹了口气："你也知道她的情况，兰儿的灵核是万里挑一的强大，几乎可以和羲和君媲美，只不过她体质单薄，不能承受这样的天赋命格，所以反而成了狂心之症。她平日里虽然乖顺温和，可一旦症状爆发，却是十分六亲不认，十分残暴……"

"她又爆发过了？"

"嗯，不久前在学宫里又发作过一次。"江夜雪看着远处忙忙碌碌的小姑娘，说道，"虽然学宫长老们及时阻止，但她还是打伤了好几个孩子，其中一个还是君上的表侄子。"

"……"

"他们本来是要把她逐出学宫，销毁她的灵核的，我不忍心，所以替她作保，将她收为我的弟子，带在身边。我虽不是药修，但多少也有些涉猎，知道这狂心症最受不了刺激，最忌旁人言语激她。"江夜雪叹道，"学宫多是些涉世未深的孩子，受一些长辈影响，总是叫她怪物，她留在那里不会有什么好转。"

顾茫点头道："也是。小孩子最容易人云亦云。"

"所以我劝动了长丰君，让他将女儿留在我府上，一来可以传道受业，二来我也能够慢慢替她纾解她过于霸道的灵核之气，三来……"江夜雪顿了一下，"我这里门可罗雀，总算是个清净地，不会有人欺负她。对她的病症也有好处。"

顾茫笑道："你说得都对，说了一二三，你还有四吗？"

江夜雪手指微曲，轻轻敲击着额头思索着，半晌微笑道："四来，她听话得很，总是主动将我推进推出，等于我捡了半个小轮椅。"

正相视笑着，墨熄忽然在水池边回过头："苇叶都洗好了，我拿过来？"

"那就劳烦墨兄了。"

包粽子是个复杂活儿，重华王都这边最时兴的是枕头粽，粽叶选箬叶，菰叶，或者是苇叶，里头的馅料或甜或咸，各自都有。江夜雪心细，记得在场所有人的口味，他今天一大早就去了集市，买了最新鲜的食材回家，这时候蔬菜和肉类都已洗净切匀了，分门别类地放在小陶缸里，糯米也已经调好。岳辰晴摩拳擦掌兴奋道："开始啦！我要包肉粽！"

小兰儿软声软语，却很是明快地抱着一只小板凳过来："那……那我来包甜粽。"

岳辰晴逗她："你不去灶台边烧火吗？"

兰儿小声却坚定地："不去，烧火不好玩，包粽子才好玩……"

江夜雪看着他们热闹，坐在轮椅上侧支着脸笑起来，过了一会儿，忽然意识到了什么："哎？"

顾茫回头："怎么了？"

"九色彩线忘记拿了，一会儿要捆粽子用的。"

"你腿脚不方便，放在哪里？我替你拿去。"

江夜雪不好意思地笑了笑："那麻烦顾兄你了，线就在小厅的橱柜里，左边起第二个。"

顾茫就起身去了屋内。

江夜雪的屋子很清简，没什么别样的饰物，顾茫很快就在柜子里找到了他所说的那捆九色丝线。正拿了准备出去，余光忽扫到了鸢笼前供着的一尊牌位。那祭牌黑漆白字，柏木雕琢，上面写着简简单单几个字：

亡妻江秦氏木槿之位

顾茫的脚步不禁停了下来，望着这块灵牌。

秦木槿便是江夜雪的发妻了，当年她家族受罪，旁人避犹不及，但江夜雪依旧履行了与她曾经定下的婚约。二人婚后举案齐眉，琴瑟和鸣，本也是一对良人美眷，可谁知道秦木槿竟会在不久后的一场战役中不幸牺牲，而那时候他们才不过新婚宴尔，最是情浓时。

因为相处时间很短，顾茫对这位秦夫人的印象不深，记得最清楚的就是她成亲时的新娘子打扮，一袭艳丽红装灿若红霞，盖头薄轻，能透过红纱影影绰绰瞧见她的脸。

事后墨熄说，其实他觉得那个新娘隔着红纱看过去，眼睛有一点点像顾茫。

顾茫听了哈哈大笑，他说：

"眼睛像我？我怎么觉得她鼻子还像你呢。"

"一点儿也不像。"

"你说不像就不像？我看挺像的，嘴唇还像慕容怜呢。"

"根本不像。"

"脸型还像慕容楚衣呢。"……

墨熄就没有再反驳了，似乎觉得也不该和自己师兄继续争执。不过也可能是因为顾茫的记忆消减，更多的对话他记不清了。

不知此刻，若是墨熄看到这块灵牌又是什么感受？他们那个时候都还年轻，以为只要能够娶到自己心爱的人便是令人艳羡的事情了。可谁知道世上还有新婚离散这样的悲伤。

或许人永远玩不过命。顾茫叹了口气，在江秦氏的灵位前双手合十拜了拜，好歹他和江夜雪袍泽一场，如果秦木槿还活着，他合该称她一声嫂子。拜完之后又瞧了那灵牌儿眼，犹豫要不要跟江夜雪打声招呼，上炷清香什么的，却忽又觉得有哪里不对。

他说不上来，刚刚第一眼看灵牌的时候毫无感觉，看得多了，才隐约生出些不适——他总觉得这个牌位，好像多了些什么。

顾茫不由得皱起眉头，又仔细观察了那灵牌好几遍。

字迹工整，斫木细致，摆放合理。

一切都很正常。可是他就是觉得不舒服，而且越看越不舒服。

当他纤毫不漏观察到了第五遍的时候，心中咯噔一声！他知道这灵牌哪儿有问题了！是灰尘。

这块雕琢精细的灵牌上，覆着一层薄薄的积灰，瞧上去竟好像很多时日不曾有人打理了一样。

可正常人供奉牌位，不该时时拂拭才对吗……

顾茫呆呆地注视着，而就在这时，门口忽然传来了竹帘轻摆的动静，一个淡而温柔的声音带着笑，在他身后响起："你在看什么？"

顾茫背后猛惊出一层冷汗，他蓦地回头，举起手中的东西，说道："我……我拿九色线。"

江夜雪坐在门口，也不进来，逆着光微笑地看着他："九色线这么难找吗？是我放的位置不太好？"

顾茫这时候有些缓下来了，其实他发现的也不是什么了不起的东西，只是有些蹊跷，他也不知道自己方才为什么会忽然会有毛骨悚然的感觉。大概是江夜雪忽然在他身后说话，把他给吓着了。

顾茫道："也不是……我就是看到了嫂子的灵牌……想着要拜一拜……"

江夜雪一双春江落絮般的眸子宁宁静静地凝视了他一会儿，随后温和道："多谢。你有这份心，槿儿在天之灵若能知晓，一定会很高兴。"

顾茫舔舔嘴唇，没再说话。

从江夜雪的称呼中就能听出他对亡妻的亲昵之意，照理而言这也没什么奇怪的，江夜雪这人是出了名的外柔内刚，总爱认个死理。他当年坚持与秦木槿成婚，后来秦姑娘过世多年，江夜雪也再没有续弦的意思，想来他认定了一个人也就是一辈子的事情。

只是这样的深情，配上自己方才发现的那灵牌积灰……实在是有些古怪……大概是江夜雪近来太忙，所以疏忽了吧。

"外头小兰儿都包好了一个粽子了，就等你的丝线，你若还要和槿儿叙会儿旧，她可就要着急了。"江夜雪抬手撩着竹帘，笑道，"出来吧。"

"好。"

苇叶与糯米一上手，就显出了什么叫作"一只角黍难倒英雄汉"。小兰儿平日里喜欢帮她爹爹做事，心灵手巧，包得最快。江夜雪和顾茫两个人，一个是炼器师，一个小时候曾在望舒府做奴隶，他们包的粽子虽然和小兰儿没得比，但好歹还能凑合。

岳辰晴就比较滑稽了，他贪心，小小一只长条四角形状的枕头粽，他先后往里头塞了白果、鲜肉、火腿、栗子、蛋黄、芸豆、鸡肉、花生八种馅料，塞得鼓鼓囊囊。江夜雪一看就笑了，说："你这个肯定会散掉。"

"不会！这叫八宝粽子，岳府每年都包的。"

"八宝粽子要厨娘才能包。"江夜雪耐心劝道，"你初学，包个白糯米甜粽是最好的。"

"我试试嘛，不试谁知道。"

结果捆了四五遍，不是粽叶破了，就是肉掉了，到最后好不容易捆上，却是个四角都在漏米的胖粽。

"一煮就散，岳哥哥太贪心啦。"小兰儿脆生生地说道。一众人都笑了起来，岳辰晴苦恼不已地提溜着他的枕头粽，不好意思地摸了摸鼻子。

水煮沸了，第一批粽子被他们七手八脚地放进锅里煮。煮粽子讲究一个火候，不可武火炖，只可文火煨。

中间等候的这段时间，他们就把剩下的米和叶子都包成了各式各样的粽子，除了枕头粽之外，还裹了牛角黍、美人粽……甚至还做了几只最传统的竹筒粽子。不过这是个烦冗的活儿，岳辰晴包着包着就有些腻味了。

他忍不住伸头去看："锅里那些什么时候熟呀？"

江夜雪笑道："还早呢。你坐不住了？"

"倒也没有。"

"你包个九子粽，到时候给小舅带回去尝尝吧。"

岳辰晴乍一听很兴奋，眼睛都亮了，可是过了一会儿，他又泄了气："四舅跟我爹正吵架呢，最近他看到谁都不愿意搭理。还是算了。"

"又吵架了？"江夜雪喃喃地叹了口气，"他这个脾气啊……"

摇了摇头，便也不再说下去了。

剩下的粽子很快就包好了，除却自己吃的之外还有多的。江夜雪道："不如你们去分给街坊邻居，这里有不少孤寡长辈，他们的孩子大多是在和燎国的连年征战中牺牲了，老人家身体不便，过年过节也不会照顾自己。既然做多了，就让他们也尝一些。"

岳辰晴道："大哥，你人真好。"

小兰儿怯怯柔柔地："先生，我也想去，我可以跟岳哥哥一起吗？"

江夜雪于是拿了两只竹篮，往里头垫了干净的布。他心细，挑的都是些素馅儿的、个头小的粽子，这样对老人而言更易食用。

"这几只是小兰儿做的，蜜豆白糯米馅儿的，这几只是我做的。"江夜雪一边仔细地摆着粽子，一边挑选道。他白皙修长的手指在一堆惨不忍睹的长粽前停了片刻，最后还是移开了，他有些尴尬地轻咳了几声。

"辰晴，你的……还有羲和君的，包得挺好，就是有点……不太适合送人。我就不放了。"

岳辰晴："……"

墨熄："……"

说着又低头挑了几只顾茫包的。谁知才刚放进篮子里，就被顾茫拿了出来。

"我的也不要放进去啦。"顾茫笑道，"留着我们自己吃，不献丑了。"

江夜雪怔了一下。顾茫裹得粽子紧实漂亮，哪有献丑一说？

他想不明白，墨熄却立刻反应了过来——顾茫是心中有愧，担心那些痛失骨肉至亲的人里面，有一些曾经是被他自己害死的。

无论出于什么原因，顾茫一直在为他沾过的血而感到不安。

墨熄沉默片刻，长腿一迈，走到江夜雪旁边，从他手里接过竹篮："我和顾茫也去跑一趟吧，要送的粽子很多。"说罢不容置辩地拉过顾茫的手腕，"走吧。"

顾茫："哎？等等——等等——"

墨熄哪里听他的，这男人力气又大，性子又固执，还像个锯了嘴的葫芦似的很闷，顾茫被他拖得没办法，只得在出门之前从乾坤囊里翻出一副银边假面戴在脸上。

"你非带我干什么啊？"

墨熄："……"

江夜雪小院所在的片域多是些老屋窄巷，回环曲折，巷陌幽深。他把粽子收到乾坤囊中，而后拽着顾茫走出了好几条街，一路上不管顾茫说什么，就是不松手，也一言不发。

等到离江宅很远了，小巷深处一个人都没有了，他才将顾茫松开。

"我再跟你说一遍。"

顾茫蓝眼睛不安地转动："说什么？"

"重华会有这样的人，不是因为你，是因为燎国。这些年能报的信，能避免的杀戮，你都已经做了。"墨熄说着，捉住顾茫的手，因为感觉到顾茫的指尖在掌心里轻动，所以他握得愈发紧。"不要再觉得自己满手血腥了，好吗？"

他说着，握着顾茫的手，好像要把所有的信任与劝慰都通过力量传递给他一样。顾茫紧绷的背脊便在他那透过长睫毛投出的缱绻目光中一节一节地缓下来。

顾茫舔舔嘴唇，似乎想说什么，但好像又不知道该怎么说，只得道："可我——"

"没有可你。"

"但是——"

"没有但是。"

"我——"

墨熄最后叹了口气，轻声说："你是最好的，一直都是。"

顾茫的蓝眼睛眨了眨，然后摇了摇头。墨熄抬起另一只手，摁在他的发顶，迫使他点了点头。

顾茫又好气又好笑，那颗老心脏里却汩汩淌出了某些酸涩的汁液，顺着血流散至百骸。然后他呼了一口气在墨熄掌心。

墨熄猝不及防，本能地将手一松，顾茫便反客为主，反而跳起来拿戴着假面的铁头撞了他一下。

"咚"的一声闷响。

顾茫扬扬得意："怎么样？疼不疼？"

墨熄："……"

"疼就对了，你顾茫哥哥今天就教教你什么叫长幼有序，兄友弟恭。"

"嗯。受教了。"

两人闹着玩，正是放松。可忽然，拐角处传来一阵娑娑异响，墨熄是多敏锐的人啊，他立刻抬手将顾茫整个人挡在自己怀里，厉声道："谁？！"

一个北境军打扮的小修士颤颤巍巍地从角落里挪出来，他显然是刚买菜回家，怀里抱着一筐子水灵的青菜萝卜，还有一捆蒲叶。这时候他吓得脸都白了，哆嗦地转出来，颤声道："后后后后……后爹好啊！"

"呜呜"的沸腾鸣响，一壶热水烧好了。

小修士拿巾布裹住了滚烫的铜柄，小心翼翼地往红泥壶里倒。

这是一间三开的屋子，只有狭窄的一间小厅，左边蓝布帘子遮着的是小厨房，右边薄门虚掩着，里头是寝卧。

他反复把桌子擦了三四遍，这才将茶盘端过来，除了新泡的热茶之外，还有两碟子果仁点心。

"墨……墨帅,您请用茶。"

这回称呼算是正常了,之前在巷子里的时候,这小修怕是真的吓傻了,不然无论如何也不会脱口而出管墨熄叫"后爹"的。

"还有这位……"他怯怯地抬起眼,诚惶诚恐地注视着顾茫,"呃……"该怎么叫?

这人戴了面具,看不到之后的容貌,因此小修也不是很确定自己该怎么称呼人家。不过方才在巷子里他觉得自己是没有瞧错的,他们那位天神般冷漠的墨帅羲和君,似乎对这个人格外亲昵。

这人从见到他开始就没有说过话,他既不知道"她"的声音,也不知道"她"的样貌,而"她"穿着的衣袍又很宽松,身量也很难判断——没准她就是梦泽公主呢? 公主想和羲和君一起同游,怕被闲人瞧见,戴个假面什么的再正常不过了。

大抵是心中起伏太大,不自觉地便显露在了脸上。墨熄颇有些无语地看着他,将茶杯搁落:"你在想什么?"

"不不不! 我什么也没想! 我是根没有想法的木头!"

墨熄:"……"

小修捂着脸,过了一会儿又从指头缝里往外望,闷声闷气地:"墨帅,您的这位……呃,友人……她喝些什么?"

"他跟我喝一样的就好。我们也只是替清旭长老来给坊里送些端阳龙粽,不坐太久。你不用再忙了。"

说着从乾坤囊里取出了一些在江夜雪宅院里包好的甜粽和咸粽。

墨熄不知该留多少粽子,于是问道:"你家里一共几口人?"

小修挠了挠头:"就我一个。"

顾茫在旁边听了,不由得低低"嗯?"了一声。

小修闻声倏地扭头,惊疑不定地看他。

无怪小修惶然,他方才那一声虽然轻,但是很明显能听出嗓音低哑,并非女儿之身。

正是心中七上八下时,忽听得墨熄淡淡道:"他昨夜染了风寒,嗓子有些哑,不太能说话……能劳烦你给他泡一壶热姜茶吗?"

"哦哦哦,原来是嗓子哑了啊!"小修咕哝着,吐了口气,"当然可以。"

好不容易把这事儿揭过去了,两人喝了茶,给小修留了粽子,又稍微说了几句话而后就离开了他家。

走在路上,墨熄问道:"你方才听他说话时,为何如此惊讶?"

顾茫道:"唉,说来话长。那孩子啊,他原来是我手下的人。"

"……我知道。"

"你知道? 当年我的三万残部后来都归入你的北境军了,我以为你分不清哪些是我原来的兄弟,哪些是你自己后来招募的。"

墨熄道:"挺好认的。"

"怎么认?"

"你带的那些修士,他们都管我叫后爹。"

"……"

嵌着铁片的黑皮军靴在青砖小路上走着,发出脆硬的声响,墨熄淡淡地:"他们以为我不知道,其实我都清楚。方才那位也是,在巷子里一紧张开口就叫我后爹,一听就是你的人了。"

顾茫有些尴尬地揉了揉鼻子,半天才憋出一句:"那群不像话的小兔崽子,怎么随便给你乱起绰号。"

"也没什么,挺好的。"墨熄说,"比起我,你确实与他们更亲。你看过了那么多年,你还能记得一个小修的样子,我却对他们并不太有什么印象,我不擅长记这些。和士卒们也没有走得那么近。"

顾茫笑道:"你的脑子都拿来记术法卷轴和边境奏报了,确实是记不住人的。"

"……"

再说下去恐怕就要说到当年北境军重组一事了。墨熄不打算继续进行这个话头——他不想让顾茫知道天劫之誓。

其实他的治军之风就和他的人一样,硬邦邦、冷冰冰的,很容易让人误会他不把士卒当一回事儿。他不太会用言辞鼓舞人心,不太会用柔情拉拢军士。

所以他接手北境军那么久了,他的修士们仍是敬他,畏他,独不爱他。

除了君上,鲜有人知道他曾消耗了十年阳寿为一支军队作保,北境军的士卒们并不清楚他们嘴里的"后爹"到底都为他们做了些什么。

尽管如今看来,那个天劫之誓并不重要,顾茫早已为他们作了一次保,墨熄的誓言只不过是被君上利用了第二次罢了,哪怕他当时不发这个毒誓,君上也不会将这三万热血辜负掉。但那又怎样呢?

身在局中时,谁都不知道真相如何。

他们的"后爹"很闷,不爱说好话,人非神明,也看不到掩藏在表象之下的秘密是什么。他或许有这样那样的不够好,但他已经在用自己的性命尽力保护着那些他曾经以为即将受难的人了。

尽管如此,他还是只收获了一声诚惶诚恐的"后爹"。

一句"墨帅到底是贵族,是不会和我们一条心的。"

谁说族群的歧视只是上对下的呢?一个贵族族群里涉入泥尘的统帅,其实也早已在无意间被他的士卒歧视到骨子里去了。

墨熄道:"说说那个小修吧,你为什么听到他家里只有他一个人的时候,那么惊讶?"

"哦，是这样。"顾茫道，"你别看那孩子年岁小，他十六岁的时候就参军了，当时是我手下最年轻的一批后生。我那时候问他为什么要从戎，他跟我说，他有三个哥哥，每个都来了，他也闲不住，不想被丢在家里。"

顾茫说到这里，眼神有些黯淡："他那三个兄长都很出色，也很正派。如果我没有记错，我离开重华的那一年，他们三人应当都还活着。我没有想到……"

墨熄沉默须臾，说道："从来刀剑多无情，你也不要想太深。谁都不可能守得住每一个人，做好自己当做的，已足够问心无愧了。"

顾茫没吭声，过了一会儿，忽然没头没尾地说了句："那家的大哥当年说过，只要有钱能置办个房子了，就想娶媳妇过安稳日子。"

"……"

沉默良久之后，顾茫叹了一声："……要是仗能很快打完，那就好了。"

仗是不可能很快打完的，反倒是息战日很快结束了。

第35章

端阳过了没多久，北境传来急报，说燎国背信弃义，打破了原本休战两年的议定，忽然闪电进攻重华边境处最薄弱的狮驼关，狮驼关告急。

这一则消息传来时，君上的寒疾正笃，甚至不能下地走动，只得嘱托慕容梦泽代他主持大局。然而不解内情的文武百官们多对君上此举大为不满，一时间议论纷纷——

"君上御体有何病恙？"

"君上有异，应当由神农台三长老会诊，而后告知朝中重臣，怎么只丢一句话出来就闭关不朝了？历朝历代都没有这样的规矩！"

墨熄其实能够很清晰地感知到朝中涌流的那种气氛：人们并不知道君上身患不治之症，但是纸终究是包不住火的，许多心思活络的人已经有了非常接近真相的猜测，只是他们如今还吃不准，不敢贸然相探罢了。另外还有一些并不聪慧的遗老，他们虽然没有觉察到君上的异样，但梦泽的代权无疑刺痛了他们的神经，他们暂时还不敢针对君上，针对梦泽却是绰绰有余的。

梦泽的意思是希望拨重华的飞马营前去驰援，然后再从附近两个大关塞调用一部分驻军前去巩固狮驼关的险情。依墨熄看来，她的处理方式确实稳妥得当，可没承想却遭到了一大票人的否决——

"飞马营是君上直属，怎能轻易调离王城？"

"调遣兵力乃是大事，就算公主要调，也得先开了军政会再说。"

这些还都算是讲道理的了，更有甚者，仗着自己是勋贵长辈，直接冲梦泽道："慕容梦泽，你一介女流，凭什么左右军令？"

"若是望舒君代权也就算了，你连个封衔都没有，同是王室宗亲，谁比谁地位低？我们遵从君上旨意，由着你主持朝会也就罢了，但总不能听由你一个女娃娃来调兵遣将吧？出了大事谁背负得起！"

如此扯皮拖延，官权制衡，哪怕以墨熄为首的一些军机署重臣愿为梦泽作保，军令依然难以很快落下。于是，狮驼关最终失守，燎国黑魔之师一路挥旗南进，一举攻破枫城、大泽城、获城三大边陲城郭，掳走了城中大量百姓，斩杀守军上万。

等这则消息传来时，君上虽已恢复健康，能够上朝，但终究为时已晚。他坐在王座之上，面前摊着这二十余日来的边境奏报，脸色很不好。

"狮驼关告急前，曾急报求援过十四次，苦撑了七天，"君上把那一叠军报摔在了桌上，从裘衣的白毛领子里抬起头来，目光冰冷，"孤当时已全权委以梦泽，你们是全体死了还是全体怀孕了需要安胎，为什么龟缩着不调兵？！"

面对君王的愤怒，没谁愿意去做这个出头鸟。

"说啊。"君上道，"梦泽代朝的时候，你们一个个的不都挺能说的吗？现在这是怎么了？哑巴了？"

一位年长的老贵族出列道："君上，狮驼告急需要调兵遣将，然而此等大事必须经由君上亲自首肯，如是梦泽公主代行君意，则需要多方相议后方才能执行。否则一切章法都将乱套。"

"章法？"君上眯起眼睛，"真有意思，什么章法？"

"重华国制，祖宗规矩——"

君上蓦地打断了他，龇露着白森森的牙齿："为了咱们的祖宗规矩，赔上了边境三座大城！章你的头！！"

那老贵族蓦地瑟缩一下。君上再也按捺不住，终于在朝会上大发雷霆，敲着桌案质问："你们到底想干什么？男的女的就那么重要？孤爱让谁代权就让谁代权！不然怎么样？让你们做主吗？那还不如给孤去后院里牵头猪来坐孤这个位置！"

"大泽且不说，当年燎师三十万大军想要占据枫城，却被我邦击退。获城更是重华的原石重城，自古以来敌军进攻一次输一次——却在二十日内尽数沦陷。猪坐镇都不会允许这么荒唐的事情发生！"

"……"

"是谁驳回了梦泽的提议？不让她调兵狮驼的？是你吗？！"君上指着方才出头的那个老贵族。

那老贵族忙道："当……当然不是老臣！这么大的事，怎么能是老臣一个人做主呢？是……是……"

"是什么？！平日里伶牙俐齿，一到问责问罪的时候就结巴了？说啊！还是你们想要孤让梦泽给孤一个个地都点出来啊？梦泽！"

梦泽是破例入朝的女性，她戴着金边五梁黑纱头冠，身着黑色凤鸟暗纹蟒袍，那蟒袍虽是阔袖，但腰封处收得利落干脆，令她瞧上去生出几分与平素不同的挺拔俊俏来。

此时她哥哥唤她，她长睫毛轻动，垂眸道："王兄息怒。如今狮驼关已失守，三城已陷落，不知燎国接下来将有何异举。如今并不是追究问责的时候，还请王兄早做清点，于北境调将调兵，安排反击。"

老贵族原本还担心梦泽这些日子受尽了排挤，定会趁此时机向她哥哥好好告上一状。但一听她这么说，顿时大松了口气，不由得在心中给梦泽叫好——

这姑娘，不趁火打劫，上道啊！

有老贵族赶忙说："是啊是啊，君上，您看咱们当时也是忧心重华的国纪朝纲，心是好的，但结果许是不尽人意，您且息怒。"

另有人出列道："不错，君上，家有家规，国有国法，臣等按国法办事，虽致三城一关失守，但至少纲纪未乱，也未尝不算一件好事。"

君上一听这话，刚压下去的一口气瞬间就又上来了。

岂知还有人补充道："君上一连卧病二十余日，臣等的忧心也是不无道理。君上御体若有什么严重病症，按律应当早让长老会的知晓，这般藏着掖着，也容易让朝臣们平白生出忧虑。"

君上登时怒火冲头，他喘了口气，恨得发红的眼眸倏然抬起，拍桌怒道："你们可真能耐！嘴巴长在脸上不是用来出谋划策的，而是用来嚼舌的，是不是？！"

众人默默。

那谏言的朝臣自恃有开国先君留下的丹书铁券，根系在朝野又深，于是故作惊恐状："君上莫要动气，保重御体康健要紧。"

君上震怒之下怫然扭头，似乎是再也不想瞧见眼前的这些货色。他一言不发地盯着旁边的大殿梁柱缓了一会儿，可最终仍是无济于事，滔天的怒火从他心里泛滥，将他整个人淹没在无形的恼恨里。

他闭了闭眼睛。

忽然哗的一声甩袖将面前的案几整个掀翻，樱桃梨子什么的滚了一地，卷轴奏报更是散得不成样子。

"滚！"

"……"

"滚滚滚！都给孤滚！"

"是……"

君上喘着气，怒到通红的眼睛愤怒地盯着堂下，忽然吐出一个字来："慢。"

众臣停步。

君上："羲和君，你给孤留下。"

殿内很快就退的只剩下墨熄和君上两个人了，君上深深吐出一口气，疲惫至极地往后一靠，仰在龙椅上，双目空洞地盯着那雕龙绘凤的丹朱落金穹顶。

"丹书铁券……丹书铁券！"君上念一句啐骂一声，"都是祖宗留下的好东西！仰仗着这些东西，一个个见缝插针地打着自己的如意算盘。你说孤养着他们做什么？孤还不如养一群整齐划一没有想法的竹武士！孤给那些没花花肠子的竹子人封官授命好了！省却那么多恶心事儿！"

"……都到这地步了，君上就不要再说这些异想天开的事情了。"

"有什么异想天开？"君上阴狠愤怒道，"有野心没脑袋的人，还不如没野心没脑袋的猪！"

墨熄抿了一下薄唇，他们这位君上继位于重华变法的节骨眼上，遇到的阻力几乎可以说是空前的。明着暗着和君上唱反调的人一多，就致使君上一着急就总会冒出这种"养着满朝文武不如养着一堆听话的竹武士"之类的想法。

墨熄暗叹了口气，也不想再与他就这个毫无意义的话茬再继续下去，而是问道："君上接下来打算如何反击？"

君上却道："咱们恐怕不止得反击那么简单。"

他说罢，狠力揉了揉自己的眉骨："羲和君，你知不知道孤为何一连二十余日不得出关？"

"寒彻之症。"

"那孤为何不像往常一样寻你来驱寒愈治？"

"不清楚。"

君上坐正了身子，整个人笼在金殿悬匾投落的阴影之下。他说："羲和君替孤驱寒那么多年，就从来不好奇孤是如何罹患上这种疾病的吗？"

墨熄道："你不说，我不问。"

"你一贯都是谨言慎行。"君上点了点头，"就是容易在你那位好兄弟身上昏头。"

顿了一会儿，君上又道："其实这件事不是孤有意瞒你，而是觉得之前还未到说的时候。如今局势摆在面前，孤也当和你解释清楚。"

"君上请讲。"

君上斟酌一番，叹了口气道："此事还要从燎国建国的旧闻谈起。"

"那段往事，想来孤也不用再细说一遍，重华上至耄耋老人下至黄口小儿，恐怕就没有谁是不清楚的。当年沉棠宫主破例收了奴隶花破暗为徒，后遭花破暗背叛，花破暗举兵反水，在重华北境自立为王，开创了这个万恶之国。如今提及燎国，九州大陆无人不知他们手段血腥，擅长黑魔之术。但是……"君上抬起头来，"你有没有想过，燎国术法的滥觞究竟在哪儿？"

墨熄："花破暗是百年难遇的术法天才，燎国如今在用的黑魔法术，大多为他首创。"

"哪儿有那么多首创，他曾经可是一个什么都不会的奴仆。是谁给了他开蒙启明？"

答案显而易见：沉棠。

墨熄蹙眉道："但沉棠从来不沾染什么歪门邪法。"

"谁说歪门邪法的源泉就一定是歪门邪法。"君上道，"顾帅潜伏燎国五年，其间与孤修书无数，搜集了大量燎国黑魔之术。除了一小部分完全脱胎于魔族遗文的法咒之外，孤发现其中很多内容都可以看到重华术法的影子。"

"试想一下，花破暗当年是个聪慧至极的人，这种人不会喜爱照葫芦画瓢地学习术法，当他将沉棠的法术融会贯通之后，他一定会去琢磨研究怎么样让这些法术变得更特殊、更强大。沉棠施展的法术可能只是为了求稳，花破暗却会去求险、求奇。"

君上说着，随手捻了一个金红色的火焰在掌心之中："比如这个，这是沉宫主当年留下的九莲焰火术，能够驱散凡人沾染的浅表魔息。你应当很熟悉。"

说完这番话之后，君上的手忽又翻结了另外两个咒印，紧接着金红火焰熄灭了，在他手掌心里托着的是一团蓝黑色的旋涡形瘴气。

墨熄蓦地睁大眼睛："堕心诀？"

"没错。"君上道，"这就是孤按照顾卿传来的黑魔术法记载，修炼出来的堕心诀。你在与燎国交手的那些年里想必曾被它弄得无比头疼，因为它正好与九莲焰火术相反，是能让凡人受到魔气侵蚀的法咒。"

君上说罢，把堕心诀挥散了。

"但是羲和君，若不是顾茫把堕心诀的术法图录密传于孤，孤是无论如何也不会想到原来从焰火术，到堕心诀，中间只隔了两个结印而已。"

墨熄微微愕然："君上是说，花破暗的许多法术还是摆脱不了沉棠的影子？"

"不错，燎国大多数的黑魔咒，术法源流都和重华相似。"君上道，"他师从沉棠，出身重华，哪怕他后来再是脱胎换骨，他也无法挣脱他的根系。"

"那么话再讲回来。你还记得沉宫主当年是如何牺牲的吗？"

"……史书上说，他是为了遏制花破暗当时炼育的一头血魔兽，最后与它同归于尽了。"

君上点了点头："血魔兽凶暴残忍，怨戾惊人，如果任其发展，将有移山填海吞天噬地之能，更要命的是它还能不断地散发魔息，影响方圆百余里生灵的心智，逐渐让人感染戾气，变得暴虐嗜血。与它相关的传闻令人骇然，相传它是一头根本杀不死的魔兽，犹如凤凰涅槃，能够置之死地而后生。所以哪怕它当年被沉棠封印了，重华历代君王都仍对那魔兽的存在耿耿于怀。到了我父王那一代……"

他停了一下，说道："为了以防万一，他开始隐瞒朝臣，偷偷做了一个试炼。"

墨熄一凛："难道先君也曾想复刻出一只血魔兽？！"

君上道："不是。"

"那他……"

"他在沉棠留下的图录密卷里，找到了一份关于炼育灵兽的卷宗，上面记载的灵兽与血魔兽极其相似，但能力却截然相反，乃是净世之兽。"

"我父王当年，曾想要秘密地将这种可以对抗血魔兽的灵兽培育出来。"

这个秘密实在是出人意料，墨熄一时竟是无言——老君上曾经想炼一只与血魔兽相似的灵兽为重华所用？

墨熄消化了好一会儿，才道："可既有如此灵兽……沉棠当年为何不炼？"

"因为灵兽虽有净世之能，但炼制的过程终究太过残忍，而且凶险。"君上道，"所以沉棠将之列为禁书，而我父王，他也炼制失败了。

不过依孤看来，先父失败的原因也不只是因为法术本身的难度。自古成大事者，天时地利人和，缺一不可。先父炼育灵兽时，沉棠已经逝去多年，术法卷轴难以完全破译，此为天时不合。而当时的大泽城——也就是沉棠封印血魔兽的地方还掌控在燎国手里，无法勘测灵流，此为地利不合。最后……"

他停了下来，又开始惯性地转动他腕子上盘绕的天珠手串："此举毕竟太过涉险，先父自然不会广布天下咸使闻之，而知道他在进行试炼的那几个人，其实从一开始就各有意见，到后来更是矛盾尖锐不可纾解，此为人之不和。

有如此三不合，想要成事也难。所以先父的这番谋划算是失败了，没有人知道他炼化到一半的仙兽灵体最后怎么样，或许自行湮灭，或许被他销毁，这始终是个谜团。灵兽的育化就此从重华的历史上被抹去，而唯一留下的痕迹——"君上顿了顿，说道，"就是当年密切接触灵兽的人，他们或多或少，都发生了一些异变。"

墨熄微眯起眼睛："……有哪些人？"

"这是特禁机密，只一代就销毁，所以就算是孤也不能完全知道。目前能确定的只有三个人。"君上说着，手上的珠串一顿，拨过去一颗珠子。

"第一，周鸮。"

"周鹤的父亲？"

"不错，周鹤的父亲，前任司术台大长老周鸮。他当时应当是直接负责仙兽炼育的第一术法大师，而在他身上出现的异变是变得异常嗜血。"

墨熄沉默了一会儿，关于周家的血腥传闻确实不胜枚举。周鹤喜欢给人开瓢戳人脑浆早已不是什么新鲜事儿了，至于他的父亲周鸮，由于过世较早，墨熄对他没什么印象，不过确实能记得这位大长老在当年的年终尾宴上总爱吃血淋淋的生肉……没有想到竟是出于这个原因。

"那么周鹤残暴与这件事也有关联吗？"

"有。"君上说，"这些异变的修士，只要他们与自己的嫡系血亲接触过多，造成的影响会不知不觉地渗透到对方身体里。所以周鹤喜爱血腥味确实是受到了他父亲周鸮的感染。"

"……那第二呢？第二个人是谁。"

"是慕容玄。"

墨熄一惊："慕容怜的父亲？！"

君上点了点头："慕容玄作为先父的亲兄弟，当年也直接涉入了这场密谋。但他的情况有些特殊，因为他很早就和先父生出口角，不再参与炼化，并且不久后就牺牲在了战场，所以灵兽在他身上造成的异变并不明显，也没有对慕容怜产生任何感染。孤之所以确定他是第二个人，是因为他的墓地。"

说到这里，君上又转了几颗手串上的天珠，接着道："战魂山的英烈冢都是用白玉封存的，这种玉质地温淳，不会轻易受到侵蚀，可保下葬之人犹如生前，但先望舒的墓却是个例外。"

"守陵人曾经来与孤禀奏过，说先望舒的坟冢封玉似乎是伪赝品，短短二十余年就已经开始老化沁色。孤于是责令匠人将先望舒的墓重新修葺，却不料在封石玉打开之后，匠人发现里面的尸身周身发黑……已经完全异化了。"

墨熄听得眉心低蹙，问道："慕容怜知晓情况吗？"

"他当时不在帝都，所以不知道。而且此事太过残忍，孤后来也没有告诉他。"

"……"

君上叹了口气："其实坐在这个位置上的人，要保守的秘密实在太多了，有些事情孤宁愿也不知道。……算了，旁且不提，孤接着与你说第三个人吧。"

这次墨熄却不用他说了，有了前两个案例，第三个显然已是呼之欲出。墨熄阖了阖眼眸，径自道："……第三个人，如果我没有猜错的话，是不是先君自己？"

君上怔了一下，随即苦笑："你说的不错，第三个人就是父王。父王的异变是——"

"异常畏冷。"

"……是。"

当年的重华君主不知从何时起，开始变得异常害怕寒冷，明明是个火系修士，却喜欢拥炉裹裘，并且状况一年比一年严重。

人们当时都以为他是年岁大了，体质不如从前，却没承想背后还有这样的真相。

君上道："先父那时候也不知道自己的状况是受了灵兽炼育的波及，也不知道这种影响会直接传递到子嗣身上，依然时常与孤接触——他是这三个人中在世最久的，所以对孤的浸染也远超了其他两位父亲对孩子的影响。"

他垂下眼帘，手指抚弄着串珠，低声道："孤年幼体弱，本身又属阴水灵流，一来二去便罹患了寒彻之症。"他的声音愈发轻下去，长睫毛下的眼眸犹如暗河流淌着情绪不定的幽光，薄薄的嘴唇轻启轻合，"先父在不自觉间给孤带来了缠绕一生的病痛，可他却还因为最后得知了孤的疾病，动了废储的心思……"

君上微不可察地叹了口气，并没有把话接着说下去，金銮殿上的颛顼水漏静静地往下滴着水。新的水珠落到潭影里，把旧的平静全都打碎成了粼粼波光。

哪怕是再简单的个人都会有几个不为人知的秘密，又何况是一个存世多年的邦国？墨熄从前只知道君上患有这种不治之症，却从来不知道这个病症的根源是什么，更不知道此事还与老君上有所牵连。

他一时也不知道该说什么才好。

君上叹了口气："……罢了，过去的事都已不再重要。如今让孤倍感危急的是大泽城陷落一案。"

"你方才也听孤说了，大泽城是沉棠封印血魔兽的故地，自沉棠与燎国决战之后，它就成了燎国与重华的必争之地。燎国很清楚如果要他们的魔兽涅槃复活，大泽就是他们必须掌握的地方，至于我们……无论出于防卫，还是出于钻研，都不应将大泽拱手相让。

"所以这几百年间，重华与燎国在大泽展开了许许多多的战役，轮番占据了这块故地。先君当朝时，大泽还是燎国土地，孤继位之后大泽城又被重新收归了重华版图之下。而孤当年重收大泽之后的第一件事，便是密派了司术台的人，去大泽城探究血魔兽的封印痕迹。"

墨熄问："结果如何？"

君上摇了摇头："若是公开说出来，只怕能让整个重华陷入极度的恐慌之中。"

他顿了顿，低声道："血魔兽的封印已经解除了。"

"什么？！"

"在燎国统御大泽的那十几年，他们已经成功解开了血魔兽的封印，将它从大泽湖深渊里救了出来。"

墨熄瞳眸收紧，说道："既然血魔兽已经重归燎国所有，这十几年间为何一点儿异动都没有？！"

"因为封印虽然解除了，可或许是血魔兽受伤太重，元灵溢散过多，所以它仍然处于沉睡的状态之中，无法供燎国修士驱策。但你明白的，最难解除的封印都已经解开了，沉眠什么的，也一定能够重新被唤醒。"君上叹了口气，接着道，"孤头一次听闻这密报的时候，焦虑地接连十余天睡不好觉，每日每夜都在想——血魔兽当真是彻底不能复活了吗？燎国是否有术法精绝的大术士，可以将它被封印了数百年的灵体恢复如常？如果有，那么需要多久？"

"……"

君上按揉着自己的眉骨，低声道："羲和君，现在你知道孤为什么要这样急着送一个绝对忠诚的人去燎国做探子了吗？我们必须清楚血魔兽的一举一动，否则不会有下一个沉棠可以守住重华的国门。"

墨熄沉声问："那血魔兽如今的状态究竟怎样？"

"顾茫当初花了一整年的时间才打探到与它相关的消息。解开封印之后，血魔兽就被收回了储灵囊里蕴养，但是因为沉棠当年对它的破坏实在太大，所以即使供奉得再仔细，它的力量仍旧在不断地削弱。至今仍没有半点复苏的迹象。"

见墨熄神色稍松，君上道："但你莫要宽心太早，孤之前也一直觉得血魔兽的威胁算是解除了，不必太过忧愁，直到后来，大泽城的司术台修士密奏于孤，说在当年的封印之湖里发现了一丝血魔兽的残魂。"

墨熄沉默须臾后，蓦地反应过来了。他一下子睁大了眼睛："所以血魔兽至今没有苏醒，并不是因为它真的不行了，而是因为燎国少收了这一缕魂？"

"正是如此。"君上道，"当年血魔兽被沉棠击得魂魄俱碎，有一缕残魂从封印中溢散，毫无意识地沉入了湖泽之中。正因缺失了这一缕魂魄，燎国才十几年无法将他们的国之利器从沉眠中唤醒。"

"于是，这一缕魂魄就成了我们与燎国胜败角逐中，至关重要的一样东西。"

"孤得知此事后，立即命人去湖中搜捕血魔兽的残魂，然而这种行为犹如海底捞针，耗费了六七年，这才于前几个月把搜捕水域筛到了能够调查的范围内。只是那个范围约莫是百里湖泽，若按寻常法子继续搜捕，还需耗时数月，孤想着要尽快解除这个后顾之忧，于是便涉了一个险。"

墨熄："……什么？"

"召引。"君上抬起苍白的手指，点了点自己的脑子，"孤幼年时受到灵兽的感染，罹患了寒彻之症，但同时身上也多少有一些灵兽的气息。血魔兽与那灵兽同属一宗，只要孤尽力为之，多少能够对它起到召引之效。"

墨熄抿了一下唇唇，几乎有些匪夷所思："君上这几日昏迷不醒，是在试图感知血魔兽残魂的踪迹？"

"是，所以这一次寒疾上袭，孤需要的不是及时纾解，而是任其发展——寒疾越重，孤身上的灵兽气息就越重，也越容易感到血魔兽的具体位置。而就在昨天，孤刚刚确定了那片残魂的具体所在，本想着即刻派人收回……却在今日孤一上朝，就得知大泽城已经失守的消息。"

大殿里的阴冷之气随着他唇齿轻动，而一下子压到了极致。

君上闭上眼睛，握着龙椅扶手，手背上根根青筋暴突，他森然道："燎国啊——定是燎国也发现了血魔兽不能恢复的秘密。如今大泽城在他们手中，一旦他们搜捕成功，最后一缕魂魄落到燎人手里，等着重华的断不是一座城两座城的胶着，而必然是花破暗当年那一战的重演。"

他的眼里弥漫着雾一般的血气。

"羲和君，你可明白了其中的利害关系？这件事情涉及国之根本，任何或有二心的人，孤都绝不能诉之以真相。"

"大泽失守，远比表象看到的更为严重。所以孤将会立刻派遣军队前去收复大泽，全军由你统兵。但是你一定要清楚，此行目的不为城池，而是为了湖泽里的血魔兽残魂——你必须以最快的速度寻到它。"君上顿了顿，继续道，"若非如此，当血魔兽魂魄聚全，涅槃重生之际，莫说重华了……整个修真界都将陷入混乱。"

"到那个时候……势必是，九州浩劫，四海涂炭！"

墨熄回府的时候，顾茫正在书房里读读写写。

朱漆小窗敞着，外头飘着落花，顾茫穿着一件淡蓝色的细葛宽袍，发辫松松地绾在脑后，束成一个没规没矩的松散丸子。风一吹，花影在他身上和桌案上舞动。

墨熄一看他摊着的那一册书卷就知道他又在记录那些正在流失的记忆了。顾茫写得很专注，没有觉察墨熄的到来。他腮帮微微鼓着一口气，浆果般的嘴唇微抿着，烟云般的睫毛在他鼻翼处投下温柔的倒影，间或颤动一下。

墨熄并不愿意就此打破这太过来之不易的祥和，就这样站在书房半敞的门外看着。过了好一会儿，顾茫终于写完了今日想写的内容，于是他抬起头来。

看到立在门外的人，顾茫愣了一下，微睁大了湛蓝的眼睛："咦？你什么时候回来的。你一直在外头站着？"

墨熄明明不是擅长说谎的人，却在这一刻无比平静而自然地说了句："没有。也才刚来。"

说着，他进了屋子。

顾茫问："朝会怎么说？今天君上复朝了吗？"

"复了。"

"那就好，这样的话狮驼关附近的城池也……"

"已经迟了，大泽城失守了，今天刚到的奏报。"

顾茫蓦地一惊："又一座城？！"

"嗯。"墨熄道，"君上已经拟了诏书，再过一个时辰他就要将这几道诏书下至各个相关的宅邸，正午就要去点将台集结点将，举兵前往北境。"

"他已经跟你商量过了？"

墨熄顿了一下，说道："是。还是由我带北境军出征，另外配了五万飞马营修士，由慕容怜带。还有五万赤翎营修士，暂时还没有定将。"

顾茫原本听到慕容怜要去，眉头就已经皱起来了，他心道慕容怜如今显然已是无心沙场，对浮生若梦的瘾头大到了这个地步，君上却还是要派他去……也不知是出于什么缘由。然而等他听到"五万赤翎营修士还未定将"，眉头就皱得更深了。

"他还没有人选？"

墨熄摇了摇头："他属意梦泽。"

"……"

"梦泽虽然体弱，但赤翎的旧部曾经是由她统率过的，而这支军队又是第一贵族精锐，虽然听话，但毕竟桀骜。君上担心换了其他人做领帅会被赤翎的贵族精锐呛得受不了，所以他的意思是希望梦泽能坐镇赤翎军中，不用她真正做什么事情。"

顾茫抿了下嘴唇："你觉得君上真是因为这个？"

"他为了什么，我并不想去揣测。"墨熄道，"我在点将之前回府一趟不是为了别的，我是想来问问你。如果可以，你愿不愿意代替梦泽接手赤翎旧部，与我一同到前线去。"

顾茫一下子愣住了："你要我……接手赤翎旧部？"

"是。你愿意吗？"

从顾茫的脸上能够很清晰地看到他情绪的变动，顾茫在根本还没来得及反应过来的情况下，就被"能够重新回到自己的邦国，与同邦人并肩作战"的这种意外冲得血色上涌，七分错愕三分欣喜。

可逐渐地，他脸上激烈的绯红就有些潮退了，眼睛里的光也有些黯淡下去。

顾茫慢慢道："墨熄。我很想与你一起去前线，哪怕你今天回来不和我说，我知道了也会这样去做。"

墨熄不由苦笑："我明白。我其实并不想你去前线，但我想如果我真的阻拦了你，你不会高兴，只会怨我。所以让你同去的这个提议，是我与君上说的。"

顾茫怔了一下，随即垂眸："谢谢你。"

墨熄抬手揉了揉他的头发，他的手劲一贯都有些大，顾茫的丸子发髻又扎得松散，被他一揉，几缕发丝就垂了下来，漆黑地垂在脸颊边。墨熄道："你去也有去的好处，至少我能时时刻刻都看到你。那如果你愿意的话，我这就去和君上——"

顾茫却打断了他的话："我想去战场。但我不想率领赤翎营的人。"

墨熄："……"

顾茫道："我不能再当领帅了。"

"你想想看，赤翎营全是亲贵出身的修士，与燎国对战那么些年，他们恨我都恨到骨子里了，要他们愿意听我的军令，那就是天方夜谭。"

"我明白你的意思。如果你是在担心这个，那你不必有忧虑。"墨熄道，"你戴上假面，君上会告诉赤翎营，你是王室的一个显赫贵族，但是因为一些缘由暂且不宜公开具体身份。有了君上这一句阵前训诫，主帅又是我，他们哪怕再多猜测，也不会有任何妄举。"

墨熄一双漆黑若夜的凤眸看着他，那眼神温和，没有强迫，没有劝导，只有无穷无尽的包容，像是吞浸了星夜的沧海。

"只要你愿意。"

"但如果你不愿意，或者你只是想当一个小兵，随在我身边，那也都由你。"

顾茫又怎么会不愿意呢？他又怎么会不知道墨熄的苦心。

率领赤翎营打一场卓著胜仗，日后若是能有机会将自己探子的身份公之于天下，这也是绝不可小觑的功勋证明之一。

　　想来这个赤翎营统帅的位置，墨熄和君上讨要得很辛苦，君上属意选慕容梦泽为副帅，显然有他的私心，墨熄这是动了君上的利益才给他争取到的一张筹码。

　　顾茫沉默一会儿，说道："……还是让梦泽去吧。"

　　尽管心中多少有些准备，但当听到顾茫真的放弃了的时候，墨熄的眼神还是微暗了——就像顾茫能一下看透墨熄做的牺牲，走的险棋，触犯的君上的界线。

　　墨熄又怎么会看不透他师兄的放弃亦是为了他？

　　"顾茫……"

　　顾茫解释道："我当这个赤翎营的统领终归还是不合适，所有的眼睛都看着我，保不准就会有谁发现端倪。若是在大战时我的身份暴露，势必会引发重华军士的内乱。"

　　"而且我的记忆一直在慢慢地缺失，我也不知道接下来我会变成什么样子。如果我去做这个将领，没有一个清醒的头脑是不行的。"

　　"……"

　　"我知道你在想什么。"顾茫看着墨熄黯淡下来的神情，上前捧住了墨熄微凉的脸庞，眼尾展开柔软的笑痕，"但是我也只是想为重华出一份力，想和你们并肩作战，想陪在你的身边。"

　　顿了顿，他微微踮起脚尖，抵住墨熄的额头，手滑下来，握住了墨熄的双手。

　　"这一次，就让我做你身边的一个随扈吧。"

　　墨熄低眸道："你该有的位置并不是这个……"

　　"我想有的位置就是这个。"

　　墨熄："……"

　　"乖。"顾茫蹭了蹭他的前额，"能有再与你一起为重华出师的这天，我已经很高兴了。"

　　"和你，和北境军一起，怎样都是好的。"

　　"墨熄，我们又可以比肩而战了。"

第36章

重华大历六月十七日 夏

　　息战未至两载，燎国撕毁合约，举兵进攻狮驼关。因重华调兵拖延，燎军在击破狮驼险关后，闪电鲸吞枫城、荻城、大泽三城，将沉棠当年封印血魔兽之要地再次收归囊中。

　　大泽破城消息传来时，君上终自沉眠中苏醒，为迅速将此城收复，朝议当日，君上便立行点兵，紧密备战。

　　猎猎罡风吹拂着鲜红的战旗，点将台栏柱边，君上负手而立。在他左手边，是一袭黑衣金边的墨熄，右手边则是宝蓝色华袍的慕容怜。

　　烈阳高照，君上的目光一寸一寸扫过下面阵列周严的三军，顾茫亦以假面遮脸，立于其中。君上的视线落到他身上时顿了一下，随即微不可察地点了点头，以这种方式与他的顾帅打过了招呼。

　　北境军的统帅、飞马营的统帅都已经落定了。君上盘着手腕上的天珠，而后以扩音术将声音传至整个校场："慕容梦泽，出列。"

　　"是，君上。"

　　梦泽从军阵之侧走了出来。她长相柔美，身子赢弱，但仪态却很挺拔。尤其是当她束起发辫，换作一袭修身的嫡系王室军礼袍时，就更显得军容端肃，谁都瞧不出她是个病恹恹灵核破碎之人。

　　君上道："赤翎营主帅一职，今授予你。望你与望舒君同心协力，襄助羲和君北征大泽，收复失地。"

　　此言一出，军队里隐约有些骚动。

　　慕容梦泽低头道："遵命。"

　　她从传令官手里领了金令箭，踩着铺着朱红色毡毯的台阶，走上了点将台，按规矩站在了主帅墨熄的身边。

　　点将台庄严肃穆，不可有随意的交头接耳，可是当梦泽在赤翎主帅的位置站定时，不少勋贵都流露出难以置信且万分不满的神情。他们不吭声，眉眼一交汇，便已是不言而喻。

重华的可用之人不少，凭什么这枚金令箭是由慕容梦泽来接的？

莫不是君王私心？莫不是想要梦泽与羲和君并肩而战，互通有无？莫不是存心疏远外戚……种种念头仿佛实化，在静谧无声的点将台暗流汹涌。

而作为与君上接触至深的顾茫则很清楚这其中的深意：此一战事关重大，最精锐的部队都已被调遣，几乎可以算是必胜之役。而在此之前，各路勋贵推诿扯皮，以致城池失守，边关沦陷，实乃邦国不幸。

当时，主战的慕容梦泽明明全权受了君王的委托，却因女流之身横遭质疑。这件事明面上看，是那些勋贵遗老不服气女子代权，可往深了挖，还是这些拥有着丹书铁券、祖上封地的老贵族们没有把君上太放在眼里，所以才敢钻这样的空子。

旁系贵族都已如此气焰嚣张了，君上若再将赤翎主帅的位置授予他们任何一人，岂不是自己抬起手来打自己的脸？

唯有交与慕容梦泽，才能狠出这一口恶气，才能无声而威慑地警告他们：重华是孤在坐镇，女子也罢，奴隶也好，孤要用谁，你们拦也拦不住。

青天艳阳之下，君上道：“此一役共拨修士二十万，军压大泽，即日出征。”

战鼓擂响，校场上旋即爆发出整齐划一的应令声，甲光映日，戈戟耀辉。重华的修士照例喝着出征前的誓词，其声冲破九霄，响遏行云。

“谨遵君令！不破不还！”

“谨遵君令！”

“不破不还！”

顾茫匿在人群中，犹如一个最微不足道的小人物，他看着左右呼喝的修士，听着气吞山河的呼喊。犹豫了一会儿，他也试着小心翼翼地跟着他们一起，念出了那些从前印刻在他脑海里而如今已近生疏的誓词。

顾茫轻轻地念道：“与子同袍，不破不还……”

他跨上一匹普普通通的枣红色战马，兜鍪羽雉随风拂摆。

城门大开，大军北进。

那一瞬间，他重新回到了他的故友他的同袍他的北境军当中，作为一名小小的士卒。

一切仿佛又回到了阳光万丈的起点。

顾茫侧过脸，仿佛在身边看到了同样年轻的陆展星，看到了尚且青涩的墨熄，看到了那些逝去的七万兄弟复又上马。他们是那么年轻，而他已经如此衰老。

“不破不还！”

振聋发聩的呼喝声中，军队自校场向官道行去。或许是此刻的阳光太过炽烈，透过睫毛刺痛了顾茫的眼睛，竟有些酸涩得想要落泪。

这一年,他终于再一次出征,就像他意气风发的二十岁。

两日后……

大泽城 夜

铮铮的流水琴音从大泽城太守府的官邸里流淌而出。那琴声初听来十分曼妙柔缓,但若凝神细感,便有一种令人毛骨悚然的感觉,仿佛远观一个窈窕红装的绝代佳人,走近了,却发现是个双脚离地飘飘荡荡的女鬼。

一身青衣打扮的燎国修士快步绕过回廊,趋至琴声传出的主殿,在门外抱臂道:"国师!城郊瞭望塔发现了重华大军正在逼近,其距离最多再消半个时辰,就能兵至大泽城外!!"

屋内的人没有回答,只有明亮的橙黄色灯光透过绷着轩窗的白绸布往外渗透。等那诡谲幽森的一曲袅袅终了,大门才"吱呀"一声开了。

燎国的国师从容不迫地踱了出来。

这个男人戴着一张精致的金色假面,束着金丝冠。明明只是一个国师,却肆无忌惮地越矩,穿着一袭绣着团龙纹的缃绸华袍,那袍子镶着银边,纹饰是灵雀尾羽炼成的丝线织就,月色一照,端的是溢彩流光。

"哦?这么快吗?"国师一开口,竟是十分松快的口吻,"我还以为他们最起码要三日才能赶到,看来我们占了大泽,可把重华王座上那个黄口小儿给惹急了。"

他笑吟吟道:"既然正义之师都已经这样迫不及待地来与我们一决高下了,那你们还不快去城头好生准备准备,莫要让远道而来的客人失望啊。"

传令修士仍旧是低头抱臂的姿势,尽管国师的语气听上去心平气和,那张脸瞧上去也是和颜悦色的,但是传令官在他面前却是连头都不敢抬一下。

燎国的每一个人,哪怕牙牙学语的孩子都知道,在这个黑暗国度,最可怕的不是君上,而是这个挟君弄权的国师。

此人喜怒无常,手段残忍,做的事情压根就不能用道理和规矩来衡量。别说其他人了,就连那个年少的燎君在他手中都不过是一摊随时想扔就可以扔掉的烂泥而已。

想当初,君上方继位时,曾经想要联合母后的氏族除掉这个弄权之人。

但是结果呢?

结果是局都还没设下,就被国师拔除了所有的燎牙,所有涉事之臣都被剁成了肉泥。君上绝望崩溃至极,哭着跑去寻母妃依靠,可就在那个寒夜,国师当着小君上的面,亲手杀了他的母妃。

燎君瑟瑟发抖,爆发出的第一缕情绪居然不是母仇,而是害怕。

"不要杀我……不要杀我……"

国师皮笑肉不笑地,听不出喜怒:"不要杀你?你还真是个懦夫。"

"呜呜呜……国师……求求您……求求您……"

"不过这样也好。"国师瞧着自己指尖上的血迹，淡笑道，"你若是和你娘一样烈，玩起来虽是刺激，留在身边却是养虎为患——你窝囊一些，倒也挺不错的。"

当时一君一臣，孰尊孰卑，瞎子都看得明白。燎国士族里甚至曾有人直谏国师不如取而代之，不过国师并无此意。

"当君上有什么有趣的。太累了，还是国师这个位置好，国师这个位置诱惑人。"

"我生平最想做的就是国师一职了。"男人甜腻腻地微笑着，"你们莫要强迫我登基，我很乖的，哪儿有这样的狼子野心。"

他不是有狼子野心，他本身便是一头茹毛吮血的恶兽，偏偏又是如此地喜欢故作亲切。

所以，在这九州大陆，其实人人都很清楚，燎国之天下并不掌握在君王手中，而是属于那个性情乖戾的男子。

燎国的国师才是这个黑暗国度真正的主人。

而此时此刻，传令官正侍奉在这个男人身边，传令官自然很清楚其中利害——在他之前，这一年，燎国已经死了三十二个传令修士了，有的人甚至到死也不知道自己是哪句话惹得国师不开心了。

"还愣着做什么，你还不去让城门处的守军准备起来。"国师笑眯眯地，"这点儿事情都处理不好，难道还要打扰我今夜抚琴？"

传令官却觉得浑身都起了白毛汗，忙道："是是是！我……我这就去！这就去！"说着屁滚尿流地跑了。

国师微笑地看着他仓皇而去的背影，在庭院里站了一会儿，转身回了主殿里。

这座主殿如今已是一座人间炼狱——自刎的重华大泽城太守的尸体还未被抬出去，太守的妻妾，儿女六人自缢身亡，躯体也没有被放落。

他穿堂悠悠而过，修长的指尖拂过那飘摆悬挂的死尸，神情轻松仿佛是在拂过风铃。

国师很喜欢这样的情形，正因为他有这种癖好，所以即使已经入主太守府两日了，他也没有让人来把尸体收拾干净。

他就这样一路走到主殿的尽头，那里摆放着一把属于他的古琴。

他在古琴边坐下，调拨了几下琴弦，而后阖上眸子，重新悠游自在地抚了起来——

"万里桥西一草堂，百花潭水即沧浪。风含翠篠娟娟净，雨裛红蕖冉冉香。厚禄故人书断绝，恒饥稚子色凄凉。欲填沟壑唯疏放，自笑狂夫老更狂。"

指尖揉拨，端的是一曲绵长，一曲悠然，一曲凄凄，一曲柔软……而当他弹到了一曲民间哄孩子入梦的小调时，遥远的城墙外头已然传来术法争鸣的爆响。

过了许久，或许是一个时辰，或许两个。只听得轰的一声巨响，似乎连大地都为之震颤——遥远城门处传来模糊不清的尖叫："开结界！开守御结界！"

"东城门调御守修士！"

城门处迸溅着血与火的呼喊，传到太守府时已然成了支离破碎的残音，更被九目琴的琴声涤荡得犹如镜花水月。

一曲终了，国师终于抬起头来，淡淡吩咐道："攻城动作倒是挺快的。出去问问吧，这次重华的统帅们都有谁？"

侍立在一旁的随扈便领命出去了，过了一会儿，随扈跑回来，垂首答道："启禀国师，守城营的弟兄们说这次重华派来的主帅是他们的羲和君墨熄！"

国师从容道："一点儿也不意外。姓墨的骁勇善战，唯独不能和他的师兄对决，如今顾茫被我们送回去了，重华派他过来也没什么奇怪。副帅呢？"

"慕容怜。"

国师笑道："烟鬼而已。"

"还……还有一个呢。"

"哦？"国师煞有兴趣地问，"是谁？"

"慕容梦泽。"

国师覆在琴弦上的手指顿住了，而后他嗤道："派个女人来当副帅，重华是要亡了，还是他们的君上老儿打算让他妹妹与墨熄多攀攀交情？慕容梦泽……一个灵核枯萎的药修来当副帅——重华让她领兵多少？"

"五万。"

国师嘻嘻笑道："五万？就算她慕容梦泽心有韬略，然而自身羸弱至此，也不怕拖了别人后腿。这丫头好厚的脸皮。"

"国师所言极是。"

"对了。"国师稍停了片刻，忽然问道，"顾茫怎么样？我听闻他与墨熄的关系日趋和缓，墨熄之前还将他带回自己府上收为奴外，这次征战他来了吗？"

"禀奏国师，顾帅——"随扈自知失言，忙改口道，"属下言错，是顾……顾茫……"

国师却微笑道："无妨，他好歹也为我大燎效力了五年，我大燎没有重华那么多条条框框的规矩，你若想继续称他为顾帅也没什么不可。"

话虽这么说没错，但随扈哪敢再称顾茫为帅？

那随扈立刻道："国师海涵，据大燎军机署前日探得的线报，顾茫被重华国君送去当了黑魔试炼的试炼体，出来时已是奄奄一息生命垂危，除非有大罗神仙相助，否则就算给他整个人泡进天香续命露里，他也断不可能在这么短的时间内恢复到可以跟来前线的地步。"

国师闻言眯起眼睛，眸中闪着某种令人琢磨不定的光："谁说重华就没有大罗神仙呢？姜拂黎不就是个能活死人肉白骨的圣人吗？"

言语中竟有些冷笑的意思。

随扈忙道："盯梢着姜拂黎的探子说，姜拂黎又出去云游了，并不在重华都城。"

"他轻功甚佳，一向神出鬼没，若是不想被你们发觉，就算盯得再紧，也总能被他钻着空子。"国师道，"这支敌军之中，慕容怜、慕容梦泽都不必太过上心，只消留意着墨熄。还有……若有任何疑似顾茫的人，速来报我。"

"是！"

国师一拂衣袖："去吧，让他们守好城池。我要闭关三日，三日之后，我自会亲自解决这些后生。"

随扈恭恭敬敬地应了，很快躬身退下。

国师的指尖重新搭抚在琴弦上，轻动了数声，而后接着拨响那一曲悠长琴音：

"厚禄故人书断绝，恒饥稚子色凄凉。欲填沟壑唯疏放，自笑狂夫老更狂……"

夜更深了，遥远处厮杀和爆裂的轰鸣是如此清晰可闻。

城墙外，重华和燎国的修士在胶着对战，渐渐地血流成河，而城池深处的太守府，国师的琴声再也没有凝绝过。

待到吴钩高悬，白霜落瓦，太守府衙内的一盏油灯燃到了极致，它爆溅出成串的火花，蓦地熄灭了。

飘悬着那么多具死人的太守府因此显得更加鬼气森森，光线黯淡，但也正是因为这突然黯淡的光线，可以看到帷帐后头——与国师一丈之隔的纱帘之后，原来一直有一团模糊不清的光球正在半空中飘拂着。

只是那光球实在太昏幽了，先前并不起眼，它躲在角落里一浮一沉着，羸弱得好像随时都会散去。

国师抬眸，目光从黄金假面后投射出来，落在这影影绰绰的光球上。他低沉道："……净尘，你看。我都哄你那么久了，你还不愿醒来吗？"

那团被他称为"净尘"的光芒萎靡地闪了闪，慢慢地，又暗了下去……

国师微微眯起了眼睛，低沉道："任性也要有个限度，早些恢复过来，然后与我回去吧。若是你落到了重华人的手里，那他们这群伪君子，可不会像我这般懂你。"

"你总不想再被封印，对不对？"

"乖，复苏吧……"

大泽城郊

当旭日刺破云霭，薄红洒满大地，第一场攻城战总算是过去了。

古老的边陲之城在晨雾里逐渐显露出了它浴血一夜后的模样。它像是一头精疲力竭的巨兽，横卧在这片辽阔的土地上，破烂的砖瓦犹如翻起的皮肉，染红的护城河像是从它伤口里汩汩淌出的鲜血，还有城池之下堆积如山的尸体——

燎军的，重华修士的，横七竖八地交叠在一起，蝼蚁一般散落在大泽城下。

这是第一战，战事未休时，谁也不会先来收拾弟兄们的遗骸。这样的情形墨熄也好，顾茫也好，他们早已司空见惯。只是仍会觉得很疲惫。

"墨帅，不再进攻了吗？"

"对方应对仓促，损失虽重，但一夜下来，他们后续的戒备都已经调整到位，半个时辰前就与我们陷入了胶着拉锯。"墨熄摇了摇头，"长途奔袭再加一夜鏖战，重华的修士都已经疲惫不堪，再打下去战局便是对我方不利。休兵吧。后撤扎营，让他们处理伤势，各自休整。"

"是！"

重华的修士便撤至城郊周全处，筑结界战壕，扎营休息。

墨熄也回到了他自己的营帐里。那里有好几个近卫在忙着收拾床榻桌儿，其中就包括顾茫。不过为了不让顾茫戴着的假面显得太惹眼，墨熄特意命这次所有派发给他的近卫都戴了面具。

边陲的风吹得帐篷帘子哗哗作响，墨熄走进来，对正在忙碌着的修士们道："我这里不用这么多人布置。你们都出去吧。"顿了一下，又对顾茫道，"你留下就好。"

于是其他近卫都依言离开了，帐帘垂落，墨熄走到顾茫身前，抬手摘下了顾茫脸上的假面："没人了。不用再戴着这个。"

顾茫道："你也不怕被人瞧见我？"

"不怕。"墨熄说着，转身将他的假面搁在了床几上。

大抵是觉察到了顾茫的紧张不安，墨熄叹了口气道："逗你的，我在营帐外施了镇守结界，没我的允准，一般人进不来。"

他备了热水，此时拿了巾帕替顾茫擦拭臂腕上的血，墨熄并不喜欢顾茫身上有血腥味，那会令他心里隐隐作痛，联想到那些并不好的回忆。

血水化在铜盆里，墨熄一边把顾茫手上的水渍擦干，一边轻声道："抱歉，明明是你的军队，却不能让你亲自率领着。只能由着我这个后爹折腾。"

顾茫低头笑道："北境军差不多都大换血了，我要是真的再回来，那我才是真的后爹。再说了，你我又有什么区别？你做的一点儿也不比我差。不过有一点倒是真的。"

"嗯？"

"我总不能一直躲在你身边吧。"

"……"

"墨熄，我也该做点事情。"

墨熄一点儿也不意外顾茫会有这样的想法，事实上他一直就知道顾茫早晚会说出这句话来。就好像他其实觉得哪怕给顾茫一次机会，让顾茫回到过去，顾茫也还是会选择走上这条荆棘遍布的老路。

这个瞧上去很温柔的男人，其实有一颗比任何人都要坚定的心。

"会有委任交给你的。但不是现在。至少在第二次攻城战之前，你都不适合去完成我想请你完成的事情。"

他低头，对上顾茫有些失落的目光，停顿之后补上了一句："劳烦师兄再等一等？"

既然墨熄都已经这么说了，顾茫也没什么好再讲的。两人折腾了一天，和北境军的其他修士一样都很累，墨熄道："你先去睡一会儿吧。"

"那你呢？"

"我再看一会儿沙盘。"

"你自己的身体自己要多上心。"顾茫抬手戳了戳他的心口，"看完早些休息，累死了你就不好看了。"

"……"墨熄因为他最后一句话而颇为尴尬地轻咳一声。

顾茫看着他的样子暗自发笑，明明都是已经同生共死那么多次的人了，却还是会因为对方一句玩笑而默默红了耳尖。

他这个小师弟啊……

沙盘推了很多次，进军的方式与结界布置、路线谋划也重设了很多次，等墨熄熬完，回头瞧见顾茫已经伏在行军榻上睡着了。

就算是一军将领，墨熄的行军榻也比其余人宽敞不了太多，所幸顾茫睡觉习惯蜷在一个小小的角落里，像是生怕占据了谁的地盘似的——他骨子里的卑微以兽性的方式体现出来便是这样的可怜又可爱。

墨熄专注地凝视了他一会儿，而后起身去洗漱沐浴，回来的时候顾茫还是一动也没动，猫儿一般蜷缩的睡姿。

他在床沿处坐下，动作很轻，没有发出更多的声音，只是床褥微微地下陷。而后他和衣上床，手规规矩矩地叠在腰腹处，阖眸休息。

墨熄实在是个很自律的人，他像是日晷一样遵守着自己给自己定下的计划与规矩，几时睡，几时醒，今日要做掉多少事……当然躺下之后要多久睡着他也有着自己的习惯，只是这一点有时候并不那么尽如人意。

因为顾茫实在太不让他省心。

这个人一会儿在睡梦中小声呼噜，一会儿又皱着眉头说一些含混的梦话，让墨熄一直放心不下，而且总是会想起从前他们行军时的日子。

此时此刻，墨熄瞧着眼前熟睡的顾茫，目光一寸一寸拂过他师兄柔和的五官，微敞的衣襟……一切都和当年是那么相像。

在这个军帐里，一切又都好像回到了他们都还青涩年少的时候，中间十余年滚滚岁月，血海洪荒，都在此一笔勾销。

墨熄望着顾茫，心坎和目光一起慢慢地柔软下来，迷迷糊糊地也有些困意。可就在这时，顾茫却睡得深熟了，不知不觉地就翻了个身，忽然一脚踢在了睡在床榻靠边处的墨熄，直接把人踢了下去！

墨熄："咳咳——"

这一脚踢得不偏不倚正中胸肋，墨熄饶是对顾茫再好也不由得脸色微黑，呛咳着捂着肋骨打算站起来。

"墨帅！"

外头忽然传来近卫的声音，拔高了嗓门在喊他："膳点房已经将饭菜备好了，兄弟们的都派下去了，您也可以去主营用膳啦！"

这小修士喊得突然，墨熄还未来得及制止，这人就"哗"地一撩帘子进来了。

近卫："……"

"对不起！我什么都没看到！！"近卫顿时脸色大变！这也太惊悚了！墨帅中午小憩的时候居然被踹到了床下！他吓得连床上躺着的那胆大包天的人是谁都没有看清，就一个激灵松开了帐帘火速退出了军帐外。

墨熄："……"

这帐篷施加了结界，一般人进不来，佩有君上令牌的近卫却是能进的，但通常这些人都很守规矩，这小子大概昏了头，竟然未等他开口就掀了帘子。幸好顾茫睡觉喜欢蒙被子，墨熄抬眸瞥了他一眼。

大半张脸都在被子里面，不幸中的万幸。下次一定要注意些，不能教顾茫被发现了……

然而墨熄没有想到的是，大抵他被踢下床的场面太惊悚，这小修士又不比一直跟着他的那些老近卫，没有很好地保守秘密，于是一个流言就这样传开了。

"哎哎哎，你知道吗？"

傍晚，驻军统领们都去主营帐开会了，有几个闲下来的小修聚在一起窃窃私语。

"听说墨帅今日午憩的时候，不是一个人在帐篷里，非但不是一个人在帐篷里，还被陪他睡的另一个人给踹下来了！"

"不会吧！怎么可能！那可是羲和君！"

"其实我也不相信……可听说是君上派在羲和君身边的近卫传出来的，说得有理有据。"小修士有些尴尬地舔了舔嘴唇，"唉，咱们跟着墨帅南征北战这么多年，他是什么性子咱们都该清楚。我怎么都觉得……他是不会和军营里任何姑娘家胡来的。"

一众人都觉得他说得在理。

"而且谁敢踹他啊？"

但没过一会儿，忽有人小声道了句："话是这么说没错，但是你们别忘啦，梦泽公主不也已经来前线了吗？"

他这么一提点，大伙儿一愣，登时好几个人醍醐灌顶，都露出了恍然大悟的神情。

"原来如此！"

"可是他们俩已经私下里发展到这一步了吗？"

"应该不会吧……"

"怎么不会！我早就听隔壁营的小花说，他端午节的时候在巷子里撞见过墨帅和梦泽公主幽会啦！梦泽公主为了出行方便，作了男装打扮，还带了张假面，不过他们俩笑闹的时候正巧被小花看到，墨帅谨慎极了，立刻就替梦泽公主挡住了脸！那护妻护的，啧啧啧，那叫一个没话说。"

他每说一段，众人就讶异地"哇"一声。

一时间几乎所有凑热闹的修士都笃信了梦泽公主一定在中午时去了趟墨熄的军帐，并且还和墨熄睡了一觉，还把墨熄踹下床了。

"惹得公主那么好脾气的人都发火踹他了，后爹真能耐。"

"话说公主她身子骨那么弱，吃不吃得消啊。"

更有甚者，无聊到居然已经开始忧心忡忡："他们都已经这样那样了，君上知不知道？我寻思着咱们后爹这样做是不对的，还没把人家娶进门就生米煮成熟饭，多不好啊。"

"你们说公主会不会意外怀孕……"

主营帐内，重新戴上黄金假面的顾茫站在墙边，忍不住低低地打了个喷嚏："阿啾——！"

帐篷里在商讨接下来一战应当怎么打，聚集了很多人，顾茫作为一个小随侍站在角落并不是很起眼。可他打完喷嚏抬起眸来的时候，却看到双手抱臂立在沙盘旁的墨熄在遥遥相隔地看着他。

顾茫一看他，有些心虚。

屋子里那么多人，慕容怜正咬着烟嘴在沙盘前讲着自己的见地，梦泽公主一身黑金色戎装，束着金发带，也在旁边认真地听着，其余伍长、将领都围簇在沙盘图纸边上，还有各个领首带来的随扈。

墨熄却隔着这么多人，因为他打了个喷嚏而特意看了他一眼。

众目睽睽之下，顾茫有些不可遏制地高兴。他想要与墨熄相望，却又生怕被人瞧出什么端倪来——不过他也没能纠结太久，慕容怜的推演很快就被梦泽给否决了，梦泽只用了两处军力部署就破坏了慕容怜的进攻线路。

慕容怜咬着烟嘴儿，眯缝着端详了沙盘上的局势一眼，最后吐出几个字来："最毒妇人心，服。"

梦泽不和他计较，反倒是歉然地朝他笑了笑："怜哥，真抱歉。"

慕容怜哼了一声。接下来轮到墨熄了。

墨熄将目光从顾茫身上收回来，径自走到沙盘前，看着慕容怜留下的推演残局，低头思忖了片刻，重新调整了几面代表战力的军旗，然后开始了他的进攻讲解。

说起来，这还是顾茫头一次瞧见墨熄作为主帅运筹帷幄的样子。

他"叛国"的那一年，墨熄还太年轻，虽然有过独自领兵的经验，但都不算是特别大的战役。后来他走了，墨熄也成长了，却与他当了那么多年的宿敌。

"左线由赤翎营的修士开疗愈阵法准备着，在我标着蓝旗的地方，留下两百名药修接应。"墨熄垂着纤长的睫毛，摘下了之前慕容怜插在南峰的两面蓝旗，改换到了城郊湖边，"北境军拨三千配合这些药修，开玄武阵和拒魔阵。"

顾茫靠在墙边，离墨熄最远的地方，安安静静地看着这个男人成为整个屋子的焦点，听着他缜密而周详地布局着全盘的战局。

那个位置，从前是他站着的，如今墨熄取代了自己，成了北境军的脊梁与核心，顾茫觉得没什么比这更好的安排。

只是隐约觉得自己的记忆最近消散得越来越快了，也不知道还能这样清醒地注视他多久。

"哎，你，对，就是你。"忽然有人进了帐篷，低声唤他。

顾茫微怔："找我吗? 有什么事?"

"你是羲和君的近卫吧? 帝都供给法器符咒的押运官来了，烦劳你先去清一遍物资。"

顾茫回头想看墨熄一眼，但由于墨熄讲得仔细，战法又很是诡谲，许多之前随意站在周围的人都围簇到了沙盘旁。从顾茫这个角度，他已经看不到他墨师弟的全脸了，只能从人群缝隙里隐隐约约分得一点墨熄的侧影。

顾茫因此有些惆怅，又有些慰藉。其实他早知道会这样，在他当年看到墨熄坐在学宫树下认认真真地读着卷轴时，他就知道墨熄总有一天会成为万人中央的那个角色。

他的明珠在散发着光华，这样真好。

顾茫应了小修士的请求，转身悄悄出了帐篷——曾经的北境军主帅如今是那么的不惹眼，这样悄无声息地走出去了，谁也不会关注到，谁也不会发现。

墨熄推演进军线路时一贯都很专注，待他讲完，天色已经完全暗了。不过布局很精妙，众人听着不觉乏味，反倒是许多人都因为他的环环设计而感到背心发凉，汗湿重衫。他将整场攻城战讲完之后，好几个队领都重重地舒了口气。

"太可怕了……"

"后爹也是真敢想……"

军会散去时，那些人一边往自己的营帐走，一边聚在一处窃窃私语。

墨熄讲的时候全神贯注，并不觉得累，全部说完之后坐下来，才终于后知后觉地感到一阵疲乏上涌。他抬手支额，缓缓按揉着自己的眉心。

主营帐的人都在渐渐离去，尽管这些人听了都觉得无懈可击，在场也无任何人能破他的打法，但墨熄自己仍觉得可以再减少损失，于是他依旧在沙盘前坐着，打算歇息一会儿后再自己推演一遍。

正揉着眉骨舒缓，听到不远处传来斟茶的声音，过了片刻，一盏温热的茶水递到了他旁边。

这时候人已经散光了，墨熄自然以为能留在这里不声不响地陪着他的也只有顾茫，他阖着疲惫的眼眸，说道："抱歉，方才一直在忙着，顾不到瞧你。泡了什么茶？"

"灵山妙雨。"

墨熄倏地睁开眼睛，微微色变地抬起头来。

"梦泽……"

慕容梦泽温柔地笑道："我自然知道你方才一直在与他们解说沙盘，我瞧着也很是专注，又哪里会因为你不曾瞧我一眼而生气。"

这番误会有点大了，但墨熄又不好解释，不然他说什么？说我不是在和你说话，我是在和我随身带着的那个近卫说话？这简直是把顾茫往风口浪尖上推。

眼看着梦泽眼波流转，似因为他方才那太过柔软的话语而升起一星半点的希望。墨熄沉默片刻，说道："时候不早了，明日还要进行第二次攻城，你先回去歇息吧。"

"可是我想陪着你。"

见墨熄又欲开口，梦泽立时止住他道："我知道你又想说什么，你又想说要我爱惜声名，不要成日随着你，要不就是又想说你对我没有任何儿女私情，让我不要误会。"

墨熄："……"

梦泽垂下修长的脖颈，虽然仍不失仪态，但神色已然有了些凄楚："这些话，你已经与我说了好多年了，背都能背出来。我心里也很清楚你待我只有感激，没有别的情谊。我也不奢求别的情谊——但你让我瞧一瞧你，陪一陪你，难道也不行吗？"

墨熄道："你若一直瞧着我，陪着我，就会看不到其他你真正应当看着的人了。"

梦泽抬起眸来，眼底流淌着湿润的光泽："你不必替我担心，梦泽今生看着谁，陪着谁，都由梦泽自行抉择，无论结局如何，断无后悔。我亦不求那人回头瞧我一眼……我只想知道，大哥，如今你心里是已有别的牵挂了吗？"

墨熄没想到她竟会直接问出这样的话语。该当如何作答？

想了想，觉得还是早日让她彻底断念为好，于是他沉默一会儿，将一口未动的茶盏放下，抬头对她说道："一直都有。"

听到这四个字，梦泽并没有太意外，但仍是身形一颤，半晌才苍白着脸，勉强挤出一个笑容道："也是……你从前拒绝我的时候……就与我讲过，说你不会喜欢我。只是我，我……"她有些说不下去了，嗓音微微发着抖。

她没有把话说下去，墨熄也能知道她言下的意思。

他早就对她表明过心迹，说过他寄身沙场，无意连累女子为他担心挂怀。但梦泽从前哪里会信呢？只会当作是他拒绝她的一种方式罢了。

毕竟他那时候还年轻，家族又蒙羞，他一口气熬着想要建功立业出人头地也是正常，人们都觉得他迟早会改变的，毕竟谁会拒绝温柔之乡、天伦之乐呢？

直到最近，流言越来越多，诸多细枝末节浮上了水面，梦泽终于开始惴惴不安起来，觉得墨熄有所隐瞒，他不是没有牵挂，只是他的牵挂在别处，与她无关。

梦泽扶着桌沿，缓了好一会儿，才强笑道："是哪家的千金，你……你怎么瞒了大家那么久……"

"不是什么千金。"

梦泽的脸色愈发白了："是……庶民吗？"

"……"

在这沉寂之中，梦泽的目光自墨熄束发的缱带上掠去。墨熄一贯对自己的佩饰细节不甚关心，今日出帐仓促，他都不曾发觉自己曾经戴过一条明显不属于自己的帛带——顾茫随手搁在桌上的帛带。

梦泽轻声道："大哥，你可是亲贵。"

墨熄双手交叠于桌前，抬眼看着她。

梦泽哀然道："你觉得你能和一个普普通通的姑娘在一起吗？远的不提，近的你看一看先望舒君。重华那么多前车之鉴，你……你自幼长在王城，你不是不知道……"

墨熄道："你以为先望舒当年不清楚？"

"那你也该想想他的下场！"

墨熄停顿了一会儿，叹了口气："梦泽，多谢你提点我。但我自己的事情，和其他任何人都没有关系。"

"……"

"对不起，我还是与当年一样的回答，我无法喜欢你。"

梦泽的眸中已尽是水汽了。墨熄起身，接着对她说道："但是我会保护好你。"

梦泽含泪问道："为什么？"

"因为我感恩于你。"

梦泽闻言，闭目凄然而笑。

"很早之前我就对你说过，我欠了你一条命，若你何时需要我，所有能为你做的我都会为你做。"

"但是唯独这颗心。"墨熄抿了一下嘴唇，说道，"是我给不起的。"

梦泽复又抬眼，嗓音颤抖地问道："你断不会再变心意喜欢上我吗？"

作为金枝玉叶，问到这份上有多折辱她自己，墨熄不会不清楚。但这并不是折辱不折辱便能逆转结果的。

墨熄注视着她的眼睛，说道："我不会。"

一阵沉默后，梦泽发出一声轻轻的凄笑，她怆然仰头，哽咽道："好……好……"

她没有再勉强些什么，又或许该说的，该做的，这些年都已经说尽了，做尽了。

"墨大哥啊……

"我竟恨不得你虚伪一些，能骗我一番也是好的。但你连一场梦都不给我。

"你真是……真是……"

她不知道该如何结束这场对她而言已是一败涂地的对话，想露出一个笑来维持那碎了一地的尊严，眼泪却又几欲夺眶。她大睁着眼睛，努力将泪水忍回去。

而后她转过身，慢慢地，几乎是有些步履蹒跚地，离开了军营大帐。

第37章

大泽是个雨城，当顾茫清点完粮草时，天色已然昏暗，远山处有浓云翻墨，朝着城郊不断逼近。顾茫安排了押运粮草的修士去营房休息，又命人将油布盖到粮仓草垛上，边塞外呼呼起风了，小修士们闹闹嚷嚷地赶在暴雨落下时将油布的四个角压齐。顾茫听到有人在嚷着："快点快点，下雨啦，挡得快吃饭，挡得慢喝粥，咱们这是和老天爷抢饭吃呢！"

这番话是他从前在王霸军里经常喊的，因此顾茫立刻抬头，果然瞧见一个自己的旧部卷着裤腿，站在粮草垛上指挥吆喝。

那旧部瞅见顾茫在看自己，从金黄的谷堆上踢踢踏踏走过来："你是墨帅的近卫？"

"……是啊。"

"新来的吧，别傻愣愣的，咱们北境军近卫也是要做事的，快点一起来帮忙！"

"哦，当然好。"顾茫就卷起袖子单手一撑，三两下跃上谷堆，和他一起把砖石压在油布的角角落落。那旧部挺满意地看着他："身手挺灵活，难怪能在墨帅左右办事。"

顾茫踩着松软的谷堆，与他一边压布，一边闲聊。那旧部是个话痨，一直在顾茫左右絮絮叨叨："哎哎哎，这块旁边要再压一块。"

"你手上这块砖石不够重，你可不知道，边塞的暴雨狂风可厉害了，小砖头一吹就跟树叶似的上天了。"

"什么？夸张了？一点儿也不夸张，你看我年纪小，我可是北境军的老人了，北境军还叫王霸军的那会儿我就在军营里头了，我跟顾——咳，我跟顾茫一块儿打过仗的。我这压砖头的规矩还是顾茫那会儿教给下头兄弟们的呢。"

顾茫觉得有趣，忍着笑逗他："顾茫当年亲自教你压砖？"

"那可不？我一学就会，他还夸我聪明来着。你笑什么？不信？"小修士瞪大了眼睛，"我真没骗你，你别看顾茫那厮后来不是个东西，当年他在军队里的时候，还别说，挺像个人样的。"

"是吗？"

"是啊，墨帅高冷，顾茫亲和，俩人治军风格差太多了，一开始把我们重新编入北境军的时

313

候,咱还不适应呢。"

顾茫笑道:"墨帅那不是高冷,他只是不善言辞,其实待你们也很好。"

小修士挪了挪一块放的有些歪斜的砖石,说道:"反正墨帅那人就那样,说话做事都那么严肃,还冷冰冰的不爱理人。不过习惯了也就好了,总比画给望舒君好。"

顾茫怔了一下:"划给望舒君?"

"是啊。有传闻说之前君上重组王霸军的时候,有想划给望舒君,或者干脆打散了分到各个军营里去的。不过后来也不知是怎么搞的,听说是墨帅去和他说了些什么,就把军队挪交给墨帅了。"

"⋯⋯"

顾茫脸上的笑容有些淡去,他陷入了思忖——原来君上最初的打算,是想这样处置他留下的三万残部。

可他知道君上是个怎样的人,如果没有利益交换的话,君上不可能随意变更最初的想法。墨熄是做了什么,才让君上改变了主意?

"哎呀,下雨了。"小修士戳了戳他,"还有最后一点儿,压完了砖头就回营里避雨吧。粮仓里有油纸伞,一会儿我带你去拿。"

顾茫回过神来,点头道:"好。"

雨很快就下大了,天地间的颜色都好像在瞬息间被冲得浅淡。大泽大泽,这座城的名字便是这样来的。

顾茫站在粮仓的屋棚子下面,帮着屯放粮草的修士们已经打伞的打伞,撑结界的撑结界,陆续笑闹着跑远了。北境军还是和他从前在的时候一样,大多都是极富活力也极乐观的年轻人,哪怕明日就是大战,也不妨碍他们此刻嘻嘻哈哈地在雨水潭里追逐嬉戏。

"来吧,雨大了点儿,不过可以踩水回去。"小修士邀他,"咱们这里就这样,从前顾茫留下的破习惯,改不掉了,闹闹腾腾没规没矩的,他那时候在雨里跑得最快了。"

顾茫站在干燥的棚檐下,笑道:"因为他那时候年轻啊,换成现在,他肯定也折腾不动了。你先回去吧,我等雨稍小一些再走。"

小修士不勉强,自己踩着水一往无前地消失在了雨幕深处。

粮仓里没人了,顾茫安静地站在木栅栏边,仰头看着苍茫大地,雨水翻溅起浓重的土腥气,在屋檐汇聚成流,地上洼泽一片。

他站在一边,看着北境军修士勾肩搭背闹嚷嚷,他看着他们的背影一个接一个地远去,最后他瞧见二十岁的顾茫和十七岁的墨熄笑着顶着一块油布一头扎进了暴雨里。

他眨了眨湛蓝的眼睛,于是那些影子都模糊了。

雨势渐微的时候，顾茫撑开了油纸伞准备回去。路过中军主营帐时却看见帐篷内透出了烛光，那昏黄温暖的光泽投映在水潭中，雨点一激，就成了一道瑟瑟的光影。

顾茫停下脚步，心道，难不成这么迟了，墨熄还没回去？

他知道墨熄有讲完战略布局后自己再推演一遍的习惯，但这时间未免也太长了，别说一遍，五六遍都该推演过去了。他觉得奇怪，于是收了纸伞，倚靠在帐篷边，轻拂开帘子走了进去。

沙盘前确实有一个人在抱臂沉思，岂料那人却不是墨熄，而是……

顾茫微微吃了一惊，慕容怜？

慕容怜半靠半坐在沙盘边上，手中擎着一管烟雾缭绕的烟枪，他眯缝着桃花眼，一边懒散地抽着麻烟，一边瞧着沙盘地图。也许是雨声太大了，又或许是他太专注，他没有听到顾茫进来的动静，只抬手捻起几面小旗，在沙盘的不同险隘处落下。

顾茫仔细看了一会儿，忽觉得冷汗涔涔——慕容怜那几面旗帜下的位置诡谲偏冷，行军线路虽然与墨熄不同，但方式却是一样的狠辣强势。如果按他这样的布局，胜算虽然没有墨熄的大，但只要能赢，速度甚至比墨熄的还要更为迅猛。

慕容怜不是在玩，他是真的在认真推演。

而且他还在不断地修正自己的想法，将代表着不同法术之能的旗帜反复换过多次，每一次调整，顾茫都能看出他极为清晰的用意和思路……

那么白日里慕容怜那随随便便，两下就能被慕容梦泽破解的进军策略又算什么？

"咳咳咳！"

忽然一阵揪心揪肺的剧烈咳嗽将顾茫从思忖中惊醒，慕容怜垂下烟枪，蹙着眉头不住呛咳着，他神情很是晦暗，一手摁着胸前，似乎想要努力压制下什么东西——可他最后还是呛出了星星点点的血沫。

慕容怜用雪白镶着金边的巾帕把血迹擦去了，眼神阴郁。

他直起身子，盯着沙盘看了一会儿，然后抬起那只戴着蓝宝石扳指的手，将沙盘上精心布下的旗帜一点一点地拔除，将整个设计好的战局慢慢地毁掉。

做完这些，他白皙的手指一抛，将那些零散的小旗都丢到了旁边，而后颓然在椅子上坐落，仰起头，无比疲惫地合上了双眸。

昏暗阑珊的灯火深处，慕容怜的侧影显得那么单薄而孤寂。他双手交叠着，一直在下意识地摩挲着蓝宝石指环的戒面。

过了良久，顾茫听到他喃喃地叹了句："真可笑……我……难道就真的不如你吗……"

我难道就真的不如你吗——这句话在顾茫耳中萦绕不散，几乎响了一路。他如何也想不明白，慕容怜既有主意，又不服输，为何要在军事会上敷衍了事？

为何要待到夜寂无人了，他才抽着一杆浮生若梦，在迷蒙凄清的烟雾里，孤独地摆弄着阵前甲兵,推演一场波澜壮阔的闪电之战……

回到主帅寝帐时,墨熄正好在给君上送信传音,他将传音雀鸟放飞了,瞧见顾茫进帐,脸上的神色微松。

"去哪里了? 这么晚才回来。"说着摸了摸他的头发,"淋雨了吗?"

"我去清点了入库的粮草。没淋着,有伞呢。"顾茫揉了揉鼻子,并没有把在主帐看到慕容怜的事情告诉他。

墨熄将备好的手炉给他,让他暖了一会儿,说道:"膳房来送了饭,先吃了再休息?"

顾茫于是探头去看,果然瞧见桌上摆着几道菜肴,旁边还有一个竹筒,筒里温着米饭。

"你也没吃?"

"我等你一起。"

顾茫张了张嘴,原想说你胃那么差你又不是不知道,等我干什么,给我留一点儿不就好了。但是瞧见墨熄黑眼睛温柔的样子,话到嘴边又咽了下去。他叹了口气,捏了捏墨熄瓷玉一般的脸——全天下大概也只有他才能这样捏墨帅的脸了。

顾茫无奈道:"你啊。"

坐到桌前,才发现原来那些菜肴都是从前王霸军的修士们特别喜欢却又吃不到的。一盘酱汁鲜亮的红烧肉,配着白面馒头,一碟脆笋藕苗,一碗蛋花汤,虽然不是什么精致菜肴,但全军上下每人能食着一份,也是不小的开支。

顾茫道:"你这伙食给他们改善的真可以,我那会儿要是想给他们吃上一顿肉,真得求爷爷告奶奶好多遍。"

墨熄打了一碗汤,推给他,说道:"你为他们做的已经够多了。"

顾茫咬着筷子笑了。

军营里的蛋花汤是一大锅煮出来的,撒着碧油油的葱花。但是墨熄知道顾茫不喜欢吃,所以早已撇去了上头的青葱。他看着顾茫咕嘟咕嘟地把热汤喝下,驱散了骤雨带来的潮湿,眼神逐渐变得非常柔和。

换作世上另外任何一个人,看到墨熄这样的眼神都会觉得撞了邪了,唯独顾茫不会。他饮完了汤,抬头对上墨熄的目光,自然而然地又咧嘴笑了一下。

墨熄叹了口气,取出洁白的巾帕,在顾茫的唇角拭了拭,而后道:"怎么还是和以前一样,喝完汤永远不记得擦干净。"

"哎哟少爷,我哪儿有你这么讲究啊,我吃土长大的。"

"……"

两人又闲谈了一会儿,饭吃到一半,顾茫想了想,最终还是决定道:"对啦,墨熄,有件事,我想要告诉你。"

"什么？"

顾茫道："我方才在主营里看到慕容怜了，他在推军阵。"

墨熄原本在拿瓷勺舀着汤喝，闻言动作一顿："是吗……"

"嗯，而且我看了他布的战局，和他白日里说的完全不一样，他有很不错的想法，但他似乎并不打算说出来，只是自己在推演而已。"

墨熄又垂着眼帘舀了几次汤，但都没有送入口中，最后他将汤勺搁下了。

顾茫问："你不觉得意外吗？"

墨熄道："说实话，没有那么意外。我其实觉得慕容怜近些日子来，举止一直有些反常。"

"比如？"

"周鹤要将你带去黑魔试炼的时候，他去阻拦了。之后阻拦未成，他就给你戴了一枚扳指，说是能够随时知道你的情况。然后他又来学宫寻我通风报信。"

"……"顾茫听到他冷不防提及这件事，不知为何，眼神竟忽然有些闪躲。

墨熄没有揭破，只将他的神情尽数看在眼里，然后接着道："我后来得知，慕容怜当初阻拦周鹤带你走的理由是他也要做黑魔试炼。"

"嗯。"

"世上恐怕不会有这么巧的事情。"

"……"

"而且就算黑魔试炼确实是巧合，他和周鹤正好同一时间都需要人，那么你从周鹤处脱身后，他为什么不要求接着把你要过去继续当试炼体？"

顾茫低头默默喝汤，喝了好几口，才说道："大概是不想再触怒你？"

"那么扳指又如何解释？"墨熄道，"慕容怜给你那枚扳指，说是因为他能够通过它可以知晓你的状况，之前我觉得没什么，但仔细想了之后，这一条也解释不通。周鹤将你带走试炼是君上的旨意，如果慕容怜没打算和君上翻脸，那么无论你情况如何，他都不能插手置喙。"

顾茫嗯了一声，他又喝汤，他甚至开始用勺子喝汤了。

而墨熄是很清楚顾茫从来不喜欢用勺子喝汤的，除非顾茫只是想借一些什么动作来避开与自己的对视。

顾茫能在许多人面前守住秘密，唯独在墨熄面前，很多时候他的一些小细节会暴露出他的心态。

"所以他当时给你那枚扳指，我想有两种可能。第一种，如果你当时真的性命垂危，他会和君上翻脸来阻止试炼的继续，哪怕我不插手。"

顾茫慢吞吞咽下一口汤，抬头嘿嘿笑道："小兄弟你想什么呢？他恨我还来不及，你又不是不知道他在落梅别苑怎么对我的。哪里会替我跟君上翻脸。"

"那么还有第二种可能。"墨熄道,"慕容怜在说谎。那枚指环根本不是用来反馈你的状况的,而是另有他用。"

他这样一说,顾茫的神色微微就有些变了。

过了一会儿,顾茫道:"唔……他当时把扳指借给我的时候,我确实觉得有一种很奇怪的感觉,但我说不上来那是什么,有些头痛,心跳也忽然很快……他那指环难道附着什么法咒?"

"不好说。"墨熄摇了摇头,"这件事情恐怕只有他自己心里才清楚。然后我们再说回来,周鹤把你带走之后,慕容怜来到修真学宫找我,当时他给江夜雪留了几句话,没提别的,最重要的意思就是与我通风报信,告诉我你被司术台带去做了黑魔试炼。如果他的指环真的可以追踪你的情况,他又何必来找我?危急时他自去向君上禀报就好了。他找我只会导致一种结果,而那个结果他也清楚。"

墨熄顿了顿道:"他确信我一定会去阻止周鹤。"

汤没了,顾茫低头看似漫不经心地在玩着勺子。

墨熄道:"我之前就在想这件事情,越想越觉得,慕容怜当时的目的其实只有一个,他就是不想黑魔试炼被执行。除此之外,任何的动机都站不住脚。"

顾茫没吭声,柔软的长睫毛低垂着,投落细碎的光影。

静默了好一会儿,顾茫道:"墨熄,我……我和他之间,其实……"

他看上去欲言又止,似乎是想要吐露些压抑已久的秘密,但话到嘴边,却又随着嘴唇抿起而吞了回去。

墨熄道:"你若有什么难言之隐,那便别说了。"

"……"

"你在望舒府住了这么久,有些不能说的事情再正常不过。我今日与你说这些话,没有其他任何意思。我信得过你,你也不必与我多做解释。我只想问你一句——你觉得慕容怜其人究竟如何?"

墨熄原以为顾茫会仔细斟酌一番再做回答的,却不料顾茫回答得很快。

顾茫说:"我不知道。"

墨熄望着他的眼睛,那双蓝眼睛澄澈、透亮,没有半寸隐藏。

"我脑子里记的东西……"尽管不愿意提到这点,但是避无可避,顾茫还是说了,"已经不太全了,我不知道关于他,我是不是还能想起全部重要的讯息,所以不敢说。"

"那就以你记得的来判断,你觉得他吸食浮生若梦正常吗?"

顾茫道:"不正常。"

墨熄叹了口气,点了点头:"我想也是。我刚回王城看到他的时候,觉得他堕落到这个地步,实在是令人厌恶至极。但后来历经种种,总觉得我瞧见的未必就是真的,君上曾对你说想要废禁他的落梅别苑，而老君上又曾动过废储而另立慕容怜为太子的心思——他做出这般选择，或许也是无奈自保之举。"

顾茫这回却摇头道："你说的不对。"

墨熄微感诧异："哪里不对？"

"慕容怜曾离储位最近，此事满重华皆知。看上去他对君位的威胁最大，其实不是的。他被盯得太紧了，根本没有翻出什么风浪的机会。而正因为他没有翻出风浪的机会，君上根本没有必要去整治他，甚至为了昭示宽仁，君上待他反而会是最宽厚的。"

顾茫略停了一下，继续道："你还记得慕容怜吸食浮生若梦前的状况吗？"

墨熄叹了口气道："也没好到哪里去，纨绔，浪荡，争强好胜。"

顾茫点头道："最后一个是最重要的。不错，慕容怜曾经非常争强好胜，但难道他那个时候就不想自保吗？难道那时候他就不用顾及君上会怎么想他吗？他吸食浮生若梦后，朝堂境遇其实没有任何变化。所以他吸这迷烟不会是为了放松君上对他的警惕，应当是另有原因。"

他鼓起腮帮，然后慢慢地吐出一口气来，说道："只是我并不清楚那是什么。我之前也想过是不是慕容怜遭遇了某样我们都不知道的秘密变故，所以心性大变，自甘堕落。但方才我看到他在军帐里推演兵法，我就清楚，他骨子里还是那个好斗的慕容大公子，没有变。你知道他在军帐里说了句什么吗？"

"什么？"

"他说，'我难道真的就不如你？'"

"……"

"你看，他还铆着一口气，和你较着劲呢。"

墨熄竟一时不知说什么才好。

可就在两人谈话的这当口，外头忽然传来一阵喧闹，纷沓的脚步声伴随着几个人的争吵，能隐隐约约听到"我只是随便说一说""干什么管那么严啊""你别拽我这么紧，你不就是个奴籍出身的戍卫官？"紧接着就传来扭打挣扎的声音，有近卫在帐篷外禀奏道："墨帅！赤翎营有人严违军纪，阵前传谣！首犯三人皆已押至，请墨帅责处！"

阵前传谣？还是赤翎营的人？

墨熄和顾茫相视一眼，墨熄道："稍等。"待顾茫重新佩好了黄金假面，他才让外头的人进来。

赤翎营和北境军不一样，他们只收纯血贵族，并且戎装上都会绣上代表各自宗族身份的图腾。墨熄将那三人一一打量过去，一个是林家的直系，一个是周家的直系，还有一个则令墨熄颇有些意外，因为那是梦泽的一个远亲表叔，从前在年终尾祭的时候，墨熄还与他打过照面。

墨熄皱眉道："怎么回事？"

近卫抱拳禀奏："羲和君！这三名赤翎修士在军中妄议主帅私事，还传播谣言，到处说……说您……"

"说我什么？"

那近卫敬畏墨熄，斟酌半天也找不出合适的词来阐述。正当这时，就听得那个慕容家的远亲扯着嗓子道："我传什么谣了？墨帅和我侄女儿乃是情投意合，天下皆知！他们私下里会面谈情，我这个当叔叔的听着高兴，多说两嘴，难道还触了什么王法不成？！"

近卫怒道："呸！你还不住口？！"

"让我住口？你一个浑身上下没一点儿亲贵之血的人，你也敢命令我？你知不知道老子和君上是什么关系，老子要是不高兴，可以让你全家滚出重华都城！"

墨熄这回算是听明白了，他打断了这位表叔的吵嚷，说道："前辈，你恐是误会了。"

"啥？"

"我与梦泽在中军大帐独处，只为谈公，不为谈私。前辈也是赤翎高阶修士，什么话当说，什么话不当说，您应当很清楚。重华与燎开战在即，此事我暂不追究，万望前辈慎言，莫要再犯。"

表叔并不领情，一双眼睛瞪得像牛蛙，半响，咬牙切齿道："好啊！羲和君，你这人还真是面上一套背地一套，是！你是主帅不错，但你也是我的晚辈！你与我侄女儿同床共眠，回头就对我这样指手画脚，全无恭敬，你信不信我——"

墨熄抬手打断了他的话："我什么时候与你侄女同床了？"

"你……你居然还不认！"表叔大怒，指着墨熄的鼻子道，"好哇，人人都说羲和君是个正人君子，我看你就是个衣冠禽兽！翻脸不认人，还要责罚你女人的表叔，你……你简直就是个白眼狼！"

他在这儿吼得起劲，旁边几个人的神色却是各不相同。仰慕墨熄的近卫看上去都快气疯了，另外两个散布流言的人则是瑟瑟发抖，顾茫戴着假面，完全看不出神色，不过瞧他的姿态倒也还算淡然。

至于墨熄自己，他坐在军帐的椅子上，双手交叠于膝，盯着此人瞧了一会儿，说道："梦泽于我有恩，我瞧在她的面子上，再称你一声前辈。前辈，我不清楚是谁跟你说了这般荒唐的事情，但我现在告诉你，梦泽十分清白，与我从来不染。"

"呸！骗鬼呢，你少在这里衣冠楚楚地给我装正经人！"

墨熄压着怒火道："中军大帐我虽与梦泽独处，却无半点逾越之举，你若不信，可以去问她。"

"谁跟你说中军大帐了？"表叔竖着粗眉，神情鄙夷，"流氓！我说的是晌午的时候！你在你自己营帐里——哎哟，我都不好意思说你，你自己心里清楚你都对梦泽做了些什么！"

墨熄："……"

顾茫："……"

见墨熄脸色微变，且不吭声，表叔便有些得意了，他龇牙冷笑道："没说错吧？这回还狡辩吗？"

"羲和君，我在赤翎营中，早听说你北境军治军甚严，从不为女色所误。今日看来也不过是敢做不敢当罢了！唉，只可惜我那傻侄女儿瞎了眼，旁人瞧不上，偏瞧上你这种人面兽心的不轨之徒……"

他仗着自己的年纪地位，话说得越来越刻薄，墨熄面色阴鸷，抿唇不吭，但顾茫却有些听不下去了。

"还没完了？"

"你又是什么东西？"表叔打量了他几遍，翻了个大白眼："哦，也就一个侍卫，居然来教训王室宗亲，呵呵，真乃天下奇闻呐！"

说罢又是一阵冷笑。

还没笑完呢，就听得墨熄道："你说的没错。"

"我晌午时，确与旁人同在帐中歇息。"

众人皆惊！每一双眼睛都倏地转向墨熄。

那表叔一愣之下，纵声大笑道："哈哈哈，瞧瞧！瞧瞧！我说的一点也没错吧？小火球儿，知慕少艾没什么，你也不算违乱军纪，只要你——"

墨熄却打断了他的话。

"侍官。"

近侍瞧上去都快转不过磨盘来了，情绪极其复杂地应了："在。"

"记我在军中与人私会之过，参与君上惩处。"

"……是。"

墨熄的话还未说完，他靠坐在椅背上，修长十指交叠，接着一字一顿道："除此之外，再记赤翎营此三人阵前传谣，一并上参。"

那表叔虎目圆睁，"墨熄，你……你这是什么意思？你明明已经承认了自己的行径，却还说我等造谣，你你你，你凭什么啊你！"

墨熄站起来，琉璃珠一般冰冷的眼瞳下睐，冷冷淡淡地看向他。

"因为那个与我私下相处之人，并非梦泽公主。"

如果说方才墨熄承认自己与人有私已是让人震惊，那么这句话一出口，满军帐的气氛都到了冰点。

其余人自是不必说，就连顾茫都睁大了透蓝的眼睛，愕然地盯着墨熄看。

墨熄走到那表叔面前，伸出手，抬起那张肥脸，低声道："我真的已经忍你们太久了。"

"自梦泽救我那一日，近十年，你们日日编造，句句讹传，今日竟直接传至我的面前。前辈，我就想问你一句——有意思吗？"

"……"

"传我与梦泽有情，你们是觉得只要说得多了，我就真的会娶她为妻，还是因为觉得你们了解我胜过我自己？"

"这么多年来我敬重梦泽，感恩于她，我人前人后说了无数遍，没人听我的，你们听风就是雨，言之凿凿只道我随时随刻都准备娶她。"

墨熄顿了一下："梦泽若真的嫁入羲和府，到底是对她好，还是对你们好？"

表叔面色渐渐有些发黄，眼神闪躲道："羲和君，你这说的是什么话……"

"问你啊。"墨熄森然道，"一心造势，甚至不惜污蔑自己侄女的清白，你们这一支慕容旁族为的是什么你自己心里很清楚。又何必再来问我。"

"你……你……"表叔肥厚如猪肠的嘴唇哆嗦半晌，眼珠子四下乱转，却也因为心虚而说不出更多的话来。

墨熄直起身子，有些恹恹地闭了闭眼睛。

正当他准备结束这场对话时，那表叔却忽然重新想着了一块新的立足之处，扬眉急急喝道："墨熄，你……你不用编别的理由！我看你……你就是个冷血薄情之徒！"

"……"

"梦泽自幼与你青梅竹马，两小无猜，谁不知道你原本对她有意？"

墨熄的凤眸都睁大了，在这一番争执里他有过错愕，有过厌恶，有过愤怒也有过倦怠，唯独没有过茫然。但表叔这一句话几乎都要把他给震蒙了。

他几乎是噎了一会儿，才问道："我怎么就原本对她有意了？"

表叔道："你若不是原本对她有意，她何至于在洞庭水战时为了救你，自损至此？她既然曾经能够那样对你，定是因为你待她亦是不薄，否则谁会无缘无故为旁人做到如此地步？难道你想说是梦泽自作多情不成？！"

墨熄当然不可能为了撇清自己，就把"自作多情"这样的判词扣在梦泽身上。表叔见他沉默，愈发得劲儿："如今她身子垮了，年岁也大了，你便看不上她，急着与她划清界限。人都说羲和君是个有情有义的君子，原来你非但不是个君子，还是个负心薄幸的卑鄙小人、无耻之徒！"

最后八个字说的抑扬顿挫、掷地有声，帐篷里沉默许久，忽有人清脆拊掌。

"真棒，讲完了吗，兄弟？"

表叔转头一看，见拍巴掌的是墨熄身边那小侍卫，不由怒道："怎么又是你？都说了你不配和我交谈！"

顾茫笑道："我也没打算和你交谈，就是想问问你有没有把话说过瘾。"说罢转头对近卫道,"劳兄弟你把这位前辈带下去吧,找个帐篷关起来,管得严一些。没别的意思,只是前辈舌灿莲花,陈词实在太过出彩,放由他这么出去嚷嚷,咱们这仗也不用打啦,直接给羲和君定罪吧。"

近卫还沉浸在"羲和君居然真的和人在帐中私会"的震惊中无法自拔,过了好一会儿才反应过来,磕巴道:"啊?那……那墨帅您看……"

墨熄还未发话,就听那表叔嚷道:"姓墨的!就算你此刻关了我又能怎样?有本事你昭告整个重华你另有新欢了啊,你别说我们慕容旁支居心叵测,且看看其他无关之人将会如何评判你!我告诉你火球儿,你负了梦泽,你就是德行败坏!至于私下里攀上你的那一位,她就是——"

就是什么他是来不及说出口了。墨熄倏地抬手扼住了他的咽喉,墨熄的力道极大,虽并不打算伤及此人,盛怒之下却还是将他扼得喉头一噎,差点背过气儿去。

墨熄将他单手从地上提起来,盯着那张涨红的脸道:"我忽然想起来了。"

"前辈,你叫慕容烈,是不是?"

慕容烈被他提了起来,双脚乱蹬,面如猪肝地翻着白眼瞪着他。

"传闻中,先望舒当年执意不愿娶赵夫人为妻的时候,曾有百官谏言。其中言辞最为刻薄激烈者,便是一位叫作慕容烈的远亲。"

"是你吧?"

"呜……呜呜!"

墨熄黑色的眼眸中闪着冰冷的光泽,显然已是忍到了极致,一字一顿道:"从先望舒,谏到我身上。前辈您还真是三十年如一日,时时刻刻在替别人家的亲事忧思劳碌。不过晚辈可能要让您失望了,梦泽于我如妹,哪怕在重华人的口中我成了无耻之尤,我也绝不会娶她为妻。"

慕容烈都快被他给捏死了,两眼翻白呼哧气喘,看得周围两个赤翎营的贵族两股战战,抖如筛糠。

眼见着再捏就真的要出人命,墨熄修长的手指这才一松,慕容烈便如稀泥一样蓦地跌坐回了地上,捂着红通通的脖子不住地喘气。

"前辈或许曾在先望舒的身上谋得了利好,但是我今日提醒你一句。先望舒是先望舒,我是我。三十多年前发生在他身上的事情,不会在我身上重演。重华不缺一位先望舒了。"墨熄顿了顿,"也不缺一位赵夫人。你省心吧。"

说罢之后,便恹恹地挥手,命近侍将他与另外两个传谣之人一道压了下去。

待人都退下了,墨熄抬手,在帐营里重新开始施加结界。

顾茫在一旁忧心忡忡地望着他:"墨熄,你又何必要如此呢?"

墨熄看了他一眼道:"我也已经与梦泽说过了。"

顾茫惊了一下:"说什么?"

"说我无心于她。"

"……"

"你不必多想，这样对她反是最好的。明日还要再攻大泽城，我还有些卷宗要看，你早些休息吧。"

顾茫瞧着他深邃的眉眼，神情间很有些固执的模样，心中又是杂乱又是酸涩，不禁叹了口气："唉，你这又是……何必呢……"

墨熄将最后一重结界布好，回头道："我求个问心无愧。"

"……"

顾茫叹了口气，没再说什么，走上去捧住了他的头，沉默一会儿，与他额头相抵。

夜深了。顾茫却没什么睡意，墨熄在看卷宗，他就在旁边一边吃点心，一边看自己写的记忆录，看了一会儿，忽然合卷道："墨熄。"

墨熄自卷牍中抬起头来，抬手执了柄银勺，拨亮了烛火："怎么了？"

顾茫道："我忽然想到啊，之前忘了问，你和那个慕容烈提到的先望舒和赵夫人……他们是怎么回事？"

墨熄睫毛轻动："赵夫人就是慕容怜的母亲，你对她没什么印象了吗？"

"记得不算太清晰了。"顾茫道，"而且我与她的接触原本就很少，她不爱与人说话，在世的时候对下人的管束不多，但对慕容怜倒是一直很严厉，府中最常听到的就是她不让慕容怜干这个干那个，全都要按她的意来。"

顾茫顿了顿，又不好意思地笑道："不过她长得倒是挺好看的。"

墨熄道："赵夫人确实容貌出众，曾是重华数一数二的美人，当年是被先君指婚给先望舒……也就是慕容怜的父亲慕容玄的。她的才华相貌都无可挑剔，家世也与先望舒门当户对，不过慕容玄当时曾与另一个位分卑微的女子生了情愫，便怎么也不愿娶她，场面闹得非常难堪。"

顾茫挠挠头，这些传闻他虽然不记得了，但确实能从其他回忆里推敲出一些赵夫人和慕容玄的往事纠葛来，因此也不算意外。

他试探着问："那后来慕容玄怎么就同意与她成婚了呢？"

"局势压力吧，还有其他各种各样的缘由。"墨熄摇了摇头，"隔得太久了，传闻七七八八的，怎么样的说法都有。你怎么忽然在想这个？"

顾茫道："唔……因为我印象里有个人，她也是望舒府的奴役，我小的时候，她非常照顾我，我总觉得她可能就是先望舒曾经喜欢的那个姑娘——"

墨熄道："不会是她。"

顾茫听他断然否决，有些诧异："为什么？"

"先望舒喜欢的姑娘是个临安来的普通百姓，而并非仆奴。"

顾茫又往嘴里塞了一块绿豆糕，腮帮子微微鼓起一个小包，墨黑的长发在脸颊边垂着："啊，那她既然不是奴籍，又为何不能与先望舒成婚？"

"因为她就算不是奴籍，地位也相差太悬殊了，而且那姑娘之前好像受过伤，记不太清楚自己的身世。具体我也不太清楚，只是听过许多种不同的说法，有一种传言是说，临安属于岳钧天的封地，百姓皆隶属于岳钧天管辖，但岳钧天与先望舒关系向来不睦，知道他与一临安姑娘相恋后，就怂恿党羽一起去君上面前谏言，指摘那姑娘是燎国卧底，最终迫使姑娘离先望舒而去。"墨熄放下卷轴，他一贯不喜欢这种八卦传闻，听别人讲的时候他就很厌恶，自己说出来，说着说着神情愈发尴尬。

他稍微停了一会儿，才接着道："不过还有一种流传更多的说法，是说岳钧天并没有说她是燎国卧底，而是派人去打探了她的出身，后来得知她曾经是个青楼歌女，于是禀报了君上，那临安女子就自然不可能入主望舒府，成为慕容夫人了。"

"差不多就这样，别的说法还有很多，我没记住。但大抵都与岳钧天有关，说那桩婚事最后是他搅黄的，他觉得那姑娘是自己封地的百姓，又来路不明，不愿背责，所以一直很反对他们成亲。"

顾茫看他无奈地讲着八卦的样子，瞧上去又好笑又可怜，忙绕过去替他捏了捏肩，哄道："好了好了，记不住就不讲了。"

"抱歉。你要是有兴趣，我下次去书摊给你买一本异闻录……"

顾茫忙道："不用不用。"

让墨熄去买异闻录？别难为人家小本生意了，人掌柜该以为他是来查封书摊的吧。

两人聊着聊着，一夜就这样过去了。

梦泽之事，虽然军中已隐有传言，但情势紧急，且北境军的军纪比其他两营要好上许多，因此流言蜚语大多只在赤翎营内流传，暂时掀不出什么浪头来。

第二日破晓时，重华按计划，对大泽城发起了第二次攻城。

"报——！"

太守府内，国师闻声，淡淡抬起眼来。他指端琴声未止，一边抚弄琴弦，一边道："进来。"

传令官小趋入内，跪地行礼。

国师漫不经心地问："外头情况如何？"

"重华今晨第二次进攻，城北角楼陷落，守城营已退居北集市加固结界。"

"是否撑得过明日？"

传令官额头沁着冷汗，抱拳低首："守城营统领说他……他无能，只能尽……尽力……"

"那他确实是挺无能。"国师云淡风轻地说完这句话，琴声渐促，忽然抬指一扬，低喝道，"霖铃，召来。"

但见得流光闪过,镶嵌在古琴上的九只眼睛里有一只随着他的命令完全睁开了——那只眼睛眨了眨,瞳仁透散出幽碧的光华,光芒越来越亮,逼得人无法正眼相看,待华光熄去时,古琴上方已然悬空了一枚溢彩流光的鳞甲。

国师一挥广袖,鳞甲径自向传令官飞了过去,悬停在他眼前。

"拿去。这是玄武重甲。"

传令官大惊失色!

玄武重甲,不是太古时遗留下来的神迹之一吗?那可是世间最牢不可破的防御法器啊!怎么竟藏在国师的九目琴里?

还没震惊完,就听国师补了一句:"其中的一片。"

传令官:"……"

"你别小看这一片,它也足够抵挡住十万雄师的攻伐了。拿去给我们的废物守城官顶着吧——记住了,守城官可以死,玄甲不能丢。如果回头这片鳞甲有什么损失……"国师顿了顿,琴弦铮地鸣响,他甜甜笑道,"我可要你们所有人来陪葬。"

传令官忙不迭地应了,双手将那鳞甲捧过头顶,两股战战地退下。鬼气森森的太守府于是又只剩下国师一个人。

琴声还在幽泉般潺潺流曳着,而在国师面前,之前那一团名为"净尘"的光华已经化出了隐绰形姿,它瞧上去像是一只通体洁白的幼犬,每一根毛发都在散发着荧荧幽泽。但这只幼犬还没有什么意识,它伏在太守府柔软的毡毯上,爪子遮盖住自己的眼,一动也不动地趴着。在琴声的镇抚中,它显得很安详。

国师抬起眼眸,那只灵兽散发的光芒浮动在他眼底,他低声道:"净尘,他们给你的封印我都解得差不多啦。再有一天半,我就能带你离开这里,回自己的家乡去。你可要乖乖的,莫要再给我生出什么意外来。嗯?"

幼犬的耳朵动了一下,眼睛微微睁开一道缝,里头透出的却是与它娇小可爱的外表全然不同的冷蓝色妖光。

与此同时……

城北角楼

燎国此战折戟,北境军的腾蛇旗已在角落的断壁残垣里高悬飘飞。墨熄的前锋进驻了大泽城的这一隅,而在他们前方不远处,燎国修士造出的碧色守护结界正在重重升起。

斥候撤回来,对正观察着燎军守备的主帅墨熄禀明了情况,随后问道:"墨帅,要趁胜再攻吗?"

墨熄剑眉低蹙,抱臂望着那越筑越高的守城结界,神情沉凝。

"他们哪里来的玄武重甲……"

斥候一惊,扭头去看那碧色结界:"玄武重甲?!那……那不是咱们君子慧才有的神器吗?!而且君子慧仙逝后,玄武重甲也失去了契约者,不知散落到了何处,怎么如今会出现在燎国手里?"

墨熄一抿嘴唇,眸色幽暗:"他们这个结界的效力远非玄武重甲的真正实力,燎国掌握的重甲应当不全,或许只有一片两片。"顿了顿,又道,"不过只要是玄武重甲,哪怕半片都够我们受的。"

"传令,全军先缓进攻,驻守城北,原地休整。"

"是!"

"另外请所有的领帅来主营帐,我要与他们商议第三次攻城的计划。"

第三次攻城,与其说是攻城,不如说是搜捕。

当年沉棠封印血魔兽的地方正处于大泽城北边的一个湖泊,重华大军已经撕破了大泽城的一个边角,从这个边角进去,身法迅捷的修士可以前往那个湖泊进行捕探。

不过此事涉及重华机密,墨熄不便明说,他只将探知血魔兽残魂的事情告诉一支由君上遴选出来的搜捕小队,其余修士皆以其他理由安排了事宜,以作策应。

顾茫随军的任务也正安排在这一次行动当中。

"大致就是这样。"中军营帐的所有人都离去之后,墨熄与顾茫重新细说了一遍真实情况,"我派慕容怜、梦泽两营在大泽主城进攻,但目的不在攻城,而在分散燎国军队的军力。真正重要的是那一支十名精锐探子组成的小队,必须在我们与燎国正面缠斗时顺利前往北面湖泊,将血魔兽的残魂捕捉。"

他说着,将君上给予的搜捕司南和索魂绳交与了顾茫。

"只要我们将残魂带回,燎国想要重新唤醒血魔兽就不会那么容易。所以这场战役,大泽城是否能攻下并不是最重要的,最重要的是不能让燎国先一步把血魔残魂夺走。你明白了吗?"

顾茫将那金光熠熠的索魂绳在腰间束好,拍拍腰侧,接过司南:"放心吧,你顾茫哥哥什么时候任务失败过?"

他这个时候还没有佩上假面,只穿着身北境军军服,束着利落的发辫。腰间配着金绳、刺刀、面罩,手腕上绑着千机匣,蓝黑色边缘的交领领口高竖着,将锁奴环尽数遮于衣袍之下。

此刻瞧去,竟也和多年前出征时一样的英姿勃发,器宇轩昂。

墨熄看了他一会儿,忽然抬手,轻轻揉了一下他的发顶:"是。你从来就没有失败过。"

顿了顿,又道:"但是这一次你要记得,无论怎么样,你自己的安危都是最重要的。如果有什么支持不住的,你一定要唤我。"

他抬手,隔着交叠的军袍袍领,摩挲着顾茫的脖颈,那一朵他们年轻时曾为了守护对方,彼此落下莲花咒印的地方。

墨熄抵着顾茫的额头，低声道："只要你唤我，我便会立刻来到你身边。记住了吗？"

从前的顾茫是墨熄的守护者，他只愿意给墨熄以最周全的保护，而从来没有想要与墨熄分享苦难。所以从前顾茫只会打着哈哈，说"没事的"，说"你顾茫哥哥最厉害"。但是如今，顾茫眨了眨温润的蓝眼睛，然后抬起头来。

"好。"他说，"我都记住了。"

事不宜迟，这一轮休整不过才两个时辰不到，当暮色四合，残阳如血时，北境军军令落下——重华发动了第三次攻城。

这一轮来得太快了，纵使燎国早有防备，也依然有些手忙脚乱。慕容怜率领的五万攻伐修士此次作为前锋与燎君正面相接，而墨熄的军队则在大泽城的北面与守军碰撞厮杀，一时间硝烟蔽日，地上的血比天际的红霞更为炽烈。

而在这声势浩大的进攻掩护下，包括顾茫在内的十人密探精锐自北面出发，以各自不同的线路疾风般潜入了大泽城的城池深处，向困围着血魔兽残魂的那个湖泊掠去。

大泽湖畔，这是一方广渺无垠的大湖，两岸群山绵延迤逦，望不到尽头。此时天色已然十分昏暗了，一缕残阳横铺于湖泊之中，暮天沙雁惊起了三两只，唧唧啼叫着飞向晚霞深处。

顾茫黑衣劲袍，飞掠至湖畔一座阁楼之巅，负手立在风里，睥睨着阁楼下的湖光之色。

他正欲下到湖边，可谁知就在这时，忽然脑颅抽紧，继而一阵烧心的疼痛从心脏处爆开，顺着脊柱不断上延——顾茫疼得低低啊了一声，捂住了自己突突跳动的额角。

怎么偏偏在这个时候……他深吸了几口气，过了一会儿，疼痛稍微缓解了，但眩晕感却不减反增。而此刻远处的厮杀声震天响起，主部队那边正式的攻城完全爆发了。

顾茫心知时间不能拖久，于是努力眨了眨眼睛，想要尽快恢复视野的清晰。

可当他抬起头来，再次望向那茫茫大泽湖时，眼前却陡生出了一个模糊的幻影。

顾茫一惊："沉……沉棠？"

幻觉中，他竟仿佛看到沉棠站在湖水中央，身后是洪波涌起，巨浪滔天。风雷涌动，沉棠踏浪而起，白衣猎猎招展。

那个谪仙般的男人神情严肃，抬手召出一把七弦古琴，微微抬起下颌："花破暗，你听着。你的野心到此为止了，九州大陆也好，重华也罢，都断不会落到你的手里——你永远都得不到你想要的。"

花破暗……花破暗。

这三个字就像它蕴含的深意一般，犹如昙花破开浓深的黑暗，在顾茫混沌的脑颅中炸开。顾茫只觉得这个名字像是有某种力量，让他心里涌出疯狂的嗜血杀意。

"你永远都只能是修真学宫里那个一无所有的弟子。"

顾茫心底好像有一个声音在怒喝："你胡说！你胡说！我要撕碎你，等我杀了你——我要什么没有？！你凭什么断定我的命运，你这个可笑之人……你这个……你这个无能之辈！"

沉棠道："都结束了。"

指尖一落，琴音铮然。顾茫心头大震，竟觉得浑身的黑魔之气都像在这一刻要破体而出！

眼见着情况瞬息将失控，顾茫咬牙低喝一声："永夜，召来！"

魔武刺刀应声化形，顾茫接了，咬牙朝着自己的左手背上猛刺一刀——

鲜血横流！

剧烈的疼痛将他从幻觉的泥潭中抽离，他猛地喘了口气，狠力闭了闭自己的眼睛。再抬起眸来时，大泽湖满目萧瑟，波光澄明，沉棠的幻影消失了。

顾茫喘息着收回永夜，抬手迅速将伤口处理了一下，心有余悸地瞥了一眼那粼粼湖泊。他并不知道自己为什么能够看到几百年前大战的残影，但是这已经不是他第一次在脑海中见到沉棠了。是因为什么？

千头万绪涌上心头，却无暇多想。

顾茫打算回去之后再将自己的异状告诉墨熄，此刻当务之急还是捉到血魔兽留在湖内的那一抹残魂。他这样想着，调准司南，注入灵力，而后对入茫茫湖泽之中。

"指路。"司南得了命令，开始疯狂地转动，过了约莫半盏茶的工夫，那柳条形的标叶才逐渐地慢了下来，一点一点地，最后停驻不动。

顾茫一下子呆住了。

指引司南并没有如君上所说，指向湖泊之中，而是径自对向了顾茫自己站立着的那个方向！顾茫一惊，回头望去，但见身后屋舍如粟，这指魂司南居然直指大泽城的腹地核心。

"……坏了？"

顾茫调整了站立的位置，重新晃了晃司南。那司南果然有些颤颤巍巍犹犹豫豫，不知道该往何处指引。

"湖中那一缕血魔残魂究竟在哪里？"如此又问了两三遍，司南标叶才又晃悠悠地转起来，却最终还是指向了大泽城中的位置。

顾茫有些沉默了，他将司南收好，摸着下巴。

依照君上所探，血魔兽的残魂沉在了大泽湖的深处，其他密探的司南不知如何显示，但他的却始终执意指引到城池内部，想来也不会是巧合。

那会不会是……他心里咯噔一声。

会不会是血魔兽的那一缕魂魄已经在这短短数日之内被燎国成功捕获，此时正困在城中某处呢？！

天边最后一点斜阳落下了，夜晚已经降临。

顾茫停在了太守府的屋脊上。

从他站立的位置望过去，城楼处流光飒踏，重华与燎国的修士正于高峻的城墙处激战，法咒与法咒激撞出炫目的光华，远远望去，竟如同万朵烟花。

爆破声随着东风遥遥传来，呼喊与哀哭冲破硝烟烈火，抵至顾茫耳郭。但顾茫知道那边的战况与此时的自己并没有太大的干系。

他低头看着自己握着的司南，标叶正指着太守府最中心的那一间屋子。那间屋子亮着明灯，不断有轻柔的琴声流淌出来。

"看来就是这个地方了。"

对付燎国的守备对旁人而言或许是个难处，但对顾茫而言却很容易。虽然他失去了在燎五年的记忆，但是当初国师淬炼他时，往他骨子里烙刻满了黑魔法咒，哪怕他什么都不记得了，这些术法也仍能轻而易举地施展。

只是几个简单的黑魔咒语，府衙内的修士便尽数沉睡了过去，顾茫轻轻跃下屋梁，落到院中时，才发觉留守在这里的人并不多，而且几乎都是修为尚浅的普通修士。这些人通风报信可以，真要打起来可能还不够他一个手指头碾着玩。

顾茫将指腹贴到其中一个小修的脖颈处试探，果然灵力十分低微。

他不禁警惕起来。

司南指示，血魔兽的残魂就在这间屋子里，燎国不立刻带着它离开，显然只有一个原因——沉棠的封印还没有完全解开，在那之前，燎军不敢贸然带它离开大泽境内。

可是如此重要的灵魄在这里，为什么周围的看守如此稀少，而且法术低微？

正思忖着，顾茫忽听到屋里传来了一个男子低低的唱吟之声："五年一剑春秋变，十载一剑逆沧桑。此剑凌绝可断水，平生难断向君心。"

小院里松竹摇曳，月白风清，遥远处战火迭起，杀喊震天。而府衙主屋内，一脉琴音缥缈若絮，浮沉难定，像是漫漫浮尘被风吹起，悠悠不尽，无限凄迷。那一壁血流成河，这一壁琴棋书画，气氛一时诡异到了极点。

缺乏守戒的屋子，延绵不绝的琴声，夜刺燎人的孤勇之士，还有这隐约哪里听过的唱词。

顾茫忽然觉得这一切是如此熟悉，好像曾经在哪里见过类似的情形……但战局紧迫，他没有闲暇可以思考。

他眸色一暗，眼瞳中幽光迭起，低声道："魔心向我，皆从召唤。"

燎国的小修士虽然没有经过淬炼，但是他们所修的心法会让他们体内蓄积一定的邪魔之气，而那些小修又是极易被操纵的对象。于是顾茫一声令下，那些先前陷入昏迷的燎国修士纷纷睁开眼睛，瞳眸闪烁着深蓝的光泽。

"去！"

那些燎国小修立刻暴起，十余个人左右成行，猛地朝主宅大门撞去！！

只听"砰"的一声巨响，门被撞破了，溅起的木屑尘烟中，顾茫看到满屋子死去的太守府家眷，风铃一般悬挂着。

而在这死人风铃的最深处，一个身着白金色长袍的男人正背对着他而坐，指掌之下，是一把横卧着的人皮古琴，琴上镶嵌着的九只眼珠正滴溜溜地转动着。

顾茫几乎是一下子就感到一种砭骨的寒意从脚底上涌，猛地侵袭了他全身。他瞬间就想起来是在哪里见到过类似的情形了——

剑魔李清浅的回忆幻境！

当时在慕容楚衣家里，顾茫虽然没有直接看到幻境，但是后来墨熄给他用术法重现过李清浅的遭遇。顾茫知道当年李清浅为了替红芍复仇，独闯燎国国师大殿，当时也是一样的守备空空，一个抚琴的男人回过头来，戴着金光流淌的面罩，朝他露出森然白齿。

简直就像那段记忆的重演，只是国师府换作了太守邸。

燎国的国师转过头，抬起那张被面具遮掩的脸庞，咧嘴一笑："好久不见了，顾帅。"

纵使在燎的五年记忆不全，顾茫也依旧没有忘却曾经将自己押至密室，擢骨重淬的人，就是他。

原来亲自守护着血魔兽残魂的人……竟是燎国的国师。

难怪了，燎国国师自己的身法便已诡谲莫测至极，如果是他，那就根本不需要任何其他的护卫。

"有人告诉我，说你被重华国君抓去进行了黑魔试炼，如今已是心力崩溃，肢体耗损。"国师淡道，"眼下看来，姜拂黎倒是把你调养得很好。他真是生了一双爱多管闲事的手——你还是来了。"

国师说着，瞥过被顾茫操控的那些个燎国修士。

"啧啧啧，瞧瞧，你的黑魔法术施展得多纯熟。只可惜啊。"他目光收回，在顾茫佩戴着的面具上反复扫过，甜笑道，"你的母国不认你。归乡那么久了，你也只有戴着个假面的时候，才配为你的重华效力。"

顾茫根本不想和他多磨嘴皮，他迅速将这屋子看了一圈，立时就瞧见了卧在古琴边上的那一只散发着银白色光芒的幼犬。

或许是由于他身上浓重的黑魔气息，他几乎是立刻就能感知到——这只瞧上去其貌不扬的犬兽，正是血魔兽被封印的一缕残魂！

顾茫瞳色一暗，沉声道："散阵！"

那十余名被操控的小修顿时在屋内散作进攻之阵，将国师团团围住。顾茫知他们灵力低微，因此指尖一捻，聚出一叠黑气缭绕的邪魔符，一散打入他们体内。小修们顿时爆发出低低的喝吼声,周遭灵力陡增,呼啸着向国师袭去。

国师倒也不是省油的灯,抱琴而起,一边应对着这些小修,一边道:"好歹咱俩也算是共事了五载的老相识,故人重逢,你倒是寒暄几句都不愿意,直接就想开打。顾帅如今的性子好急啊,谁惯得你?"

"你管得着?"

"哟。"国师笑容愈灿,"嘴还挺硬。密探说你恢复了记忆,看来一点儿也不假。不过你重归重华之后,就彻底将你在燎国的所作所为都忘得干干净净,我也是十分意外。你难道忘了从前是怎么替我出谋划策,出征杀伐了?"

"……"

"你难道忘了从前有多少重华百姓死在你手里,忘了你率领着我们的人打了多少场胜仗了?"

顾茫抬起手,一寸一寸擦亮掌中的永夜刺刀,指掌过处,刺刀迸溅出星星点点的灵流花火。刀光映照着顾茫森冷的眼眸,顾茫冷冷道:"这些我记不记得都不想回答你。不过有一点我倒是很乐意说。"

"什么?"

"国师你在正常情况下,废话绝不会这么多。"

最后一个字音方落,人影已如猎豹一般向国师疾掠过去!只听得铮的一声,琴弦急响,九目琴瞬间撑开一张金色屏障,与顾茫的刺刀狠撞在一起。刹那间火花爆溅,魔武齐鸣,两人的瞳眸都被这激烈的对峙碰撞映得光芒流淌。

果然一袭之下,顾茫就能感觉到国师明显的疲惫——为了尽快恢复血魔兽净尘的残魂,国师已不眠不休地弹了两天一夜的九目琴。虽然他依旧强大,但灵力早已不如平时,所以他才会这样蓄意拖延。

顾茫又怎会让他得逞,当即疾风片雪般向国师连进杀招,并驱使那些小修左右配合,一时间太守府内阴风习习,魔息翻涌。

国师一边赞道:"好身手。"一边翻弦转急,眼见着顾茫又是一刀劈落,国师喝道:"霜寒,召来!"

随着他话音方落,九目琴瞬间又有一目大睁,顾茫只觉得脚边隐有异动,立刻腾跃而起。而几乎是同一时间,数十道吹毛断发的冰刺拔地而出,直刺方才顾茫立足的地方,只要顾茫稍慢一步,恐怕就已经被捅成了筛子。

顾茫不敢懈怠,整个人绷得愈发紧张,透蓝的眼睛紧盯着国师的一举一动。

九目琴……九目琴……

他努力回忆着,试图想起更多关于这把魔琴的细节。他曾经在燎国与燎人共事过五年,他应当很清楚这把琴到底有哪些能耐……

可他只要仔细一想，颅内就一阵疼痛。那魔琴之声就像一把尖刀刺入他的脑海，令他浑身都被冷汗浸透。九目琴……

铮铮！又是两声重弦之音，国师抽弦促柱，但见冰刺蓦地顶破地面砖石，顷刻将三个身法迟钝的小修劈斩洞穿！霎时间污血飞起尺丈高，飘溅到了顾茫身上，浓重的血腥味愈发刺激了顾茫的脑颅。

九目琴……混乱的脑海中猛地闪过几段零星的碎片。

是在燎国的大殿上，国师笑吟吟地抚弄着人皮古琴："这把魔武乃是我倾心所制，九只眼睛，每一只眼睛的主人都曾有非常了不得的能耐，有的能够通神兽之灵，有的能够行冰刺之袭……有此琴随身，就如有那九名高手时刻伴我左右，远胜寻常侍从。"

"这九只眼睛，也并非永远跟随我，若是我发现了更有能耐的修士，就会把最无用的那一颗眼珠舍弃，换新的上来。"记忆里的国师森冷地笑着，"如此循环往复，九目琴只会随着岁月而愈发强大，直至不可战胜……"

恍神间，又是几十道冰刺破砖而出，将最后几个小修刺死，而后直追顾茫袭去。

顾茫一跃而起，游上梁柱，缓了一口呼吸，视线自下迅速扫过——血魔兽净尘被国师牢牢地护在了结界后面，这样缠斗着根本无法用索魂绳将它捕捉。他闭了下眼睛，听出国师的琴声又变了一个调。

这个曲调无限妖异，似群魔乱舞。

顾茫闷哼一声，只觉得胸中的魔气滚滚翻涌，被那魔琴之声尽数勾出。而这个时候，国师轻笑道：

"顾帅，我早在五年前就与你说过，当你点头答应注入黑魔灵流的那一刻起，你就是不人不魔的怪物一个。九州天下便就只有我燎容得下你。"

顾茫半跪在梁上，单手撑着梁柱，咬牙喘息着。

"你以为我周遭不留几个侍卫，只是因为我能耐吗？并非如此。其实我一直在等呢，尽管有人告诉我，你受了重伤，是绝不会跟来前线的——但事实印证了，他们太小看姜拂黎的医术了，也看轻了你的心。"

国师说着，好整以暇地在净尘身边坐下。

"我倒是直觉你一定会来。之前与你磨磨蹭蹭拖延时间，为的也不是蓄积灵力，而是让你多使几招，调动你体内的魔息。"言语之下，手底下的琴声愈发诡谲，简直像是化成了一双无形的鹿骨爪，将顾茫骨子里的魔气层层剥取。

诱魔出柙。

国师森然笑道："顾茫，你的坚持也太没有意义了，何不顺心而活呢。"

言罢，曲调转高上扬，逼得顾茫大叫一声，痛苦地蜷作一团，竟从房梁上滚落坠地。"砰"的一声重响，血肉撞击地面的声音令人听着都觉得无比疼痛。

顾茫重重喘息着，脸色煞白。

"不要再弹了……"

顾茫的嘴唇哆嗦着，冷汗不住地从额头淌落。

"别再弹了……求求你……求求你——"

哀声方落，却突见寒光暴起，顾茫竟然自地上一跃而起，趁国师放松时直冲结界。

"永夜，淬灵！！！"

一声暴喝，刺刀永夜爆发出剧烈的华光，顾茫将全部魔息倾注其中，狠狠刺向国师的结界屏障。

金黑交错，灵流颤抖。力量的交锋只在短短瞬息，片刻之后，九目琴造出的结界发出危险的咔嚓声，继而猛地炸作了碎片烟尘！

顾茫擎住腰间的索魂绳，目光锐利如刀，劈手就向蜷卧在角落的血魔兽净尘勒去。

国师面目陡变，哪怕隔着一张假面都能看出他的神情此刻有多狰狞，他咬牙道："顾茫——！你这个……"

你这个什么？被黑魔摧折是真的，随时都会丧失理智也是真的。

是顾茫自己心志如铁，能将那非人的痛苦压下，他并不是佯作虚弱趁机索魂，他是确实自己抵御住了苦楚，击破了结界。

国师竟一时不知该用何词来咒骂他。

想要劈手相夺，但顾茫又哪里是那么容易应付的对手，他已然将净尘捆缚着收入了乾坤囊中。他摇摇晃晃地起身，狠擦了一下沾着血的唇角，双目灼灼地盯着国师，那张被魔气折磨得不像话的脸上居然绽开了一个凶狠而又飞扬得意的笑。

"九州大地容不容我不重要，重要的是，兄弟，这乾坤也容不下你。"

说罢腾跃而起，揣着血魔残魂，迅速朝重华大军的方向撤去。

这还了得？国师眼眸中燃起了烈火，他弹指一挥，喝道："飘雪，召来！"

九目琴的第三颗眼珠倏然睁大了，国师身周笼上重重流风朔雪，他步出屋舍，一抬手掌便有雷霆之声，一道传令符猛击于地。

不出片刻，数十黑魔精锐应召赶至，纷纷跪地："国师！"

"听候国师差遣！"

燎国国师森然道："血魔残魂被姓顾的带走了。正城门城郊方向，跟着血魔兽的气息就能找到他——随我追。"

第38章

顾茫飞掠在屋脊檐梁之上，呼吸急促。

夜风拂着他黑色的衣袍，黄金假面之下，他脸上早已没有了方才那种得意飞扬的神情，而因痛苦显得有些扭曲。

他的头脑阵阵生疼，记忆错综杂乱。他很清楚，黑魔之气在他体内越来越压不住了，他不知道自己还能再强撑多久。最起码……他得把捕捉到的血魔兽送到重华的军营里。

幽蓝的眼珠后睨，他能敏锐地感知到国师与黑魔精锐正在不断地向他逼近，照这个速度，他是赶不到墨熄交战的地方的，他只有往正城门逃。

"顾茫，你还要执迷不悟到什么时候! 重华赐过你一个神坛猛兽的称号，你就要为他们做一辈子的走狗?"

国师人尚未至，声音却已传音入密，锥入顾茫耳中。

顾茫忍着越来越混乱的神识，咬牙反驳道："老子为自己打架呢，做你大爷的走狗!"

说罢更是加急了轻功步伐，飞一般地奔向正城门处，那里两军交战正酣，处处爆溅着火光。耳边风声呼呼刮过，城门越来越近，可也就在这时，有飘雪法术加持的燎国国师疾赶而上，他宽袍招展，便如一只飘飘荡荡的纸鸢游近顾茫身边。

"飘雪是梨春第一轻功宗师的术法。"国师在顾茫身后丈远的地方冷笑道，"顾茫，你觉得你能逃出生天吗?"

顾茫额头已有冷汗渗出，忽然间，他目光瞥见内城城头招展的数十张引爆符，几乎是不假思索地，他朝着那贴着符纸的方向奔了过去。

国师唇角那一丝老神在在的笑容未消，就见得顾茫稳稳落在了那个城头，不跑了。

顾茫回过头来："嗨，我们要不要比比谁更疯?"

国师蓦地反应过来："顾茫——你——!"

大风凛冽，顾茫冷笑着，抬起手，朝墙上一指。

火焰从他指尖挥出，击打到墙上的一瞬间，引发了声势浩然的巨大爆炸! 国师暗骂一声被迫后掠，但见火光冲天，掀起重重热浪，顾茫在符纸引爆的瞬间绷紧身子，向后疾掠——轰!!连环的爆炸声几乎震天彻地，砖石滚滚，气浪滔天，将他和燎国的追踪者迅速隔开。

这一招实在太险，饶是顾茫全神贯注地迅速后撤，也还是被气流掀得从屋脊上猛摔下来。他顾不得疼痛，趁着国师尚未追来，一骨碌从地上爬起，拖着伤痕累累的身子往前继续奔逃。

他眼睛里的法术光咒越来越亮，两军交锋的厮杀声近在耳畔。最后猛地一个腾跃，扶摇上行，从浑然没有反应过来的燎国守军中突破，闯入了重华军阵中!

城门处早已是血流漂杵，战火将半壁天穹燃成白昼，滚滚硝烟里，重华的修士与燎军的修士缠斗交锋，术法的碰撞，灵兽的嘶吼，到处都是杀红了眼的人和飞溅的鲜血。

顾茫喘了口气，他并没有因为逃至此处而感到片刻的放松，他感觉自己好像随时都会被黑魔魔息吞噬，失去意识。他焦急地睁大眼睛在混战中寻找统帅的军旗——

找到了。

可也就是在这时候，他背后升起一股森然寒意，他感知到愤怒的燎国国师已经突破了火海正在逼近。他不由得大喊道：

"慕容怜!!!"

负责正城门进攻的主帅慕容怜跨坐在金翅飘雪马上，他对战局显得有些漠不关心，借着御守修士铸建的守护结界作壁上观，一点儿亲自出手交锋的意思都没有，甚至还咬着他的水烟枪在眯着眼睛抽他的浮生若梦。

冷不防听到这样一声喊叫，慕容怜吓了一跳，他咳嗽数声，抬起迷离的桃花眼向乱战军中望去。

这一望，就看到一个白金色衣袍的燎国大修自夜色中犹如鬼魅掠来，正逼近一个羲和君的近侍。而方才那一声喝，便是这个狼狈不堪的小侍卫在一边跑着，一边向他求援。

"……什么情况？"

"拿着这个乾坤囊!!"那近侍大喊着，穿过重重战火向他奔来，眼中满是焦灼，"带去给墨熄!!"

"你想都别想!"国师飘然落到地上，疾电一般出手，只一下就擒住了顾茫的肩膀。

顾茫猛地将他击开，两人瞬间拆过十余招，虽然国师精力不足，但顾茫伤得更重，顷刻就落了下风。只是交战之间，两人越打离慕容怜的结界越近，顾茫扭头将装着血魔残魂的乾坤囊甩到了结界边缘，然后喊道："快去!!"

慕容怜却是极谨慎的人，他唯恐有诈，并没有立刻去拾那只锦囊，而是盯着顾茫问道："你施的可是燎国的黑魔术法。"

"我……"

慕容怜眯起眼睛："我如何信你不是燎军伪诈？"

顾茫顿觉百口莫辩。他只会燎国术法，他灵核损毁，重华的法咒他都无法施展了，此刻又该如何自证？

一边格挡着国师的进攻，一边焦灼地急思，蓝眼珠混乱地转动着。国师一掌劈近，贴在他耳边轻笑道："我说什么来着？只要你浑身流淌着黑魔之力，九州大陆除了燎国，就没有你的容身之地。"

说罢就要去夺残魂。顾茫疾掠后退，猛地一个翻滚重新将乾坤囊护持在胸前，然而他这一下虽然夺了锦囊，却躲不过国师的进攻，就在他起身避闪的瞬间，他眼前骤然一花，紧接着国师的法咒就猛地击在了他的腰肋。

顾茫蓦地呛出一口血来，跪跌在蓝光流淌的结界边缘。抬起头，看着目光游离不定的慕容怜。

他不能说自己是顾茫，一旦说了，周遭的重华军士势必哗然。但他也无法解释为什么自己只会使用燎国的黑魔法咒。

他沾着鲜血的嘴唇哆嗦着开合，手指贴上结界光阵。

慕容怜眯起眼睛。隔着假面，他无法看见下面的是怎样一张脸，甚至因为假面法咒的原因，旁人瞧见顾茫的眼睛也是最正常的模样，而不是会暴露身份的蓝眼珠。慕容怜一时仍断不清其中是否有诈，只是隐约觉得这个人的眼神非常熟悉。

心里一阵颤然时，就听得此人低低道了一句："那天我去你府上，是因为我很想她。"

"什么？"

这个近侍沙哑地吐出两个足以对慕容怜自证身份的字来："泥姨……"

慕容怜瞬间如遭雷击——顾茫？！

也就在这时，国师第二击猛地斩落！

血花四溅！！

慕容怜的结界骤开，可他并没有来得及将顾茫拽入结界之中，顾茫刚一将乾坤囊甩进界内，后背就被国师击中。若非国师担忧灵流悍然波及残魂，只使了一成力道，恐怕顾茫此刻已经命殒。

慕容怜脸色煞白，看着顾茫猛地呛出一口血来，却还是挥手将结界光阵填补上。

"交给羲和君……"

"你……"

"你们不了解他的术法，不会是他的对手。"顾茫喘了口气道，"快去！！"

"……"

"还愣着干什么，你就恨我恨到这份上吗？！"

慕容怜眼中闪动的光影极其复杂，他咬了下嘴唇，命人将落在地上的乾坤囊呈上来，紧握在掌中。那乾坤囊早已被热血染得鲜红，里头确实涌流着一股难以言说的邪恶灵流，慕容怜心脏怦怦跳动着，一时竟不知是什么滋味。

顾茫怒喝道："滚啊？我挡不住了下一个就是你！"

左右不明状况，更不知道这个戴着黄金假面的近侍到底跟他们望舒君打了什么哑谜。但见慕容怜神色复杂，将锦囊揣入怀中，而后命周遭重华最顶尖的御守修士道："撤回北城门与羲和君接应！"

"是！"

国师目光陡厉，与燎国一众高阶修士想立时阻拦。却不料顾茫将唇角的血一抹，在胸膛处，一纵一横划出一个咒印……

"不好！"国师立时后掠，几乎就在同时，一股强烈的黑魔之气从顾茫体内源源不断地爆发出来！

顾茫双眸里闪着狼一般幽蓝的寒光，背后升起妖异的孤狼魔焰。

这一招显然是出乎于国师意料之外的，因为这是顾茫一旦用了，就注定会被黑魔吞噬，并且只能维持短短一炷香时间的绝杀之招。

那淌血的嘴唇一启一合，顾茫拦在慕容怜绝尘而去的路途之前，抬起熠熠双眸，森然送出四个字：

"孤狼。解印！"

顿时狂风卷地，云气聚合，腹地深处仿佛传来亿万头狼的啸叫，继而沙石滚滚而起，卷席在顾茫身周。

国师贝齿紧咬："好……很好。你竟然熔炼了这招法术？"

"顾茫，到底是我小看你，你当真是……后生可畏！"

"但你可得想清楚了，这一招之后，无论黑魔还是重华之术，你怕是都无法再使用。而且你最多只能维持一炷香…那之后你又当如何？！"

顾茫微微扬起下巴，眉眼间很有些狠重的戾气和桀骜不驯的嚣张。

"你不该管那之后我做什么。你该管管那之前我揍你疼不疼。"

国师冷笑："意气用事。"

"老子开心就好。"说罢，熔燃着滚滚妖狼魔气的身躯一跃入空，瞬如离弦之箭直朝着杵在地面的国师劈杀而去！！

那边顾茫与国师正激战，这边慕容怜也没愣着，拿了锦囊，带着随从就往墨熄所在的地方撤退。

从正城门到城北的距离不算太远，但此时战火烧遍，又有燎国修士横加阻挠，慕容怜的奔逃并不顺利。

两方交战的都是高手，国师带来的修士全是燎国最可怖的死士，慕容怜的手下虽然也是精锐，但在这些绝顶的黑魔修士面前仍是捉襟见肘。所以，当慕容怜驰至城郊杏子林时，他护身的结界已经破损，随行护卫也大多都已重伤落后。他不敢与燎人再正面交锋，只能借助杏子林蜿蜒复杂的地形躲避着身后的追击。

"早就听闻望舒君是个废物脓包，没有头脑也就算了，术法也没什么可圈可点的地方，真是教人笑话。"

为首的燎国修士是个女修，擎在手里的武器是一道鞿鞭，她掠于枝头，内功送来的冷笑声覆遍了整片杏子林，"慕容怜，你也算是穷途末路啦，还打算逃到哪里去？"

慕容怜边跑着边道："你哥我没事儿就喜欢跑个马遛个弯，管得着你吗？"

"死鸭子，死到临头了还嘴硬。"说着那燎国女修急急挥鞭抽落。

慕容怜纵着金翅飘雪马，险险闪过，讥嘲道："没打中。"

"……"

"你是故意没打中的吧？你这样好吗？不认真完成你们家国师的任务，反而在这里和我打情骂俏。说句实话我不太喜欢你这种类型的，虽然你脸长得不错，但是腰太粗了。"

"慕容怜！我杀了你！！！"

慕容怜翻了个白眼："所以我不喜欢收女人当手下，没两句话就连自己该做的是夺锦囊而不是杀人都忘了。"

那女修面目扭曲几欲呕血："老娘可以又杀人又夺锦囊！"

"行啊。"慕容怜那眼神简直敷衍了事到天上去，他轻描淡写道，"宝贝你真棒。"

女修气得大叫一声，急追着上，其余燎修喊道："七娘冷静！！"

慕容怜身边的护卫则喊道："主上当心！！"

眼见着鞭势如雨，碾着慕容怜所骑的飘雪马就疾冲过去。但因气过了头，她冲得极为莽撞，对于慕容怜而言反倒是比初时更易闪躲。

慕容怜不敢懈怠，加快了速度纵马飞驰，破开薄雾弥漫的林木朝前方奔去。待到他冲破杏林边缘时，他猛地勒紧了缰绳，喝道："起！"

金翅飘雪马在这地势宽阔之处猛地张开了双翼，羽下呼呼生风，载着它的主人向城北交战处踏云飞去。

他这一飞虽然快，但燎的追击也因此变成了直线，几道法咒都是险险地擦着他的身子掠过去的，教人看来实在捏一把冷汗。随着灯火通明的城北连营在眼前不断靠近，慕容怜身后的追击也变得愈发疯狂，就在他即将降落至北境军阵前时，七娘的藤鞭狠勒住了飘雪马的后蹄，猛地一扯。

灵马长嘶，慕容怜瞬间从马背上摔了下来，狼狈不堪地跌入了泥尘里。

"咳……咳咳咳！"

他还未及站起来，追击的燎修便已纷纷落地，各个眼中闪着精光——当然七娘子除外，七娘子眼中闪着愤怒的凶光。

她咬牙道："看我不割了你的舌头！"

慕容怜却是个天生嘴欠的人，都摔成这样了，还不忘冷笑嘲讽道："割来干什么？每天捧在掌心里吗？"

七娘子简直被他恶心到俏脸发绿，她是燎军里地位最高的近卫之一，平日里别人不是要尊她一声"姐"，就是要敬她一声"七娘"，她哪里受过这样的言语侮辱，登时冲上去就要将他剁成肉泥。

然而这时候，慕容怜随行的两个护卫也破林而出，见主上情势危急，忙疾掠过去，在七娘子聚灵于掌将要砸下时，结阵挡在了慕容怜前面。

"主上快走！"

"快逃啊！"

慕容怜呛咳着从地上爬起来，他从前的战力并非这样，但这几年终日吸食浮生若梦，已经将他的灵力侵蚀损毁到了极致。他看了那两人一眼，转身想要揣着乾坤囊奔回营寨，可没跑两步，肺间就涌上一阵腥甜，竟俯身哇地吐出一口血来。

他的护卫原本就是强弩之末，起不到阻拦之效，只能给慕容怜的逃跑拖延时间，但谁也没有料到慕容怜的烟疾会在这时候发作。

只听得"砰"的一声炸响，结界光阵蓦地被炸裂，两个护卫重伤倒地，燎国魔修再一次向他袭来！

慕容怜倒在地上，一张苍白的脸上血迹斑驳，他暗骂一声，指尖方结了半个印，决意豁出去一搏。但就在此时，一道红色的烈火重墙自半空而落，狠劈在燎修之前！

轰然地动，瞬息间云气聚合。

但见那火墙卷起猎猎风浪，迷离的橘金色星火四下飞溅，而在火墙之上，一个黑袍招展的男子迎风而立，横杖踏焰。

"羲和君……"

墨熄立于滚滚灵焰之巅，手中吞天权杖寸寸擦亮，只一点，身后顿时腾出一道滚炽的火舌，化作吞天巨鲸之形，映亮九霄寰宇。

"北境军前，诸位别再想上前一步。"墨熄自高处睥睨而下，巨鲸在他身后游弋飞舞着——它此刻还没有俯冲向任何人，不过大家都知道重华羲和君的吞天是怎样可怖的杀招。

墨熄冷冷道："到此为止了。"

七娘子等一众人尚未回答，就听得杀声震天，隔着腾腾火墙望去，可看见密密麻麻的北境军修士随着他们的主帅而来——

万马奔腾。

转瞬间，局势立刻逆转！

慕容怜回头看那绵延了整一片地平线的重华修士，又转过来看向墨熄的背影，终于吐出了口气来。

他伸出因为烟疾发作而微微有些颤抖的手，从胸襟处掏出那只封存了血魔兽残魂的锦囊，咳嗽几声，并非十分情愿地对墨熄道："……这个——他交给你的。是你给他的任务。"

顾茫污名加身，军阵之前，慕容怜也好，墨熄也罢，都不能直接提他的名字，一旦提了必然会生骚乱。

但墨熄的脸色仍是清晰可见地变了。

墨熄问："他人呢？"

慕容怜动了动嘴皮，还未回答，就听得一个如同鬼魅的声音以扩音之术传遍整片夜色。

"他人在我的手里。听话地把你得到的那只锦囊给我送回来。否则……"

那白金衣袍的男人自夜色中飘然而至。他足尖一点，稳稳地立在最近的一株榕树之巅，手上还提着一个绵软无力，显然已经昏死过去的重华近侍。

慕容怜心中一惊：顾茫？

墨熄更是血色全无。

是顾茫……用必杀之招拖延了时间，已经耗尽所有魔息灵力的顾茫……

国师舔了舔嘴唇，他显然经历了一场鏖战，衣服上染着血迹，肩膀上还有一道深伤。但透过假面，他的那双眼睛还是如此幽冷，他不能说是不着急，但他骨子里铭刻着一种非常诡异的冷静，仿佛早已历经过寻常人从未体会的波澜。

国师森然笑道："否则，羲和君。我定让你知道什么叫作追悔莫及。"

梦泽这时候也率着她的赤翎营来了，她一袭黑金色窄腰绣蟒袍，一头乌发高高束起，数万人马浩浩汤汤地跟随在她身后。她瞧见如此对峙之状，惊愕道："这是怎么回事？"

墨熄抿着嘴唇没有回答她。他的视线半寸也不曾从顾茫身上移开，掌中权杖光华愈发炽烈。

国师见他杀招将起，一把将顾茫提起，化出匕首抵在顾茫的颈间，而后甜甜地笑了："哦，要动手吗？你是想比比是我的刀快，还是你的法术快？"

墨熄森然道："你放开他！"

"好说好说。"国师懒洋洋道，"他留在我手里能有什么用？我要的也只是那个锦囊而已。你把东西给我，我把人给你，公平交易。别说他在你眼里不值这个价吧？"

四下里逐渐安静下来，统领也好，兵卒也罢，都寂然无声地盯着眼前这诡谲至极的情形。

无怪他们奇怪，他们跟随羲和君南征北战那么多年，羲和君从来都是没有废话直接开战，但今日之景确实着实奇怪。望舒君也好，燎国国师也罢，还是他们的后爹，每个人都像是在打哑谜。

什么锦囊？这个被擒获的近侍是什么身份？为什么国师可以用他一人在阵前要挟羲和君让步？

逐渐地万马齐暗，囊聚了黑压压一片修士的沙场上静得可怕，几乎所有的视线都在往这几个人这边归拢，等待着墨熄的回应。

国师用匕首的尖刀紧贴着顾茫的脸，将那低垂着的头颅抬起来。覆盖在顾茫脸庞上的面具已经染满了鲜血，国师道："羲和君，他这个状况，你觉得还能拖得了多久？乖乖地把你手里的锦囊给我献上来。别到时候等人咽气了，你再追悔莫及！"

慕容怜见状，生怕阵前有失，攥紧了掌心里的锦囊，对墨熄说道："火球，你不要犯浑。他是为了把这乾坤囊送回来才重伤的，你要是把它交出去，他醒了能恨死你。"

墨熄沉默片刻，却道："我若不把它交出去，我能恨死我自己。"

说完抬手一指，一道炽焰从火墙中喷出，猛地将慕容怜燎着。慕容怜吃痛松手，装载着血魔兽残魂的乾坤囊被灵火裹着，迅速飞到了墨熄手里。

"墨熄，你——！"

慕容怜又气又惊，气的是他的态度，惊的则是他竟会愿意在邦国重任和兄弟性命之间选择后者。

对于任何一个为将者而言，这都是大忌、大错，一旦某个将帅把个人情感凌驾于一切之上了，势必会给军队乃至邦国带来不可挽回的恶果，墨熄戎马多年，他不会不明白这个道理。但他怎么——未及他想完，浩荡的火墙便熄弱了，墨熄自火浪的顶尖处落下，嵌着铁皮的军靴踩在了烧的焦灼一片的土地上。

在所有人或惊愕或茫然的目光中，他手握着锦囊，向国师一步步走去。

国师将匕首收回，一手扼住顾茫的脖颈，一手则向墨熄摊开："交给我。"

"你把他先交给我。"

国师似乎被他这句话给逗乐了，低了下头，舔了舔贝齿，咧嘴露出森森然的微笑："羲和君……你当真是太年轻了，没经历过什么不可挽回的错选。"他笑着，垂落乌黑的睫毛，"看在你还算乖巧，我来提点提点你吧？"

"……"

"当对你而言无比重要的人掌握在别人手里的时候。"国师的指腹堪堪划过顾茫的脖颈，低声道，"别人给你的任何条件，你最好全盘接受，除非你并不是那么有所谓他的生死。"

稍顿了一下，国师将顾茫擒得更紧。

"来。"

他一抬下巴。

"给你最后一次机会。把乾坤囊献给我。"

这回就算不知情的士卒们也有些看明白了，他们的羲和君似乎要以一件对于重华而言极其重要的东西，去换回国师掌中那人的性命。但看明白归看明白，许多人都完全缓不过神来，他们闪电奔袭打了那么残酷的战役，多少袍泽都成了无定河边骨，可羲和君居然要为了一个人……将这一切牺牲都抹杀献祭吗？！

国师指尖一舒："快。"

墨熄在众目睽睽之下走到国师面前，沉默了一会儿，将乾坤囊往前递去——

可就在国师即将触及锦囊的一瞬间，墨熄忽然眼神骤狠，厉声喝令道："阵开！！！"

国师之所以敢让他近身，是因为一直在盯着墨熄的一举一动，他知道若是要攻击，哪怕做得再细微，都一定会有先兆。因此这一声喝令全然在他意料之中，国师立刻抬掌开阵，在自己和墨熄之间挡开一道溢彩流光的防御结界。

他甜甜笑道："算计我？你还差那么……"

话未说完，忽觉身侧一凉！在他尚未反应过来前，他紧紧制着的顾茫身周竟忽然爆溅出了数十道幽蓝色的光剑——莲花剑阵！

那个顾茫与墨熄年轻时留在对方身上的守护剑阵听从了墨熄的命令，在瞬间爆裂！！

如此近的距离，又这样猝不及防，饶是国师身法再好也是无从避闪，刹那间鲜血飞飙，血花直溅沙场……众人惊呼！

墨熄趁此机会一击破了国师的结界，劈手将顾茫夺回怀中。剑阵识主，那些吹毛断发的利刃光剑在触碰到墨熄的瞬息，就化作了无数晶莹的羽毛，飘荡散落。

在一片荧羽纷飞中，墨熄一手拿着乾坤囊，一手带着顾茫，飞回了重华大军阵前。

"师兄。"墨熄轻轻贴了一下顾茫的脸，用几不可闻的声音喃喃道，"没事了……"

国师也真是实力惊人，在历经了不眠不休地抚琴唤魂，与顾茫的杀招对战，耗损了如此多心力的情况下，居然还是及时阻止了剑阵对自己的伤害。

他只是肩膀被刺破了，滴滴答答往下淌着血，但他毫不以为意，一双鹰隼般的眼睛里闪着疯魔而又锐利的精光。

"好……好！哈哈哈哈——"他纵声长笑，"想不到羲和君如此光明磊落之人，也会使出这般阴狠的骗术！当真是人不可貌相！"

但哪里由得着他这么说？墨熄非但没有打算将乾坤囊献出去，还顺利救回了被挟持的近侍，阵前的重华修士无不重重松了口气，更有许多因为方才对墨熄的揣测而倍感羞愧，当即有沉不住气的小修士朝着国师骂阵道：

"闭上你的狗嘴吧！自己技不如人，还来说我们墨帅阴狠毒辣，你好不要脸！"

"你挟质要挟，你就不阴狠了？"

"就是！"

梦泽作为药修，立刻命手下去将慕容怜、慕容怜的护卫都接过来进行疗治，而她自己则走到墨熄身边，低声道：

"我来替他处理伤势。"

墨熄担忧顾茫伤情，由她处理自是再好不过，于是点头道："辛苦你。"

梦泽就命左右将顾茫扶架着到了赤翎阵前，由药修们开始为他止血疗伤。墨熄又看了顾茫好几眼，而后转过头，正准备对传令官吩咐事宜，就听得国师忽然冷笑。

"哈哈哈，是，你们说的都对，羲和君清正洁白，光明正大……"

他施展了扩音之术，幽森森的余音不住地在战场盘旋。

"可诸君是否知道，你们这位清名传世的羲和君，居然会让肮脏不堪的叛国贼子戴着面具当他的近侍？"

阵营里一寂，随即渐有骚动像涟漪一样漾开。

国师不无恶意地甜笑起来，他对满沙场的人道：

"诧异吗？惊喜吗？你们的国之砥柱，圣人君子，他一面哄着你们替他出生入死，一面却和叛徒反贼私相授受，纠缠不清。甚至还在彼此身上留了个亲密无间的血契咒印。"

有小修士按捺不住，愤然喊道："你胡说！"

国师却轻笑道："哎呀，我这人最诚实了，从来不胡说的。"

"诸君若是不信，不如让他揭下这个近侍的面具给你们看看——看看这个身上留着你们墨帅印记的……是不是你们恨极了的前统帅——顾茫？"

一众哗然！

国师自是一知道轻重缓急的人，他本就灵力损耗过多，此时战局不利于燎，他不会恋战。留下这番话后，他便衣摆一挥，与他那些精锐侍从腾空而起，飞掠进夜色之中，只余那肆意狰狞的笑声响彻行云，与他所说的那惊雷般的真相一般，久久回荡于阵前。

重华三军之中一片死寂。慕容怜率的那一营是新组建的军队，对"前统帅"顾茫没有什么直接的感情，因此大多只是愕然。墨熄的北境军则已有不少人神色大变，站在原处摇摇摆摆，而反应最激烈的则是慕容梦泽的赤翎营。

这一营的修士都是贵胄出身，许多人的亲眷都曾死于顾茫之手，一听这个戴着假面的近侍竟是仇人，顿时失了控制。

"羲和君！他说的可是真的？！"

"这人究竟是谁！！"

负责给顾茫疗伤的修士里正巧有一个与顾茫仇恨极深的，竟抬手欲摘顾茫的面具。可就在他将要把假面摘下来的瞬间，一道微弱的碧色华光猛地击在了他的指尖！

那修士蓦地抬头，却见阻止他的不是别人，竟是立在他身旁的慕容梦泽。

"公主……？！"

梦泽道："主帅近侍若配假面，便是身份保密，除了主帅自己与君上之命，谁也不得擅自摘落。"

对方情绪激动道："若他真是顾茫，又有什么不可以的？！"

梦泽威严道："但若他不是顾茫呢？"

药修："……"

"你听那燎人三言两语，便要目无国法，冲撞主帅吗？"

"可是……"

梦泽道："带下去！"

"是！"

左右上前，便将那擅自妄为的药修给带下了军阵。

虽有公主相护，顾茫的假面没有在三军眼皮子底下被摘落，但这一层面具摘与不摘，意义其实都不大了。

墨熄是个行事果断的人，不喜与人存有误会，何况是这么动摇人心的误会。若这假面遮掩下的不是顾茫的脸，按他的性子，他必然会将那近卫的面罩除了以安动荡。但墨熄没有，所以几乎每个人都明白了，他不这么做的原因只有一个——因为国师说的没错，假面下的人，就是顾茫。

一仗打赢了，军心却涣散了，虽有墨熄军功威严在前，暂时无人敢翻到明面上来闹，但是暗地里的流言蜚语却是层出不穷。猜忌关系的，私语咒骂的，揣测用心的……一时间便如旋涡暗潮，在修士之中涌动着。

从来没有哪一次胜仗，胜得有这样令墨熄疲惫。

燎国自大泽撤军，重华修士重新进驻此城，他没有立刻班师回朝，而是率军在大泽城中帮助百姓重新修葺屋舍，安顿流民。他走在战后的残砖断瓦之中，却不似从前一般受人敬仰，周围投射来的尽是遮遮掩掩的打量目光。

但墨熄并不为自己的境遇而感到任何难受。

他早就经历过这样的日子，人情冷暖是他七岁那一年随着父亲逝去就早已明白过来的事，何况那时候踩低捧高的情况远比现在严重得多。

他只是在为别人口中的顾茫而感到极度的压抑悲沉——他可以从人们的眼神里，窃窃私语中，知道他们对顾茫的仇恨与厌憎。而他手握真相，却不能证供呈堂。

"他今天怎么样？"

大泽方破，军营又乱，墨熄这几日始终是早出晚归，无法陪伴在顾茫身边。他不敢将顾茫交与其他人医治，这几日守在顾茫身边的人都是慕容梦泽。

与旁人不能说的秘密，墨熄都与梦泽说了。对于顾茫是卧底之事，梦泽知晓后亦是大为震惊，随即因自己先前对顾茫的种种态度而倍感悔愧。这几日墨熄愿意让她守着治疗，也是因为这个缘由。

梦泽见他回来，神色憔悴地抬起头："大事暂时是没有的，但是我能感受到他因为释放过黑魔绝招，所以神志受到侵蚀，变得有些不受控……不知道还能压制多久。"

墨熄闭了闭眼睛："当初燎国送他回来，就是因为知道他的情况越来越危险，不敢留，不敢杀，不知道他完全被黑魔吞噬之后会变成什么样子，所以才隐瞒真相，把他当作一个烫手山芋丢回给重华。"

梦泽："……"

"不说这个了。"墨熄叹了口气道，"他今日醒来过吗？"

"醒来过，但是头脑一直不太清楚，喝了些药之后就又睡过去了。"

"……"

墨熄喉头发苦，沉默一会儿后道："他的记忆……是不是快留不住了？"

"我说不好。"梦泽轻声道，"不过他醒着的时候，我与他讲了会儿话，他大致都还有些模糊的印象。墨大哥，你也不要太悲观。"

墨熄见她眼睛下隐有青灰，显示这几日来并未睡好，于是低沉道："梦泽，多谢你。"

"我是药修，行医救治本就是我的本分之事，又有什么谢不谢的。"

墨熄摇了摇头："多谢你没有介意我在军帐里对你说过的那些话。"

梦泽静了片刻，低着梨花浸月般温柔的脸庞，嗓音微微沙哑道："那些话……我也没有什么好介意的。这么多年，我其实一直都明白你不喜欢我，只是……只是真的听到你有意中人的时候，多少有一些过不去。"

"……抱歉。"

梦泽沉默着，依旧低头瞧着自己的足尖，半晌道："你不用和我道歉。感情这种事情，原本就是勉强不得的。该说抱歉的是我，那天晚上是我失仪，一时冲动，说了许多不得体的话，教墨大哥瞧了我的笑话，也让你为难了。"

她顿了顿，垂首道："是我对不住你。"

九州大陆能给女修地位的国度屈指可数，重华并非其中一个。但即使是这样，慕容梦泽依然能被破例尊为"戒定慧"三君子之一，显然有她的不同寻常之处。她虽也会有儿女私情，柔弱之态，但最后她总是能明白事理。

梦泽抬起脸来，有些勉强，却也很尽力地笑了笑。

"大哥，以后若你愿意了，就把你最在意的人是谁……告诉我吧。哪怕……有诸般不妥，我想若是你喜欢的……便不会错。"

墨熄没说话，望着她柔软的眼神。

他不知该如何与梦泽再说些什么，这些年她为他做了很多，他该道的谢，该说的话，该许的诺，都已奉上了。

唯独情爱不能予。

两人走到这一步，也实在是穷途末路，墨熄纵使心里有再多的歉意与谢意，也都说尽了，再反复地提也毫无意义。

于是最后只认认真真地道了一句："好。"

顿了顿，又道："时候不早了，你也累了一天，回去歇息吧，这里有我看着他。"

梦泽眼眶湿润，瞧着墨熄，又瞥一眼墨熄身后的顾茫，似是欲言又止，但最终还是低低地"嗯"了一声，转身离开了军帐。

营帐里又只剩下了他们两个人。

墨熄走到榻前，在顾茫身边坐下，抬手摸了摸顾茫的额头——触手仍有些烫，但终归比前几日好许多了。

"梦泽说你白日的时候醒来过，但许是我运气不好，每次来瞧你的时候，你都昏睡着。"墨熄低低地对他说，像是希望他听到，又像是希望不搅扰到他。

"血魔兽的残魂已经被重新封印起来了，封存得很周全，你又一次完成了你的任务。"墨熄轻声道，"你啊，无论旁人给你的任务有多难，要求有多苛严，你总是能够完成。君上从来就没有看错你……你比谁都更能成事。"

他低下头，额头轻抵着顾茫的前额。

"只是你什么时候才能多关心自己一些呢？"

躺在榻上的人安安静静的，柔长的睫毛垂落浓浓的影。

墨熄低声道："明明知道自己身上的黑魔之息已经压不住了，却还是要解封妖狼之血，就为了拖住国师，让慕容怜能有时间把锦囊交到我手里。"他闭上眼睛，眼珠在薄薄的眼帘子之下不安地动着。

"师兄……"

睡熟的人并没有任何的回应。墨熄就这样与他额头相贴，良久之后说："所有能做的事情你都做完了，等我们回到都城，你就好好养病。什么都不用再忧心，一切都有我。"

"……"

"我不知道我能护你多久，但只要我还在一天，就不会叫任何人欺负你。"

"……"

"你安心休息吧。"

墨熄说完之后，又陪他坐了好一会儿，待到有传令官急报城东灾民安置情况，他才起身离开了帐篷。

外头的风刮得急，帐帘一掀，带起猎猎风声，一落，帐内又复归阒静。

在这无声的静谧中，躺在床榻上的人睫毛轻颤，泪水顺着柔软的脸颊淌落到鬓发深处去——顾茫慢慢地睁开了眼睛。

他其实根本就没有睡着，每一天晚上墨熄来看他的时候，他都是清醒的。

只是不知如何自宽，怎样面对。他不畏天不畏地，唯独畏别离。

那一天他自解封印，激发体内所有的妖狼之血与国师对战，自此之后黑魔之气就在他体内失了控，他能感受到自己的记忆几乎是崩塌似的在流逝，而这种流逝是无论如何遮掩也遮掩不了的。

而墨熄已经这样万事缠身了，如果每天来看他的时候，都发现他的头脑比前一天更不清醒，墨熄会怎样？

快刀枭首固然可怕，但钝刀子一寸一寸地割肉更让人煎熬，顾茫不希望将墨熄拽入这煎熬之中，于是他宁愿选择不与墨熄交谈。

只是当夜深人静，大帐无人时，他会从枕褥深处摸索出之前写下的回忆集，小心翼翼地展开了抚平，犹如溺水之人捉住浮木，近乎偏执地一遍一遍细看。

那上面写着的内容初时还能努力想起，但是一天过去，又一天过去，纸上的字就越来越像别人的故事，到了今天，他几乎有半卷都无法回忆出任何的细枝末节了。

顾茫抬起手，将那因翻阅太多而皱巴巴的纸页揣在心口。他是那么用力，以至于手背处青筋突起，他将回忆集揣在怀中，仿佛这样就能把那些记忆都锁回心底。

他蜷在床上，终究是一夜未眠。